HISTOIRE DE LA MAFIA

DES ORIGINES À NOS JOURS

SALVATORE LUPO

HISTOIRE DE LA MAFIA

DES ORIGINES À NOS JOURS

Traduit de l'italien
par
Jean-Claude Zancarini

*Ouvrage traduit
avec le concours du Centre national du Livre*

FLAMMARION

Titre original : *Storia della mafia, dalle origini ai giorni nostri.*
Nuova edizione riveduta e ampliata.
© 1996, Donzelli editore, Roma.

© Flammarion, Paris, 1999.
Édition française effectuée par l'intermédiaire de l'Agence littéraire
Eulama.
ISBN :2-0808-0002-7

REMERCIEMENTS

Au cours de cette recherche, j'ai été aidé par la générosité de nombreuses personnes. Je tiens à citer certaines d'entre elles : Claudio Torrisi, des Archives de Caltanissetta ; Marina Giannetto des Archives nationales ; Ada Becchi ; les membres du staff de la Commission antimafia. J'ai eu de nombreuses occasions de m'éclaircir les idées lors des réunions de l'IMES (Institut méridional d'histoire et de sciences sociales) et du comité de rédaction de la revue *Meridiana*. Je remercie, pour leurs incitations et leurs suggestions, Giuseppe Barone, Pinella Di Gregorio, Giovanna Fiume et Rosario Mangiameli ; c'est avec ce dernier, en particulier, que j'ai élaboré certaines des interprétations qui ont pris corps dans cet ouvrage.

Catane, décembre 1996.

S. L.

ABRÉVIATIONS

ACS		Archives centrales de l'État
	AC	Ministère de l'Intérieur, administration civile
	CPC	Fichier politique central
	Giustizia	Ministère de la Justice, affaires générales pénales
	MAP	Affaires pénales
	PG	Ministère de l'Intérieur, Police judiciaire
	PS, AGR	Ministère de l'Intérieur, direction de la Sûreté publique, affaires générales réservées
	Segreteria, CR	Secrétariat particulier du Duce, correspondances réservées
Antimafia		Commission parlementaire d'enquête sur le phénomène de la mafia en Sicile ; Actes, Rome, 1972
	Doc.	Documents joints au rapport conclusif
	Rel. Bernardinetti	Rapport sur les rapports entre mafia et banditisme en Sicile
	Rel. Carraro	Rapport conclusif
	Rel. La Torre	Rapport de minorité (de gauche)
	Rel. Zuccalà	Rapport sur le trafic mafieux des tabacs et stupéfiants, ainsi que sur les rapports entre mafia et gangstérisme italo-américain
	Singoli mafiosi	Rapport sur des enquêtes regardant certains mafieux en particulier
APCP		Actes parlementaires de la Chambre des députés

ASAG	Archives d'État d'Agrigente
ASCL	Archives d'État de Caltanissetta
ASPA	Archives d'État de Palerme
GP	Cabinet de la préfecture
GQ	Cabinet de la préfecture de police
QAG	Archives générales de la préfecture de police
BCI	Bibliothèque communale d'Imola
Inchiesta Bonfadini	*L'inchiesta sulle condizioni sociali ed economiche della Sicilia (1875-1876)* [L'enquête sur les conditions sociales et économiques de la Sicile], S. Carbone et R. Grispo [éds.], Bologne, 1968, 2 vol.
Inchiesta Fabrizi	*I moti di Palermo del 1866. Verbali della Commissione parlamentare d'inchiesta* [Les émeutes de Palerme en 1866. Procès-verbaux de la Commission d'enquête parlementaire], Rome, 1981
Istruttoria maxiprocesso [Instruction du maxi-procès]	*Mafia. L'atto d'accusa dei giudici di Palermo* [Mafia. L'acte d'accusation des juges de Palerme], C. Stajano [éd.], Rome, 1986 [extraits de la sentence d'instruction du tribunal de Palerme contre G. Abbate et 706 autres inculpés]
Processo Amoroso	*Processo dei fratelli Amoroso & C.* [Procès des frères Amoroso & Cie], Palerme, 1883
Processo Andreotti	*La vera storia d'Italia* [La véritable histoire d'Italie], S. Montanari et S. Ruotolo [éds.], Naples, 1995 [extraits du mémoire déposé par le ministère public]
Rapporto Sangiorgi	ACS, PS, Atti speciali, 1898-1940, b.1, f.1
Témoignage Buscetta	Tribunal de Palerme. Procès-verbal d'interrogatoire de T. Buscetta devant le juge G. Falcone, 21 juillet 1984 et sq.
Témoignage Buscetta Débats	Interrogatoire de T. Buscetta au cours des débats du maxi-procès, texte conservé par la Commission antimafia, 3 vol.
Témoignage Calderone	Tribunal pénal de Marseille. Procès-verbal d'interrogatoire de A. Calderone devant les juges M. Debacq et G. Falcone, 9 avril 1987 et sq.

Témoignage Calderone-
Arlacchi

P. Arlacchi, *Gli Uomini del disonore. La mafia siciliana nella vita del grande pentito Antonino Calderone* [Les Hommes du déshonneur. La mafia sicilienne dans la vie du grand repenti Antonino Calderone], Milan, 1992.

CHAPITRE PREMIER

INTROIBO

1. *À propos du nom et du concept*

Dans la masse croissante d'ouvrages sur la mafia, on ne trouve pas beaucoup de livres d'histoire [1]. C'est pourtant l'histoire qui doit répondre à une série de questions essentielles, et pas seulement à celle des origines, trop souvent ramenée à la recherche d'un *commencement* mythique que l'on pourrait opposer à un *aujourd'hui* privé de profondeur. Quand, comment et pourquoi l'ensemble des faits que l'on peut définir par le terme « mafia » émerge-t-il de l'histoire sicilienne ? Quels sont les phénomènes qui varient en fonction des transformations du contexte historique ? À travers quelles lignes le passé se projette-t-il dans le présent ?

Mafia est un mot qui, depuis le milieu du XIXᵉ siècle, revient continuellement dans la polémique politique ou journalistique quotidienne, les enquêtes judiciaires, les essais, la fiction, les études des anthropologues, des sociologues, des juristes, des économistes et des historiens. Mais il s'agit d'un terme polysémique, qui, selon les contextes, les circonstances, les intentions ou l'intérêt de celui qui l'utilise, se réfère à des faits distincts. Il est difficile de repérer une thématique, une typologie ou une série de phénomènes homogènes entre eux que l'on puisse désigner par le terme « mafia » ; et il est tout aussi difficile d'échapper à l'impression que la fortune du mot vient précisément de l'ampleur et de l'indétermination de ses champs d'application.

Le juge Giovanni Falcone a écrit : « Alors qu'auparavant on hésitait à prononcer le mot mafia […], maintenant on en fait un usage abusif […]. J'accepte mal que l'on continue à parler de mafia en termes descriptifs et trop génériques, car on met ainsi sur le même plan des phénomènes qui, certes, proviennent de la criminalité organisée, mais qui n'ont rien à voir, ou bien peu, avec la mafia[2]. »

La polémique de Falcone vise ceux qui mêlent une super-élite criminelle originaire de Sicile occidentale, que l'on nomme communément la Cosa nostra, et sa non moins célèbre correspondante aux États-Unis, avec la délinquance organisée en général et, parfois, avec la délinquance commune. Selon l'acception généralement retenue de nos jours, la *mafia* désignerait la criminalité régionale sicilienne, la *camorra* la criminalité régionale en Campanie ; par symétrie, les médias ont récemment introduit un terme analogue pour la Calabre, celui de *'ndrangheta*. Nous pourrions aussi y ajouter une mafia chinoise, turque, colombienne, russe, et ainsi de suite. Nous n'en sommes pourtant qu'aux débuts de la confusion des langages, dans la mesure où le terme recouvre des acceptions bien plus larges, qui s'éloignent parfois du domaine de la criminalité organisée. Il peut en effet renvoyer à l'influence de lobbies et d'associations secrètes, à des fonctionnements dévoyés de l'appareil d'État[3] ; il désigne un rapport étroit entre politique, affaires et criminalité, l'illégalité ou la corruption diffuses, une perversion des mœurs faite de favoritisme, de clientélisme, de fraudes électorales, d'incapacité à appliquer les lois de façon impartiale. On s'est ainsi demandé si l'on pouvait définir comme une *cosca* mafieuse (c'est-à-dire un « parti », une « société », une « fraternité ») le groupe politico-affairiste qui, voilà quelques années, avait à sa tête le leader socialiste ligure Alberto Teardo, et qui pourtant ne faisait généralement pas usage de la violence : c'était bien loin d'être un pur dilemme scientifique sans enjeux, puisqu'en Italie, depuis 1982, on peut être condamné pour « association mafieuse ».

Dès lors, il faut rappeler un argument qui s'oppose à celui qu'avancent généralement les observateurs. Il n'est pas exact que la société sicilienne ait, de tout temps, gardé le silence sur le phénomène ; en Sicile, à l'exception peut-être des années cinquante de notre siècle, on parle abondamment de la mafia, et tous (mafieux compris) utilisent le terme mafieux pour qualifier leurs concurrents, leurs adversaires politiques, les divers représentants de l'autorité publique. À Palerme en particulier, mais également dans d'autres villes de l'île où un vrai problème de ce genre est historiquement absent (je pense à la Catane de la fin du siècle dernier), toute opération de renouveau ou simplement d'opposition a été menée, depuis plus de cent ans, sous l'égide de la lutte contre la mafia. Que l'on pense aussi aux nombreuses occasions où la mafia a été la métaphore ou le prétexte de batailles concernant le système politique national : en 1875, avec les mesures exceptionnelles de sûreté publique et le passage de la droite à la gauche ; en 1926, avec l'opération Mori et l'instauration d'un régime totalitaire en Italie ; après la Seconde Guerre mondiale, quand Portella della Ginestra fut un signe avant-coureur de l'hégémonie de la Démocratie chrétienne sur les forces de droite et dans le pays tout entier ; avec la première Commission parlementaire antimafia * et l'avènement du centre gauche ; aujourd'hui, où l'on fait coïncider la mafia avec l'image d'un Mezzogiorno parasitaire, ou bien avec celle d'un système de gouvernement délabré et corrompu. Il n'y a rien d'étonnant à cela. Le combat politique adapte à ses propres fins un instrument conceptuel déjà imprécis et, par ailleurs, tous les éléments auxquels nous venons de faire allusion ont entre eux de tels points de contact qu'ils donnent une légitimité à l'usage élargi du terme. Toutefois, cette accumulation de facteurs plus ou moins homogènes conceptuellement ne simplifie pas toujours la lutte contre la mafia ; elle ne favorise pas non plus la connaissance, qui ne peut advenir que par distinction. Parfois, « la superstructure des mots s'autoalimente, produit des métastases qui recouvrent la structure des faits et la tuent[4] » ; le concept perd tout ancrage solide, fût-il spatial et chronologique, car les catégories de corruption et de clientélisme peuvent s'appliquer, de diverses façons, à des phénoménologies, des moments et des lieux très différents. Si tout est mafia, rien ne l'est.

Le retour à l'usage *originel* du terme peut sembler un bon antidote aux ambiguïtés du concept. Cependant, dans le

* Antimafia est un terme général désignant les diverses commissions parlementaires d'enquête sur les activités mafieuses. La première fut mise en place en décembre 1962 [N.d.T.].

magma primordial de la Sicile postunitaire, quand le mot mafia
entre dans l'usage, de telles ambiguïtés avaient une portée plus
vaste encore. On parle de mafieux pour la première fois en
1862-1863, dans une comédie populaire à grand succès intitulée, précisément, *I mafiusi di la Vicaria*[5], dont l'action se
déroule en 1854, parmi les *camorristi* détenus dans la prison de
Palerme. En avril 1865, un document réservé, signé par le
préfet de Palerme, Filippo Gualterio[6], mentionne la « *maffia* *
ou association de malfaiteurs » et en 1871, déjà, la loi de sûreté
publique fait allusion aux « oisifs, vagabonds, mafieux et suspects en tout genre ». Durant les quinze années suivantes, le
terme voisine avec celui de *camorra*, sans égard aux caractéri-
sations régionales (on l'emploie indifféremment pour la Sicile
ou pour la Campanie) et sans différenciations conceptuelles
claires. Le mot *camorra* indique plutôt les systèmes de contrôle
illégitime des marchés, et parfois les sources le rapportent au
monde urbain, en gardant l'autre – la mafia – pour le monde
rural. On rencontre toutefois des usages opposés : ainsi, les
protagonistes de *I mafiusi di la Vicaria* sont des artisans de la
ville, et Gioacchino Rasponi, préfet de Palerme en 1874, définit
la mafia comme un « brigandage des villes[7] ».

Les fonctionnaires de la droite historique nomment
« mafieux » les brigands et les conscrits réfractaires, les notables qui sont à la tête des partis municipaux et les petits délinquants, les adversaires de l'ordre politique et ceux de l'ordre
social, les exploitants des mines de soufre et leurs ouvriers,
les propriétaires et les paysans. Parmi tous ces sujets, si dis-
semblables, le seul trait unifiant est le contexte dans lequel ils
vivent, entendu dans son acception la plus large, celui d'une
société violente, barbare et primitive, et ce à tous les échelons
de la hiérarchie sociale : les préfets, les commandants militaires, les préfets de police, les commissaires estiment qu'ils
ne peuvent trouver là un interlocuteur pour l'État libéral,
c'est-à-dire ce que le langage du temps nomme une classe
moyenne, mais qu'il serait plus approprié de désigner comme
une couche d'*optimates* ** et de notables ; les Siciliens

* Les deux orthographes coexistent pendant le XIXᵉ siècle [N.d.T.].

** Terme de tradition romaine, qui signifie « les meilleurs ». Il désigne
ici les couches dirigeantes siciliennes, tant du fait de leur situation économique et sociale que de leur rôle politique [N.d.T.].

paraissent trop querelleurs, trop factieux, trop prompts à gérer selon des intérêts privés la chose publique. Gouverner des « peuples comme ceux-ci […] avec des lois et des ordonnances à l'anglaise ou à la belge, qui présupposent un peuple cultivé et moral comme là-bas ou, du moins, comme dans la partie supérieure de la Péninsule » signifie se lancer dans « une expérience hasardeuse et terrible », inévitablement destinée à déboucher sur le chaos et la violence. Telle est l'opinion du préfet de Caltanissetta, Guido Fortuzzi[8], que nous pourrions définir comme le dernier des hommes de la droite historique ; mais c'est aussi, au fond, l'idée qui guide la première grande réflexion sur ce thème, celle de Leopoldo Franchetti (1876)[9]. Cette découverte de la diversité *socioculturelle* de l'île, cette première version de la mafia comme métaphore de l'arriération, se conjugue par ailleurs avec les difficultés du modérantisme postunitaire pour trouver ne fût-ce qu'un interlocuteur *politique* dans une Sicile occidentale, dans une Palerme où l'opinion publique s'oriente davantage vers les républicains, les « régionalistes » et les représentants de la gauche modérée que vers le parti qui est au gouvernement. L'intention politique qui fonde le rapport Gualterio caractérise la « maffia » par ses liens avec les partis extrémistes – républicains et bourboniens – et désigne comme personnages clés le général Giovanni Corrao, chef du groupe radical garibaldien puis, après l'assassinat de ce dernier en 1863, son successeur, Giuseppe Badia ; les préfets font cette « découverte » incidemment, dans la mesure où elle leur sert à diaboliser l'opposition et à justifier leur impuissance à obtenir un consensus[10].

Vingt ans après, le mot « mafia » apparaît également aux États-Unis, pour définir une organisation mystérieuse, que l'on fait remonter à des temps immémoriaux, qui conserverait sa tête pensante sur l'île et répandrait partout ses hommes de main ; l'usage du terme tend également à stigmatiser une « *alien conspiracy* », un complot étranger ourdi par des « socialistes, nationalistes ou autres[11] ». Le soupçon d'une complicité du gouvernement italien n'est pas absent, comme dans ce dessin humoristique de la fin du XIXe siècle où un joueur de flûte magique attire sur l'autre bord de l'océan la foule immonde des rats de l'Ancien Monde, y compris le rat mafieux, à la grande joie des dirigeants européens et au déses-

poir de l'Oncle Sam. Il s'agit de l'une des formes par lesquelles l'Amérique Wasp (White, Anglo-Saxon, Protestant)
exprime sa peur de ce qui est différent, l'intolérance ethno-
centrique face à la « seconde vague » des immigrants ; c'est
aussi, en pratique, un argument qui pousse à réclamer la limi-
tation des visas d'entrée aux États-Unis pour les Italiens (en
particulier les Méridionaux) que l'on accuse de reproduire
dans le Nouveau Monde ce qu'il y a de pire dans leur société
de départ : maladies, ignorance, superstition et, naturellement, une criminalité d'autant plus redoutée qu'elle est plus
exotique et mystérieuse.

Entre le premier usage italien et le premier usage américain
du terme, il y a donc des points communs : la mafia est la
métaphore d'une incompatibilité avec les valeurs affirmées de
l'État du XIXe siècle ; en cela, elle apparaît vaguement liée à la
subversion politique et, plus encore, elle reflète la crainte de
la permanence d'un passé obscur, d'un code culturel hostile à
la modernité. Ce schéma réapparaîtra, sous diverses formes,
durant le siècle suivant, de la même façon que se manifestera
à nouveau cette singulière contradiction dans l'attitude des
autorités publiques qui, tout en dénonçant l'incapacité de la
culture traditionnelle sicilienne à accepter la souveraineté de
la loi, font un large usage, en tant qu'*instrumentum regni*, de
la pathologie qu'ils dénoncent par ailleurs. Cette attitude justifie que les opposants politiques retournent l'accusation
contre lesdites autorités et introduit un autre thème, celui des
rapports entre mafia et pouvoir politique. Après 1860, l'Italie
libérale a recours, dans la lointaine province de Sicile, à une
pratique de gouvernement fortement autoritaire, fondée sur
des méthodes « exceptionnelles », mais surtout – nous le verrons – elle se sert, y compris pour la gestion quotidienne de
l'ordre public, de délinquants, et n'hésite pas à utiliser des
mafieux comme agents électoraux, dès les premiers temps du
suffrage restreint. Sur ce point également, on peut faire un
rapprochement avec ce qui advient aux États-Unis, où
l'« *establishment* », la police, les appareils politiques, les
entrepreneurs emploient les mafieux (ainsi que les représentants d'autres formes ethniques d'« *organized crime* »)
comme médiateurs avec l'univers *autre* de l'immigration.

Dans cette première phase déjà – et ils continueront à faire
de même par la suite –, quand on les accuse d'être des

mafieux, les individus, les groupes affairistes, les réseaux de clientèle, la communauté sicilienne ou italo-américaine aux États-Unis répondent, au tribunal, dans la presse, depuis les tribunes parlementaires, par deux arguments. D'une part, on déclare qu'il existe partout une criminalité « normale », mais que, en revanche, la mafia n'existe aucunement. L'autre argument, plus sophistiqué, renverse la thèse de l'accusation : il accepte l'allusion au caractère archaïque de la Sicile et la dénonciation de l'incapacité de communication existant entre cette dernière et l'État, mais c'est pour en inverser polémiquement le sens. On affirme que seule une volonté de persécution mal dissimulée peut transférer dans la sphère des classes supérieures un concept typiquement lié à l'univers culturel de la plèbe ; par condescendance paternaliste (ou par connivence idéologique ?) on veut y voir un reste chevaleresque du monde traditionnel, une « robuste barbarie » en voie de disparition du fait même de l'évolution historique ; seule l'incapacité à comprendre la Sicile peut traduire cela par l'idée d'une association secrète et criminelle. Il est naturel que la formulation originelle de cet argument soit due à un ethnologue, qui est d'ailleurs l'un des plus grands ethnologues européens du XIXᵉ siècle, le Palermitain Giuseppe Pitrè, et il est non moins naturel que cela advienne peu après la découverte du terme et du concept, vers 1880. Donc, pour Pitrè, la mafia « n'est ni une secte ni une association, elle n'a ni règlement ni statuts, […] le mafieux n'est pas un voleur, ce n'est pas un brigand […] ; la mafia est conscience de sa propre existence, estime exagérée de sa propre force individuelle […], d'où le caractère insupportable de la supériorité et, pire encore, de l'arrogance d'autrui. » L'autre mot clé, *omertà*, dériverait d'*uomo*, et signifierait précisément être un homme par excellence, capable de répondre aux offenses virilement, par lui-même, sans faire recours à la justice de l'État[12].

Pitrè affirme que le terme « mafia » était habituellement utilisé, avant même les années soixante, dans les quartiers populaires de Palerme, comme synonyme de « beauté » et d'« excellence » : *mafiusu* serait un homme courageux, *mafiusedda* une belle et fière jeune fille. Il s'agirait d'un terme de la « vieille » Sicile qui, après 1860, perdrait son « sens originel » et positif pour en prendre un autre, peu clair et en tout cas négatif, proche de brigandage, *camorra*, banditisme ;

de la sorte, commente malicieusement Pitrè, on en arrive à un mot « presque impossible à définir ». Cette thèse converge, par son intention apologétique et régionaliste, avec celle, apparemment opposée, des linguistes Traina et Mortillaro, selon lesquels le terme était inconnu dans l'île avant 1860 et aurait donc été introduit par la malveillance ou les mauvaises façons de gouverner des « continentaux [13] ».

Les protagonistes, face à la rapide diffusion du mot, se comportent comme s'ils pensaient pouvoir résoudre par l'étymologie le mystère du concept, en retrouvant un sens *originel* et plus vrai. Dans la réalité, les options philologiques préfigurent déjà les options interprétatives et ces dernières se superposent aux choix de camp, sans qu'échappe à ceux-ci, bien entendu, le versant américain. Si l'on ne perçoit pas les finalités pratiques de ces interprétations de la mafia, on superpose pêle-mêle les divers points de vue des accusateurs, des apologistes, des complices, des démocrates, des totalitaires, des sicilianistes et des antisicilianistes ; de là provient l'aspect répétitif de la mafiologie où, comme dans des miroirs déformants, le stéréotype devient d'autant plus indiscutable qu'est plus éloigné et plus mystérieux le lieu où il a été formulé la première fois. Mon étude, qui s'oppose à un tel cercle vicieux, utilisera les instruments les plus classiques de l'histoire, les sources d'archives, les sources judiciaires, les matériaux des enquêtes parlementaires, tout en racontant, avec rigueur, l'histoire d'êtres humains ayant réellement existé et non celles de personnages de romans déguisés en modèles sociologiques. La dialectique des interprétations du passé et du présent, celles de Franchetti, Pitrè, Mosca, Sciascia, celles qui se sont exprimées dans les colonnes des journaux ou dans les salles des tribunaux, sera considérée comme *l'un* des instruments possibles de connaissance, comme un point d'où partir, en ayant conscience que la prédominance d'un point de vue ou de l'autre est partie intégrante de l'histoire elle-même et contribue, en définissant au sens large le camp de l'accusation et celui de la défense, à déterminer l'issue de la lutte pour et contre la mafia.

En schématisant au maximum des lignes d'interprétation qui, dans les faits, sont le plus souvent mêlées, nous pouvons distinguer quelques aspects fondamentaux : la mafia a été vue comme un miroir de la société traditionnelle, avec une atten-

tion marquée envers les facteurs politiques, économiques ou –
plus souvent – socioculturels ; comme une entreprise ou une
sorte d'industrie criminelle ; comme une organisation secrète
plus ou moins centralisée ; comme un système juridique
parallèle à celui de l'État, en d'autres termes comme un *anti-
État*.

2. *La mafia comme miroir de la société traditionnelle*

Les contributions des journalistes, celles qui proviennent
de recherches sociologiques et anthropologiques et même les
rapports des Commissions antimafia cherchent à comprendre
des phénomènes et des comportements parfois très récents en
les situant par rapport à une histoire vieille de plus de cent
ans. Malheureusement, ces textes se réfèrent le plus souvent à
une vieille historiographie qui décrit le Mezzogiorno des
XIXe et XXe siècles comme une société semi-féodale, agra-
rienne et latifundiaire, économiquement et socialement
immobile, n'ayant connu qu'un seul mouvement de
renouveau : le mouvement paysan. Dans un tel schéma, il
semble logique de penser que la mafia sert essentiellement à
garantir la subordination des paysans envers les classes dirigeantes, bien que cette fonction n'apparaisse clairement que
dans les deux après-guerres, à savoir dans quelques moments
spécifiques de la longue histoire mafieuse. Il faut également
prendre en considération, pour d'autres cas de domaines agricoles de type latifundiaire, en Italie et à l'étranger, l'absence
de tels phénomènes, qui ne peuvent à l'évidence être réduits
aux armées privées que, partout dans le monde, les grands
propriétaires et les *fazenderos*, utilisent pour asseoir leur pouvoir. D'ailleurs, les mafieux que l'on considère comme les
plus représentatifs du modèle traditionnel, Calogero Vizzini
et Giuseppe Genco Russo, bien loin d'être d'aveugles instruments du pouvoir agraire, sont les organisateurs de coopératives qui tirent une bonne part de leur pouvoir du transfert des
terres des grands propriétaires vers les paysans, en s'appuyant
précisément sur les mouvements collectifs des deux après-
guerres : ce ne sont pas les gardiens, mais les fossoyeurs du
système des grands domaines, et ils jouent un rôle incom-

préhensible si on ne les resitue pas dans les grands processus de modernisation politique et sociale du XXᵉ siècle.

On en vient à se demander pourquoi le contexte presque universellement rappelé est celui des latifundia, alors que l'on peut aisément observer, dès les origines, la compatibilité entre mafia et fragmentation de la propriété foncière, entre mafia et niveau élevé d'intégration avec de riches marchés internationaux et même transocéaniques, dans la Sicile du soufre et dans les zones côtières autour de Palerme, de Trapani et – au-delà du détroit de Messine – de Reggio Calabria [14] : ce sont là des secteurs et des moments de dynamisme économique et social que le Mezzogiorno, tout arriéré qu'il soit, fournit en grand nombre. Fascinés par les contextes ruraux et « primitifs », les chercheurs ont souvent oublié la « capitale » de l'île et sa campagne urbanisée, que pourtant bien des sources du XIXᵉ siècle présentaient comme le centre de l'infection. D'après Antonino Cutrera (1900), c'est là que « réside la vraie mafia, la mafia légendaire, la mafia des grands procès criminels, celle qui, par ses crimes retentissants, a fait naître la terreur et accorder la première place à l'histoire de la criminalité sicilienne [15] ». Nous ne pouvons être d'accord avec l'idée d'une « vraie » mafia palermitaine, à préférer à la mafia de Trapani ou d'Agrigente, mais il est certain que la majeure partie des actions mafieuses les plus éclatantes ont eu lieu dans une zone qui coïncide grosso modo avec la province de Palerme : depuis la périphérie citadine, la zone de « riche » agriculture de la Conca d'oro, jusqu'au reste de la bande côtière qui se prolonge dans la région de Trapani, jusqu'à la partie intérieure de la province, celle du latifundium* qui, au XIXᵉ et, pour partie, également au XXᵉ siècle, est reliée à la ville par la chaîne du louage, par le mouvement de la rente de l'intérieur des terres vers la ville et, souvent, par le mouvement de l'encadrement (administrateurs, *gabellotti*, gardiens) dans l'autre sens. Dans cette *Histoire de la mafia*, nous mettrons en évidence, à l'intérieur d'une vaste zone dont Palerme est le centre, une déconcertante continuité *des groupes, des lieux, des expériences et des secteurs d'intervention*. Le pouvoir des Greco dans la bourgade de Ciaculli et dans la fine

---

* Grand domaine agricole qui peut s'étendre sur des centaines, voire des milliers d'hectares [N.d.T.].

fleur du milieu mafieux urbain dure depuis un siècle, pendant
lequel la situation économique, sociale et politique a entièrement changé, pourrait-on dire, à l'exception de cette seigneurie territoriale. En particulier, dans ce que l'on nommait,
au XIXe siècle, « la campagne palermitaine », à mi-chemin
entre cité et campagne, dans les bourgades et les villages de la
périphérie, les groupes mafieux donnent naissance à un système de contrôle du territoire qui, partant du réseau dense des
guardianìe (« garderies »), parvient à filtrer les trafics aussi
bien licites qu'illicites, le vol de bétail, la contrebande et la
première étape du circuit commercial des agrumes et autres
produits d'une riche agriculture. Cette même zone est
apparue comme la ligne plus ou moins naturelle de l'expansion et de la spéculation immobilière : espaces et pouvoirs
anciens sont au service de nouvelles occasions de profit.
L'insertion dans la chaîne d'émigration transocéanique,
l'habitude du commerce à longue distance, comme celui des
agrumes, ont préparé les mentalités et fait naître les aptitudes
nécessaires pour passer à la contrebande de tabac et de stupéfiants.

L'équation *mafia = latifundium*, qui va de pair avec *petite
propriété = progrès social*, représente en réalité une façon de
lire le phénomène comme un résidu plus ou moins féodal, en
le projetant vers un obscur passé et en libérant l'avenir de
cette sombre hypothèque. Dans l'histoire des interprétations
de la mafia, et de la lutte contre celle-ci, revient cycliquement
l'idée selon laquelle la « modernité » (la réforme agraire,
l'industrialisation, davantage de liberté sexuelle) devrait *ipso
facto* détruire le phénomène et son bouillon de culture ; ce
schéma a été propagé de bonne foi par la gauche après la
Seconde Guerre puis, non sans quelque instrumentalisation, a
été repris un peu par tout le monde afin d'obtenir davantage
de fonds publics, davantage de ressources à gérer. De façon
analogue, du côté américain, la mafia a été décrite comme le
reste d'une civilisation « paysanne », destiné à disparaître au
fur et à mesure de l'insertion de la communauté italienne dans
les rangs supérieurs de la société des États-Unis. Et on peut
remonter encore plus haut, au temps où les libéraux dési-
gnaient le « féodalisme » et le mauvais gouvernement des
Bourbons comme les causes de tous les maux du Mezzogiorno. Beaucoup pensaient que la mafia disparaîtrait quand,

dans les villages de l'intérieur désolé de la Sicile, on enten-
drait le sifflement des locomotives, sans imaginer qu'on en
parlerait encore bien après ledit sifflement, mais aussi après
les bang des avions à réaction et les bip des ordinateurs.

Aujourd'hui, cent trente ans environ après l'Unité italienne, le contexte, que l'on avait autrefois analysé, de façon
simpliste, comme archaïque, a changé du tout au tout, et
cependant nous avons encore en face de nous quelque chose
que nous nommons mafia, en cherchant à comprendre de
quelle façon ce phénomène, apparemment typique d'un univers « traditionnel », a pu survivre à la modernisation. La
modernité n'entre donc pas en contradiction avec une phénoménologie de type mafieux, comme le prouvent le cas américain et le cas méridional de la période récente ; quant à la
catégorie d'immobilisme, elle n'est pas propre à rendre
compte du phénomène ni de son contexte. La mafia sicilienne
demeure pendant plus de cent ans sous les projecteurs, même
s'il reste à démontrer que tous les phénomènes rangés sous ce
terme font toujours réellement preuve d'un degré significatif
d'homogénéité. La *camorra* apparaît à des moments précis,
comme une suite de flashes : la période postunitaire, le
moment giolittien, le second après-guerre [16]. En Calabre, la
picciotteria, qui émerge soudainement au début du XXe siècle
et subit une rude répression, jette une lueur momentanée sur
une histoire obscure car faiblement présente dans le débat
contemporain ; d'ailleurs ce n'est que récemment qu'elle est
devenue objet d'analyse historique [17]. Quoi qu'il en soit, traditionnellement, il s'agissait d'un phénomène circonscrit,
caractéristique de Palerme et de presque toute sa province, de
Naples et de quelques zones périphériques, de la province de
Reggio Calabria, d'une partie de celle de Trapani, de la Sicile
du soufre et des latifundia, à l'exclusion de la partie orientale
de l'île. Ce n'est que dans les trente dernières années que
l'infection s'est répandue au point de couvrir de façon assez
homogène trois régions : la Sicile, la Campanie et la Calabre,
sans parler d'une quatrième, les Pouilles.

Cette évolution ou, si l'on préfère, cette régression, met en
question non seulement l'explication fondée sur l'archaïsme
socioéconomique, mais également son pendant sociocul-
turel, qui fait du comportement mafieux une conséquence
directe de l'anthropologie implicite des Siciliens ou, plus lar-

gement, des Méridionaux ; cette culture serait caractérisée par la méfiance vis-à-vis de l'État et donc par l'habitude de se faire justice soi-même, par le sens de l'honneur, le clientélisme, le familialisme qui soustrait l'individu à la perception de ses propres responsabilités face à une collectivité plus vaste que celle d'origine [18]. Ces caractères devraient être relativement homogènes dans l'ensemble du Mezzogiorno et on ne peut donc pas expliquer la distribution éclatée du phénomène à ses débuts, ni le fait que l'extension de ce produit supposé de la culture traditionnelle au-delà de son domaine originel coïncide précisément avec la modernisation du pays, même si effectivement l'hybridation socioculturelle est partie intégrante de la transformation historique [19].

Que l'on n'aille pas penser que je veux supprimer l'élément culturel de l'explication de ce phénomène social (comme, d'ailleurs, de tout autre phénomène). En admettant qu'il s'agisse bien là d'une représentation vraisemblable de l'anthropologie méridionale, il faudrait tenter de distinguer le phénomène et son contexte en enquêtant sur la façon dont l'organisation mafieuse s'approprie les codes culturels, les instrumentalise, les modifie et en fait le substrat de sa propre attitude. Que l'on pense au refus de la notion d'impersonnalité de la loi, au mépris envers les gendarmes et ceux qui collaborent avec eux, traits certainement très diffusés parmi les gens du peuple, les bourgeois et les aristocrates dans la Sicile des XIXe et XXe siècles, mais que la mafia utilise en les pliant à ses finalités propres. Ou bien que l'on réfléchisse à l'image d'une mafia modérée et protectrice, toujours mise en avant par les mafieux, soit directement, soit par l'intermédiaire de leurs représentants. Nous verrons le grand chef mafieux de la période postunitaire, Antonino Giammona, décrit par son avocat comme un homme d'ordre, mais incapable de supporter abus de pouvoir et arrogance ; nous verrons, en 1883, les défenseurs des frères Amoroso insister sur l'origine populaire de leurs clients, ignorants mais marqués par une conception de l'homme faite de codes d'une extrême rigidité fondés sur l'honneur et l'attachement viscéral aux solidarités et aux haines familiales [20]. En 1930, l'avocat de Vito Cascio-Ferro affirme que, pour son client, la mafia représente « une attitude marquée d'individualisme téméraire, sans méchanceté, sans bassesse, sans caractère criminel [21] ». Dans des contextes très différents, la mafia se définit toujours de la même façon. « Sa mafia n'avait rien à voir avec la délinquance, mais avec le respect de la loi de l'honneur, la défense de tous les droits, la grandeur d'âme », peut-on lire sur l'épitaphe gravée sur la tombe de Ciccio Di Cristina, chef mafieux de Riesi dans l'après-Seconde Guerre mondiale. « Voulons-nous définir ce que les juges ou les gouvernants nomment mafia ? Il ne faut pas l'appeler mafia, mais *omertà* : des hommes d'honneur, qui aident les faibles et n'en profitent pas, qui toujours font du bien et non du mal », énonce un texte confisqué à Rosario Spatola, entrepreneur mafieux, chargé de recycler les profits du trafic de drogue à la fin des années soixante-dix [22].

C'est donc au premier chef la mafia qui se décrit elle-même en termes de coutume et de comportement, en tant qu'expression de la société traditionnelle. Chaque mafieux éminent tient à se présenter dans les habits du médiateur et du pacificateur de querelles, du tuteur de la vertu des jeunes filles ; il tient à apparaître comme ayant, une fois au moins dans sa vie, « fait justice », de façon rapide et exemplaire, de voleurs à la tire violents, de kidnappeurs, de violeurs. Par ailleurs, nous sommes confrontés à un groupe de pouvoir, exprimant une idéologie qui entend produire le consensus à l'extérieur et la cohésion à l'intérieur ; il y a là un peu d'autoconviction, beaucoup de velléité, encore plus de propagande qui se heurte dans la très grande majorité des cas à une réalité des faits bien différente. Le schéma idéologique est alors sauvé grâce à la référence à une *nouvelle* mafia, qui n'est plus, *désormais*, que délinquance, qui n'a plus le sens du respect et de l'honneur qui caractérisait l'*ancienne*. Cet argument est d'autant plus suspect qu'il apparaît déjà en 1875 dans les rapports du commissaire de police de Monreale [23] et aussi, sous une forme différente, sous la plume de Pitrè (pour lequel le terme désigne une notion *autrefois* positive et qui s'est détériorée) ; il réapparaît d'ailleurs, de façon cyclique, à tout moment de cette histoire : pendant les premières années de la Première Guerre mondiale, quand de féroces délinquants auraient pris la place des vieux mafieux ; aux lendemains de la répression fasciste des années vingt, lorsque – à en croire les mémoires du chef mafieux siculo-américain Nick Gentile – « mourut en Sicile l'honorable société, la mafia qui avait ses lois, ses principes, qui protégeait les faibles et [...] qu'on laissa le champ libre à

[…] des gens sans honneur, accoutumés à voler sans retenue et à tuer pour de l'argent[24] » ; aux États-Unis, au début des années trente, quand, selon le chef mafieux new-yorkais Joe Bonanno, la vieille *Tradition* sicilienne aurait commencé à sentir les effets des venins du Nouveau Monde[25] ; au cours des années cinquante, moment où l'honorable mafia agraire aurait cédé la place à un féroce gangstérisme urbain ; et enfin, *last but not least*, avec l'avènement des Corléonais, à cause desquels, explique Buscetta, la Cosa nostra a perdu ses antiques vertus et a été défigurée par la violence et l'insatiable avidité de richesses. Avidité et férocité, comme les pages de ce livre le démontreront, sont en fait des caractéristiques de la mafia d'hier comme de celle d'aujourd'hui, toutes deux capables de massacrer innocents, femmes et enfants, en dépit de tous les codes d'honneur. Les différences quantitatives et qualitatives dans l'usage de la violence sont plutôt à mettre en relation avec les conjonctures politiques (par exemple, avec les deux après-guerres), ou bien avec les divers sauts générationnels qui renouvellent les instances dirigeantes et l'encadrement, donnant lieu à des conflits internes, qui sont liés à des cycles et non à des époques.

3. *La mafia comme entreprise*

L'opposition ancienne/nouvelle mafia, en dépit de son caractère ouvertement idéologique ou rhétorique, est récurrente car elle permet un raccourci conceptuel bien commode face au mélange complexe de neuf et d'ancien que révèle l'analyse. Ainsi, Pino Arlacchi, dans son célèbre livre *La Mafia imprenditrice* [*La Mafia entrepreneuse*, 1983], a tenté de préserver l'image du vieux mafieux, telle qu'il pouvait la trouver dans les ouvrages d'Anton Blok, de Jane et Peter Schneider et, surtout, de Henner Hess, et l'a tirée vers celle du notable local, désireux de considération sociale, pauvre et dédaignant la richesse ; il l'oppose à une mafia moderne, née dans les années soixante-dix, possédant l'esprit d'entreprise et ne s'intéressant qu'à l'accumulation capitaliste – en particulier au trafic de drogue –, aussi féroce que la précédente était modérée. Cette opposition conceptuelle trop nette ne convainc pas. En ce qui concerne le passé, il faut dire que les

gabellotti aussi étaient des entrepreneurs, certes peu innova-
teurs, mais que l'on pouvait définir comme « des spéculateurs
qui utilisent, comme instrument de spéculation, la poudre et
le plomb » – disait un propriétaire du XIXᵉ siècle [26] – ou bien –
c'est ce qu'affirmait Franchetti – comme « des industriels de
la violence ». Il est caractéristique que la description trom-
peuse qu'Arlacchi fait de Calogero Vizzini provienne, encore
une fois, du tableau volontairement minimaliste que *le
mafieux fait de lui-même*, en se présentant comme un pauvre
campagnard ignorant (« Je parle peu parce que je sais peu de
choses. J'habite dans un village, je ne viens que rarement à
Palerme, je connais peu de monde [27] »), alors que les sources
le décrivent comme « un gentilhomme, plusieurs fois millionnaire », qui, par exemple, à Londres, en 1922, avec
d'autres « industriels » du soufre, négociait avec les dirigeants de la Montecatini, avec la fine fleur de l'industrie chimique mondiale, afin de constituer le cartel international de
l'acide sulfurique [28]. Quant au versant moderne, Arlacchi a
exagérément insisté sur un prétendu caractère « schumpété-
rien », c'est-à-dire créatif et innovateur, de l'entreprise
mafieuse. Dans le champ de l'économie légale, il est fort dou-
teux que le mafieux puisse faire preuve de capacités d'entrepreneur plus complexes que celles qui sont nécessaires pour
gérer une *traditionnelle* entreprise agricole, activité qui
(compte tenu de la grande différence des contextes) correspond actuellement à l'immobilier et au commerce ; en
revanche, la participation à des activités financières sur
grande échelle, comme le recyclage de l'argent « sale » ne
fait pas du mafieux un entrepreneur, mais plutôt un *rentier*. De
façon plus générale, la structure de la *cosca,* fondée sur les
liens de clientèle, contrainte à une redistribution continuelle
entre des adhérents avides, à un émiettement permanent des
formes d'organisation afin d'occulter ses propres activités,
peut difficilement ressembler de près à la structure rationnelle
et verticale d'une entreprise [29].

À l'évidence, il existe une continuité plus forte du phénomène. Les citations érudites que Luciano Leggio fait de Pitrè,
l'écrit de Spatola, les déclarations de repentis, y compris ceux
de la toute dernière génération, démontrent qu'aucun changement d'époque ne pousse la prétendue mafia entrepreneuse à
renoncer à sa propre image, à sa propre idéologie protectrice

et traditionaliste, ce qui ne l'empêche pas pour autant, et ne l'a d'ailleurs jamais empêché, de s'adonner à l'accumulation des capitaux et à la férocité. Les mafieux siciliens et italo-américains continuent à déclarer leur hostilité à la drogue, destructrice des liens socioculturels, même lorsqu'on les prend la main dans le sac du narcotrafic[30]. Depuis la prison, où il a été enfermé après avoir été recherché pendant de longues années, Nitto Santapaola – boss de la mafia de Catane – décrit une cité désormais privée de sécurité, et donc de prospérité, parce qu'elle a perdu la garantie que lui-même et ses amis lui offraient pendant les années soixante-dix : « Où est la Catane florissante, où sont les entrepreneurs, les commerçants qui pouvaient vivre et travailler sans avoir peur ? » se demande-t-il, en oubliant combien de larmes, de sang et de corruption avait coûté – et coûterait – ce genre de réglementation-là[31].

Tenant compte d'éléments de cette nature, Diego Gambetta a récemment réabordé, de façon différente et bien plus rigoureuse, le thème de la mafia-entreprise, en affirmant que le mafieux vend un « bien » spécifique – la protection – dans un contexte historique, celui de la Sicile ou du Mezzogiorno, où la confiance fait défaut[32]. Comme on pourra d'ailleurs le constater à la lecture de cette *Histoire de la mafia*, une telle notion est utilisée dès les origines, et réapparaît à chaque instant : elle est reprise par les magistrats, les policiers, les chercheurs, les romanciers[33] et – une fois encore – par les mafieux eux-mêmes qui se présentent toujours comme des protecteurs face à la criminalité. En ce sens, le cœur du problème, la fonction de base est identifiable : c'est le racket, qui protège une institution légale, l'entreprise, en utilisant la violence pour garantir son monopole, c'est-à-dire l'intimidation verbale et physique des voleurs, des traîtres, des témoins, des concurrents. Les guerres de mafia se mènent la plupart du temps entre aspirants protecteurs. Mais Diego Gambetta sous-évalue le facteur extorsion par rapport au facteur protection, ce qui nous paraît discutable[34]. La mafia d'ordre* pré-

---

* Cette dénomination naît d'une conception suivant laquelle la mafia servirait davantage à maintenir l'ordre – en imposant ses lois et en empêchant le développement d'une délinquance sauvage – qu'à le troubler. Cette conception a amené certains représentants des autorités constituées à « comprendre », voire à soutenir des mafieux [N.d.T.].

suppose toujours un désordre à organiser et à contrôler, dans
la Sicile postunitaire comme au cours des plus récentes esca-
lades de la délinquance, et c'est donc, dans une large mesure,
la mafia qui crée l'insécurité dont elle profite, au point que
son unique fonction est, peut-on dire, celle qu'elle détermine
elle-même, d'autant que la criminalité commune constitue la
base du recrutement des *cosche*. Très souvent, la menace est
amplifiée, voire créée de toutes pièces, pour que le contrat soit
signé, et il advient d'ailleurs qu'entre celui qui menace ouvertement et celui qui fait mine de vouloir défendre le menacé,
entre l'extorqueur et le protecteur, il n'y ait qu'un jeu de rôles,
une division du travail à l'intérieur de la même organisation
pour convaincre les entrepreneurs d'hier et d'aujourd'hui de
souscrire cette « assurance ». La mafia, disions-nous, est un
pouvoir : le fait qu'elle se crée en mêlant violence et idéologie
ne prouve en rien que sa prétention à fournir un service soit
fondée. « On agit donc – remarquait déjà Gaetano Mosca, en
1901 – de façon que la victime elle-même, qui *en réalité* paie
tribut à la *cosca*, puisse *avoir l'illusion* qu'il s'agit plutôt d'un
don gracieux, d'une sorte de service rendu et non d'une extorsion de fonds par la violence [35]. » Le même raisonnement vaut
pour cette sorte de protection après coup qu'est la médiation
en vue de récupérer ce qui a été volé : « apparemment, [elle se
déroule] en faveur de la victime » mais, en fait, elle est mise
en œuvre par des organisations dans lesquelles il n'y a
qu'« une division *théâtrale* des rôles » entre voleurs et
médiateurs [36]. Il existe aussi des cas où le jeu de la protection
et de la médiation est artificiellement alimenté pour modifier
les rapports de force entre factions à l'intérieur de la mafia.
Que l'on pense, par exemple, au cas de Vito Ciancimino,
homme politique compromis, avec lequel nombreux étaient
ceux qui voulaient entrer en contact, mais qui était « entre les
mains » de Totò Riina : on ne pouvait le toucher que par
l'intermédiaire de ce dernier. Pippo Calò, un des chefs des
cosche palermitaines, proposa alors à Leonardo Vitale de
séquestrer le fils de Ciancimino, pour gagner un peu d'argent,
certes, mais surtout dans un autre but : « Il était prévu
qu'étant donné leurs rapports, Ciancimino s'adresserait à
Riina et qu'à son tour Calò pourrait jouer les médiateurs, mais
en agissant, en réalité, dans notre intérêt [37]. »

Il ne faut pas penser que, comme dans le marché parfait des économistes classiques, la demande et l'offre de protection s'équivalent et que les sujets soient tous égaux. L'asymétrie entre les contractants est d'autant plus grande que l'on est dans une société comme celle du XIXᵉ siècle, où les antagonismes de classes sont très marqués : elle tend donc à diminuer avec le temps. De toute façon, hier comme aujourd'hui, il est bien difficile de faire l'hypothèse d'une liberté de choix, et donc d'un avantage réel pour les paysans, les petits négociants, les entrepreneurs non compromis qui sont forcés de sortir du marché ou de limiter artificiellement leur rayon d'activité : s'il faut parler de contrat, il s'agirait en l'espèce de contrats léonins, et donc – diraient les juristes – nuls et non avenus. En ce qui concerne les grands entrepreneurs d'aujourd'hui et d'hier, au contraire, le contrat de protection peut effectivement être considéré comme avantageux. Les entreprises « continentales » qui se sont installées dans les zones infectées se sont montrées particulièrement respectueuses des clauses de ces contrats : c'est, par exemple, le cas du groupe Standa-Berlusconi que les autorités judiciaires de Catane ont récemment jugé comme particulièrement réticent à révéler à la justice les termes de son accord avec les extorqueurs/protecteurs locaux [38]. La logique de complicité est donc commune aux gens du Nord et aux « malpropres du Sud » ; on peut même dire que les éléments extérieurs, qui ne sont pas insérés dans les réseaux locaux de clientèle, tendent à accorder plus de latitude à leurs représentants, un peu comme faisaient les vieux latifondistes qui, habitant à Naples, à Rome ou même à Madrid, n'avaient donc jamais vu leurs terres et laissaient faire leurs administrateurs. Telle était l'opinion de l'économiste Carlo Rodanò, dans un témoignage « de l'intérieur » sur la pénétration mafieuse dans l'usine chimique Arenella, fleuron de l'industrie palermitaine à partir de 1911, possédée par un groupe allemand et dirigée par un Allemand : « Sa conduite fut celle d'un homme qui connaissait mal le pays. Les Siciliens pur sang, même quand ils étaient contraints à traiter avec des mafieux, faisaient en sorte, s'ils n'étaient pas sots, de ne pas trop les laisser s'approcher ; en effet, si ces braves gens se distinguaient par la façon sympathique dont ils accordaient à leurs clients possibles une protection apparemment désintéressée, ils n'en trouvaient pas moins le moyen de s'emparer à cent pour cent de ce que leur protégé avait évité de perdre grâce à leur protection ; et d'ordinaire de bonne part également du reste [39]. »

Bien sûr, cette capacité des couches dirigeantes locales à « garder leurs distances » renvoie à des situations typiques d'une société élitaire. Avec le temps, l'association née pour fournir des services à la classe dominante s'est rendue autonome et les cas de grands entrepreneurs siciliens qui, en des périodes récentes, ont eu recours à une protection (les Salvo, Cassina, Costanzo) démontrent une insertion bien plus étroite dans le réseau mafieux proprement dit.

Il y a enfin un élément de base qui distingue le type de protection qui lie la mafia à l'*establishment* : c'est la réciprocité. Déjà, à la fin du XIXe et au début du XXe siècle, le préfet de police de Palerme, Ermanno Sangiorgi, affirmait que « les chefs de la mafia sont sous la tutelle de sénateurs, députés et autres influents personnages qui les protègent et les défendent afin d'être à leur tour, par la suite, protégés et défendus [40] » ; aujourd'hui aussi, comme hier, « l'industrie de la protection » demande à la politique et aux appareils étatiques une protection contre les rigueurs de la loi [41]. Au vrai, l'entrelacement avec la politique ne peut se réduire à une logique « économique » et il est bien futile de tenter de le ramener à cela. Dans son rapport, vivant et varié, d'échanges réciproques avec la machine politique, surtout dans des conjonctures historiques comme l'unification nationale ou le second après-guerre, un tel entrelacement détermine profondément la structure même de la mafia ; il peut même arriver que celle-ci tente d'influencer les gouvernements, comme cela est advenu récemment dans notre pays. On ne peut réduire l'histoire de la mafia à un seul schéma, valable dans toutes les situations et à tout moment.

Par ailleurs, l'« industrie » de la protection n'est pas la seule qu'exercent les mafieux et elle est presque toujours un pont vers d'autres activités. Celui qui détient les clés de la sécurité – l'ami des mafieux ou le mafieux en personne – est le plus à même d'entrer dans des marchés comme ceux de la gabelle du latifundium, au XIXe siècle, de la médiation commerciale dans la zone de production d'agrumes de la région de Palerme ou encore des concessions de travaux publics, au XXe siècle. De la même façon qu'hier, la menace des brigands était utilisée pour inciter les propriétaires fonciers à confier aux mafieux la gestion des entreprises agraires, aujourd'hui, la crainte des attaques à main armée, les extorsions de fonds, l'usure, poussent les négociants à les accepter comme associés. On passe ainsi de l'entreprise-protection au contrôle de l'entreprise *tout court* qui, à son tour, est un élément essentiel du phénomène : d'une part une transformation continuelle de mafieux en affairistes, de l'autre une transformation continuelle d'entreprises propres en entreprises globalement corrompues ou « proches » de la mafia. Ce processus de réciprocité n'est pas déterminé par les caractéristiques intrinsèques des activités en question, mais par le degré d'enracinement des groupes mafieux dans leurs contextes, par le niveau de contrôle du territoire qu'ils parviennent à exercer. Sur la base de cette force, les mafieux se mettent également à gérer des affaires illégales (la grande contrebande, le trafic de drogues) qui ont peu à voir avec la protection et le contrôle territorial en tant que tels.

Le double caractère des activités de la mafia renvoie à un double modèle d'organisation. D'une part, dans le cas palermitain, nous avons une série d'organisations qui tirent leur nom du territoire où elles opèrent et qui, par la protection/extorsion de fonds, financent leurs activités, procurent éventuellement des salaires à leurs membres ainsi que des fonds pour les frais de justice et l'aide aux familles des emprisonnés. D'autre part, comme Buscetta l'a expliqué, il existe un réseau d'affaires qui recoupe transversalement les organisations et auquel les affiliés peuvent participer, avec des conditions de faveur, mais en risquant leurs capitaux et en gagnant de l'argent en tant qu'individus [42]. Pour distinguer le premier modèle d'organisation, fondé sur l'extorsion de fonds, du second, fluide et affairiste, nous pouvons nous appuyer sur la distinction établie par l'historien américain Alan Block entre « *power syndicate* » et « *enterprise syndicate* », bien que le contexte qui l'amène à une telle interprétation soit bien différent de celui de notre propre travail [43]. Ces deux fonctions, comme on le verra, réagissent, se combattent et, quoi qu'il en soit, entrent toujours en relation l'une avec l'autre, de telle sorte qu'il est, de fait, impossible de distinguer le mafieux du trafiquant – en considérant le premier comme un protecteur (un médiateur, un garant) et le second comme un protégé[44] – puisqu'on assiste, à l'inverse, à un processus d'insertion des entrepreneurs, contrebandiers et trafiquants de drogue dans les organisations mafieuses, à l'intérieur desquelles les rôles se superposent. Il peut arriver qu'un *camorrista* comme Cutolo oblige les Nuvoletta, affiliés napolitains de Cosa nostra, à payer le *pizzo* et que ces derniers acceptent tant qu'ils ne sont pas en mesure de lui déclarer la guerre ; mais cela concerne les rapports de force fluctuants entre deux groupes, et certainement pas une différence essentielle entre eux.

4. *La mafia comme organisation*

Les sources policières et judiciaires sont presque aussi partiales que les autres. Celui qui les utilise entre aussitôt dans un jeu de miroirs, celui des vérités contradictoires de l'accusation et de la défense, celui de la renommée, bonne ou mauvaise, sur laquelle repose la qualification de mafieux. C'est sur la *rumeur publique*, interprétée par policiers et magistrats, que se sont fondées, durant de très nombreuses années, les procédures administratives (assignations, résidence surveillée) et judiciaires par lesquelles le libéralisme, le fascisme et la république ont combattu la phénoménologie mafieuse. Dans cette *rumeur*, il n'y a rien de spontané. Elle est créée et instrumentalisée par certaines factions mafieuses pour lutter contre les factions ennemies ; elle est ensuite instrumentalisée par les organismes étatiques, ou par certains d'entre eux, quand des raisons de politique criminelle ou de politique tout court incitent à une attitude répressive. Grâce aux juges palermitains (Chinnici, Falcone, Borsellino), ce mécanisme ancien a été ramené à l'intérieur du schéma du procès pénal, avec ses garanties ; c'est également grâce à eux que nous disposons, avec les témoignages des « collaborateurs de justice », d'une source d'information de l'intérieur, qui n'est plus filtrée – comme c'était le cas à l'époque libérale ou sous le régime fasciste – par les rapports de police ou le bon vouloir de l'exécutif.

Évidemment, dans ce cas également nous sommes face à un point de vue, celui de la mafia décidée à se rendre et à « se repentir », de sorte que nous ne pouvons faire l'économie d'analyses sophistiquées, de reconstructions tous azimuts, de références à des problématiques plus vastes que celles que les protagonistes – enquêteurs ou mafieux – ont en tête ou veulent nous présenter. Toutefois, dans l'ensemble, les aveux de Joe Valachi (1962), les mémoires de Nick Gentile (1963), les révélations de Leonardo Vitale (1974) puis, comme nous l'avons dit, celles de Tommaso Buscetta et de bien d'autres mafieux après lui, ont mis en lumière une mafia qui est une organisation secrète et qui, en tant que telle, allait être portée devant les tribunaux et condamnée.

Comme on le voit, les tout premiers témoignages mettent en cause l'homologue de la mafia sicilienne, sa correspondante sur l'autre rive de l'océan, au cœur du développement capitaliste mondial. La direction des « cinq familles » de la mafia new-yorkaise, telle qu'elle a pu se dessiner, au début des années trente, lors de la constitution de la Commission, comprend des personnages dont la plupart arrivèrent très jeunes aux États-Unis. Le seul qui fasse exception est Salvatore Maranzano, qui débarqua en 1927, à l'âge de quarante-trois ans, et devint aussitôt un boss, certainement en raison d'un pouvoir déjà établi dans son village natal de Castellamare del Golfo. Les sources américaines indiquent dans les années vingt un moment important d'immigration *déjà mafieuse*, avec l'arrivée de plus de 500 criminels fuyant le préfet Mori[45]. Peut-on alors parler d'une sorte de transplantation ? La provenance des leaders d'origine sicilienne des cinq familles semble aller dans ce sens ; en effet, Bonanno, Luciano, Gambino, Reina, Lucchese, Profaci venaient de zones infectées de la partie occidentale de l'île : trois de Palerme, les autres de Lercara, Corleone et Castellamare. Ou bien faut-il penser que la mafia des États-Unis est, globalement, nouvelle, puisqu'on trouve, parmi les chefs des familles, deux Napolitains (Genovese et Gotti) et deux Calabrais (Costello et Anastasia)[46] et qu'un tel caractère interrégional n'existe pas en Italie ? De grands boss, tel Joe Bonanno, se sont présentés comme les descendants directs d'une *Tradition* sicilienne, mais il peut s'agir de l'un des aspects de cette autoreprésentation idéologique que nous connaissons déjà[47]. Bonanno, face à l'évidence du processus d'hybridation italo-américain, auquel il participa lui-même de façon décisive, estime que la ligne « puriste » est déjà vaincue

lors de « la guerre de Castellamare », en 1930-1931 ;
d'ailleurs, dans ces événements, un rôle déterminant fut joué
par des criminels juifs comme Meyer Lanski et Benjamin
Siegel.

Aux États-Unis, l'unité élémentaire d'organisation,
nommée *cosca*, *nassa*, dans la Sicile du XIXe siècle, s'appelle
donc « famille ». En fait, dans le cas palermitain comme dans
le cas new-yorkais, la famille mafieuse correspond assez peu
à celle que déterminent les liens de sang et, en Amérique
comme en Sicile, aujourd'hui comme hier, en dépit des idéo-
logies familialistes, il peut advenir que, lors de conflits
internes à la mafia, parents, enfants et frères se trouvent dans
des camps opposés et s'entre-tuent[48]. L'insistance sur l'élément familialiste apparaît d'ailleurs comme un hommage à
une tradition italo-américaine constante, y compris dans des
domaines bien différents. La dénomination Cosa nostra, pour
désigner l'ensemble de l'organisation, semble également
venir d'Amérique, dans la mesure où elle paraît bien être
inconnue précédemment en Sicile ; elle fait allusion à la
recherche par l'immigré de quelque chose qui soit, de façon
claire et limpide, « à nous », par opposition à toutes ces
choses incompréhensibles qui sont « à eux ». Nous ne retrouvons cette terminologie sur le terrain sicilien que parmi les
actuels repentis, ce qui peut induire à renverser le schéma
habituel, selon lequel la Sicile exporte des archaïsmes, et à se
demander ce que l'Amérique enfante d'archaïsant afin de le
réintroduire dans le Vieux Monde. Nous sommes face à une
interaction de modèles, qui suivent les déplacements des personnes non seulement de la Sicile vers l'Amérique, mais également d'Amérique vers la Sicile. L'épisode le plus connu
concerne le moment où les autorités américaines, après la
Seconde Guerre mondiale, expédièrent dans leur pays d'origine soixante-cinq « indésirables » de nationalité italienne,
dans l'intention de renvoyer chez eux des délinquants étrangers qui s'étaient auparavant infiltrés aux États-Unis : les Italiens, pour leur part, les considéraient comme les ambassa-
deurs et les propagandistes des mœurs d'une organisation
criminelle typiquement américaine et estimaient qu'ils étaient
beaucoup plus dangereux que la mafia locale. Mais par
ailleurs, le long des circuits de retour de l'émigration, on peut
percevoir une série dense et continuelle de mouvements. Un

seul exemple, pour le moment : Nick Gentile bâtit sa carrière en Amérique, où il arrive, depuis son village natal de Siculiana, en 1903, à dix-huit ans ; mais il retourne en Sicile en 1909, en 1913, en 1925, de 1927 à 1930 et, définitivement, en 1937 ; il parvient d'ailleurs à participer dans sa région d'origine à des compétitions électorales, à diverses affaires d'import-export, il organise des assassinats, se fait arrêter puis relâcher grâce à ses réseaux de connaissances parmi lesquels figurent des responsables du régime fasciste[49]. Cela introduit la thématique, sur laquelle nous reviendrons, des activités affairistes internationales, y compris le trafic de drogue, « gérées par cette association [la mafia] aux États-Unis et en Europe », auxquelles se réfère, semble-t-il, un document qui, avant même les révélations de Valachi, Gentile et Bonanno, mentionne l'existence de la Commission new-yorkaise : il s'agit d'un rapport de la *Guardia di Finanza* italienne [la police financière], daté de 1940, adressé à l'*US Customs Supervisor* de New York et au *Federal Bureau of Narcotics*[50] ; venu d'Italie pour raconter aux Américains une affaire américaine, il indique l'intensité de la relation entre les deux rives, même s'il se situe au terme d'une phase historique, la période de l'entre-deux-guerres, qui voit diminuer de beaucoup les flux migratoires.

Cela ne signifie évidemment pas que la mafia des États-Unis ne se distingue pas de celle de Sicile, ne fût-ce que par sa façon de se modeler profondément sur la société américaine : cette interprétation est mise en avant par un courant critique (essentiellement d'origine démocrate et italo-américaine) qui tend à privilégier les éléments criminogènes de la société d'accueil, prenant ainsi le contre-pied de la traditionnelle thèse Wasp du complot étranger. Cette louable tentative de remettre en question l'idée raciste d'une prédisposition au crime des italo-américains, finit cependant par dessiner un modèle de mafia qui, dans la société d'origine, ne serait rien d'autre qu'une forme de clientélisme, « un système de parrains et de clients qui s'échangent faveurs, services et autres avantages », remis en fonction par les immigrants lors de leur arrivée dans le nouveau monde et destiné à disparaître au fur et à mesure de l'insertion de la communauté italo-américaine dans les couches supérieures de la société des États-Unis[51]. Pour l'anthropologue Francis J. Ianni, les mafieux

Lupollo étaient « des gens modestes, taciturnes, […], des hommes d'honneur », dignes de « sympathie et d'admiration », liés les uns aux autres par un « *family business* » dans lequel les activités légales se substituèrent peu à peu aux activités illégales, un temps nécessaires pour la promotion de gens qui venaient d'un monde où il n'y avait ni loi ni justice[52]. Il s'agirait, en somme, d'« un mode de vie en voie de disparition[53] » : énième variation sur le thème, toujours démenti par les faits, de la modernité destinée à dissoudre automatiquement l'archaïsme mafieux. L'organisation verticale et structurée décrite par Valachi serait, au fond, une invention paranoïaque de l'autorité et du pouvoir Wasp. La mafia est comme Dieu – affirme Hawkins ; y croire équivaut à une profession de foi qui ne peut reposer sur aucune preuve empirique[54]. Il faut dire toutefois que l'étude de Ianni est menée à partir de documents fournis par les Lupollo eux-mêmes et reflète sans aucun doute leur point de vue ; quant à Hawkins, il formule, sans le savoir, l'équation mafia = Dieu, autrefois énoncée par Pasquale Sciortino, lieutenant « intellectuel » de la bande Giuliano, qui répondait de façon polémique à Girolamo Li Causi[55].

Ces réticences américaines à lire la mafia comme une organisation criminelle, surtout (mais pas uniquement) dans les années qui suivirent les révélations de Valachi, ont eu une forte influence sur le débat sociologique et anthropologique des années soixante et soixante-dix. Dans les deux cas, seul le « comportement mafieux » – identifié avec le comportement sicilien traditionnel – était considéré comme digne d'étude tandis que « la mafia » en tant que structure autonome n'aurait pas existé puisque les Siciliens n'étaient capables de s'identifier qu'avec la famille ou la clientèle, agrégations « naturelles » et personnelles qui n'avaient besoin d'aucun autre lien associatif, par exemple d'un serment ou de quelque autre rituel spécifique. L'œuvre du sociologue allemand Hess (1970) est caractéristique d'une telle obstination en ce sens[56] : selon lui, la *cosca* se définirait comme « une série de relations deux à deux que le mafieux entretient avec des personnes indépendantes entre elles » ; elle serait instable et, tour à tour, constituée pour des finalités spécifiques ; elle s'agrégerait autour du charisme et du réseau de relations du chef et mourrait avec eux. « Nous ne sommes pas face à une association de malfaiteurs donnée une fois pour toutes – allait écrire quelques années plus tard Arlacchi, en paraphrasant une formulation plus équilibrée des Schneider –, mais devant un groupe d'amis et de parents qui, comme c'est fréquent en pareil cas, se retrouvent souvent pour jouer aux cartes, aller à la chasse, fêter une naissance ou un mariage, faire un *schiticchio* [un banquet entre hommes][57]. »

Encore une fois, on ne peut éviter de remarquer à quel point l'effort pour ramener l'ensemble de cette thématique à celle de l'anthropologie méditerranéenne coïncide avec l'interprétation que tendent à donner d'eux-mêmes les mafieux, tout contents d'apparaître comme d'inoffensifs oncles de campagne plutôt que comme les membres de dangereuses organisations criminelles. Le vieux boss de Ribera, Paolo Campo, ne fait aucune difficulté pour revendiquer un certain type de comportement en se déclarant mafieux, mais – selon la bonne habitude – il critique les mafieux d'aujourd'hui (1985) qui ne sont rien d'autre que « de simples délinquants » et, surtout, il affirme ne s'être jamais « associé » par quelque affiliation formelle (le serment) : « Je n'ai jamais commis d'actes délictueux et je ne me suis jamais associé à quiconque pour commettre de tels actes. Je dois dire que je suis né, et que je mourrai, mafieux, si par mafia on entend, comme je l'entends moi-même, faire du bien à son prochain, donner quelque chose à ceux qui en ont besoin, trouver un travail à qui est sans emploi[58]. » C'est une stratégie typique de la défense dans les procès de mafia et, comme nous l'avons dit, elle coïncide avec l'insistance sur les facteurs traditionalistes : déjà, au XIXe siècle, au cours du procès des frères Amoroso, évoqué plus haut, les défenseurs avaient parlé de l'accusation d'association comme d'une « chimère », d'un « ajout postiche », d'un « *quid* mystérieux » ; et on se souviendra qu'en 1930, l'avocat de Vito Cascio-Ferro avait souligné « l'individualisme » de son client. Les schémas interprétatifs d'un Hess, y compris la référence à Pitrè – « irremplaçable et authentique connaisseur de l'âme sicilienne » – trouvent leurs précédents dans les théorisations propres à la culture des avocats du XIXe et du XXe siècle, d'après laquelle le Sicilien traditionnel, homme du peuple, « homme de la campagne », ne saurait, parce qu'il est individualiste ou, au mieux, familialiste, faire naître aucune association complexe, du type de celle que présuppose la police[59].

En 1965, à la suite des aveux de Valachi, Robert T. Anderson tenta de préserver la thèse traditionnelle en donnant son interprétation du parcours qui mène de la *mafia* à Cosa nostra. La mafia des origines aurait été un agrégat de groupes familiaux, mais en Amérique, au contact avec la modernité, elle aurait adopté des modèles « impersonnels » d'organisation, des institutions centralisées de direction pour éviter une violence intestine primitive et, surtout, dommageable pour les affaires. Selon Anderson, sa consœur sicilienne aurait aussi suivi ce chemin, face à l'effet démonstratif du modèle américain et à des processus identiques de développement économique[60]. Nous retrouvons l'habituelle opposition ancienne/nouvelle mafia, dans le cadre du modèle naïf, fait de généralités vagues, d'une modernisation qui relègue dans le monde traditionnel la culture, la clientèle, les liens familiaux, en ne situant dans le monde présent que l'organisation « impersonnelle », alors que le problème consiste précisément à comprendre les interactions complexes qui, aujourd'hui comme hier, relient les uns à l'autre.

Aujourd'hui, dans le sillage des enquêtes menées durant les trois dernières décennies en Italie et en Amérique, la plupart des chercheurs sont disposés à reconnaître, suivant ainsi la définition avancée par les organismes officiels des États-Unis[61], que les organisations mafieuses sont caractérisées par *leur continuité* au-delà de la vie des membres singuliers, *leur structure* hiérarchique, *leur caractère militant*, renforcé par un filtrage avant l'adhésion. Toutefois, on entend souvent dire – dans la lignée d'Anderson – que ces caractéristiques n'ont été acquises que récemment alors qu'il serait plus juste de dire que cette acquisition récente ne concerne pas la mafia mais bien la mafiologie, du moins son courant majoritaire car il y a toujours eu, dès les origines, des auteurs pour décrire des « associations mafieuses de ce type » ; c'est, par exemple, ce que faisaient les deux policiers criminologues Giuseppe Alongi et Antonino Cutrera, à la fin du XIXᵉ et au début du XXᵉ siècle, en utilisant les résultats des enquêtes menées par la préfecture de police de Palerme durant trente ans, de 1860 à 1890 : Hess, bien hâtivement, présente leurs analyses comme « erronées[62] ». Les modalités de division du territoire et de coordination entre les *cosche* que met en évidence cette documentation étaient, de fait, fort semblables à celles sur lesquelles insiste Buscetta. À la fin du XIXᵉ et au début du XXᵉ siècle, il existait une structure de direction, composée des représentants de ces groupes (dont nous relaterons ici les faits, gestes et règles, dans le sillage du préfet de police Sangiorgi, déjà évoqué ici), qui ressemblait sous de nombreux aspects à la Commission new-yorkaise et à celle qui, à Palerme également, à partir des années 1960, a coordonné les activités de Cosa nostra, jusqu'au tour de vis centralisateur donné par les Corléonais. Cela ne signifie pas que les groupes mafieux de la région de Palerme soient restés, de l'Unité italienne à nos jours, sous le contrôle permanent d'organismes de direction, qui, instables et soumis aux effets de luttes intestines, connurent certainement une histoire agitée. D'ailleurs, même dans la période récente, le rayon de leur autorité territoriale (s'agit-il de la ville, de la province, de la région ?) a varié et varie toujours en fonction des circonstances. Il est cependant vraisemblable que le relatif succès des tentatives de centralisation à Palerme, comme à New York, provienne de cette vieille aptitude à la coordination, dans la mesure où de telles tendances du crime organisé existent partout, mais n'obtiennent pas toujours de résultats : à Naples, la tentative dans cette direction de la « *Nuova camorra organizzata* » de Raffaele Cutolo a été un échec sanglant, et désormais, comme d'ailleurs à Reggio Calabria, c'est un modèle horizontal ou « pulvérulent » qui l'a emporté [63] ; dans la région de Caltanissetta et de Catane, les groupes liés à Cosa nostra ne sont pas parvenus à s'imposer totalement, du fait de l'émergence continuelle de nouvelles bandes. Même l'affiliation aux familles palermitaines d'éminents personnages de la *'ndrangheta* ou de la *camorra*, visant à renforcer les liens d'affaires engendrés par la contrebande de cigarettes ou le trafic de drogue, n'a pas produit les effets centralisateurs escomptés.

En somme, il faut se garder de l'idée du grand et unique complot, se méfier de l'image populaire d'une « pieuvre » à la tête unique et aux mille tentacules, avec une direction omnisciente et omnipotente, qui a été parfois présentée, non sans simplification excessive, par les autorités, en Sicile comme en Amérique, en particulier lors des premières enquêtes menées au XIXᵉ siècle. Les mafieux nouent des relations d'affaires avec des individus qui n'appartiennent pas – et ne peuvent appartenir – à la mafia : intermédiaires, criminels en tout genre et de toutes nationalités, trafiquants de drogue turcs ou chinois, banquiers. Dans leur fonction de protecteurs – dont nous avons souligné l'ambiguïté –, ils croisent propriétaires fonciers, entrepreneurs et commerçants. Parce qu'il leur faut nécessairement rentrer en liaison avec la politique et les institutions, ils se mettent d'accord avec des notables, des politiciens de profession, des policiers et des juges. Comme nous le verrons, les mafieux dialoguent avec l'extérieur, parfois indépendamment de la mafia en tant qu'organisation : cela tend d'ailleurs à redimensionner ce qu'il peut y avoir d'excessif et de trompeur dans le concept d'anti-État et soulève à nouveau la question des rapports qui existent entre la mafia et le pouvoir officiel[64]. C'est là une problématique qu'il faut considérer avec attention, et qui présente désormais des aspects judiciaires – je fais référence à l'introduction récente dans le droit pénal italien de l'imputation de *concours externe* dans une association mafieuse – et politiques – je pense à la tentative pour établir une distinction entre *responsabilité politique* et *responsabilité pénale* des personnages publics impliqués, sous des formes diverses, dans des rapports avec la criminalité organisée. Stefano Bontate, les Greco et d'autres chefs éminents de Cosa nostra ont estimé utile de trouver dans des loges maçonniques plus ou moins secrètes un terrain de rencontre avec leurs partenaires du monde de la politique et de l'économie ; sans même parler des points de vue politiques et judiciaires, il est bon, du strict point de vue de la connaissance, de se demander comment ces réseaux fluides et variés se superposent à l'organisation qui relie les mafieux les uns aux autres.

5. *La mafia comme système juridique*

La relation entre mafia et franc-maçonnerie dépasse la présence occasionnelle de quelques boss parmi les francs-maçons. L'actuel développement de loges « atypiques » dans l'île, et plus encore le fait que, pendant toute la période libérale, la Sicile soit restée la région italienne où la présence maçonnique était la plus élevée[65], est un élément contextuel qu'il faut garder à l'esprit en termes de modèles d'organisation et de tendance à l'opacité du pouvoir. Pour expliquer aux profanes la logique qui pousse les mafieux à se réunir en société, Nick Gentile utilise naturellement le parallèle avec la franc-maçonnerie [66], et, de fait, la fonction des solidarités maçonniques entre hommes d'affaires et gens qui pratiquent une profession libérale est analogue à celle de la solidarité mafieuse entre personnages liés à des groupes divers, voire opposés, vivant dans des continents différents, ce qui crée un champ de communication, de connaissances et d'influences représentant un avantage appréciable pour ce type de criminalité ; en particulier, cela a permis, au fil du temps, de maintenir des liens stables entre la Sicile et les États-Unis. Buscetta, au cours du maxi-procès, répondit de façon sarcastique à un avocat qui exprimait son incrédulité devant sa description du serment de la mafia : « J'ai lu dans les journaux qu'une fois un avocat, ici présent, s'est inscrit dans sa jeunesse, sur un coup de tête, à la maçonnerie et que le serment l'a fait beaucoup rire. C'est un fac-similé de notre propre serment [67]. » Il est naturel que les mafieux aient voulu mêler ce rappel d'une logique sectaire aux thèmes « protecteurs » typiques de leur idéologie, d'où l'évocation de la tradition des « *Beati Paoli* », c'est-à-dire d'une mythologie faite de sociétés secrètes, aux rites ténébreux, qui défendent les faibles, telle qu'elle est tracée dans le célèbre roman-feuilleton de Luigi Natoli, réédité à plusieurs reprises, tout au long du XXe siècle, à l'attention du grand public de Palerme [68].

Il y a d'ailleurs, entre mafia et maçonnerie, un lien historique et pas seulement fonctionnel. Les rituels et les serments de mafia sont identiques dans les descriptions que contiennent les archives policières du XIXe siècle, dans les travaux anciens de Cutrera, Colacino et Lestingi, tout comme dans les aveux de Valachi, de Buscetta ou dans les informations « d'ambiance » recueillies par le FBI ; ils n'expriment pas seulement une vague symbolique du sang, présente dans diverses expériences du crime organisé, mais l'impressionnant témoignage de la continuité plus que séculaire d'un type d'organisation secrète tiré du modèle fourni par la maçonnerie et le carbonarisme qui, on le verra, était tout à fait utilisable dans la Sicile de la moitié du XIXe siècle. Pour sa part, Hess a même refusé d'admettre la « possibilité [69] » de tels rituels, peut-être parce

qu'ils font appel à des mécanismes de mobilisation politique
et criminelle beaucoup plus complexes que ceux dont il a fait
l'hypothèse, et que l'idée même du serment initiatique con-
tredit l'identité présumée entre mafia et culture diffuse : en
franchissant le *limen* – le seuil –, le candidat à l'initiation
devient, précisément, un individu culturellement nouveau.
« Le néophyte, au moment de franchir le seuil, doit être une
tabula rasa, une feuille blanche sur laquelle il faut imprimer
la connaissance et le savoir du groupe à propos de ce qui
regarde sa nouvelle condition. [...] Ils doivent comprendre
qu'en eux-mêmes ils sont terre et poussière, simple matière à
laquelle la société donnera forme[70]. »

La palingénésie fait d'un délinquant le membre honorable
d'une société. « Après le déclin de l'aristocratie de naissance,
apparut l'aristocratie du crime reconnu, flatté, honoré[71]. » Le
concept d'honneur, emprunté au langage aristocratique, se
prête fort bien à exprimer l'orgueil de l'appartenance à une
élite, fût-elle criminelle, en mettant en évidence la distance
d'avec les gens ordinaires : un homme est honoré dans la
stricte mesure où beaucoup d'autres ne le sont pas et ne peuvent pas l'être. De la sorte, on amplifie l'effet d'identification
dans un système normatif qui exprime « le langage interne de
l'organisation et non celui de la légitimation externe[72] » ;
même s'il est préférable qu'un tel langage rappelle, au moins
formellement, le langage commun. Dans les organisations
maçonniques du XIXe siècle, même hors de Sicile, on dit d'un
délateur qu'il est infâme[73]. Du concept maçonnique d'*humanité* dérive la notion camorriste d'*humilité* [*umiltà*], à savoir
subordination à la volonté de l'organisation ; c'est du mot
umiltà, par conversion du *l* en *r*, typique du dialecte sicilien,
que pourrait venir le mot *omertà*, selon une interprétation
bien plus plausible que celle de Pitrè[74] (pour lequel *omertà*
signifie virilité), dès lors que l'on veut distinguer une vague
subculture d'une infrastructure criminelle prête à tuer ou bien
encore à dénoncer ses ennemis « à la police par des lettres
anonymes ou quelque autre moyen secret. *C'est cela l'humilité – umiltà – de la mafia* » – selon les termes de la définition
fournie par une autorité en la matière, le bandit Salvatore
Giuliano[75].

Pour atteindre ses fins, l'organisation mafieuse réglemente
les relations à l'intérieur de chaque groupe pris isolément ;

elle évite la concurrence entre les groupes grâce au principe de compétence territoriale et – au cas où un tel principe ne pourrait s'appliquer aux conditions concrètes – elle y ajoute une série de clauses et de codicilles ; elle prévoit des accords *ad hoc* ou des structures fédératives moins instables si l'ensemble des normes ne paraît pas suffisant pour maintenir la paix. Dans les descriptions des repentis, désormais très nombreux, les mafieux paraissent même obsédés par les « règlements et statuts », contrairement à ce que soutenaient les épigones de Pitrè, sans cesse cité. Aux interprétations de Pitrè, on peut opposer celle que formula, dans l'immédiat premier après-guerre, un autre Palermitain, le grand juriste Santi Romano : « On sait que, sous la menace des lois de l'État, vivent souvent, dans l'ombre, des associations dont l'organisation paraît presque analogue, en petit, à celle de l'État : elles ont des autorités législatives et exécutives, des tribunaux qui résolvent les controverses et punissent, des agents qui exécutent inexorablement les condamnations, des statuts aussi élaborés et aussi précis que les lois de l'État. Elles réalisent donc un ordre qui leur est propre, comme l'État et les institutions auquel ce dernier donne leur légitimité[76]. »

Selon Romano, la mafia serait donc un système juridique, un des nombreux systèmes, de fait, que les groupes organisés constituent dans les plis du tissu social. En certains cas, ces systèmes seront déclarés illicites – « Une société révolutionnaire ou une association de malfaiteurs ne peuvent avoir de statut juridique reconnu par l'État qu'elles veulent abattre ou dont elles violent les lois, de la même façon qu'une secte schismatique est déclarée antijuridique par l'Église[77] » – sans que cela change la substance du fait et sans que puisse non plus la changer le jugement éthique, positif ou négatif, sur les finalités et les méthodes des groupes en question. En d'autres cas, toujours selon Romano, l'État sera indifférent envers les autres systèmes juridiques car il estimera qu'ils ne sont ni dommageables ni concurrentiels pour le sien. Voilà ce qui explique pourquoi l'attention portée aux rituels et aux processus de cohésion interne de la mafia (qu'il ne faut pas confondre avec les délits commis par les mafieux), très grande parmi les autorités policières, après l'Unité italienne et jusqu'à la fin du XIXe siècle, soit allée en s'affaiblissant dans la phase suivante pour revenir de façon éclatante de nos jours,

au point que – à partir d'un moment particulièrement dramatique d'apparition de la mafia (1982) – la seule adhésion à une
cosca est considérée comme un délit en soi.

Giuseppe Guido Lo Schiavo, haut magistrat en Sicile dans
l'après-Seconde Guerre mondiale, tirait de Romano des arguments théoriques pour son exaltation de la mafia d'ordre,
considérée comme une auxiliaire des institutions dans la lutte
contre le banditisme, exaltation qu'il exprima de façon retentissante dans son éloge funèbre de Calogero Vizzini, en sou-
haitant que le « successeur qualifié » de ce dernier, Genco
Russo, mène « l'association occulte […] sur la voie du respect des lois de l'État et du progrès social[78] » : il souhaitait
donc la convergence d'un système juridique mineur avec le
système majeur, dans la logique de la coexistence pacifique
ou plutôt de la complicité fondée sur l'intérêt mutuel, typique
du régime démocrate-chrétien. Cela ne signifie cependant pas
que la reconnaissance *réaliste* de l'existence du système
mafieux entraîne nécessairement un accord avec lui, comme
on l'a récemment affirmé, non sans partialité[79]. Lo Schiavo
lui-même avait été l'un des protagonistes du groupe de magistrats qui, durant la période fasciste, avait durement combattu
la mafia, qu'il considérait comme une association de malfaiteurs, en faisant d'ailleurs référence aux théories de Romano :
le procureur général de Palerme, Luigi Giampietro, grand
accusateur des procès des années vingt et trente, utilisait
simultanément le paradigme économique (la mafia est « une
assurance » souscrite par « des propriétaires et des hommes
d'affaires » pour protéger « leurs biens et leurs personnes »)
et celui de l'*autre* État ou de l'anti-État[80]. En se situant dans
cette tradition, Cesare Terranova, le magistrat et député communiste qui tomba sous les balles mafieuses, adversaire
inflexible des Corléonais et des Palermitains, affirma à son
tour, dans ses verdicts des années soixante, l'existence
d'« une seule mafia, ni vieille ni jeune, ni bonne ni mauvaise
[…] efficace et dangereuse, réunie en agrégats, groupes,
familles ou, mieux encore, en *cosche* » : bref, l'organisation
structurée dont l'existence allait être enfin démontrée, au
début des années quatre-vingt, par les enquêtes du pool des
magistrats palermitains. Sur son territoire, Cosa nostra réglemente les affaires, lève des impôts ou plutôt empoche l'argent
du racket, produit la légitimité et définit ce qui est illicite en

établissant règles et exceptions ; elle juge, absout et punit.
C'est « une société, une organisation pour ainsi dire
juridique », affirme Falcone, se faisant ainsi, une fois de plus,
l'écho de Romano[81].

Que la mafia veuille être un système juridique ne signifie
pas pour autant qu'elle réussisse réellement à réglementer les
relations en son sein et vers l'extérieur. Ainsi, les processus de
centralisation eux-mêmes provoquent des heurts très durs et
la violence joue un rôle déterminant en soumettant la prétendue règle générale aux intérêts individuels et de groupes. Il
n'y a là rien d'étonnant, dans la mesure où la violation ou
l'usage instrumental de la norme appartiennent à la réalité
historique de systèmes politiques bien plus complexes que le
système mafieux ; et je ne vois pas ce qui permettrait de
penser que les chefs mafieux ont réellement une éthique
« publique » plus élevée que celle de leurs homologues du
monde normal. Valachi, Gentile, Bonanno, Buscetta, Calderone se dépeignent, ainsi que leurs amis, comme des hommes
sages qui appliquent les règles, recherchent la médiation,
répugnent aux conflits illégaux, n'utilisent la violence qu'en
dernier recours, pour appliquer les délibérations rationnelles
et pondérées de l'organisation. Simultanément, ils dépeignent
leurs ennemis comme des personnages déloyaux, refusant de
respecter les lois de leur propre société, toujours prêts à trahir,
à tuer pour un rien, tendant à la folie et au sadisme. On peut
estimer que ces descriptions sont sincères, mais si leurs
adversaires parlaient à leur tour, ils raconteraient peut-être la
même histoire, en inversant les rôles ; de fait, le faux repenti
de Catane, Ferone, et son ennemi irréductible encore
aujourd'hui, Santapaola, déjà évoqué ici, se sont récemment
accusés l'un l'autre du même méfait, en l'occurrence de ne
pas respecter les règles de la *vendetta*, de frapper femmes et
innocents, en bref, de tendre vers une violence bestiale et
incontrôlée[82]. Dans la réalité, une telle polémique intestine –
tout comme l'opposition entre ancienne et nouvelle mafia –
fait partie intégrante de l'idéologie mafieuse, elle est l'expression d'une vision médiocre et mystifiante du monde, dont il
faut sortir pour pouvoir reconnaître que ce système de réglementation est, en lui-même, inefficace parce qu'il est injuste
et qu'il entraîne toujours les pires perversions. La « guerre
de tous contre tous » que l'on voulait éviter pèse toujours,

tragiquement, sur chaque délibération des commissions mafieuses, bien davantage que sur les verdicts des tribunaux du pouvoir officiel ou les résolutions des parlements, voire des organismes internationaux.

La principale discontinuité dans l'histoire plus que séculaire de la mafia doit être comprise en partant de cette contradiction : depuis 1979, la mafia s'est lancée dans une féroce escalade terroriste contre magistrats, policiers, hommes politiques honnêtes ou compromis, en rompant avec son propre passé marqué par un mimétisme prudent à l'ombre des pouvoirs sociaux et institutionnels envers lesquels il était opportun et habituel de faire preuve d'une attitude de collaboration et qu'elle percevait comme indiscutablement plus forts qu'elle. Cette ligne agressive a différencié, durant ces dernières années, Cosa nostra de toutes les autres formes de criminalité organisée, du moins de celles existant en Italie. Faut-il voir là un effet du morcellement de l'État qui, en l'occurrence, est réellement devenu un faible réseau de relations informelles qui laisse le champ libre à cette structure clandestine compacte ? Ou bien sommes-nous face à un choix myope et arrogant, au produit ultime de l'idéologie mafieuse, par lequel le système mafieux se révèle en fin de compte comme le rival du système d'État, de sorte que ce monde « du dessous » finit par se distinguer du monde « d'en haut » qui, à son tour, peut enfin l'attaquer ?

CHAPITRE II

LA RÉVÉLATION

1. *Protomafia*

Il n'est pas très intéressant, en soi, de savoir d'où provient le terme mafia[1] ni si on s'en servait avant 1860 et, si oui, en quel sens. En revanche, il est essentiel de remarquer que tout le monde l'utilise après cette date pour définir, fût-ce de façon confuse, un rapport pathologique entre politique, société et criminalité et que, par conséquent, le moment de naissance de notre histoire nationale voit apparaître la première perception, encore générale et très ambiguë, de l'existence d'*un* problème de ce genre. *Esse est percipi* : il est donc juste de partir de cette perception. L'idée même de mafia renvoie, par opposition, à l'existence d'un État qui promet la liberté des opinions et du commerce, l'égalité juridique entre les citoyens, un gouvernement du peuple (ou plus précisément, dans cette première phase, des *optimates*) et de la loi, des procédures transparentes et formalisées. Le mot et la chose proviennent du hiatus entre la promesse et la réalité, hiatus auquel n'est pas étrangère la droite historique, qui, en paroles, regrette que les Siciliens n'aient pas le sens de la majesté de la loi. L'absence, en Sicile, d'un « grand » brigandage légitimiste n'empêche pas le gouvernement d'appliquer dans l'île la loi Pica, votée en 1863, qui confie la défense de l'ordre aux tribunaux militaires. Les opérations du général Giuseppe Govone et du préfet général Giacomo Medici, menées afin de capturer les nombreux réfractaires au service militaire, conduisent au ratissage de provinces entières de la Sicile occidentale, au siège et à l'occupation *manu militari* de villes et de villages, à la persécution des parents des réfractaires en application du principe de la responsabilité collective des communautés devant l'autorité militaire. Cette dernière, en appliquant et en théorisant ces systèmes, finit par obtenir un résultat totalement opposé à celui qui était recherché puisque s'ajoute au nombre déjà énorme des déserteurs et des réfractaires (26 000 en 1863), un groupe considérable de personnes qui choisissent l'insoumission précisément lors, et à cause, des actions menées par l'armée, qu'il n'est pas exagéré de qualifier de terroristes. « On m'a assuré – écrit en 1867 un Palermitain anonyme – que dans un village du district, pour 1 seul réfractaire au service, il y eut 34 cas d'insoumission[2]. » L'isolement politique, remarque déjà un modéré comme Diomede Pantaleoni, à la fin de 1861, amène les représentants du gouvernement à s'appuyer sur « les bourboniens et les philobourboniens », voire sur les « poignardeurs », au point d'utiliser le crime politique[3]. Et, de fait, pendant les années suivantes, le parti gouvernemental aura recours, selon toute vraisemblance, à de telles méthodes (c'est le cas de l'assassinat du « général » garibaldien Corrao, déjà évoqué) ainsi qu'à une sorte de « stratégie de la tension » (que l'on pense à l'obscur épisode des poignardeurs de Palerme, en 1863[4]). Cela afin de favoriser la division de la gauche, en criminalisant son aile extrémiste et en obligeant sa partie la plus modérée à collaborer en position subalterne.

En somme, la thématique produit elle-même sa propre périodisation et il n'est pas utile de se laisser glisser en arrière, le long d'une chaîne interminable de prétendus liens de cause, fondés sur le présupposé d'une « différence » sicilienne métahistorique. Sans parler de ceux qui remontent jusqu'aux Vêpres siciliennes, à Verrès, à la prétendue dialectique ethnique entre la zone occidentale de l'île, carthaginoise, et sa zone orientale, grecque, les chercheurs font souvent référence à la vice-royauté espagnole, et c'est là un aspect spécifique de la grande polémique nationaliste contre l'influence ibérique corruptrice et la « prépondérance étrangère[5] ». Au fil de la continuité entre l'histoire sicilienne du XIXe siècle et celle des siècles précédents[6], on peut certainement retrouver, dans les événements des XVIIe et XVIIIe siècles, des connexions entre pouvoir politique, pouvoir social et criminalité assimilables à des situations de la période suivante[7]. Cela ne doit pas cependant faire oublier la grande diversité des contextes. Dans une société d'ancien régime (et pas uniquement en Sicile), les liens personnels étaient prédominants, en fait mais également en droit ; les sujets étaient inégaux et dépendaient de juridictions diverses selon les personnes et les groupes ; certains avaient le droit de faire usage de la violence, d'autres pas. Le concept de mafia ne peut s'appliquer à un tel contexte historique, précisément parce que alors étaient considérées comme normales des relations qui, à l'époque contemporaine, paraissent pathologiques, scandaleuses au point de réclamer un terme spécifique qui en définisse le caractère illicite : et ce terme apparaît précisément à l'époque contemporaine.

Le contexte qu'il est utile de rappeler dès lors que l'on veut faire apparaître le bouillon de culture de la mafia ou encore une « protomafia » est celui du XIXe siècle préunitaire, au cours duquel apparaît d'ailleurs le concept de *camorra*. L'abolition du système féodal, décrété dans l'île en 1812, avec des modalités différentes de la loi pour le Mezzogiorno continental de 1806, puis complétée dans les années 1830, démolit certaines des structures fondamentales de l'ancien régime. En 1875, Leopoldo Franchetti estime déjà que c'est là le point décisif qui met en route le processus de « démocratisation de la violence », par lequel le droit de se servir de la force, d'abord entre les seules mains de l'aristocratie, passe *légalement* à l'État, mais reste matériellement entre les mains de personnes privées et touche de nouveaux groupes sociaux, au-delà de toute hiérarchie rigide d'ordres ou de classes[8]. Je ne parlerais pas, en revanche, d'une *introduction* de la propriété privée qui, dans la Sicile du début du XIXe siècle, comme dans la Russie d'aujourd'hui, ferait de la mafia une structure paralégale de protection de cette nouvelle institution[9]. Comme toutes les explications uniques, celle-ci peut se voir opposer des objections simples. Comment donc les lois qui suppriment la féodalité font-elles naître la mafia dans la Sicile occidentale et non dans sa partie orientale ? Pourquoi de tels phénomènes ne se produisent-ils pas dans les nombreuses parties de l'Europe où, pendant l'occupation napoléonienne et le début du XIXe siècle, sont appliquées des mesures antiféodales ?

Par ailleurs, dans la Sicile du XVIIIᵉ siècle, la propriété
privée existait déjà dans une très large mesure, aussi bien au
sens propre (les francs-alleux *) qu'au sens où les « fiefs »
étaient, au fond, gérés comme des propriétés privées. Après la
réforme, la plus grande part des terres féodales, attribuées aux
barons, reste entre les mains des anciens possesseurs ou entre
dans un circuit d'achat et de vente. Cet ensemble de mesures
préunitaires et postunitaires a pour effet de favoriser l'entrée
dans le circuit marchand d'une quantité considérable de terres
féodales et ecclésiastiques et de donner libre cours à l'intensification des cultures par l'abolition des droits communaux et
des autres charges causées par l'endettement nobiliaire. Dans
un cas que nous connaissons, celui du duché de Nelson (près
de Bronte), le processus est conduit avec obstination par
l'administration ducale, au moyen d'une série de revendications judiciaires et politiques ; la réaction des populations
face à des actions ressenties comme des « usurpations » se
développe en retour et aboutit, dramatiquement, à des insurrections en 1848 et 1860 [10]. En général, les controverses les
plus violentes sur le statut de la propriété, c'est-à-dire les
conflits concernant les biens domaniaux, se déroulent dans la
Sicile orientale, où l'on ne parle pas de mafia, alors que la
partie occidentale, lieu d'élection du phénomène mafieux,
conserve une structure plus directement influencée par le
passé « féodal ».

Les mesures de la première moitié du XIXᵉ siècle acquièrent
tout leur sens dès lors qu'on les met en relation avec la
réforme administrative bourbonienne qui accueille en Sicile
aussi – même si, par rapport au Mezzogiorno continental,
c'est avec un retard dû à des événements politiques différents
– les instances de la période napoléonienne, en avançant pour
la première fois une idée moderne de l'État [11] et en inaugurant
donc le contexte historique dans lequel nous pouvons aborder
le thème de la mafia. La transformation porte, entre autres, sur
la mise en place d'une magistrature professionnelle et d'une
police. Les magistrats, issus des rangs des élites locales, se
positionnent en conséquence, sans grand respect pour le principe d'objectivité de la loi. La force publique peut s'identifier

* Terre de pleine propriété, affranchie de toute obligation ou redevance
[N.d.T.].

avec la nouvelle gendarmerie, centralisée, mais peu apte à se mouvoir parmi les groupes et les factions, les bandits et les notables qui les protègent ; ou bien avec les « compagnies d'armes », dont les membres sont choisis par les notables locaux parmi les jeunes gens du pays « ayant la main leste » ; leur rôle consiste d'ailleurs moins à poursuivre les criminels qu'à récupérer, en négociant avec les voleurs, les biens volés dans leur circonscription. Beaucoup estiment qu'entre les uns et les autres il y a souvent un accord préalable. « Ainsi s'instaure, entre la compagnie, les notables et la criminalité de l'endroit, une dialectique perverse qui garantit aux possédants la protection de leurs biens et la tranquillité sur leurs propres terres, grâce au contrôle très particulier qu'exercent les capitaines d'armes sur la criminalité. La pratique de la transaction entre la victime et le voleur permet à la première de récupérer en partie son bien ; quant au second, il bénéficie de l'impunité et d'une partie de ce qu'il a volé ; pour sa part, le capitaine obtient une "récompense" pour son œuvre de médiation, comme s'il s'agissait d'une honnête commission accordée par le vendeur et l'acheteur d'une affaire publique [12]. »

La polémique de la période bourbonienne est identique à celle qui se déroule après l'Unité : les uns sont partisans d'une gestion de l'ordre public au fond extralégale, au moyen des compagnies d'armes d'abord, de la milice à cheval ensuite ; les autres défendent l'idée d'un corps étatique (respectivement les gendarmes et les carabiniers). Ces derniers considèrent que le premier système est désastreux car il produit une convergence entre propriétaires et délinquants : après 1860, ils le désigneront par le mot « mafia ». Il faut également rappeler les discussions du début du XIXe siècle sur l'incitation à l'assassinat légal, et rémunéré, des contumax par leurs compagnons, inscrite dans les décrets de *fuorbando* * : cette pratique conduisait également à établir un pont entre délinquants, notables et autorités. Nous en retrouverons un écho, après l'Unité, dans les tractations continuelles entre bandits, mafieux et autorités de police : elles se terminent souvent par

---

* Ces décrets de mise hors la loi, prononcés à l'encontre de personnes soupçonnées de faire partie d'une bande armée et ayant refusé de se présenter devant les autorités, prévoyaient que le *fuorbando* [le « forban »] était passible de condamnation à mort [N.d.T.].

l'assassinat (illégal, cette fois) de quelque chef de bande. Comme l'a soutenu Giovanna Fiume (suivant ainsi les traces de Franchetti), il y a deux aspects dans cette question : le banditisme est un instrument des luttes de faction des nouvelles élites locales, un prolongement de leur réseau de clientèle ; mais, par ailleurs, l'affirmation progressive d'une nouvelle idée de légalité contribue à priver de leur légitimité les comportements traditionnels des élites locales et de l'État lui-même : ainsi est mise en discussion une « justice » qui se situe à mi-chemin entre la sphère publique et la sphère privée [13].

Les *gabellotti* (c'est-à-dire les fermiers qui louent une partie des latifundia), les administrateurs des mines de soufre, des latifundia, des vergers proviennent des élites locales ; ce sont eux qui, au cours du XIXe siècle préunitaire et postunitaire, cherchent à recueillir la succession de l'aristocratie féodale qui, lentement mais sûrement, relâche sa prise sur les campagnes de l'île, en fractionnant et en redistribuant, en même temps que ses biens, son propre pouvoir social. Pourtant, la condition même de ce pouvoir semble bien être la possibilité de disposer d'une force militaire : non seulement celle-ci est nécessaire pour la gestion de la force de travail mais, plus généralement, pour la protection des mines de soufre et des fermes et pour prémunir les notables contre les enlèvements. Une telle force peut également servir au cours des nombreuses vendettas entre groupes de clientèle et de famille qui forment les « partis » municipaux dans la Sicile du XIXe siècle. Je pense aux *campieri*, milice privée qui devrait (comme les milices prétendument publiques formées par les compagnies d'armes, les milices à cheval ou les gardes municipaux) préserver l'ordre dans les campagnes et dont les membres, comme dans les autres cas, sont généralement recrutés parmi d'anciens bandits, capables d'intimider les gens malintentionnés avec des arguments semblables aux leurs, ou, le cas échéant, de s'accorder avec eux dans une logique de bon voisinage ; en bref, des gens qui puissent faire le sale boulot pour leurs patrons ou charger de le faire quelque brigand en fuite avec qui, par le passé, ils auraient déjà établi des relations de patronage.

Le *gabellotto* s'acquitte d'une fonction d'ordre et de contrôle social qui va au-delà du rôle de la grande entreprise de culture extensive ; avec ses *campieri* et ses subordonnés, il se substitue aux milices féodales du XVIIIᵉ siècle, se rapproche des milices communales du XIXᵉ siècle, occupe les espaces laissés vides et incontrôlés par l'État bourbonien puis libéral. Déjà Emilio Sereni, voilà de nombreuses années, voyait dans la mafia moins un résidu féodal que l'instrument d'une bourgeoisie « avortée », précisément celle des *gabellotti*, qui, au cours de la longue désagrégation de l'économie et des pouvoirs féodaux, développe une capacité d'intimidation qui s'exerce aussi bien vers le haut que vers le bas de la hiérarchie sociale [14]. Tandis que se désagrègent les patrimoines de la vieille aristocratie, certaines fractions de la communauté locale tentent d'intercepter les flux de cette richesse, n'hésitant pas à faire usage de violence, au sein ou en dehors de la communauté, afin de tracer les limites de la concurrence pour la location ou l'achat des terrains. À partir des communes, grâce à la « gabelle », les nouvelles couches dirigeantes étendent leur influence sur un espace géographique plus vaste. Il s'agit d'un élément qui prend un caractère typique dans la Sicile du Centre et de l'Ouest.

Là, dans la période postunitaire, l'« industrie agricole » doit être exercée sur grande échelle, afin de pouvoir laisser les terres au repos, et elle implique donc la succession de la culture du blé et de l'élevage ; la culture est en général confiée aux paysans (*borgesi*) qui la pratiquent sur de petits lots tandis que l'élevage est directement géré par les fermiers ; par ailleurs, faute de pratiquer la stabulation, il faut des pâturages situés à diverses altitudes, ce qui nécessite une ampleur considérable des mouvements des troupeaux. Ainsi, même si les patrimoines nobiliaires s'émiettent, l'unité économique est souvent préservée par le système dit des « condominiums », sous le contrôle de grands entrepreneurs [15].

« L'absence de sécurité – écrit, en 1866, Antonio di Rudinì, jeune aristocrate promis à une belle carrière politique – a produit le phénomène suivant : quiconque va à la campagne et veut y demeurer doit devenir brigand. Il ne peut faire autrement : pour se défendre et défendre sa propriété, il lui faut par nécessité rechercher le patronage des bandits [16]. » Il me semble cependant que, davantage que la propriété en tant que telle, le problème de la protection concerne l'entreprise, surtout celle qui pratique l'élevage. La capacité de contrôle sur la criminalité représente, comme nous l'avons dit, une condition nécessaire d'accès à l'exercice de la « gabelle », dont sont exclus les concurrents privés d'une telle capacité. Il est significatif que, pendant tout le XIXᵉ siècle, la question du vol de bétail soit au centre du débat : la fonction d'éleveur requiert davantage d'esprit d'entreprise que celle du *gabellotto* et son troupeau est son capital le plus précieux, mais aussi le plus facile à voler. Autour de cette question se développe, durant la période bourbonienne, la pratique des *componende,* arrangements et tractations entre victimes et voleurs pour la restitution du butin, menés sous l'égide de représentants influents de la criminalité, d'intermédiaires ou de notables. Au début des années 1840, le sous-intendant de Termini, Puoti, décrit un système articulé en trois niveaux : les auteurs des délits, les médiateurs, les organisateurs qui « restent sur leurs propres terres, correspondent entre eux, règlent les opérations […], gardent les bêtes sur leurs terres […], décident qui mérite la mort et qui doit exécuter la sentence [17] ». En 1838, le magistrat Pietro Calà Ulloa dénonce le fait que « le peuple a établi une convention tacite avec les coupables » par l'intermédiaire d'« unions ou fraternités, sorte de sectes qu'ils nomment *partis* » : celles-ci, qui ont à leur tête « possédants » et « archiprêtres », forment « de petits gouvernements dans le gouvernement » en vue de permettre les *componende* (qui ôtent à l'ordre légal le pouvoir de poursuivre les crimes) et d'autres agissements contre les fonctionnaires publics [18].

Calà Ulloa n'attribue pas à ces fraternités « une couleur ou un but politiques », mais le terme « partis » indique quel est le problème pour lui : ne sera-t-il pas, par la suite, un des représentants les plus en vue de la réaction légitimiste ? Puoti est plus clair quand il affirme que « les voleurs en Sicile, sans en être conscients, sont les instruments d'une révolution et ils permettront une révolte dont profiteront ceux qui aujourd'hui les protègent [19] ». Comme il en ira dans la période postunitaire, la découverte de l'ampleur protomafieuse du fait criminel est déterminée par la crainte qu'éprouve la « nouvelle » autorité étatique envers l'insubordination politique et sociale du peuple comme des couches dirigeantes. Toutefois, les fonctionnaires bourboniens savent qu'ils doivent affronter un phénomène très profond de mobilisation politique, qui est et reste leur principal problème ; il avait été énoncé, à peine un an avant le rapport de Calà Ulloa, dans le programme de Ferdinand II : « La première chose à laquelle il faut habituer la Sicile, c'est à obéir[20]. » En ce cas, bien plus que dans celui de l'Italie libérale, le malaise social, l'émergence de la criminalité et l'opposition politique forment un mélange inextricable, dans les interprétations des contemporains mais aussi dans la réalité des faits.

De 1815 à 1860, les périodes d'ordre ne représentent que de brèves parenthèses, scandées par les insurrections de 1821 et de 1848, par l'alternance des révolutions et des restaurations. Il ne s'agit évidemment pas d'un heurt frontal entre *la* Sicile et les « Napolitains », mais d'un choix antibourbonien d'une partie consistante de la classe dirigeante, surtout palermitaine, qui, étant donné les innombrables situations locales, prend l'aspect d'une guerre civile rampante. Comme en bien d'autres circonstances, au cours du XIXᵉ et du XXᵉ siècle, les individus interviennent dans la grande Histoire en fonction de leurs intérêts propres, pour affronter la petite histoire des bourgs, des villages, des familles. La violence joue alors le rôle d'accoucheuse sinon d'une nouvelle civilisation, du moins de nouveaux équilibres ; le processus révolutionnaire définit les conflits politiques et sociaux ; il permet d'exercer des vengeances privées, d'accéder à la richesse et au pouvoir. À Marineo, en 1821 et 1848, se déroulent des massacres perpétrés par un des partis contre l'autre ; à Castellamare del Golfo, la révolte populaire de 1862 prend pour cible le groupe néobourgeois des *cutrara* ; à Bronte, à Biancavilla, ailleurs encore, en 1848 comme en 1860, la question des biens domaniaux exacerbe les sanglantes insurrections et les répressions féroces[21]. Les individus et les groupes s'habituent à régler par la violence leurs propres conflits, à leur donner sens en fonction de la « grande » politique, à armer, utiliser et contrôler ceux que les sources contemporaines désignent comme des « fauteurs de troubles ».

On le voit, il est impossible de distinguer le désordre social et institutionnel, provoqué par les réformes de la première moitié du XIXᵉ siècle, du désordre politique. Le caractère synchrone des deux bouleversements leur donne, à tous deux, un aspect radical et incontrôlable, si bien que chaque secousse voit se recomposer derrière la révolution ou la réaction les

segments en miettes de l'Ancien Régime. « Il se passe en Sicile
ce qui se passe partout après une révolution -- affirme une des
personnes interrogées par la Commission parlementaire de
1875. Dans les révolutions, les richesses se déplacent, certains deviennent riches, d'autres pauvres. Notre pays n'a pas
encore trouvé son centre ; de là provient toute cette agitation
sociale [22]. » Un cas typique de superposition d'éléments politiques, sociaux et criminels, est fourni par les organisations
militaires qui lancent les insurrections palermitaines : les cor-
porations, les *guerriglie*, les milices citadines en 1821 [23] ; les
squadre *, les *controsquadre* et la garde nationale en 1848 et
en 1860. À l'inverse de ce qui advient dans le Mezzogiorno
continental, les forces populaires ne sont pas attirées par le
sanfedismo [la réaction à fondement religieux], elles suivent
au contraire la bourgeoisie et l'aristocratie, d'abord indépendantiste puis libérale. Cela ne garantit pas pour autant l'ordre
social, comme le démontrent les affrontements dramatiques à
l'intérieur du front révolutionnaire en 1821 et, plus encore, en
1848, lorsque, face aux actions des *guerriglie* et des *squadre*
populaires, se déchaîne la terreur blanche des *controsquadre*
et de la garde nationale [24]. À chaque fois, s'il faut en croire
l'historiographie du Risorgimento, la révolution aurait cédé
face à la réaction (ou du moins, en 1860, face à une stabilisa-
tion modérée) à cause de l'apparition brutale d'une « lutte de
classe » entre ceux qui en faisaient partie. En réalité, il n'est
pas toujours facile d'identifier les sujets des affrontements et
souvent les représentations de *squadre* anarchisantes, assoif-
fées de pillages s'opposent à celles de *squadre* liées à l'aristocratie par les liens traditionnels de fidélité et de vassalité, ou
par un salaire que l'on peut évaluer à 6 *tarì* par jour.

On peut donc penser que la violence politique du Risorgimento, et en particulier le phénomène des *squadre*, est le
bouillon de culture du phénomène mafieux [25]. De nombreux
contemporains, philobourboniens ou libéraux modérés, suggèrent une telle thèse ; parmi ceux-ci, le préfet Filippo Gualterio indique, comme complices de la mafia, les libéraux –
pendant la phase de révolution – puis les bourboniens – pendant celle de restauration – et surtout les républicains, à

---

* *Squadra*, *squadre* : ce terme désigne une « équipe », un petit groupe
armé [N.d.T.].

l'époque où il écrit. Jouant les apprentis sorciers, d'une manière qui rappelle la police bourbonienne, le préfet de police Felice Pinna reste volontairement inerte, en septembre 1866, face aux prodromes d'une révolte qui allait bouleverser Palerme : il avait pour objectif de provoquer l'insurrection afin de pouvoir pleinement la réprimer[26], tout en accréditant la thèse d'un fantomatique complot impliquant à la fois cléricaux, bourboniens, mazziniens * et mafia. La révolte se déroule selon la tactique bien expérimentée des précédents soulèvements citadins : le centre est envahi par les *squadre* provenant des bourgs et des villages voisins (Monreale[27], Bagheria, Misilmeri) tandis que la « plèbe » urbaine se met également en mouvement. Le 19 septembre, point culminant de la révolte, il y a dans la ville 12 000 insurgés en armes, dont 1 200 viennent de la campagne et « 2 000 jardiniers, paysans et charretiers, parmi les plus féroces de tous, qui habitent dans les faubourgs et les hameaux [qui entourent Palerme] [28] ». « Certains membres de la *squadra* Ciaccio me disaient – et ensuite je l'ai entendu répéter par beaucoup de gens du peuple – que les *squadre* de 1866 étaient les mêmes que celles de 1860, et il y avait même des gens de 1848 qui en faisaient partie[29]. »

« Vive la république italienne ! » crient les insurgés de 1866. Le cri rappelle une expérience, un ensemble de symboles clairement empruntés à la gauche « actionniste », comme le montre l'insistance sur une république « italienne » plutôt que sur une revendication régionaliste, à laquelle on aurait pu s'attendre. « Le républicanisme révolutionnaire faisait son ouvrage. La délinquance armée de la campagne palermitaine s'en fit le héraut d'armes et la plèbe accepta de suivre en poussant un cri de vengeance[30] » : telle est alors la situation des forces, mais aucun parti n'est en mesure de prendre la direction du mouvement, et d'ailleurs aucun ne tente de le faire, comme si la section inférieure d'un réseau de relations politiques s'était retrouvée sans point d'ancrage avec la partie supérieure représentée par l'aristocratie libérale

---

* Mazzinien : partisan de Giuseppe Mazzini (1805-1872), patriote et révolutionnaire italien, fondateur de la *Giovine Italia* [la « Jeune Italie »], mouvement luttant pour la libération de l'Italie et favorable à l'instauration d'une république [N.d.T.].

traditionnellement conspiratrice. C'est la thèse qu'avance le duc Gabriele Colonna di Cesarò : « La première chose que firent les révoltés, ce fut d'aller chercher ceux qui avaient été à leur tête en 1860 : Pignatelli Monteleone, Riso, Turrisi, Torremuzza [...]. Naturellement, aucun d'entre eux ne voulut en entendre parler et les rangs des fauteurs de troubles s'en trouvèrent tout chamboulés[31]. » Il me semble cependant difficile de croire jusqu'au bout ces sources qui pensent communément que l'intelligence est réservée aux couches supérieures, que les autres en sont privés et n'agissent que par désir de rapine et de mise à sac. Les problèmes de la Palerme postunitaire étaient énormes et, parce qu'ils étaient liés à la perte de son statut de capitale postféodale, en bonne partie différents de ceux du reste de la Sicile, notamment de la Sicile orientale[32]. De là proviennent les passions *essentiellement politiques* qui font descendre vingt à trente mille personnes dans la rue, en comptant ceux qui ne participent pas directement aux combats, à propos desquels on sait encore bien peu de choses, pas plus d'ailleurs que sur l'organisation militaire qui fait alors sa dernière tentative.

Quoi qu'il en soit, le problème des « fauteurs de troubles » se pose en 1866 comme il se posait précédemment. Un exemple bien connu est celui du « jardinier » (locataire de vergers d'agrumes) de Monreale, Salvatore (Turi) Miceli, chef d'une *squadra* en 1848, intégré dans la police bourbonienne par le chef de celle-ci, Salvatore Maniscalco, à nouveau insurgé en 1860, arrêté comme complice des bandits, mais mystérieusement libéré sur l'intervention du préfet de police Pinna. À l'évidence, Miceli ne parvient pas à porter à son terme avec le régime libéral le jeu qu'il a commencé avec le régime bourbonien, et qui consiste à utiliser en tant qu'homme d'ordre les connaissances militaires acquises à l'école de la politique : en effet, il meurt en 1866 en dirigeant l'assaut contre la prison où est détenu Giuseppe Badia, ancien commandant garibaldien qui a pris la suite de Corrao à la tête du groupe radical ; Badia est un futur internationaliste, un « riche industriel » qui a des liens avec d'importants mafieux de la Conca d'oro, par exemple avec la famille Amoroso, dont les membres participent au mouvement « anarchisant[33] » et que nous retrouverons en train de diriger la *cosca* de Piazza Montalto. Cependant, tous les « fauteurs de troubles » n'adhèrent pas à la révolte et les assaillants du palais du prince de Sant'Elia sont repoussés par une *controsquadra* : « Voici un exemple de l'utilité pratique que les propriétaires de Sicile tirent de la protection qu'ils accordent à leurs cultivateurs. Sant'Elia a ôté tous ces hommes à l'insurrection et il a utilisé leurs armes, je ne dis pas contre les brigands car eux-mêmes étaient des brigands, mais pour sa propre sauvegarde [...]. D'autres hobereaux de Palerme se sauvèrent en employant ce même système[34]. »

Certains des acteurs principaux de la révolution se rangent également du côté des défenseurs de l'ordre. C'est le cas d'Antonio Giammona, dont nous reparlerons, et de Salvatore Licata que le préfet de police Rastelli définit, avec indulgence, comme un vieux chef mafieux ; né vers 1805, « il a fait, en 1848, des actes de bon patriote ; il en a fait aussi en 1860 et en 1866. On l'accuse également d'homicides, mais la justice n'a jamais réussi à le frapper ». C'est peut-être faute de pouvoir le frapper que les autorités, en 1861-1862, l'intègrent aux miliciens à cheval, tandis que son fils, Andrea, est nommé commandant des gardes champêtres de Piana delli Colli, au cœur de la Conca d'oro, où il acquiert une telle autorité qu'il est considéré comme « un second préfet de police » ; deux autres de ses fils, toutefois, connaissent la résidence surveillée et la prison en tant que délinquants dangereux[35].

En somme, qu'ils se rangent d'un côté ou de l'autre en 1866, les mafieux palermitains viennent de la révolution. Comme l'affirme encore le duc de Cesarò, « si l'on cherche à savoir qui sont les mafieux les plus réputés, on trouve les noms de Licata, Cusumano, Di Cristina, [...] et donc précisément ceux qui étaient le bras le plus efficace, ceux qui étaient les plus fidèles, les plus dévoués à la partie intelligente[36] », c'est-à-dire à l'aristocratie libérale. Mais, contrairement à ce que dit le duc, la fidélité (réciproque) et le réseau de patronage ne se brisent pas en 1860.

2. *Réseau et organisation*

Province de Caltanissetta, 1861. Don Giuseppe Lumia, ancien maire de Montedoro, possède et gère « directement » une soufrière dans laquelle il emploie également des ouvriers

provenant du bourg voisin de Sutera. Tandis qu'il s'y rend
pour engager des ouvriers, il est repéré par deux de ses
anciens employés, avec lesquels il a eu des mots sur des questions de salaire ; l'un d'entre eux est connu sous le surnom
significatif de *lu ringhiu* [« le grondement »]. Ils lui tendent
un piège à la sortie du village, le tuent et jettent sur son corps
une carte à jouer : le cinq *d'aremi* [d'or] *. Quelques mois
plus tard, les deux hommes sont à leur tour assassinés en rase
campagne, par suite – selon la rumeur publique – de la rancœur tenace de la veuve Lumia[37].

La famille Lumia, avec celle des Caico à laquelle elle est
étroitement alliée, fait partie de la « bourgeoisie » émergente
des villages de la Sicile intérieure, qui est parvenue au cours
du XIXe siècle au rang de classe dirigeante grâce au courant
d'affaires liées à l'exploitation du soufre, en partant de la
location ou de l'achat des biens domaniaux. Nous parlons
d'un pouvoir fondé sur l'ostentation des richesses et du prestige, celle qui amène les Caico, les bonnes années d'exploitation du soufre, à payer entièrement « en or » leurs employés
lors de la fête de la Madone du rosaire. Nous parlons d'un
pouvoir qui requiert l'usage de *campieri*, dont nous possédons une description romantique grâce à Louise Hamilton,
jeune fille anglaise qui épousa un des rejetons de la famille et
dont l'étrange habitude de vouloir se promener à cheval dans
les landes de la région de Caltanissetta rendait plus que nécessaire une solide escorte ; mais nous savons aussi qu'ils ser-
vaient surtout à don Giuseppe, à son épouse, à la famille
Lumia-Caico pour affirmer sa propre loi auprès des ouvriers
des soufrières, des bandits et des voleurs de bétail sans devoir
faire recours à celle de l'État[38]. Nous retrouvons ici beaucoup
des éléments et des acteurs que nous avons considérés comme
typiques de la mafia, mais il est possible de tout ramener au
thème plus général de l'exercice d'un pouvoir de classe dans
un système latifundiaire. Si nous analysions l'épisode susdit
sous l'angle de vue des ouvriers des soufrières, nous pourrions tout aussi bien faire référence à une forme primitive de
lutte de classes, à un épisode de banditisme social. Il est difficile de voir là un ensemble spécifique de phénomènes, que

---

* Les couleurs des cartes à jouer sont le bâton, la coupe, l'or (ou denier),
l'épée [N.d.T.].

nous pourrions nommer mafia, et plus encore d'y déceler un parcours qui mènerait jusqu'à la mafia contemporaine.

En revanche, si nous retournons à Palerme, nous voyons émerger avec plus de clarté quelque chose qui nous permet de mettre en lumière des liens plus évidents entre passé et présent. Partons d'un réseau, d'un ensemble de relations qui, de la capitale, s'étend vers sa vaste province, d'une chaîne qui unit divers personnages les uns aux autres. Le premier anneau de cette chaîne serait Antonino Giammona, le plus important représentant de la mafia palermitaine du XIXe siècle, le chef de la *cosca* de l'Uditore des années 1870 jusqu'à la fin du siècle ; nous le retrouverons à diverses reprises, au fil de cette histoire. Giammona naît dans la bourgade de Passo di Rigano, vers 1819, et il se forme dans la conjoncture révolutionnaire ; « très pauvre » jusqu'en 1848, il devient par la suite, « en agissant en brigand sous la bannière de la révolution », locataire de jardins d'agrumes, propriétaire de terrains et d'immeubles, achetés dans les ventes domaniales de la période postunitaire, et chef d'une entreprise d'élevage ; en 1875, son patrimoine était estimé à environ 150 000 lires. En temps de suffrage censitaire, il contrôle une cinquantaine de voix. Sa carrière connaît un tournant décisif en 1860 quand il se signale, en tant que capitaine de la garde nationale, comme un des protagonistes du « retour à l'ordre » dans la périphérie de Palerme ; en 1866, il choisit à nouveau le parti de l'ordre. Dès lors, affirme non sans satisfaction son avocat, Francesco Gestivo, « face au manque absolu de sécurité publique », Giammona utilise son « autorité morale » pour prendre la tête d'une « ligue des possédants contre les non-possédants ». « Donc, dans les alentours de Palerme, se forme une sorte de garde nationale et Giammona, les autres propriétaires de jardins d'agrumes, les *gabellotti* et d'autres encore, se sont associés et l'ont emporté grâce à leur union, au point qu'il n'y a plus ni crimes, ni délits, ni escroqueries. Eh bien, que s'est-il passé ? Il s'est passé qu'ils ont provoqué la haine de ceux qui n'ont pas pu faire ce qu'ils avaient fait ; et, du coup, il y a eu des dénonciations contre eux, ils ont été présentés comme des personnes violentes, mafieuses, suspectes [39]. »

Depuis Giammona, on peut tirer trois fils : vers le bas – la criminalité ; vers ses pairs – les autres leaders de la mafia ; vers le haut – les hommes éminents qui le protègent et que lui-même protège. Il peut, précisément, fournir « assistance et protection » à divers bandits en fuite, mais devant une tentative d'extorsion de fonds que ceux-ci mènent contre Francesco Paolo Morana – le frère d'un député – et le baron Dionisio Maggio, il n'hésite pas à perpétrer un véritable massacre parmi ses hôtes indisciplinés [40].

Mais le fil que l'on tire vers le haut mène avant tout jusqu'au baron Nicolò Turrisi Colonna, grand propriétaire – mais pas depuis longtemps –, gestionnaire moderne et éclairé de ses entreprises, féru d'études agronomiques, patriote avant l'Unité puis représentant en vue de la gauche modérée, sénateur et maire de Palerme [41] : c'est le deuxième anneau de notre chaîne. Turrisi, nous y avons fait allusion, est désigné par le duc de Cesarò comme l'un des hommes auxquels se réfèrent les mafieux patriotes. En 1860, il est à la tête de la garde nationale de la ville dont Giammona est l'un des officiers ; ce rapport entre les deux hommes est resté solide : en font foi les attestations de bonne conduite fournies en 1875 par le sénateur au chef mafieux qui a, pour la première fois, des ennuis avec la justice. D'ailleurs, à Castelbuono, village de l'intérieur où son père a été *gabellotto*, Turrisi se sert également de « fauteurs de troubles » : au moins trois de ses *campieri* sont inscrits sur une liste de mafieux établie par la sous-préfecture de Cefalù. Dans un de ses domaines, en 1874, les forces de l'ordre font irruption à la recherche d'une bande de hors-la-loi, ce qui suscite les protestations du baron contre la persécution politique dont il s'estime l'objet. Après cet épisode, le préfet Rastelli confie à Franchetti qu'« il devra quitter Palerme [...] car il a eu le tort de s'en prendre aux *campieri* [du sénateur] [42] ». Quelques années plus tard, Domenico Farini, président du Sénat, rappellera que, en 1876, les députés Morana et La Porta lui avaient confié que Turrisi était « le chef de la mafia [43] ».

En 1875, Andrea Guarnieri admet que l'on a peut-être commis une erreur en fondant en 1860 « la police sur la maffia » comme on l'a fait à Palerme ; il remarque cependant qu'il aurait été difficile de faire autrement dans l'ancienne capitale, avec ses 200 000 habitants et les très fortes tensions politiques et sociales qui s'y exercent. Dans des contextes comme celui de la région d'Agrigente, où il a été préfet, on a pu en revanche constituer directement « une police des propriétaires[44] ». D'autres sources nous apprennent également que, dans la circonscription palermitaine de Termini et dans la région limitrophe d'Agrigente, le retour à la normale, après la période révolutionnaire, a été l'œuvre de groupes armés sous le contrôle de quelques notables, parmi lesquels on peut signaler les Nicolosi de Lercara et les Guccione d'Alia, maires, propriétaires et (pour les seconds) locataires de véritables « États » latifundiaires dans divers endroits de la province de Palerme[45]. Ici aussi, toutefois, les processus de mobilisation révolutionnaire, et en particulier les insurrections de 1860 et 1866, sont des tournants dans les biographies de brigands éminents comme Leone et Valvo, sans parler de nombreux mafieux : le nom de Giuseppe Brancato, médecin et chef mafieux de Ventimiglia, renvoie à un passé de conjurations contre les Bourbons, en particulier à celle de 1859, durant laquelle le baron Bentivegna perdit la vie car il avait été abandonné par les *squadre*, entre autres par celle que commandait Brancato[46].

Angelo Pugliese, dit don Peppino le Lombard, le plus grand bandit de la période postunitaire, rencontre lui aussi l'insurrection palermitaine de 1860 qui le libère de la prison où il purgeait une peine à perpétuité et où, selon ses propos, il a rencontré de nombreux patriotes éminents, dont Spaventa et Settembrini, qui ont tenté de le convertir à l'amour de la patrie ; c'est peut-être pour cette raison que, pendant qu'il était en fuite, il aimait se présenter comme « garibaldien ». Après sa fuite, il se cache dans la bourgade de l'Uditore et entre alors en contact avec « un jardinier nommé Giammona » (que l'on peut, me semble-t-il, identifier comme le chef mafieux dont nous avons parlé) ; ce dernier le recommande à un notable, Angelo Palazzolo, qui lui trouve une place de *sovrastante* (quelque chose de plus qu'un *campiere*) chez les Guccione. La carrière de brigand de l'ancien prisonnier à vie commence là[47]. Les Nicolosi et les Guccione sont désignés comme partie prenante des entreprises de don Peppino, auquel ils procurent compagnons et assistants choisis dans leurs réseaux de clientèle ; ils l'aident également à recycler les bénéfices de cette économie de brigandage[48]. En échange, le bandit s'engage à respecter leurs biens et à rendre la vie difficile à leurs concurrents. Deux propriétaires de Prizzi, Giuseppe Valenza et Luciano D'Angelo, participent

directement aux actions de la bande pour augmenter leurs
revenus, exercer des vengeances, obtenir une renommée
d'hommes violents qui leur vaudra, par la suite, de rester à la
tête des deux partis opposés de leur village natal ; et aussi de
gérer – de façon tantôt amicale, tantôt féroce – les rapports
avec la petite criminalité [49]. Les Guccione, les Nicolosi,
Valenza et D'Angelo sont mis en cause par les aveux de don
Peppino durant l'instruction de son procès, aveux qu'il rétrac-
tera à l'audience ; ils sortiront indemnes du procès qui, en
1868, condamnera à de lourdes peines le groupe des hors-la-
loi, « quelques gueux que l'on envoie purger en prison des
fautes que partagent les riches impunis », selon les termes du
procureur du roi Giuseppe Borsani, futur président de la
Commission parlementaire d'enquête de 1875 [50]. C'est là un
point clé : jusqu'aux années 1920, nous retrouverons, en
effet, le nom des Guccione au centre de toutes les polémiques
sur la complicité entre propriétaires et brigands et nous verrons comment les réseaux de brigandage mis en place par don
Peppino se régénéreront, dès les années suivantes, en laissant
la place aux bandes de Leone et De Pasquale, puis à d'autres
semblables jusqu'à la fin du XIXᵉ siècle.

La chaîne a donc quatre anneaux principaux : le chef
mafieux Giammona, le chef brigand Angelo Pugliese, les
grands *gabellotti* Guccione, le grand notable et propriétaire
Turrisi. Autour d'eux, une myriade de gardiens, voleurs,
extorqueurs de fonds, brigands, policiers. Il ne manque même
pas un avocat, Gestivo, qui est aussi un homme politique :
c'est à lui qu'il revient de donner les justifications idéologiques de la mafia, tâche que Turrisi, quant à lui, n'assume pas
car il regarde les choses d'un point de vue plus élevé. Les préfets de police ferment et – le cas échéant – ouvrent les yeux ;
il leur arrive aussi de diriger la fuite de quelque brigand, voire
d'aider à la constitution de *cosche* mafieuses : ce fut le cas
(que nous évoquerons) du préfet de police Albanese qui, par
ailleurs, reprenait à son compte le modèle qu'avait appliqué,
après 1848, le chef tristement célèbre de la police bourbonienne, Maniscalco ; ce dernier, selon Albanese, avait obtenu
« de bons résultats […] en amenant les chefs de la Mafia à
préserver la sécurité [51] ». Ce réseau, à la dimension d'une
entière province, a bien peu à voir avec la résille des solidarités
entre parents, clientèles et amis qui constituerait, selon tant de

chercheurs en sciences sociales[52], la *cosca* paysanne, seule forme jugée possible d'organisation mafieuse.

L'autorité de police elle-même, naturellement encline à voir des complots partout, hésite longuement entre l'idée de la solidarité délictueuse, mais informelle, et celle de la structure unique pyramidale ; or, opposées ainsi l'une à l'autre, elles sont toutes deux forcées et trompeuses. Le préfet Rasponi qui, en 1874, parle de la mafia comme « une sorte d'accord tacite [qui] n'a pas de formes définies, mais s'exerce *aussi* sous la forme pour ainsi dire instinctive et habituelle », fait en même temps référence à un « anneau permanent de conjonction » entre campagne et ville et, plus encore, décrit les degrés d'initiation et les hiérarchies d'une organisation que lui-même et son collègue de Trapani nomment *camorra*[53], dans une faible tentative pour rendre, par un autre mot, une nuance différente de sens. Au fur et à mesure que s'éloignent les événements de 1848, de 1860, de 1866, la mafia s'écarte toujours davantage du type d'association que presque tous ont en tête, à savoir l'association politique subversive « considérée avec suspicion et aversion par la culture juridique libérale[54] ». Quel sens politique peut-on accorder à l'ensemble des compagnons et des protecteurs de don Peppino le Lombard, parmi lesquels on trouve à la fois des partisans de Crispi (Valenza) et des Bourbons (Nicolosi) ? Cependant, les grands bouleversements du Risorgimento sont aussi destinés à influer sur les modèles d'organisation, fût-ce par des voies détournées.

Des indications importantes nous sont offertes par Turrisi Colonna lui-même, dans un écrit publié en 1864 – deux ans après la comédie de Mosca et Rizzotto, un an avant le rapport Gualterio –, où l'on trouve une analyse lucide du problème à partir de la période du Risorgimento : entre le Sicilien libéral et les fonctionnaires bourboniens et napoléoniens les points de vue divergent peu. En effet, Turrisi n'hésite pas à reprendre à son compte la conviction bourbonienne d'un lien entre « fauteurs de troubles » et libéraux et, pour sa part, il précise que, dès 1848, la révolution a eu besoin de quiconque savait porter les armes, qu'en 1860, « toute la secte des vieux voleurs était en armes […] ; en armes également toute la jeunesse qui vivait du métier de garde rural et la classe nombreuse des contrebandiers de la campagne palermitaine[55] ».

La contrebande est un élément important pour la mafia palermitaine, comme pour la *camorra* napolitaine : elle renvoie à l'Ancien Régime qui « tolérait tranquillement de telles contrebandes, à condition que l'on ne commette pas de vols sur la voie publique, d'enlèvements contre rançon et autres choses du même genre ; et les célèbres chefs de la mafia prirent cette responsabilité [56] ». Dans cet espace également toléré pendant la période libérale, pourront se réaliser nombre de transactions entre « fauteurs de troubles », hommes d'affaires et administrations municipales ; la contrebande se mêle au gardiennage, dans la mesure où les gardes pouvaient ou non laisser passer la marchandise par leurs jardins, et à un autre corps public de police, les gardes de l'octroi, souvent accusés de bienveillance envers mafieux et contrebandiers.

Dans le texte de Turrisi, le mot « mafia » n'apparaît pas encore, mais le terme « secte » y occupe une place centrale. Les contrebandiers et les gardiens palermitains, les *campieri* et les *gabellotti* des latifundia, les trafiquants en tout genre « doivent par nécessité s'affilier » à la secte, formée à l'origine de voleurs de bétail : la secte contrôle l'île, ne craint pas la justice, offre sa protection et reçoit des secours [57]. Outre le terme « secte », le baron utilise également d'autres mots clés : camorra, infamie, humilité. « L'humilité implique le respect et la dévotion envers la secte et l'obligation de se garder de tout acte qui peut nuire directement ou indirectement aux affiliés. [...] Quiconque a vécu quelque temps dans les campagnes de Palerme sait que souvent se tiennent de grandes réunions de la secte pour discuter sur la conduite de tel ou tel affilié. [...] Après avoir entendu tous les présents, l'assemblée décide [58]. »

Au vrai, je ne crois pas que n'importe qui ait pu connaître le fonctionnement de ces assemblées-tribunaux, que nous retrouverons au cours de notre histoire, et je suis d'autant plus persuadé que Turrisi devait avoir à ce propos des informations de première main. Il se présente comme un opposant au gouvernement, incapable de ce fait d'accomplir sa mission de défense de l'ordre ; comme un libéral qui se rappelle, non sans quelque sympathie, les compagnies d'armes bourboniennes ; comme un chercheur qui regarde de l'extérieur des événements auxquels il a participé et participe encore ; comme un possédant moderne qui doit transiger avec la délinquance parce qu'il considère l'intérêt supérieur de la production agricole : c'est le premier de la longue série des théoriciens de l'état de nécessité de la classe dominante sicilienne [59]. Je ne crois pas qu'il soit le chef de la mafia, mais le protecteur de certains des mafieux les plus importants, le représentant d'un groupe social et politique qui a établi un lien avec les « fauteurs de troubles » et qui a décidé de s'en servir aussi après la révolution.

Durant la conspiration du Risorgimento, il existait un réseau clandestin inspiré par la franc-maçonnerie, et ce par l'intermédiaire de sa descendante, la charbonnerie. Selon Giuseppe Giarrizzo, après 1824, le réseau des sectes de la charbonnerie commença déjà à « perdre ses motivations culturelles ou politiques » et à se scléroser en « structures locales ou parallèles de pouvoir [60] ». En réalité, pendant toute la période qui va de la Restauration à 1866, la très large diffusion de la violence commune et politique rend bien difficile la distinction entre mobilisation révolutionnaire, volonté de gestion du pouvoir local et délinquance. Le processus peut, dans son ensemble, être résumé par la formule de Franchetti : « démocratisation de la violence », à condition de mettre l'accent sur l'élément politique et révolutionnaire, qui n'existe pas pour Franchetti, et en gardant toujours en tête que la révolution (avec sa complexité, sa richesse et sa valeur libératrice) ne saurait être réduite à une pure et simple anticipation de la mafia. En fait, on peut voir dans la mafia un *déchet* de ce processus, qui apparaît comme tel précisément au moment où la révolution s'épuise, entre 1861 et 1866 ; de façon analogue, on peut considérer que le rituel mafieux est un sous-produit des rituels de la maçonnerie ou de la charbonnerie. Selon un document de 1818 [61], la distinction entre maçonnerie et charbonnerie consiste dans la place que cette dernière accorde aux couches inférieures, au « bon artisan, [à] l'honnête agriculteur », peut-être même à la « populace ». L'organisation militaire révolutionnaire, en Sicile, nous le savons bien, ne repose pas seulement sur la garde nationale mobilisée sur la base du cens ; en effet, outre les diverses factions de la bourgeoisie et de l'aristocratie, souvent en lutte entre elles, le peuple aussi se mobilise, les armes à la main, et pas seulement le peuple « honnête et travailleur ». Les serments, dont nous parlent les sources, par lesquels le peuple s'engage à suivre la classe « civile », sans se laisser aller aux pillages ni aux vols, semblent faits exprès pour mobiliser les « fauteurs de troubles », tout en les contrôlant du même coup. Après 1861, la classe dirigeante recommencera à s'organiser pour son propre compte dans la maçonnerie ; les « fauteurs de troubles », pour leur part, reproduiront à leur façon les modèles sectaires.

La première description que je connaisse du serment mafieux (qui correspond d'ailleurs au serment actuel de Cosa nostra, en Sicile comme aux États-Unis) se trouve dans un rapport de la police palermitaine sur la *cosca* de l'Uditore, dirigée par Giammona. Le parrain pique l'index de l'aspirant, il barbouille une image sainte avec le sang qui perle, puis brûle l'image « pour symboliser l'anéantissement » de l'affilié qui voudrait trahir[62]. Comme l'a écrit Nino Recupero, les menaces terrifiantes contre les traîtres, « le fait de pénétrer les yeux bandés dans un lieu secret [synonyme de renaissance], de jurer avec son propre sang et sur le feu [...] sont une amplification un peu fruste de certains aspects des rituels maçonniques, que les *carbonari* avaient repris à leur compte[63] ». Et puis il y a les rites de reconnaissance. Un affilié, qui rencontre un inconnu, membre d'un autre groupe, fait mine d'avoir mal à une dent [*scagghiuni*] ; il s'ensuit un échange de répliques qui permet d'identifier la *cosca* d'appartenance, non sans d'étranges résonances théologiques : « – Qui fallait-il adorer, d'après eux ? – Le soleil et la lune. – Et qui était votre Dieu ? – Un *Ariu* *.– Et à quel royaume appartenez-vous ? – À celui de l'index[64]. » Le « Grand Orient de Monreale » ou plutôt la *cosca* locale des *stoppagghieri* (sur laquelle la police rapporte des rituels identiques à ceux de l'Uditore) sera présentée par la presse comme une pseudo-loge qui émet des décrets de vie et de mort sur ses membres et ses ennemis[65].

Nous sommes donc, dirait Turrisi, devant une secte, ou un ensemble de sectes unies par des rituels identiques. Une telle homogénéisation d'organisations différentes, implantées localement, s'explique par l'expérience de la politique, mais aussi par les résidences forcées à Ustica et à Favignana, par la prison palermitaine de l'Ucciardone qui représente « l'Uni-

---

* On ne connaît pas le sens exact du mot « *Ariu* » [N.d.T].

versité du crime » ou encore, à en croire les déclarations du marquis di Rudinì en 1866, « une espèce de Gouvernement » des *cosche* [66]. C'est là que Salvatore D'Amico, futur repenti de la *cosca* des *stoppaghieri*, prête serment et est initié aux secrets de l'organisation. Par ailleurs, la prison avait été, à l'époque des Bourbons déjà, un lieu de rencontre entre détenus politiques et de droit commun, ce qui nous ramène aux croisements entre criminalité et Risorgimento et à l'entrée en scène du concept même de mafia avec la comédie de Mosca et Rizzotto, dans laquelle – un peu comme le faisait Spaventa dans les aveux de don Peppino – un grand patriote (peut-être Crispi) engage les malfaiteurs à diriger vers le bien leur volonté d'organisation et, en particulier, à constituer une société de secours mutuel.

De fait, la mafia s'apparente au phénomène bien plus ample des formes d'associations populaires, qui est souvent, dans ses débuts, sectaire et conspirateur. Face à l'émergence d'associations secrètes – comme la *posa* qui, par des méthodes terroristes, incite les ouvriers meuniers de Palerme à se coaliser afin d'imposer le contrôle et le monopole des prix et des salaires – la préfecture de police incite réellement (et pas seulement dans la fiction scénique) à la constitution de sociétés de secours. Par ailleurs, à de nombreuses reprises, par la suite, nous verrons les *cosche* se mêler à des institutions typiques des formes d'association populaire en expansion : les *fasci* siciliens, les coopératives agricoles (sans oublier, aux États-Unis, les syndicats) ; en d'autres cas, des organisations plus traditionnelles, comme les confréries, joueront également un rôle. En particulier, il semble possible de repérer une mafia « populaire » dans les régions d'Agrigente et de Caltanissetta, dans lesquelles l'exploitation du soufre (et donc le rôle des propriétaires des mines et de leurs ouvriers) se superpose aux formes d'économie liées aux latifundia.

Au XIXᵉ siècle, le *picconiere* [piqueur] est moins un prolétaire, soumis à la discipline et à la hiérarchie de fabrique, qu'un chef d'équipe qui prend en location (le cas échéant en s'associant avec d'autres) une galerie, qu'il exploite avec des aides et des *carusi* [galibots]. Pour ce minuscule entrepreneur, la capacité à faire usage de la violence est une qualité professionnelle, et « le crime de métier [...], un accident de travail comme un autre » : de fait, il sert à réglementer la concurrence entre les « partis » qui se disputent l'exploitation des filons miniers[67]. Les affiliés à la « *Fratellanza* » [Fraternité] de Favara sont en majorité des ouvriers du soufre ; dans cette confrérie, accusée en 1885 d'être une *cosca* mafieuse, les rituels sont les mêmes qu'à l'Uditore ou à Monreale : un magistrat les définit, à l'époque, comme « un étrange mélange de mysticisme et de kabbale, de références sacrées et de vulgarités insipides[68] ». C'est dans la région d'Agrigente que Luigi Pirandello situera, en 1910, une nouvelle sur une ligue paysanne qui pratique le vol de bétail, avec l'habituelle *componenda* pour la restitution du butin, comme instrument de négociation salariale avec les propriétaires fonciers. On dirait une application de la théorie de Eric J. Hobsbawm sur la mafia comme forme primitive de lutte de classe[69]. À cette nuance près que l'écrivain sicilien se montre plus réaliste que l'historien anglais : pour lui, aucun socialisme sauveur ne rachètera ces archaïsmes lorsque la modernité l'aura emporté, mais au contraire, lorsque s'éloigneront les motivations politiques et que la ligue se dissoudra, le mécanisme mafieux se renforcera et finira par tourner tout seul, selon une logique de protection et d'extorsion de fonds[70].

Le cas de la « *Fratellanza* » indique que les modèles mafieux circulent, d'une province à l'autre, dès les années 1870-1880. Favara et d'autres villages de la région d'Agrigente représenteront également par la suite des noyaux d'irradiation du phénomène, même si, à mon avis, ils demeurent moins importants que les villages de la région palermitaine et que Palerme même. Dans la zone d'exploitation du soufre, la caractérisation sociale des mafieux est plus « basse » que celle que l'on rencontre ailleurs. Il est certainement significatif que Franchetti ait forgé la définition de « fauteurs de troubles de la classe moyenne » précisément en pensant aux chefs mafieux de Palerme et de sa région et à leur capacité plus grande de jouer le rôle d'intermédiaires entre la criminalité commune et les couches supérieures. Dans le Palermitain, grâce à « l'extraordinaire agglomération » des *cosche*, c'est-à-dire à leur capacité d'occuper le territoire et de se maintenir en relation les unes avec les autres, nous pouvons distinguer les contours d'une organisation de type horizontal, définie par le système des affiliations mafieuses. Cela non seulement n'exclut pas, mais présuppose des liens entre mafieux et pos-

sédants, liens qui impliquent des sujets socialement différents, inéluctablement marqués par les principes d'autorité et
de pouvoir de classe.

Concluons. À partir de Palerme, l'aristocratie du XIXe siècle,
plus ou moins nouvelle, domine la propriété foncière de la
Sicile occidentale et contrôle le marché des locations ; toutefois, dans les villages et les alentours de la capitale, cette aristocratie se trouve confrontée au vaste monde des « fauteurs de
troubles ». Aux lendemains de l'Unité, l'opposition entre la
zone orientale, « tranquille », et la zone occidentale, « criminelle », s'affirme puis s'enracine dans le sens commun ; la
magna pars de cette seconde zone est précisément la province
de Palerme qui, en 1871, fournit 1 265 des 1 877 hors-la-loi
siciliens [71]. Palerme est « la ville de la révolution », mais c'est
aussi une ville dans laquelle – selon l'interprétation mal-
veillante des fonctionnaires bourboniens – vivent 40 000 prolétaires dont la subsistance dépend du hasard ou du « caprice
des grands [72] ». Ces derniers tentent de gérer le processus
révolutionnaire et de négocier leur propre rôle dans le nouvel
État, sans (et souvent contre) Messine et Catane, sans et
contre la partie orientale. Comme on le voit dans les révoltes
de 1820-1821, mais aussi dans celle de 1866, Palerme s'identifie à elle seule aux intérêts de la nation sicilienne. Le rapport
entre « fauteurs de troubles » et grands possédants palermitains est l'élément décisif pour caractériser historiquement les
origines de la mafia, pour localiser cette dernière dans la
partie occidentale de l'île.

3. *Ordre ou désordre public ?*

Depuis cent trente ans, on a souvent présenté la mafia
comme un problème exceptionnel. Il s'agit là d'une erreur de
perspective. À les considérer toutes ensemble, les exceptions
présumées prennent place dans un schéma cyclique, fait
d'apparitions politico-criminelles, au cours desquelles le phénomène mafieux sort de sa dimension souterraine et apparaît
aux yeux de tous.

La première de ces apparitions date de 1875, quand le gouvernement demande au parlement d'approuver un projet de
loi qui permet à l'exécutif, dès lors qu'il en ressent la néces-

sité, d'appliquer des « mesures extraordinaires de sûreté publique » à des moments et en des lieux particulièrement marqués par le crime « ou bien dans lesquels existent des associations de brigands, malfaiteurs, poignardeurs, camorristes, mafieux[73] ». En pratique, on parle uniquement de la Sicile. Le projet autorise le gouvernement, sans recourir à l'approbation de l'autorité judiciaire, à effectuer des arrestations de suspects, des perquisitions à domicile et des dissolutions d'associations, même dans des cas non prévus par le code pénal. Après un certain délai, les personnes arrêtées pourront être renvoyées devant la justice ordinaire ou bien envoyées en domicile surveillé, après jugement d'une commission *ad hoc*.

Le président du conseil, Minghetti, se présente devant la Chambre en état de grande faiblesse. Le projet a déjà été repoussé en commission, à la suite d'un rapport du leader de l'opposition de gauche, Agostino Depretis, mais il est représenté pratiquement sans modification. Les documents, qui sont rendus publics, montrent en effet à quel point la situation de l'ordre public est grave ; toutefois, alors que les militaires se déclarent favorables à la solution proposée, les préfets sont perplexes et l'un d'eux, Rasponi, *primus inter pares* puisqu'il est en poste à Palerme, finira par démissionner en signe de protestation. Le seul qui se montre enthousiaste est le préfet de Caltanissetta, Fortuzzi, qui pense d'ailleurs que les 550 morts violentes de la région de Palerme (« autant que dans un affrontement sanglant, qui en outre se reproduit là-bas chaque année ») sont le résultat même de la liberté politique. Puis Fortuzzi insiste sur « la perversion morale de cette population, pour laquelle les idées du juste, de l'honnête et de l'honneur sont lettre morte et qui, en conséquence, est rapace, sanguinaire et superstitieuse[74] ». Pour les députés de l'opposition, c'est là un bel exemple de préfet habitué « à calomnier en masse la population qu'il administre[75] ». Pour nombre des habitants de l'île, c'est simplement le dernier en date des fonctionnaires « continentaux » qui, depuis 1861, prononçaient des sentences sans appel sur l'indignité de la Sicile (voire du Mezzogiorno), incapable de faire partie de la civilisation moderne. Précisément parce qu'il craint de froisser la sensibilité insulaire, le ministre de l'Intérieur, Cantelli, hésite longuement entre mesures générales et mesures s'appliquant spécifiquement à la Sicile et finit par adopter une solution qui ne satisfait personne. Mais le gouvernement est bien loin d'user d'une telle prudence puisqu'il prend pour modèle les mesures anglaises vis-à-vis de l'Irlande, faisant preuve ainsi d'une bien curieuse conception de l'unité nationale (ce qui soulève d'ailleurs les protestations de l'assemblée).

Le comte Giovanni Codronchi, d'Imola, fidèle de Minghetti, invite sans succès à distinguer « la question politique et celle de la sûreté publique [76] » : il est peu crédible car c'est le principal représentant de la ligne répressive qui, à peine quelques mois auparavant, a provoqué les arrestations des républicains à Villa Ruffi. En 1874-1875, la baisse du nombre des délits, après le pic de 1871-1872, donne des atouts à ceux qui soutiennent que le véritable caractère exceptionnel de la situation sicilienne réside dans l'élection de 40 opposants de gauche sur 48 élus. L'opposition frontale entre gouvernement et représentants de l'île fait penser au règlement des comptes d'une partie commencée en 1861, avec la liquidation brutale de l'expérience garibaldienne et la mise à l'écart des forces démocratiques. Francesco Crispi, le représentant le plus autorisé de cette expérience, s'exclame : « Soyez-en sûrs : nous sentons encore les conséquences d'une révolution qui ne fut pas calmée, qui ne fut pas apaisée dans les esprits » ; et Ferrari ajoute : « J'aimerais savoir comment Palerme se rappelle le général Govone, qui lui coupait l'eau, et le corps législatif qui soutenait le général Govone. La question est politique, la politique pénètre partout [77]. »

L'expérience de quinze années de gouvernements militaires, de non-application des libertés statutaires, de « piémontaisisme » de l'administration, autorise donc l'opposition à penser que le projet de loi de 1875 représente une tentative ultime et manipulatrice pour obtenir l'obéissance d'une Sicile très antigouvernementale. La gauche observe que, depuis 1860 et hormis de brèves interruptions, l'île a toujours connu des régimes d'exception et que, pour lutter contre la criminalité, la loi de sécurité publique de 1871, voulue par le préfet général Medici, fournit déjà au gouvernement de très larges pouvoirs car elle facilite l'admonition, censée remédier à la partialité présumée des tribunaux et, surtout, des jurys insulaires. D'ailleurs, observe la commission Depretis, cet

instrument se substitue trop souvent à l'instance judiciaire :
« le verdict [...] de l'opinion publique, prononcé et parfois
deviné, à huis clos, par les agents du gouvernement, ne peut
servir de base à un jugement ou être le fondement d'une
condamnation [78] ». L'admonition suit, en tout point, une
logique policière, bien que, depuis 1865, son utilisation ait été
confiée aux juges de paix [79]. Elle peut impliquer une condamnation, dans la mesure où la contravention est suivie d'empri-
sonnement ou de l'assignation à résidence ; ainsi, les instructions que Medici donnait à ses subordonnés accentuaient
nettement le caractère antijuridique d'un cercle vicieux entièrement fondé sur la réputation du suspect et l'arbitraire du
fonctionnaire : « Puisque contrevenir à l'admonition consiste,
pour l'admonesté, à continuer à agir de façon à être soupçonné, à persister à avoir mauvaise réputation et à maintenir
cet ensemble de circonstances qui ont donné lieu à sa dénonciation, il suffira, pour qu'il soit en contravention, de le surprendre au cours d'un fait ou d'un acte qui soit de nature à
faire renaître les soupçons à son encontre [80]. »

Par ailleurs, les nombreuses frictions entre les deux pouvoirs de l'État sont dues également à une prudence justifiée de
la magistrature dans les procès politiques, ce qui éclaire de
façon différente les accusations de mollesse dont elle est
l'objet de la part des préfets de police, des préfets et des commandants militaires sur la question du brigandage. En 1865
déjà, le patriote de Catane Gabriele Carnazza avait abandonné
la toge pour défendre des représentants locaux du parti bourbonien, victimes d'une affaire montée de toutes pièces [81] ; il
avait ainsi démontré que la convergence entre « rouges » et
« noirs » pouvait se réaliser sur le plan de la défense des
libertés menacées, davantage que dans la perspective insur-
rectionnelle, crainte (ou peut-être souhaitée) par la droite. Ce
thème est évoqué dans la discussion de 1875 par le député
napolitain de gauche Diego Tajani, lequel, avec un grand luxe
de détails, expose les désaccords qui, alors qu'il était procureur du roi à Palerme de 1868 à 1872, l'avaient opposé au
préfet général Medici et au préfet Albanese : « Un jour, les
prêtres, les réactionnaires, les autonomistes conspirent et préparent des attentats ; une semaine passe, et plus personne
n'entend parler de conspirateurs, de réactionnaires ou de
prêtres ; un jour, les brigands pullulent dans les campagnes et

se font menaçants, aux portes mêmes de la ville ; le lendemain, on n'en dit plus mot [82]. » Il évoque également l'abus de
l'admonition pour intimider les opposants, la protection de
délinquants que l'on soustrait à l'autorité judiciaire, voire des
arrestations et des détentions arbitraires, même après des verdicts d'acquittement : seuls des gens « qui ne sauraient rien
de toutes ces affaires » pourraient voter pour le projet
gouvernemental [83].

Au vu de ces précédents, on pouvait se demander à quel
titre le gouvernement demandait qu'on lui accorde des pouvoirs exceptionnels et quelles étaient les garanties qu'il ne les
utilise pas à des fins politiques. Fortuzzi, chef de file de
l'extrémisme préfectoral, est un exemple de l'usage instrumental du thème de la criminalité, comme le montre le cas du
baron Angelo Varisano, vieux mazzinien, accusé de *manutengolismo* [complicité avec des malfaiteurs] et qui ne fut
acquitté que grâce à une mobilisation de l'opinion publique
provinciale, à laquelle participa le jeune Napoleone
Colajanni [84]. Les mesures proposées par le gouvernement sont
adoptées d'extrême justesse, au milieu d'un crescendo de protestations qui, en Sicile, ne cesseront qu'avec la chute du gouvernement Minghetti, en mars 1876.

Pour répondre aux innombrables questions suscitées par
l'affrontement – qui est aussi une intense controverse
régionaliste – entre droite et gauche, on a entre-temps institué
une Commission parlementaire d'enquête sur les « conditions
sociales et économiques de la Sicile », dont le président est
Giuseppe Borsani [85]. Ainsi, même si les aspects politiques
paraissent, dans l'ensemble, l'emporter encore une fois sur
les aspects criminels, nous sommes là en possession d'un
matériel de très grande valeur qui fournit un premier éclairage
du phénomène mafieux. Aux procès-verbaux de la discussion
à l'assemblée et aux documents allégués lors de la présentation de la loi de sûreté publique, s'ajoutent les très nombreux
entretiens et le rapport final de la Commission d'enquête,
rédigé par Romualdo Bonfadini. Au même moment, en opposition avec les conclusions de la Commission, sont publiés les
volumes qui rapportent l'enquête « privée » de Franchetti et
Sonnino et d'autres interventions, parmi lesquelles se déta-
chent les deux *Lettres méridionales* de Pasquale Villari sur la
camorra et la mafia [86]. En deux ans, 1875-1876, nous arrivons

finalement à savoir ce qu'est la mafia, quelle place elle occupe dans la politique, l'économie, la société de la nouvelle Sicile et de la nouvelle Italie.

Il faut partir des acquisitions du rapport Bonfadini, moins pour la médiocre définition qu'il donne de la mafia (« solidarité instinctive, brutale, intéressée qui unit, au détriment de l'État, de la loi et des organismes réguliers, tous les individus et toutes les couches sociales qui préfèrent tirer leur subsistance et leurs aises de la violence plutôt que du travail ») que pour la distinction qu'il opère entre « trois espèces » de menaces : une prédisposition aux « crimes de sang » commune à toute l'île, « le brigandage dans les campagnes », surtout pratiqué dans les provinces d'Agrigente, Caltanissetta et Palerme, et « les associations de malfaiteurs » essentiellement présentes dans cette dernière province [87].

Quelques intellectuels siciliens tentent de faire passer le brigandage pour une marchandise d'importation, en tirant prétexte des origines calabraises du premier (et du plus fameux) brigand de la période postunitaire, Angelo Pugliese, dit don Peppino le Lombard, arrêté et jugé en 1868, dont la bande est à l'origine, par scissions successives, d'une bonne part des bandes ultérieures [88]. En réalité, le phénomène est historiquement bien enraciné en Sicile, comme en d'autres régions du Mezzogiorno, et, de la période bourbonienne à la période postunitaire, il existe une remarquable continuité dans ses méthodes, ses caractéristiques, ses zones d'influence (la partie occidentale de l'île et uniquement les zones frontières avec sa partie orientale). Les groupes les plus actifs sont les bandes Rocca-Rinaldi, dans la région de Cefalù, Mistretta et Nicosia, Leone, dans celle de Termini et Cefalù, Capraro-De Pasquale, dans celle de Sciacca, Corleone et Termini, Vaiana, dans celle d'Agrigente et Bivona ; certains groupes, comme les *vallelunghesi* et les *valledolmesi*, sont caractérisés et nommés par leur origine municipale [89]. Les bandes, donc, ne sont pas très nombreuses et sont apparemment assez petites (de trois à dix personnes), mais leurs effectifs gonflent « grâce au concours éventuel de paysans qui viennent s'y adjoindre pour avoir leur part d'un butin abondant puis, après avoir raccroché leur fusil au mur, s'en retournent aux travaux des champs » ; par ailleurs, d'autres encore, « sans participer directement aux actes délictueux, préparent dans l'ombre les moyens d'agir, font parvenir les informations, protègent et vérifient les refuges, veillent aux défenses[90] ». Les brigands se meuvent dans des espaces plus ou moins protégés par les forces de l'État, les gardes à cheval, les milices privées. Ils commettent des vols à main armée, des vols de bétail, des enlèvements ; ils ont besoin d'interlocuteurs pour conserver ou mettre sur le marché le butin qu'ils se sont procuré. Dans certaines zones ils battent la campagne, dans d'autres ils se contentent de trafiquer et de rester cachés ; c'est, par exemple, le cas des hors-la-loi dirigés par un forgeron de Favara, un certain Sajeva, qui, selon les autorités militaires, « ont un compromis tacite ou exprimé avec les habitants de Favara [...] ; ils accomplissent leurs délits dans les communes de Grotte, Racalmuto et Canicattì, jusqu'à Licata et Girgenti, mais [...] s'il leur arrive de s'en prendre à quelqu'un de Favara, c'est uniquement pour accomplir quelque vengeance pour le compte de tel ou tel[91] ».

Donc, le brigandage insulaire, « à la différence du brigandage napolitain », c'est-à-dire continental, « ne vit pas seul[92] », mais est nécessairement inséré dans un dense réseau de relations entre hors-la-loi et population, que l'on peut interpréter en termes de complicité ouverte, de rapports de clientèle ou de bon voisinage, de symptôme de prudence, voire de terreur : mélange que, dans son ensemble, les autorités nomment *manutengolismo*. Sont *manutengoli* aussi bien ceux qui assurent la logistique des bandes et en tirent avantage que les malheureux paysans contraints de donner asile aux bandits ou réticents quand il s'agit de fournir des informations à la « force ». Sont *manutengoli* les éminents citoyens, les propriétaires qui entretiennent des rapports avec les « fauteurs de troubles » parce qu'ils craignent, non sans raison, pour leur vie et leurs biens, mais aussi par lâcheté ou pour montrer combien leur propre *autorité* est au-dessus de la loi commune. Les termes de l'échange sont universellement connus : le notable accueille le bandit dans ses fermes, lui fournit informations et ravitaillement ou, du moins, accepte tacitement que cela lui soit fourni par ses employés et locataires ; en échange, le bandit évite les actes hostiles envers les proches, les clients, les intérêts du protecteur-protégé ; au contraire, en prenant parti contre les adversaires

de ce dernier, il fera, directement ou indirectement, des actes
dont on lui saura gré. Comme à Favara, il peut se faire que les
brigands interviennent dans les conflits municipaux en tant
que bras armés d'une des factions ; ainsi, dans la vendetta qui
oppose deux familles éminentes de Partinico, les Scalia se
servent du brigand Nobile pour tuer un des fils du notaire
Cannizzo, lequel, à son tour, pour se venger, recrute des
tueurs à Monreale[93].

Dans son imprécision, le mot *manutengolismo* reflète le
caractère, le nombre de faits et de rapports, les innombrables
ambiguïtés qui proviennent d'une situation qui rend difficile
la distinction entre état de nécessité et libre choix. Préfets,
préfets de police, commissaires, militaires, fonctionnaires
modestes ou de haut rang de l'époque de la droite, accusent
les possédants de lâcheté, voire de complicité ; la gauche et
une large partie de l'opinion publique retournent l'accusation
contre les autorités qui, incapables de garantir les droits élé-
mentaires, criminalisent les victimes de chantages et d'intimidations. Comme antidote à la mafia et au brigandage, on
évoque souvent la nécessité de l'autodéfense en armes des
possédants, élément idéologiquement important pour un État
de classe, récemment constitué et dont l'avenir est encore
incertain. On confère louanges et médailles à ceux qui,
« armés jusqu'aux dents » se mettent en chasse des bandits,
comme dans un épisode dont, en 1877, sont protagonistes les
frères Matrona, de Racalmuto[94]. On place des espoirs exces-
sifs dans l'appareil militaire exhibé par les latifundistes,
comme le prouvent les déclarations d'un officier continental,
pour lequel « si la Sicile devait se défendre contre l'étranger,
elle pourrait se prévaloir d'une armée déjà parfaitement
équipée pour la guerre dans les montagnes, avec des fusils à
chargement par la culasse, à canon double, et des hommes
habiles au tir[95] ».

Mais il est évident que la pratique de l'autodéfense privée
implique, entre malfaiteurs et possédants, les tractations de
puissance à puissance qui sont un des nœuds de la question.
« Le choix de la lutte contre le brigandage de la part des notables locaux – écrit Mangiameli – devient un réquisit de la
fidélité envers l'État […]. Et cependant la reconnaissance du
monopole étatique de la violence n'est que théorique, tant du
côté des élites que du côté des fonctionnaires gouvernemen-

taux eux-mêmes : l'État demande et apprécie l'engagement dans les actions contre les brigands et il invite ainsi à une vigilance armée qui, dans les faits, reproduit le problème de l'existence d'une pluralité de sources de pouvoir, dont la légitimité dépend également de l'usage de la violence[96]. »

L'idée de la souveraineté de la loi a donc du mal à s'affirmer, car elle a pour obstacles la diffusion de la force privée et le retour cyclique de la théorie et de la pratique des gouvernements exceptionnels. Par ailleurs, ces mêmes fonctionnaires qui sont prêts à demander des mesures liberticides pour lutter contre la criminalité n'hésitent pas à utiliser avec désinvolture les criminels ou la mafia comme instrument de « gouvernement local ».

C'est la thèse défendue devant le parlement par Tajani qui la lance au visage de l'opinion publique nationale, suscitant ainsi un écho énorme, supérieur à celui des interventions des leaders de la gauche, Crispi et Depretis. Les membres de l'opposition, à grand renfort de rhétorique et d'indignation face aux calomnies envers la Sicile, avaient insisté sur les illégalités gouvernementales, en glissant plus ou moins sur la mafia. Tajani, au contraire, admettait tranquillement que, particulièrement à Palerme, mais aussi à Agrigente et à Trapani, nier l'existence de la mafia signifiait « nier l'existence du soleil » ; que la mafia avait la consistance d'une chose « que l'on voit, que l'on sent que l'on touche ». « Là-bas, le crime n'est qu'une transaction continue, on fait un billet de chantage et on dit : "Je pourrais brûler vos récoltes, vos vignes, je ne les brûle pas mais donnez-moi une somme qui corresponde à vos possessions." On enlève quelqu'un et on fait la même chose : "Je ne vous tue pas mais donnez-moi une somme et vous resterez indemne." On voit des chefs de la mafia venir au beau milieu d'une propriété et dire : "Je vous garantis qu'il n'y aura pas de vols, mais donnez-moi tant pour cent de vos récoltes[97]." »

Transactions, donc, entre propriétaires et mafieux, mais aussi entre mafieux, hors-la-loi, autorités ; la plus grande consiste à fournir des sauf-conduits à des brigands pour qu'ils éliminent d'autres brigands, par tous les moyens : ce système a été plus d'une fois utilisé pendant la période de Medici, bien souvent avec des résultats désastreux, comme dans le cas du bandit Di Pasquale, déjà évoqué ici, « que la police, croyant bien faire, lança parmi la société civile[98] » et qui, dans les années 1870, représenta un problème majeur pour l'ordre public. Selon Tajani, et selon bien d'autres avec lui, les autorités s'étaient engagées dans ce tunnel au lendemain de 1866, quand l'incompétence du préfet de police Pinna, due « à l'habituelle ignorance de la situation locale » avait entraîné la révolte. Medici avait alors choisi comme préfet de police Albanese qui, nous l'avons vu, admirait les méthodes de Salvatore Maniscalco, le tristement célèbre chef de la police des Bourbons après 1848. Suivant cet exemple, Albanese avait, entre autres, coopté le nommé Salvatore Marino, de Monreale, « très mauvais sujet, qui [...] était en relation avec quatre ou cinq faux républicains, d'un côté, avec le parti clérical, de l'autre, et qui, en même temps, était l'un des principaux agents secrets de la préfecture de police », au point de fournir, en 1869, les informations qui permirent l'arrestation de Mazzini, dès son débarquement à Palerme[99]. Mais le mélange entre révolutionnaires et hommes d'ordre, entre gardiens et voleurs allait bien plus loin. L'année suivante, à l'initiative du procureur général, d'un groupe d'enquêteurs privés à ses ordres et peut-être des carabiniers, on découvrit une bande qui avait commis des vols retentissants, dans lesquels étaient directement compromis, outre Marino, divers policiers dont l'un était membre du cabinet du préfet de police, un certain Ciotti, chez qui on retrouva une partie du butin.

L'implication de la force publique dans des actions criminelles était, surtout, une pratique de la garde à cheval. Comme les gardes ruraux des municipalités, il était prévu qu'ils remboursent certains des dommages subis, à cause des vols, par les propriétaires de leur circonscription ; ils avaient donc intérêt à éviter les délits ou, du moins, à en limiter les effets, et beaucoup moins à capturer les délinquants, surtout s'ils pouvaient les faire partir dans d'autres zones, dont les gardes à cheval n'étaient pas responsables. Les gardes, qu'ils dépendent de l'État, des communes ou de propriétaires privés, agissent de façon très semblable et remplissent leurs fonctions en traitant continuellement avec les malfaiteurs. D'ailleurs, il s'agit souvent de repris de justice qui – ainsi que l'admettait tranquillement Albanese – « dans la mesure où ils [étaient] eux-mêmes des *manutengoli*, [avaient] des complicités çà et là et [étaient] donc respectés[100] ». Leur position dans le réseau des relations entre institutions, propriétaires et malfaiteurs variait selon les cas et, en de nombreuses circonstances, on pouvait se demander s'ils n'étaient pas les auteurs des délits ou des menaces.

À partir de l'Unité, le corps des gardes à cheval avait été, à plusieurs reprises, réorganisé, supprimé, remis en fonction. Filippo Cordova et d'autres représentants de la gauche demandèrent leur suppression, contre la droite qui voulait une réforme. Entre les défauts de l'institution et son utilité face à l'inefficacité des carabiniers, de la police et de l'armée, Bonfadini prit parti en rappelant que les succès contre le banditisme étaient précisément dus aux gardes à cheval : « Le garde à cheval [...] représente, dans la situation actuelle de l'opinion, la seule et unique force capable de briser la couche de méfiance qui existe entre la population et les autorités. Le garde n'est pas continental, il n'accomplit pas de fonctions odieuses, [...] il n'intervient pas dans le recouvrement des impôts. Les informations qu'un adjudant des carabiniers mettrait une semaine pour obtenir, qu'un capitaine des *bersaglieri* n'obtiendrait peut-être jamais, le garde les obtient en un quart d'heure, au cours d'une discussion confiante avec les commères de son village ou les soiffards de son auberge [101]. »

La description est fort édulcorée, dans la mesure où les connaissances des gardes ne viennent ni des commères ni des soiffards, mais des bandits et des *campieri*. Il est par ailleurs difficile de distinguer entre sécurité publique et privée : Pietro Landolina, baron de Rigilifi, par exemple, se vantait d'avoir, une fois, évité l'enlèvement du baron Sgadari, grâce aux informations qui lui avaient été fournies par un mystérieux monsieur A., sans oublier sa capacité à alerter les gardes à cheval, commandés par un de ses bons amis ; une autre fois, en revanche, il aurait échoué à réitérer une telle opération à cause d'une intervention malavisée du préfet Fortuzzi [102]. L'action des gardes pouvait donc être efficace, selon les pressions exercées par le pouvoir politique (le préfet) ou social (les propriétaires), pour capturer un bandit ou protéger un objectif ; l'absence d'opposition faisait également partie du système de relations entre possédants, bandits et gardes. À Misilmeri, en 1874, la dissolution du corps des gardes champêtres provoqua, d'un seul coup, la chute du nombre des délits, mais en général les gardes évitaient de semblables éventualités en protégeant les représentants des factions qui dirigeaient les villages et en laissant faire quand il s'agissait d'opposants.

C'était ce qui se passait à Monreale, où, d'après la rumeur publique, des crimes étaient commis avec l'approbation d'un nommé Lo Biundo, commandant de la garde nationale, et d'une clique composée de personnes détenant les postes stratégiques pour défendre « l'ordre ». En 1869, deux hors-la-loi se déclarèrent prêts à dénoncer la situation, mais avant même qu'ils puissent être entendus par les autorités judiciaires ils furent abattus dans un guet-apens, tendu, semble-t-il, par Lo Biundo et ses amis. En accord avec Tajani, le commissaire Salvatore Baracco mena l'enquête en les prenant pour cible, mais il fut convoqué par Albanese et invité à ne pas insister : ces deux hommes étaient « des malfaiteurs très dangereux » et des « raisons d'ordre public avaient induit l'autorité à ordonner leur mort[103] ». Cet épisode entraîna un mandat d'arrêt contre le préfet de police, en tant que mandant d'un assassinat, puis son acquittement pour insuffisance de preuves et la démission du procureur qui, lors de la discussion parlementaire de 1875, allait dénoncer avec vigueur les collusions entre mafia et autorité publique. La préfecture de police donnait mandat à des personnages comme Lo Biundo et, quand ils exagéraient, elle convoquait les chefs et leur disait : « Eh bien, quand c'est trop, c'est trop, maintenez vos promesses[104]. » Au-delà des responsabilités pénales, un fil très solide unissait Lo Biundo, Marino, Ciotti, Albanese et Medici.

Avant même le discours de Tajani, Rasponi avait jugé « absolument à abandonner » le système « qui avait duré, à Palerme, depuis Maniscalco jusqu'à Albanese » ; selon lui, au moment de le nommer à la préfecture de Palerme, le ministre Cantelli l'avait chargé de rétablir, pour les services de police, les normes « des pays civilisés », en excluant les « éléments mafieux[105] ». La mafia était-elle une sorte de « police secrète » ? Le terme fut utilisé. Les locutions « la mafia officielle » et « la haute mafia » montrent la perception diffuse d'un lien avec une finalité d'ordre, ou de contrôle du désordre, qui mettait en cause les quinze années de gouvernement de la droite. « Certains journaux ont dit que nous ne voulions pas la loi exceptionnelle parce que nous étions les amis de la mafia, en autres termes que nous étions des *manutengoli* – affirma Cordova. Eh bien, messieurs du gouvernement, le centre de la mafia se trouve dans les rangs de votre force publique et, sans le savoir bien sûr, c'est vous qui êtes les *manutengoli* [106]. »

4. *Sous la loupe de Franchetti*

La Commission d'enquête présidée par Borsani et Bonfadini, bien qu'elle soit aux mains des modérés, n'efface pas la défaite subie par la droite en 1875. Elle tend à réduire les fractures internes à la classe dirigeante, en accueillant les demandes de la gauche sicilienne qui veut que l'on parle de ports, de chemins de fer, des exigences d'une société dont l'économie est en développement [107]. Le brigandage, la mafia, l'appareil policier et judiciaire restent au centre de l'attention, mais les très abondants matériaux ne sont pas publiés et le rapport de Bonfadini ne constitue, en fin de compte, qu'un débouché de faible ampleur.

Personne ne soutient les jugements portés en 1875 par les fonctionnaires de la droite, et ils sont apparemment insoutenables ; l'opposition massive de la classe d'« ordre » à des mesures visant à la sauvegarde de l'ordre semble représenter, en elle-même, une condamnation. Plus qu'à une enquête officielle, la réplique revient à l'enquête privée de deux jeunes intellectuels toscans, Leopoldo Franchetti et Sydney Sonnino, sympathisants de la droite, mais convaincus qu'il importe de refonder conceptuellement les questions après l'inévitable défaite du gouvernement Minghetti. Ils sont persuadés que l'on peut démontrer « scientifiquement » l'incapacité absolue du groupe dirigeant sicilien, et donc de la gauche méridionale qui, avec sa victoire électorale de 1874, a fait acte de candidature pour le gouvernement de la nation. Sonnino aborde la condition paysanne, critique les pactes agraires qu'il juge iniques, propose la métairie toscane comme voie nécessaire pour faire diminuer la violence et la conflictualité dans les rapports entre classes [108]. Franchetti n'examine pas *ex professo* le problème de la mafia, mais il remonte aux problèmes généraux de la politique et de l'administration locale ; il met en évidence l'existence d'une classe dirigeante habituée à considérer les institutions comme un instrument de domination et incapable de s'élever jusqu'à la conception *moderne* de la chose publique, où l'exercice du pouvoir passe par l'impersonnalité de la loi et où les égoïsmes des couches supérieures sont tempérés par une sollicitude paternelle envers les intérêts des couches subalternes. À cause de la façon tardive et incomplète dont elle est sortie du féodalisme, la Sicile n'a pas les moyens de faire vraiment sienne cette conception, qui l'a formellement emporté après 1860 lorsqu'a été imposé un ordre juridique provenant d'un niveau supérieur d'évolution historique. De cette analyse naissent les relations et les fonctions réciproques entre les deux problématiques des volumes de l'*Inchiesta*, politique et institutionnelle d'une part, économique et sociale d'autre part. « Le substantif mafia – affirme Franchetti – a trouvé une classe toute prête de violents et de fauteurs de troubles, qui n'attendait rien d'autre qu'un substantif qui puisse la désigner et dont les caractères et l'importance particulière dans la société lui donnaient droit à un nom différent de celui des vulgaires criminels d'autres pays [109]. »

Le terme, toutefois, ne représente pas « le fait social complet », mais seulement la « manifestation partielle » d'un phénomène culturel plus général, le « comportement mafieux », véritable « *manière d'être* de [cette] Société ». Lorsqu'il applique le terme mafieux non seulement aux criminels, mais à tout individu qui veut « faire respecter ses droits, abstraction faite des moyens qu'il utilise à cette fin », le jeune savant toscan s'en rapporte au sens commun insulaire, « juge compétent en cette matière ». Que l'on pense, en effet, au marquis di Rudinì qui, au même moment, distingue une ou plusieurs mafias criminelles « mauvaises » et une « mafia bénigne, […] un esprit de bravade, un je-ne-sais-quoi qui prédispose à refuser d'être soumis », qui serait un patrimoine commun à tous les Siciliens [110]. Pitrè, de son côté, réduit la mafia à « l'incapacité de supporter […] l'arrogance d'autrui » et, non sans malice, il laisse de côté l'aspect proprement criminel pour parler avant tout d'une culture diffuse, qu'il considère d'ailleurs avec beaucoup de bienveillance. Mais, au fond, l'adjectif « bénigne » utilisé par Rudinì montre qu'il existe une tentative de diluer le rapport entre la condition générale de l'île et l'existence d'organisations mafieuses, alors que, dans les années 1860, Rudinì lui-même, pour la droite, et Turrisi, pour la gauche, avaient mis ce rapport au centre du tableau qu'ils esquissaient. À l'évidence, le choc frontal de 1875 ou de meilleures relations entre la classe dirigeante et la criminalité induisent cette sophistication (instrumentalisée ?) de l'analyse, cette condensation de ce que Pezzino nomme « le paradigme » mafieux.

À Palerme, quelqu'un ira jusqu'à dire à Franchetti qu'il est lui-même un mafieux, au sens, évidemment, d'un homme avec une forte conscience de soi. Je tire cette information des notes de voyage de Franchetti, récemment publiées[111], qui permettent d'éclairer beaucoup d'aspects, en particulier le fait que « l'opinion des Siciliens » qu'il a recueillie n'est pas seulement celle de la classe dirigeante – c'est évident – mais, pour une large mesure, celle de la mafia elle-même, en tous cas celle de personnages très directement compromis avec elle. Dans leur voyage vers l'intérieur, les deux gentilshommes toscans discutent, à Alia, avec Guccione et, à Valledolmo, avec Runfola, c'est-à-dire avec les deux principales figures de *gabellotti* et *manutengoli*, qui les renseignent sur l'inefficacité de la sûreté publique et les rapports entre mafia et brigands. À Palerme, Raffaele Palizzolo, le député que nous retrouverons au centre des rapports les plus étroits entre mafia et politique, admet qu'il n'a pas de problème avec les brigands sur ses terres d'Alia grâce aux bons rapports entretenus par « son frère » ; il se vante de son amitié avec Medici et parle d'Albanese comme d'un gredin ; comme d'ailleurs tous les autres interlocuteurs, il estime que les accusations portées par Tajani contre Albanese sont fondées et que ce dernier est coupable[112]. Mais la source principale de l'enquête est maître Gestivo, l'avocat que nous avons vu dans le rôle d'apologiste de Giammona. Gestivo déclare qu'Albanese est un mafieux, Medici seulement un individu malhonnête et il restitue ces événements dans le contexte plus général de l'histoire postunitaire, en partant de l'assassinat de Corrao et en continuant avec les événements de 1866, considérés comme le point d'appui de toutes les illégalités gouvernementales. En revanche, par rapport aux déclarations faites devant la Commission parlementaire, sa défense de Giammona est beaucoup moins emphatique ; d'après Gestivo, Giammona est la cible des autorités administratives parce qu'il est le grand électeur de la gauche à Monreale et l'ennemi de Licata dans la Conca d'oro. Là – admet tranquillement Gestivo – fleurissent les associations mafieuses pour la gestion du monopole de la gabelle et du gardiennage ; elles fonctionnent avec « statut et affiliation. Beaucoup étendent leur action de Palerme jusqu'à Termini ou, du moins, correspondent et s'entendent avec de semblables sociétés dans cette localité [113] ». Sa façon de présenter les origines sociales des brigands, provenant des couches moyennes, est loin d'être banale ; il en va de même du jugement porté sur la noblesse, « véritable fondement de la mafia », jugement qui n'est pas vraiment contradictoire avec la thèse qui estime que *gabellotti* et mafia limitent la liberté d'action des propriétaires [114]. Enfin, il dénonce sans détours les rapports entre les Nicolosi et don Peppino le Lombard, ainsi que le complot politico-judiciaire mis en place pour sauver les premiers et condamner le second [115].

Comme on peut le voir, personne ne nie l'existence de la mafia, contrairement à ce qu'on pourrait penser de prime abord. Chacun donne au voyageur sa propre interprétation, plus ou moins manipulatrice : la mafia est un code culturel anodin, ou bien une organisation dangereuse, mais alimentée par d'autres, et en particulier par le gouvernement. Selon les deux représentants de la gauche, Turrisi et Gestivo, les mafieux seraient Licata et Albanese, et non Giammona, les Nicolosi (autrefois bourboniens puis proches de Medici) seraient des *manutengoli*, et certainement pas les propriétaires « contraints » de fournir une aide aux brigands. Cela me confirme dans l'idée que, des origines jusqu'aux actuels repentis, la mafia donne toujours, par l'intermédiaire de ses protecteurs ou directement, une interprétation d'elle-même, en sous-entendant souvent que l'absence de l'État requiert l'organisation d'une bonne mafia, défensive et protectrice, qui s'oppose à une mauvaise mafia, hors la loi et sanguinaire. À ce moment du XIXᵉ siècle, le tableau est rendu plus complexe par l'extraordinaire capacité d'un Gestivo et – plus encore – d'un Turrisi à juger, pour ainsi dire, de l'extérieur un phénomène dans lequel ils sont en fait profondément impliqués.

J'ignore jusqu'à quel point Franchetti connaissait le rôle que les personnes avec qui il conversait jouaient dans le phénomène mafieux, le rôle que lui-même leur demandait de jouer [116]. À coup sûr, le voyageur se rend bien compte du caractère manipulateur des analyses qui lui sont proposées. D'où sa conviction que, dans la situation de la Sicile, la moralité et le droit ne peuvent que découler de la force : on peut y opposer une autre force, mais elle n'en sera pas moins liée à l'individu, à la faction ou à la clientèle. Il reprend donc à son compte la thèse qui lui est proposée – la mafia est avant tout affaire de comportement –, mais sans l'habituelle indulgence envers une forme supposée bénigne. De ce fait, son argumentation prend une forme tout à fait personnelle ; comme pour un théorème, il tire avec une extrême lucidité les conséquences des prémisses, il dédaigne les données empiriques, et il est convaincant même quand, à l'évidence, il les pousse à l'extrême (peut-être même est-ce précisément dans ces moments-là qu'il l'est le plus) : c'est le cas lorsqu'il décrit les entreprises ou les relations des brigands. Nous sommes face au texte fondamental pour les explications sociologiques et ethnologiques à venir ; ces dernières, d'ailleurs, restent bien en dessous de leur modèle puisqu'elles adoptent le concept de *conséquence* entre le substrat culturel et le phénomène mafieux sans toutefois donner sa juste place à la nécessaire *distinction* entre l'un et l'autre ; or, chez Franchetti, cette distinction découlait de l'existence d'une « classe avec une industrie et des intérêts propres, une force sociale existant par elle-même [117] », celle des malfaiteurs.

Pour Franchetti, la dialectique entre comportement mafieux et mafia explique les solidarités idéologiques qui relient, contre l'autorité constituée, brigands et population, y compris la classe des propriétaires (la classe moyenne) sur laquelle, dans toute l'Europe, repose la force des institutions libérales. Pourquoi les possédants siciliens ne se rebellent-ils pas contre un ordre des choses qui, en dernière analyse, diminue leur pouvoir, alors qu'apparemment il leur suffirait « d'agir de conserve pendant trois jours pour faire disparaître le brigandage [118] » ? C'est là le thème crucial de la discussion de 1875. L'analyse de Franchetti sur la « démocratisation de la violence » montre qu'au fond il est tout à fait conscient de ce que les éléments de résolution de la question ne se trouvent plus tous entre les mains de la classe dirigeante traditionnelle. Il fait d'ailleurs porter son analyse sur la province, sur le rôle que joue, dans la Sicile postféodale et postunitaire, une élite locale qui s'appuie sur le contrôle des ressources régionales économiques (terrains domaniaux et anciens fiefs privés) et politiques (système national et municipal). Sur ces thèmes, Franchetti nous a laissé des pages d'une telle lucidité qu'elles sont devenues des lieux communs de la polémique méridionaliste, de Turiello à Salvemini. Toutefois, il s'agit là d'un phénomène qui touche globalement le Sud et qu'il est difficile de relier directement à la mafia [119] ; dans la Sicile du Centre et de l'Ouest, le rôle que jouent certaines élites locales dans le contrôle de la gabelle et du brigandage est sans doute un phénomène plus spécifique [120], qui peut engendrer des liens d'intérêts réciproques et des rapports plus intimes que ceux qui unissent, pour leur sauvegarde mutuelle, les « fauteurs de troubles » à bien des propriétaires, aristocrates ou non. « Avec le *manutengolismo* et les complicités dans les vols de bétail, de véritables patrimoines sont en train de se former, presque publiquement [121] », note Franchetti, sans donner les noms de ceux qui ont été ses informateurs, les Guccione et les Runfola ou bien encore les Nicolosi, et qui sont les représentants de cette classe effectivement dirigeante, municipale et provinciale, qui – comme le confirment aujourd'hui les recherches de Mangiameli [122] – quitte les rubriques criminelles pour entrer dans les chroniques politiques, en tant qu'interlocuteur du général Medici ou, parfois, de l'opposition.

Les rapports que Franchetti cherche à analyser ne sont pas de ceux qu'entretient le montreur avec ses marionnettes. Les aristocrates palermitains, mais aussi les notables locaux qui tendent à prendre leur place dans la gestion de la terre, et même dans la propriété, et, parmi ces derniers, les grands *manutengoli*, qui sont désignés comme étant l'état-major de la mafia, ne peuvent exercer leur propre rôle qu'à condition d'établir de justes rapports avec la société âpre et violente avec laquelle ils agissent. Il y a donc une série de pouvoirs sociaux : ceux du prince de Sant'Elia, des Guccione, de Valenza, de Peppino le Lombard ; celui, plus diffus, qui se trouve dans chaque maillon de la chaîne des protections sur lesquelles s'appuie le brigand. Bien sûr, ces pouvoirs sont inégalement répartis, ils agissent différemment, mais ils sont liés les uns aux autres, dans un réseau de médiations et de contrepoids qu'un seul homme, fût-il le plus fort de tous, ne peut supprimer à son gré.

Au vrai, cette articulation des pouvoirs n'est nulle part aussi clairement définissable que dans la province de Palerme, où, en effet, se concentrent les phénomènes les plus voyants ; en revanche, Franchetti, pour sa part, affirme que le « comportement mafieux » concerne aussi bien Palerme que les autres provinces « criminelles » et même les provinces « tranquilles » de la Sicile orientale. C'est là un des points ardus de son raisonnement. L'affirmation d'un lien de cause à effet entre le substrat culturel et le pouvoir excessif des malfaiteurs est en effet remis en question par la confrontation entre les deux parties de l'île. Il faudrait en effet expliquer la raison pour laquelle, en Sicile orientale, la classe dominante aurait su « conserver précieusement le monopole de la force et empêcher jusqu'à présent que ne la partagent avec elle, en entrant à son service, des « fauteurs de troubles » venus des plus basses classes de la société [123] », à savoir les *bravi* qui, à l'origine, étaient au service du pouvoir féodal puis s'en étaient rendus autonomes. Il ne semble pas, en effet, qu'ici les propriétaires fassent preuve d'une capacité militaire plus grande que ceux de la région de Palerme [124] ; et notre auteur n'est pas disposé à admettre que, dans les régions de Syracuse ou de Catane, se soient réalisés un rapprochement entre État et société ou une hégémonie sociale qui ne repose pas uniquement sur la force. Sa renonciation à expliquer la diffusion différenciée de la mafia et du brigandage selon les endroits par les différences socio-économiques – par exemple, l'impact différent du latifundium, que reconnaît pour sa part Sonnino, ou la tradition des cités domaniales [125] – peut paraître paradoxale chez un intellectuel aussi attentif aux modalités de désagrégation du système féodal. Mais, en fait, ce paradoxe n'est qu'apparent.

Franchetti se livre à une construction intellectuelle qui, comme il en va souvent, n'est grande que parce qu'elle est unilatérale, sinon factieuse. La mafia doit en effet apparaître comme l'élément révélateur, alarmant et repoussant, d'un contexte social en tout point inadapté aux principes libéraux sur lesquels repose le monde civilisé. En cela, Franchetti se révèle jusqu'au bout comme un épigone de la vieille droite ; celle-ci, tout en avançant la théorie de la « décentralisation administrative » et de l'autogouvernement des propriétaires, avait préféré le centralisme, convaincue qu'elle était de l'immaturité des classes dirigeantes, tout spécialement de celles du Sud [126] ; et cette immaturité avait paru encore plus évidente en 1874-1875, moment où ces classes prétendent devenir de véritables partenaires dans le gouvernement de la nation. L'*Inchiesta* est donc une façon de recommencer, à un autre niveau, l'opération menée avec les lois sur la sûreté publique. À cette différence près que Franchetti ne propose pas, pour la Sicile, de « remèdes » exceptionnels, mais, un peu comme Fortuzzi [127], une forme différente de gouvernement, lucide et terrible, comme toutes les utopies réactionnaires. « Les Siciliens, de toutes les classes et de toutes les couches [sont] également incapables de comprendre le concept de Droit. » Il faut les traiter comme des malades qui se plaignent mais « ne comprennent pas le pourquoi et le comment » de leurs maux ; en effet, ils ne peuvent « comprendre la fin ultime des mesures prises ou à prendre ». L'État ne doit utiliser aucun des canaux de communication qu'offre cette société infestée ; son personnel, à quelque niveau que ce soit, ne doit jamais être recruté parmi des Siciliens et, naturellement, pour « amener la Sicile à la condition d'un peuple moderne », le gouvernement ne doit « en aucun cas » tenir compte des désirs, des propositions et encore moins des protestations de l'opinion publique et des députés de l'île [128].

Ces prétendus « remèdes » risquent fort de laisser la discussion au niveau de juin 1875. En Sicile, la *Réponse à l'horrible libelle de Leopoldo Franchetti* [129] ne peut être qu'hostile, et ce non seulement par esprit conservateur ou par adhésion aux « valeurs » de la culture mafieuse, mais aussi parce que l'évidente volonté politique de l'auteur fait apparaître son ouvrage comme la conclusion de la déjà longue histoire des tentatives d'instrumentalisation du fait criminel par la droite. Dès lors que l'on commence à réfléchir sur le problème de la mafia, on risque d'être emporté par la surdétermination idéologique : ainsi en va-t-il du commissaire Giuseppe Alongi qui, alors qu'il expose ses idées à un juge de paix, s'entend reprocher de reprendre à son compte le « roman fantastique » de Franchetti, qui, en fait, lui est parfaitement inconnu [130]. Toutefois, sur certains points, l'analyse de Franchetti se rapproche de celle de Tajani, ainsi lorsqu'il reconnaît que les systèmes d'un Albanese menacent à la base la crédibilité d'institutions déjà si mal acclimatées. Mais les deux hommes donnent des accents différents à leurs analyses, selon leurs intentions politiques. Le premier soutient qu'il s'agit d'un recul de l'éthique de l'État face à la néfaste influence de la collectivité régionale, d'où l'issue irréaliste et jacobine qu'il propose : la renonciation à tout rapport avec cette collectivité. Pour le second, la mafia est un ennemi dangereux que l'on pourrait vaincre s'il ne devenait invincible en tant qu'instrument du régime. Pour Franchetti, l'infection a pour origine la société ; pour Tajani, elle vient de la politique.

La situation évolue de façon opposée à ce qu'espère Franchetti. La droite s'effondre, la gauche représentant les propriétaires du Sud accède au pouvoir et réalise une première forme d'homogénéisation des sections régionales de la classe dirigeante, au-delà des fractures postunitaires. Le Mezzogiorno trouve son État. La classe politique sicilienne inaugure alors une période d'influence qui atteindra son point culminant en 1887, avec la nomination comme président du Conseil de Francesco Crispi, leader de la démocratie sicilienne depuis l'entreprise garibaldienne. Mais le tournant, pour notre histoire également, se déroule en 1876, quand le gouvernement Depretis renonce, comme c'était prévisible, à faire usage de la loi sur la sûreté publique. Cette année-là, cependant, l'ordre public en Sicile occidentale connaît une nouvelle détérioration – avec d'ailleurs des complications internationales – du fait de l'enlèvement du marchand anglais Rose par Antonino Leone, qui a succédé à don Peppino le Lombard dans la fine fleur du banditisme insulaire. Le ministre de l'Intérieur Nicotera, un des leaders de la gauche méridionale, envoie alors, en décembre 1876, un de ses fidèles, Antonio Malusardi, à la préfecture de Palerme.

5. *Mafieux et bandits*

Entre les méthodes de Malusardi et celles de Gerra, le dernier préfet de la droite, il n'existe pas, à première vue, de grandes différences : admonition et résidence forcée, opérations militaires menées à grande échelle, illégalité et passages à tabac. « Ce que l'*onorevole* Gerra eut bien du mal à faire, du fait des obstacles élevés chaque jour par un parti, le *commis-sario* Malusardi put le faire librement [131] », écrit Giacomo Pagano, représentant de la droite, mais admirateur du nou-veau préfet, pour mettre en évidence l'incohérence d'une gauche qui ne se fait plus désormais l'inflexible défenseur des règles. Au vrai, en ce cas également les protestations ne man-quent pas : en 1877, elles provoquent d'ailleurs l'ouverture d'une centaine de procédures judiciaires contre des agents de la sûreté publique, dont quinze pour le seul inspecteur Michele Lucchesi, le principal collaborateur du préfet. Mais il s'agit là de la réaction de quelques potentats locaux – comme celle du baron Antonino Li Destri, de Gangi, mis sous pres-sion par les actions de la police – plutôt que d'un soulèvement sur des thèmes politiques généraux [132]. Après la « révolution parlementaire », on commence à se débarrasser du poison qui, pendant la période où la droite était au gouvernement, avait rendu impossible la création d'une quelconque solida-rité autour des institutions.

Malusardi peut ainsi faire preuve de ses capacités manœu-vrières en menant à son terme la contre-offensive étatique déjà lancée depuis la moitié des années 1870, et qui, entre autres, avait vu, respectivement, la capture, la mort au cours d'un affrontement et l'assassinat des bandits Capraro, Valvo et Di Pasquale. L'efficacité des opérations menées au cours des sept premiers mois de 1877 est sans précédent : plusieurs bandes sont éliminées et cinq des plus célèbres brigands, dont Leone, sont abattus.

On parvient à de tels résultats grâce à une stratégie de contournement. Comme le remarque encore une fois Pagano, la structure du brigandage sicilien était telle que l'objectif principal « ne pouvait être la destruction des brigands, qui de temps en temps tenaient la campagne, mais la destruction du réseau grâce auquel ils pouvaient agir [133] ». D'après la police, la mafia correspond précisément à ce réseau-là. Nous pou-vons nous en faire une idée en comparant, pour les circons-criptions de Cefalù et de Termini, les listes de mafieux éta-blies en 1877, comprenant respectivement 123 et 96 fiches nominatives [134]. Les *manutengoli* présumés, très nombreux, y sont désignés comme pratiquant recel et appui logistique aux bandits, mais aussi comme participant à temps partiel à des attaques à main armée, vols de bétail et enlèvements. La liste

de Termini, lieu de plus grande activité des bandes, est nettement conçue de cette façon : ainsi, on y trouve 40 protecteurs
du brigand Leone, alors qu'il n'y en a que 11 dans la liste de
l'autre circonscription. En général, à Termini, les fiches mettent en avant les actes criminels qui sont reprochés aux suspects, et cet aspect est important dans la mesure où le fichage,
fondé sur la renommée du suspect, peut présenter un risque
d'arbitraire, puisque entre en jeu la bonne (ou la mauvaise)
volonté du fonctionnaire chargé de l'effectuer et, plus encore,
les rapports que lui-même et le gouvernement qu'il représente
entretiennent avec les partis locaux : ce dernier élément est
souvent déterminant pour la présence ou non sur les listes.
Ces données nous permettent de comprendre de quelle façon
les présumés mafieux ont rencontré la répression étatique, en
particulier sous la forme de l'admonition et de la résidence
forcée, car la juridiction ordinaire ne s'applique pratiquement
jamais. La majorité des fichés de Termini ont été frappés, au
moins une fois, par des mesures de sûreté publique, tandis
qu'à Cefalù moins du quart ont fait la même expérience et
plus d'un tiers, tout en étant désignés comme mafieux par la
« rumeur publique », n'ont jamais eu maille à partir avec la
justice. Cela peut indiquer, pour Cefalù, une certaine partialité de l'information ou bien une plus grande capacité du phénomène à s'insérer dans les plis et replis de la société, compte
tenu également de la plus grande importance du brigandage à
Termini, où, par ailleurs, la « rumeur publique » attribue en
général aux mafieux des crimes plus graves.

Nous avons jusqu'à présent parlé des mafieux dits « de
seconde catégorie » que les fonctionnaires chargés du fichage
distinguent des mafieux « de première catégorie » en fonction
des critères suivants : le niveau supérieur de la hiérarchie criminelle correspond *exactement* à celui qui est occupé dans la
hiérarchie sociale ; la première catégorie sera donc constituée
de propriétaires et locataires de domaines, de notables, de
personnes exerçant une profession libérale. Ce choix est intéressant et tend à fournir une réponse au débat sur la « haute
mafia », dite également « mafia en gants beurre-frais », même
s'il faut aussi remarquer que plus le statut social du fiché est
élevé, plus le risque d'instrumentalisation politique s'élève
également. La composition sociale de la seconde catégorie est
évidemment plus variée, puisqu'elle accueille des formes de

criminalité diffuses dans des couches différentes de la
population ; les individus sont souvent considérés comme
dangereux en fonction d'une capacité supposée à « influencer » les membres de leur propre classe ou une foule mal
identifiée d'exécutants. En de rares cas, on trouve des qualifications idéologiques, comme « réactionnaire » ou « internationaliste ». Dans cette liste aussi figurent des possédants et
des gens exerçant une profession libérale, comme le notaire
de Cerda, fiché bien qu'il n'ait jamais été « possible de
trouver et de pouvoir citer des faits criminels qui lui soient
directement attribués », même en ayant recours avec insistance à l'habituelle « rumeur publique [135] ». Il y a évidemment
des *campieri* et des *manutengoli* subordonnés, provenant parfois des forces de l'ordre : ainsi, à Cerda, on trouve un garde
municipal repris de justice et ancien admonesté ou bien
encore un possédant, fermier de la perception des taxes sur la
consommation, qui avait été tour à tour astreint à la résidence
forcée, en 1865, puis soldat de la garde à cheval, qui le
congédia en 1875 pour *manutengolismo* [136]. On note, pour
beaucoup des personnes fichées, un enrichissement subit qui
semblerait indiquer que le crime paie, du moins du point de
vue des policiers qui retiennent habituellement deux symp-
tômes significatifs : le « changement d'état », de situation
sociale, et la facilité de se déplacer dans des campagnes généralement peu sûres. Prenons le cas de Giuseppe Sansone, dit
Chiariano, entrepreneur de travaux publics de Termini Imerese, qui, selon nos informateurs, « est un vrai mafieux, dans
tous les sens du terme ». En 1863, il a été arrêté et acquitté
pour un vol à main armée, puis il a été soupçonné de participation à toute une série d'enlèvements. Par cette voie (ou
d'autres encore ?), il a accumulé « une fortune substan-
tielle ». « On le voit souvent parcourir la campagne, avec des
attitudes suspectes, et, à ce que l'on assure, il entretient ainsi
des rapports avec des malfaiteurs, en bandes ou isolés. » Dans
son entreprise, il emploie « de nombreuses personnes suspectes », cache des hors-la-loi et se pose comme « trait
d'union » avec les bandes y compris pour leurs recrutements.
Il aurait publiquement « promis de protéger les mafieux qui
faisaient une belle carrière, en ajoutant que la mafia était
grande et qu'il ferait de son mieux pour faire d'un certain
Neglia Matteo, dangereux hors-la-loi, un associé du chef de

bande Leone [137] ». Il s'agit là de personnages d'affairistes et d'intermédiaires, qui vont de la campagne au village et de village en village, et dessinent ainsi des rayons d'action qui dépassent largement le niveau strictement local : c'est ce que fait ce marchand de fromages de Termini, qui se rend souvent à Palerme pour son activité mais aussi « pour correspondre avec les chefs mafieux de cette ville et peut-être également pour se procurer des faux billets qu'il écoule ensuite en divers lieux [138] » ; de fait, la fabrication de faux billets est une des activités importantes de la mafia palermitaine.

De ces deux listes, celle de la circonscription de Termini fait la lumière sur une des parties supérieures de la pyramide sociale : elle comprend davantage de *borgesi* (paysans riches), moins de paysans et d'ouvriers agricoles, davantage de trafiquants (chevaliers d'industrie, entrepreneurs), davantage de *civili* (« bourgeois », c'est-à-dire employés et professions libérales), même si, dans la liste de Cefalù, on remarque la présence de huit prêtres, ce qui ne manque pas de faire naître un doute sur une éventuelle instrumentalisation, étant donné la ligne dure que suit Malusardi vis-à-vis des catholiques. La « première catégorie » accentue le caractère socialement élevé de la mafia de Termini dans la mesure où cette liste (contrairement à celle de Cefalù) inclut d'importants notables, tels les frères Guccione, les frères Nicolosi et les Torina.

Malusardi exerce sur l'infrastructure mafieuse une pression énergique : ainsi, au cours de l'année 1877, un grand nombre de personnes inscrites dans la « seconde catégorie » de la liste de Termini sont arrêtés ou doivent prendre le maquis. Pour tenter d'échapper à l'admonition, Giuseppe Torina s'éclipse ; c'est également le cas de Giovanni Nicolosi. Torina et son frère représentent, selon le commissaire de police de Caccamo, « le parti de la haute mafia ». Ce sont des *manutengoli*, et c'est dans leurs fiefs que Leone « est accueilli et trouve toute sorte d'aide », précisément parce que les membres de la bande ont été « leurs bergers ou leurs surveillants » ; dans les villages, *appaltatori* et employés communaux s'unissent aux *campieri* et aux paysans riches pour former, autour d'eux, un groupe qui contrôle l'administration communale. En résumé : affaires, politique locale, clientèle, criminalité. Il est intéressant de remarquer que l'offensive contre Torina vient, au

début, de Rome, de Nicotera lui-même qui, en citant des
« informations extrêmement réservées », fait paradoxalement
savoir à ses subordonnés, à Palerme, qui est « le chef de la
mafia à Caccamo [139] ». Cette offensive a pour finalité d'empêcher l'infiltration des institutions, mais aussi de renforcer le
pouvoir de négociation du gouvernement : il fait admonester
Torina et menace d'en faire de même pour Raffaele Palizzolo,
les deux candidats qui s'opposent dans le collège de Caccamo, lors des nouvelles élections prévues au printemps 1877,
après l'annulation pour fraude de celles de novembre 1876.
« Il faut faire vite – écrit Malusardi au sous-préfet de Termini
– puisque la citation que le juge enverra à Torina incitera Raffaele Palizzolo à renoncer publiquement à sa candidature,
[…] le gouvernement désirant que ni l'un ni l'autre ne soient
élus député, car l'élection de l'un ou de l'autre ne serait pas
l'expression de la légitime volonté des électeurs, mais en fait
de [mot illisible] et de la puissance de la mafia [140]. »

Palizzolo fait partie du groupe régionaliste palermitain,
mais il a des intérêts à Caccamo, en tant que conseiller provincial et comme emphytéote de l'ancien fief San Nicola, qui
était la propriété du séminaire de l'archevêché et avait été
divisé en lots par suite des lois postunitaires. Ses correspondants dans la zone sont des personnages comme Domenico
Nuccio, petit propriétaire, inculpé pour assassinat, admonesté
à deux reprises, complice et « compère » de Leone ;
recherché par Malusardi pour enlèvement, il s'enfuira à New
York. Voici une description de l'arrivée de Palizzolo dans le village de Ventimiglia : « [il est] suivi par environ cinquante personnes à cheval […], tous prétendant être des *civili* ; à leur tête
il y avait le fameux Domenico Nuccio et sa famille : c'est chez
eux que Palizzolo reçut l'hospitalité. Cette suite n'était rien
d'autre qu'un mélange de mafieux, de nervi et de solliciteurs
intrigants, tous autant qu'ils étaient. […] Le but de la venue de
M. Palizzolo à Ventimiglia et à Ciminna, c'est de mendier des
voix, afin d'être nommé conseiller provincial [141]. »

De fait, en 1877, Palizzolo renonce à se présenter comme
député, évitant ainsi la menace d'admonition et l'affrontement avec le gouvernement. Ce dernier, d'ailleurs, ne cherche
pas non plus l'affrontement. Un cas comme celui de Giuseppe
Anzalone, propriétaire à Lercara, peut nous aider à
comprendre ; autrefois *manutengolo* de don Peppino, c'est le

seul notable à être en prison comme mandataire d'un assassinat ; s'il devait être acquitté, remarque non sans préoccupation le rédacteur de sa fiche, il faudrait renoncer à l'admonition et l'envoyer immédiatement en résidence forcée, pour éviter qu'il ne prenne le maquis « en se mettant à la tête de bandes de malfaiteurs, ce qui serait la cause de malheurs certains pour ces contrées déjà tourmentées par le brigandage [142] ». Au-delà des déclarations réitérées sur le danger « moral » représenté par le *manutengolismo*, il est évident ici que la crainte majeure des autorités provient du brigandage militant. L'objectif de Malusardi et de Nicotera n'est pas de renforcer le lien entre celui-ci et les notables, mais de le briser ; il ne s'agit pas de changer la classe dirigeante, mais de l'inciter à prêter serment au maintien de l'ordre, serment qui sera scellé dès lors que les bandits seront livrés aux autorités. Il ne s'agit pas d'une nouveauté et les possédants, même les plus compromis, ne font d'ailleurs aucune difficulté pour collaborer. Les Li Destri à Gangi, les Cannizzo à Partinico, et même les Valenza à Prizzi revendiquent toujours leur engagement contre le brigandage et une façon bien à eux de contrôler l'anomie induite par la délinquance. Voilà pourquoi Palizzolo, accusé d'être un *manutengolo*, peut être évoqué, quelques années plus tard, comme « un champion de la moralité, un champion de la ligue des propriétaires, organisés pour résister au brigandage », par le député Salvatore Avellone [143], par ailleurs personnage fort discuté. La lecture de certaines des fiches personnelles montre que même les mafieux de « seconde catégorie », faisant fi de tous les prétendus codes d'honneur mafieux, tentent d'échapper à l'admonition ou de faire chuter un adversaire en confiant secrets et méfaits au commissaire de leur village ; on peut aisément imaginer que les grands notables hésitaient d'autant moins à le faire qu'il leur fallait bien, pour exercer leur pouvoir, entretenir de bons rapports avec les autorités. Leonardo Avellone, apparenté au Salvatore du même nom et maire à vie de Roccapalumba, à la tête d'un réseau de clientèle et protecteur de mafieux, « a parfois rendu de fort bons services à la sûreté publique [144] ». Giovanni Nicolosi, qui, d'après la police, protégeait les délinquants et organisait les crimes pendant qu'il était maire (1875-1876), « avait soin cependant de prévenir en certain cas les autorités, qui purent cueillir les malchanceux sur le fait, si bien qu'il apparaissait comme ayant rendu un signalé service à la Sûreté publique [145] » ; les Guccione, contre qui avait été lancé en 1875 un mandat d'arrêt, « obtinrent aisément, en promettant de faire tomber les brigands dans les mains de la justice, la révocation de ce mandat [146] ». Tous ceux qui veulent capturer Leone font appel à l'état-major provincial des Nicolosi, Guccione, Cerrito, Runfola, Torina [147]. L'admonition qui frappe ce dernier et les pressions sur Palizzolo s'expliquent par la volonté d'obtenir la tête de Leone [148]. Parmi les épisodes dont Lucchesi est le protagoniste en 1877, le plus retentissant a lieu dans la demeure des Guccione, où l'inspecteur est trouvé lors d'une descente imprévue des carabiniers [149] : on est là au centre de la trame qui, après avoir entraîné l'assassinat de Di Pasquale par Leone, se terminera par l'exécution de ce dernier par la police.

Ainsi prend fin l'histoire des bandes de la période postunitaire. En 1877, l'État accentue en même temps sa capacité à entretenir des relations avec la société et sa capacité à rester autonome par rapport à cette dernière. Il ne faudrait pas sous-évaluer le tournant spectaculaire qu'ont constitué la dissolution du corps des gardes à cheval et l'envoi de cent d'entre eux en résidence forcée. « Le brigandage classique est définitivement fini », pourra écrire Alongi en 1886 [150] ; mais pas la mafia. Cette harmonie nouvelle entre l'État et les classes dirigeantes fera décliner, puis disparaître presque totalement les enlèvements, symbole du conflit entre « fauteurs de troubles » et couches supérieures. La mafia se repliera sur la gabelle, sur le gardiennage des fiefs et des jardins et, d'ailleurs, même par rapport à ce type de phénomènes, l'État fera preuve, dès la deuxième partie des années 1870, d'une capacité de contrôle, voire d'offensive, supérieure à celle qu'il avait mis en œuvre auparavant. Les habitants de San Mauro Castelverde remercient Malusardi pour « le retour de la tranquillité » qui les fait échapper à la spirale des rancœurs factieuses et de la vendetta : « Chez nous, le brigandage était un mythe, auquel on cédait avec plus de facilité que devant toute autre force constituée. Aujourd'hui, ce mythe a disparu [151]. » Ces remerciements sont peut-être sincères, même si San Mauro Castelverde reste un centre de brigandage de toute première importance ; plus généralement, Pezzino remarque que « l'on se rend compte que peu de choses ont changé », en observant que les louanges adressées au préfet sont signées également par les notables impliqués dans des actions retentissantes menées par la mafia [152].

Vingt ans plus tard, dans un discours parlementaire moins cryptique qu'il n'y paraît, Palizzolo donnera à nouveau son interprétation. D'après lui, l'accusation « facile » de *manutengolismo* sert uniquement à couvrir « l'ignorance » de ce qui se passe en Sicile, où la police doit maintenir « les relations les plus larges et les plus cordiales avec *toutes* les catégories de citoyens », dès lors qu'ils sont « amants de l'ordre et des institutions » ; en agissant de la sorte, les préfets « obtinrent, à tout moment, informations, dénonciations et services précieux [153] ». On a affaire ici à la théorisation d'une pratique et à un texte autobiographique qui, s'il fait référence à Malusardi, survole avec désinvolture les méthodes énergiques par lesquelles la collaboration est obtenue. Par ailleurs, Palizzolo obtient quelque chose en échange de ses services ; entre autres le sauvetage de certains personnages liés à Leone et représentant peut-être, à Caccamo, la « troisième catégorie » du *manutengolismo*, de façon à renforcer, autour de sa propre autorité, un réseau nouveau et différent. En février 1876, il intervient auprès du commissaire de police local pour protester contre l'envoi de Pietro Rini en résidence surveillée : « J'ai donné bon nombre de mes terres, en gabelle ou en métayage, à Rini et, s'il doit partir, je ne saurais trop à qui les confier. » Après la tempête du début 1877, il s'adresse directement au préfet de police pour obtenir que ses protégés (Filippo et Salvatore Pesco, Matteo Filippello), inculpés pour homicide et frappés d'admonition en tant que *manutengoli*, puissent se mouvoir librement de Caccamo vers Monreale et la campagne palermitaine, le long de l'axe provincial de ses propres intérêts [154]. Malgré tout, entre Palizzolo et les autorités, tout ne va pas toujours bien. En 1896, il fera rétrospectivement référence aux fonctionnaires qui (parfois à la suite d'un changement politique) n'ont pas respecté la fonction des notables, exposant ainsi « à la colère des brigands » la faction mafieuse favorable au gouvernement, dont « les bêtes furent massacrées, les maisons démolies, les moissons brûlées ». Et puis, ajoute-t-il, il était absurde que, au fil des changements de ministres et de préfets, les collaborateurs « émérites » de l'autorité aient été « persécutés, déportés, frappés d'admonition » par cette dernière [155].

Après le long bouleversement du Risorgimento, la mafia émerge, après 1877, en accentuant son rôle d'ordre et en révélant la complexité de ses structures. Ceux qui insistent sur la dimension communautaire comme scénario *exclusif* de ce type de phénomène risquent fort de n'y rien comprendre, surtout si cela les amène à ne pas regarder au-delà des frontières communales. Il y a, d'une part, des lieux d'où s'étend l'infection, sinon nous ne comprendrions pas de quelle façon des villages comme Alia ou San Mauro produisent des brigands, dans un pourcentage et avec une continuité sans égal : bien que les protagonistes changent, les brigands de S. Mauro sont actifs de la fin des années 1860 jusqu'à la fin des années 1920. D'autre part, il y a des zones d'expansion et de mouvement des bandes, déterminées par la nécessité d'éviter (ou par l'utilité de croiser) les divers appareils territoriaux de sécurité mis en place par l'État ou les propriétaires. Un dicton populaire affirme que « le brigand naît à S. Mauro et grandit à Gangi ». « Qu'est-ce que cela veut dire ? se demande Cutrera. Cela veut dire précisément qu'à Gangi il trouve de puissants protecteurs », comme les barons Sgadari et Li Destri, dont les noms reviennent si souvent dans les chroniques du *manutengolismo* du XIXe et du XXe siècle [156].

En somme, si la municipalité représente effectivement le lieu de la scission en factions, il faut relier la question de la mafia à des forces qui agissent à l'échelle de la région et de la province : la grande propriété et, par conséquent, le louage des terres, le marché des terres et de la gabelle qui met les communautés en contact et leurs membres en concurrence ; le système politique et administratif, qui n'est pas seulement communal, mais touche le niveau du collège électoral et de la députation provinciale, institution que de nombreux mafieux (Palizzolo, Torina, Francesco Nicolosi) tentent de contrôler ; enfin, comme on l'a vu, le rayon d'action des bandes qui implique une ampleur proportionnelle des réseaux du *manutengolismo*. Il suffit de penser à la façon dont Palizzolo fait bouger ses mafieux. Dans la circonscription de Termini, ce réseau de relations a clairement pour caractéristiques la stabilité et l'extension hors des limites locales. La forte présence des brigands en est-elle la cause ou plutôt l'effet ? Considérons le mécanisme – noté par le magistrat-reporter Giuseppe Di Menza – de la filiation des bandes, l'une de l'autre, de don Peppino à Leone ; comparons-le avec celui que mettent en évidence les listes, à savoir le fait que nombreux sont ceux qui aident *tous* les groupes qui se succèdent dans le temps, au fur et à mesure qu'ils sont liquidés par les autorités ou détruits par les conflits internes et les trahisons. Les petits comme les grands *manutengoli* liés à Leone sont, au moins en partie, les mêmes qui étaient impliqués dans le soutien à don Peppino le Lombard. Repensons à ce qui a été dit précédemment sur les brigands comme articulation des partis locaux : dans le cas d'espèce, au lieu d'avoir affaire aux brigands *dans* les partis (municipaux), nous sommes face au parti (à l'échelle d'une portion de la province) *des* brigands, le réseau mafieux qui représente l'élément stable, peu importe qu'il soit premier ou dérivé, dont gardiens et voleurs doivent tenir compte. Derrière le ralentissement des actions de brigandage, en 1874-1875, considéré comme une tentative pour détourner les lois extraordinaires de Sûreté publique, derrière l'appel réussi à l'état-major du *manutengolismo* pour éliminer Leone, nous apercevons un mécanisme que l'on ne peut réduire à l'anthropologie méditerranéenne des battements de paupières et des clins d'yeux qui suffiraient aux mafieux pour communiquer entre eux, du moins d'après l'opinion pour une fois unanime des observateurs continentaux et des Siciliens compromis.

6. « *Fauteurs de troubles* » de la classe moyenne

Au fur et à mesure qu'elle perd son aspect de capitale d'ancien régime, Palerme accroît son rôle moteur dans la transformation de son arrière-pays. Le processus a débuté au XVIIIᵉ siècle, avec l'expansion hors des murs de la cité et la « grande villégiature », c'est-à-dire avec le nouvel élan vers l'investissement immobilier et foncier qui anime l'aristocratie. Autour des villas nobiliaires et le long des routes qui mènent vers la ville se forment les *bourgades* qui, en 1861, accueillent déjà 27 000 des 200 000 habitants de Palerme ; ils constituent une force de travail employée dans l'agriculture intensive de la vigne, des potagers et des « jardins », c'est-à-dire les plantations d'agrumes qui se développent partout où

il est possible de trouver de l'eau ou d'en apporter. Partinico,
Bagheria, Monreale vivent un semblable processus de
transformation ; le très vaste territoire agricole de ce dernier
bourg, en particulier, constitue une continuation directe de la
campagne palermitaine. Le paysage, toujours verdoyant,
prend un aspect caractéristique, avec les installations pour
l'irrigation, les maisonnettes pour la garde des propriétés et la
récolte des produits, le dédale des petites routes encaissées
entre les hauts murs d'enceinte des « jardins », que l'on
nomme, de façon significative, le *firriato*, c'est-à-dire le
grillage.

Le contraste est singulier entre le latifundium aride, qui
l'entoure de toutes parts, et cette oasis, inconcevable sans la
proximité de la ville, tout d'abord du fait du marché que cette
dernière représente, mais également parce que seul un grand
centre portuaire et commercial peut permettre, déjà à l'heure
des voiliers puis à celle des bateaux à vapeur, que les marchandises atteignent des lieux éloignés : le nord de l'Europe
et, plus encore, les États-Unis d'Amérique. La Conca d'oro
renforce ainsi l'image traditionnellement offerte aux
voyageurs : celle d'un éden de beauté et de fertilité, créé à la
fois par la nature et le travail des hommes. « Prenez garde
cependant – remarque sarcastiquement Sonnino – à ne pas
vous laisser prendre par un enthousiasme excessif et à ne pas
vouloir examiner de trop près ces merveilles, car vous cour-
riez le risque, lors de quelque charmante promenade, d'être
touché par erreur, malgré les nombreux postes de carabiniers
et les fréquentes patrouilles, par un coup de fusil de vengeance ou de *chiaccherìa* * tiré sur son patron par un agriculteur ingénu, posté derrière le mur d'enceinte de ces jardins
ombragés [...]. Car ces lieux sont le royaume de la mafia, qui
a ses repaires dans les villes et les bourgades qui entourent
Palerme, dans le district de Colli, à Monreale, à Misilmeri, à
Bagheria [157]. »

La contradiction est de taille et ferait penser à l'image du
paradis habité par des démons, si ce paradis-ci n'avait été

---

* Mot sicilien signifiant « bavardage » ; le coup de fusil est tiré, non
dans l'intention de tuer, mais pour « bavarder », pour « transmettre un
message » ; bien entendu, si le destinataire du message n'en tient pas
compte, il sait que la prochaine fois les chevrotines ne le rateront pas
[N.d.T.].

édifié par ses propres habitants. Ici, le développement de la mafia paraît contradictoire avec l'évidence d'une terre fertile et « heureuse », où les gens trouvent un travail décent, dont les produits se vendent aisément et à bon prix, sur un vaste marché ; ici, les terrains ont une valeur unitaire cinquante fois plus élevée que celle des terrains secs, ces latifundia qui, eux, par leur existence, justifient, aux yeux de la sociologie positiviste naissante, le malaise social qui provoque la délinquance. On peut voir cette contradiction dans le débat qui oppose le sénateur Simone Corleo, partisan de la taxation des biens ecclésiastiques, à Carlo De Cesare, membre de la Commission d'enquête de 1875, un des premiers représentants des sciences sociales en Italie. Le premier soutient que la grande propriété, résidu de la barbarie féodale, le dépeuplement des campagnes et la prolétarisation des masses provoquent l'infection mafieuse ; mais il doit admettre que la situation de la campagne palermitaine représente « une exception ». De Cesare, agacé, lui rétorque : « Écoutez, monsieur le professeur, ces théories sont exactes pour la science, mais en Sicile il y a des phénomènes qui font douter de la science. [...] À Monreale, il n'y a presque que des propriétaires, tout le monde a un bout de terrain. Pourtant, il n'y a pas un village où la Sûreté publique soit en pire état. » Ce à quoi Corleo, en honnête positiviste, peut seulement répliquer que « cela trouble l'esprit de la science » ; et ce trouble est partagé par des personnages de haute stature intellectuelle comme Pasquale Villari et Napoleone Colajanni [158].

Tous ne se résignèrent pas à voir dans la Sicile l'exception des « lois » sociales ou bien, comme le firent les plus superficiels, à nier toute racine sociale du phénomène mafieux [159]. Tajani distingue le dynamisme économique et la crise « morale » des années qui suivent l'Unité [160]. Franchetti tend à penser que l'on retrouve à Palerme le reflet de l'ensemble des problèmes de la Sicile postféodale, en attribuant une priorité logique à la situation de l'intérieur ; mais il remarque ensuite que les occasions de profit et la mobilité sociale, très rares dans le Mezzogiorno, ne peuvent que stimuler « l'industrie » de la violence [161]. Ce sont là des « chances » particulièrement désirables pour Palerme qui, avec l'unification, perd en prestige et en richesses à cause du « déplacement d'intérêts » par lequel les contemporains expliquent la révolte de 1866.

« Palerme – affirme le prince de Sant'Elia – représentait la capitale pour tous les aspects des choses et, de la sorte, une espèce de vie fictive bénéficiait des gains que l'on tirait des autres provinces siciliennes. Voici quelle était l'industrie de Palerme en ces temps-là : prier le Roi pour obtenir un emploi et prier Dieu pour gagner au loto. Les événements furent défavorables à cette industrie-là : les employés furent mis en disponibilité ; les ressources provenant de l'état de dépendance des autres provinces cessèrent ; les impôts arrivèrent ; la misère survint [162]. »

Dans une telle situation, le contrôle des entreprises agricoles de l'arrière-pays se mit à représenter un instrument important de promotion sociale, en particulier pour les mafieux qui s'occupaient du gardiennage, de la gabelle ou des médiations commerciales. J'ai déjà évoqué le cas Giammona. Les frères Amoroso sont présentés, non sans quelque exagération, comme « des gens très bien, fils de propriétaires » ; les Licata comme des « gens aisés ». Nous pouvons aisément identifier tous ces personnages comme « les fauteurs de troubles de la classe moyenne » que Franchetti présente comme les chefs mafieux typiques de Palerme et de sa région [163]. Ils représentent donc une réalité sociale bien plus variée que celui de l'intérieur ; il y a là des aristocrates et des *gabellotti*, mais aussi des commerçants, des intermédiaires de toutes sortes, des professions libérales, des cultivateurs directs ; ce sont des personnages « de frontière », comme le régime même de la propriété, souvent peu clair du fait des anciens baux emphytéotiques, de la complexité des procès de succession et du morcellement des propriétés qui en découle, de l'usurpation des biens des très nombreuses personnes morales. La campagne palermitaine, Misilmeri, Monreale font partie des endroits, peu nombreux, où la redistribution, après l'Unité, des biens ecclésiastiques et domaniaux a eu du succès « au bénéfice de la richesse privée et publique [164] », mais sans l'effet espéré pour l'harmonie sociale, avec, au contraire, un durcissement des conflits. À Monreale, les autorités n'arrivent pas à percevoir les loyers emphytéotiques, à distinguer les usurpateurs des assignataires et ces derniers des propriétaires de plein droit. Une véritable « révolution » oppose en permanence le prince Pietro Mirto Seggio aux « vilains » qui ont obtenu en concession 500 *salme* de l'ancien fief Renda, autrefois propriété du monastère des bénédictins : il maintient l'ordre à l'aide de deux anciens brigands et de « leur épouvantable mafia ». Mirto est un maire libéral, de ceux que les autorités considèrent comme politiquement acceptables dans une ville pleine d'« usuriers, de bourboniens et de réactionnaires *settembrini* ». Par ailleurs, c'est le seul grand propriétaire qui réside de temps à autre dans la ville et il l'emporte de beaucoup sur le groupe des malfaiteurs de la couche moyenne qui siègent au conseil communal et parmi lesquels se trouve le fils du chef mafieux Simone Cavallaro, Giuseppe[165]. Le chef de l'autre faction mafieuse, Pietro Di Liberto, est un propriétaire aisé, administrateur du patrimoine de l'archevêché.

Avant la réforme de 1882, au temps du suffrage restreint, Giammona contrôlait une cinquantaine de voix ; lors des élections politiques, les Amoroso et les Badalamenti travaillent pour le député Valentino Caminneci et, semble-t-il, pour Palizzolo lors des élections provinciales. Palizzolo emploie dans sa villa de Malaspina l'un des rares membres du groupe Amoroso qui sera acquitté lors du procès de 1883, Giacomo Lauriano, dit *Jacuzzo*. « J'ai appris plus tard qu'il avait été à plusieurs reprises arrêté et jugé – explique le notable, cité comme témoin à décharge en cette occasion –, mais dans la mesure où, à chaque fois, le jugement concluait au non-lieu et vu qu'il avait toujours un port d'armes, j'ai fini par penser qu'il était sans nul doute victime de quelque persécution[166]. »

Cette argumentation peut paraître pour le moins paradoxale dans la mesure où c'est précisément Palizzolo qui est intervenu à plusieurs reprises pour faire accorder à Lauriano l'autorisation de port d'armes ou lui faire obtenir d'autres faveurs[167]. Ce phénomène d'échange de services touche les grands propriétaires, les politiciens compromis, les notables en tout genre. Don Michele Serra est le directeur de *L'Amico del popolo*, journal de gauche qui fut aussi, un temps, au service de Medici, qui « exerce une grande influence à Piana dei Colli » en servant d'intermédiaire entre des mafieux comme Biondo et la préfecture de police ; un informateur anonyme, exclu de ce réseau-là, décrit la situation en ces termes : « La Haute maffia commande […]. Avec les protections qu'ils ont, ils nous font frapper d'admonition, ils nous envoient dans une île [en résidence forcée] et, plus facilement encore, ils nous

tuent[168]. » Les relations entre hommes des institutions et
mafieux peuvent être encore plus directes. Andrea Licata,
grâce à son rapport privilégié avec le préfet de police Biundi,
obtient des admonitions et des résidences forcées à l'encontre
de ses ennemis, l'impunité pour son père et ses frères[169]. Giacomo Pagano, cas typique de propriétaire exerçant une profession libérale, s'adresse au même préfet de police pour
dénoncer les vols commis dans son jardin d'agrumes ; il
reçoit comme réponse la promesse que le « gardien » Licata
va s'intéresser à la chose, promesse qui lui paraît fort
déconcertante lorsqu'il apprend que les auteurs des vols sont
les Licata « délinquants » : il en déduit que « ni le préfet, ni
les officiers de police, ni les membres du personnel de la Sûreté
publique n'ont sur les malfaiteurs des idées claires[170] », mais il
sait fort bien que, s'il avait un rapport solide avec Biundi ou
même avec Licata, le problème ne se poserait pas. C'est la
clientèle qui garantit la protection, c'est la clientèle qui détermine si le « fauteur de troubles » doit se poser en défenseur de
l'ordre ou garder son rôle de bandit. Par ailleurs, nous ne
sommes pas toujours en présence des hautes parties contrac-
tantes, comme Turrisi ou Giammona ; il s'agit parfois de personnages venant d'une section latérale du réseau de relations. En ce cas, les possédants doivent « perdre quelque
chose pour ne pas perdre davantage[171] » : renoncer à la gestion directe des jardins et les louer, même dans une phase où
les prix sont élevés ; adjuger la garde des installations et des
récoltes en supportant un taux acceptable de vols. Les voleurs
aussi doivent s'imposer des limites, accepter les règles d'un
jeu qui n'est pas simple et qui, surtout, est instable, car chacune de ces garanties réciproques concerne *certains* « fauteurs de troubles », *certains* propriétaires, *certains* fonctionnaires et en exclut d'autres, ceux qui (pour utiliser une expression de Gestivo) « n'ont pas pu faire ce que les autres ont
fait » et qui peuvent être mécontents de la situation. Le conflit
est toujours latent.

Prenons un cas concret. En 1872, Gaspare Galati, médecin
réputé et possédant aisé, commence à gérer un jardin de
quatre hectares, dont, « pour bonne part », sa belle-sœur,
Marianna Fiorentino, est propriétaire et qui se trouve dans la
contrada Malaspina, près de la bourgade de l'Uditore. Un
jardin d'agrumes de cette superficie est déjà une entreprise de

bonne dimension, d'autant qu'il possède une machinerie à vapeur pour amener l'eau, et la modestie des entrées financières provoque la perplexité de Galati : il met en évidence les vols du gardien Benedetto Carollo, en particulier au moment de la vente des agrumes. En 1874, le médecin estime que le moment est venu de se débarrasser de « l'infidèle » gardien et il le licencie. Ses problèmes n'en sont qu'au début. Carollo fait partie de la mafia de l'Uditore, que dirige Giammona : après les menaces rituelles, le nouveau surveillant est assassiné, son successeur est blessé et intimidé, Galati lui-même est contraint de fuir à Naples avec sa famille, après avoir nommé un nouveau surveillant [172].

En diverses occasions, Galati s'adresse à Biundi, toujours avec des résultats peu satisfaisants. À l'évidence, il ne fait pas partie du bon réseau, ni sur le plan des relations institutionnelles, ni sur celui des relations locales, car il est en froid avec un propriétaire de Malaspina lié à la *cosca* Giammona, le notaire Francesco Sardofontana. Ce dernier est le demi-frère de Marianna Fiorentino et il a été déshérité par sa mère, entre autres du fameux jardin d'agrumes où se sont déroulés les événements dramatiques que nous venons d'évoquer. Dans ce cas, comme pour d'autres identiques, le titre de propriété n'est pas indiscutable, l'opinion publique désignant précisément Galati comme l'auteur des « suggestions » qui ont amené la mère à punir son fils, *à cause de ses rapports avec la mafia de l'Uditore*.

Nous sommes face, ici, à deux conflits liés entre eux, qui opposent, d'une part les propriétaires, de l'autre les gardiens. Il n'en va pas toujours ainsi. L'initiative peut surgir de la section inférieure du « parti » interclassiste *possédants/fonctionnaires-gardiens/« fauteurs de troubles »,* dans la logique du racket ou de la recherche du monopole, pour lequel la lutte se déroule entre concurrents. Cette compétition à propos du gardiennage ensanglante la campagne palermitaine ; c'est elle qui provoque, en 1874, 34 assassinats à l'Uditore, bourgade de 800 habitants, et qui suscite des guerres meurtrières, comme celle entre les Badalamenti et les Amoroso. La coupure entre ces deux groupes, qui auparavant formaient « une seule communauté », débute par des vols réciproques et la punition sanguinaire des voleurs, comme si chacun des deux tronçons du dispositif d'ordre voulait démontrer qu'il était le

plus efficace. Cela trouble le politicien Caminneci, qui hésite
sur le parti à prendre, et également le préfet de police,
Sant'Agostino, qui, en 1880, va jusqu'à prendre l'initiative de
faire signer, à la préfecture de police, un acte de pacification
par les responsables des deux « partis » ! « Transactions à
coup sûr peu honorables avec ceux-là mêmes que la préfecture de police a considérés, la veille puis le lendemain, comme
de dangereux malfaiteurs [173]. » Dans un autre cas, Serra peut
tenter une médiation entre groupes rivaux et convaincre
l'administrateur [*curatolo*] d'un jardin d'agrumes, Andrea
Ajello, de laisser ce fonds à la concurrence s'il veut sauver sa
peau ; mais l'histoire ne s'en termine pas moins tragiquement
par la mort du curateur dans une embuscade dressée par Giuseppe Siino, lieutenant de Giammona et gardien d'un jardin
Turrisi [174].

Ajello, d'ailleurs, est loin d'être un saint homme. Ses fils
sont en prison, lui-même recherche un tueur pour assassiner
ses ennemis. Tous les gardiens et les curateurs font partie du
monde des malfaiteurs et il existe une sorte de filtre qui
interdit l'accès aux étrangers à ce monde. Le conflit naît
ensuite de la façon dont se règlent les relations réciproques.
Les sources tendent à cacher cet aspect, en fournissant une
vision simplifiée dans laquelle de braves citoyens sont persécutés par de féroces délinquants : une fois de plus, les autorités finissent par adhérer, au moins idéologiquement, à une
faction contre l'autre. Le gardien Sedita, assassiné par les
Amoroso, est présenté comme un honnête homme qui
s'opposait aux menées de la mafia, alors qu'il s'agissait en
réalité d'un membre du groupe des Badalamenti. Antonio Lo
Cascio, le premier des gardiens nommés par Galati, n'est certainement pas un honnête homme, sinon « il n'aurait pas
voulu prendre la place de Carollo [175] » ; Gaetano Cusumano,
le second gardien, est le frère de Giovanni Cusumano, assassiné par Giammona, et qui était, semble-t-il, le Cusumano cité
par le duc de Cesarò parmi les mafieux patriotes ; le troisième
gardien, Francesco Paolo Mazzara, est lui aussi un sujet dangereux, « inculpé pour contrebande et rébellion », et il fait
partie « d'un puissant groupe de mafia » prêt à reconnaître
l'autorité de Giammona mais capable de le menacer de mort
au cours d'une dramatique rencontre au sommet entre les
deux factions [176].

Les autorités, Galati, Pagano, font plus ou moins consciemment partie de ces luttes ; mais c'est la logique de la compétition pour le monopole qui est incontrôlable. Étroitement mêlés ou indépendants les uns des autres, les conflits gérés par les propriétaires et ceux qui le sont par les « fauteurs de troubles » sont différents dans leurs formes et leurs issues. Cet élément, qui n'est pas relevé dans le débat de l'époque, me paraît néanmoins absolument central. Les propriétaires non compromis sont victimes de pressions et de préjudices, ils ne peuvent pas choisir leurs subordonnés, ils doivent louer leurs jardins aux bonnes personnes, et parfois les vendre, pour l'unique raison qu'ils sont soumis à une sorte de boycottage qui fait le vide autour d'eux. Mais ce sont d'autres personnes qui risquent leur vie. C'est ce qui explique qu'après le tournant politique de 1875-1877 continuent à se produire des phénomènes nuisibles aux intérêts privés de certains possédants, mais qui sont considérés comme inoffensifs pour la classe dirigeante dans son ensemble, surtout si on les compare à la pratique des enlèvements qui (même si elle pouvait, elle aussi, faire partie des conflits de clientèle) risquait d'opposer frontalement le monde des « fauteurs de troubles » et celui des propriétaires. Les mafieux de Palerme, dont beaucoup ont déjà été jugés pour de tels crimes, tendent désormais à les éviter : quand, en 1879, on propose aux Amoroso d'enlever un possédant, Calatafamo, ils répondent que de telles opérations sont trop risquées et peu rentables ; ils ne les empêcheront pas, mais ne veulent pas y participer directement.

De là vient que l'opinion publique bourgeoise sous-évalue le danger représenté par la mafia, perçu comme un problème interne aux groupes criminels. On retrouvera cette analyse en des temps plus proches des nôtres ; lors du procès Amoroso de 1883, elle est habilement exploitée par maître Lucifera, défenseur des inculpés, dans sa plaidoirie : « Que nous importe à nous, honnêtes gens, si les Amoroso et les Badalamenti s'égorgent entre eux ? Que nous importe [...] si, dans un quartier, deux groupes rivaux se disputent la première place ? [...] Si nos propriétés et nos personnes étaient touchées, alors notre intérêt serait en jeu, nos biens et nos conjoints bien-aimés seraient en danger, tous seraient menacés par la carabine et le poignard de l'assassin. Mais, en fait, victimes et tueurs de la section Orto Botanico étaient tous des brigands, *ils se tuaient entre eux*[177]. »

7. *Le jugement public*

La protection de personnages illustres et son image de citoyen ayant un casier judiciaire vierge n'empêchent pas Giammona de défrayer la chronique judiciaire après trente ans de carrière, au cours desquels il n'a pu parvenir, après le passage difficile de 1860, à préserver une image de tranquille respectabilité bourgeoise. Nous voyons agir, en ce cas, un mécanisme que nous retrouverons à d'autres époques et en d'autres circonstances. Ces mafieux servent d'intermédiaires entre les malfaiteurs et les autorités politiques et sociales ; ils tentent de donner des garanties aux uns et aux autres mais, à tout instant, ils risquent d'être happés par la dimension criminelle : par l'opposition avec d'autres groupes, avant tout ; par les protestations des sujets exclus du réseau de patronage qui peuvent contrebalancer les viscosités et les protections dont jouit la mafia dans les périphéries en mobilisant le centre du système politique, surtout dans des moments mouvementés comme celui de 1875-1876.

Face à la passivité de la préfecture de police et de la magistrature palermitaine, c'est donc le ministre de l'Intérieur qui saisit l'occasion du mémoire dans lequel Galati, en août 1875, dénonce « les événements de Malaspina ». C'est le ministre qui souligne que les crimes de sang de l'Uditore n'ont donné lieu à aucune poursuite et n'ont même pas été jugés dignes d'être signalés « bien que leur gravité et leur fréquence eussent constitué un cas tout à fait anormal, sur lequel il eût été normal d'attirer mon attention[178] ». Sous la direction d'un habile policier romagnol, Ermanno Sangiorgi, l'enquête démarre alors et met en évidence, à l'improviste, des situations qui, fort probablement, étaient déjà connues. La réplique se déroule suivant un scénario habituel. On tente de discréditer Mazzara, on le fait même arrêter en l'accusant à tort d'être insoumis. Une nuit, une attaque est lancée contre le jardin ; des messages codés sont également adressés, comme lorsque Benedetto Carollo demande l'autorisation d'aller chasser dans ledit jardin avec le *commendator* Schiavo, premier président de la cour d'appel de Palerme, alors même « que l'on ne peut ignorer la tragédie sanglante advenue en cet endroit [...] et dont Carollo lui-même est l'auteur ». La mafia exhibe son réseau protecteur : d'ailleurs, puisque l'accusation s'appuie sur « la renommée » et sur « la rumeur publique », il faut que la défense parte de données analogues de sens contraire et mette en avant la confiance dont continuent à faire preuve nombre de personnalités excellentes. Serafino Siino, menacé d'admonition, fait le tour de l'arrière-pays de Palerme en compagnie de son protecteur Nicolò Morana, frère du député, en recueillant des signatures attestant de son honnêteté « notoire » : « par déférence envers M. Morana et par crainte de Siino, chacun se laisse aisément persuader de signer [179]. »

Giammona tente une autre voie. Par l'intermédiaire de l'*onorevole* Morana, il fait savoir à Codronchi que, pour éviter l'admonition, « il serait disposé à faire des révélations ». L'opération ne va pas à son terme car Gerra, malgré les sollicitations de Codronchi, n'accepte pas l'idée qu'« un député s'occupe de recommander les admonestés [180] ». Alors, Giammona aussi présente les signatures d'importants personnages dont l'histoire est mêlée à la sienne : les barons Turrisi et Di Maggio, l'*onorevole* Morana et son frère Nicolò, d'autres propriétaires et « négociants ». Un mémoire de défense est préparé par Gestivo qui, comme à son habitude, rapporte la problématique mafieuse à l'autodéfense de classe non sans présenter en victimes Giammona et son fils Giuseppe, qu'il décrit comme deux innocents persécutés parce qu'ils auraient commis « la double et impardonnable faute de vivre de leurs propres biens et d'avoir pris soin de ne pas se faire voler ou dominer [181] ».

Le préfet de police, le préfet et la magistrature palermitaine voudraient s'en tenir à l'admonition qui frappe les Giammona en décembre 1875, alors que Gestivo les défie de convoquer ses clients au tribunal, « sans les détourner de [leurs] juges naturels ». Le ministre Cantelli estime qu'il faut accepter le défi ; il est conscient que l'instrument de l'État de droit est le jugement public, ne serait-ce que pour le délit d'association, sans lequel on ne peut ni comprendre ni affronter la mafia : « L'idée d'un procès pour association de malfaiteurs [...] me revient. Elle n'est pas absolue, mais suggérée comme un moyen pour nettoyer d'un seul coup, si possible, ces campagnes. [...] Il est important que devant cette demande formelle, assez insolite, d'aide à l'Autorité, celle-ci ne paraisse pas impuissante [182]. »

De la sorte, on tente de répondre à une demande (présumée) de l'opinion publique et à une situation sur le terrain qui n'est pas spécifique à l'Uditore, mais que l'on retrouve sur l'autre versant de la campagne palermitaine, à Monreale, avec la « secte » des *stoppagghieri*. Cette secte – si l'on en croit la reconstruction faite par les autorités – a une date de naissance, 1872, et un père, Giuseppe Palmieri di Nicasio, un mazzinien. Ce dernier a un frère, Paolo, qui est le commissaire de police de Monreale, et, comme il le sait exposé aux embûches de la mafia, il constitue « un contre-parti, une sorte d'antimafia » auquel adhèrent « les éléments les plus terribles et les plus mauvais qui s'agitent dans les bas-fonds ». En un premier temps, ils rendent « quelques services utiles à la sûreté publique », puis ils quittent le droit chemin et commettent vols et homicides [183].

Stoppagghiere est un terme dépréciatif que les prisonniers utilisent pour désigner les mouchards [184] ; entre eux, les membres de la « secte » s'appellent « compère ». La police admet avoir constitué une mafia d'ordre, elle admet avoir appliqué « le *similia similibus* des homéopathes [185] » ; on se souviendra que, dans cette même Monreale, à la fin des années 1860, Albanese avait procédé de la même manière avec les membres de la Garde nationale. Ces derniers sont les représentants d'une « ancienne mafia, dite des *galantuomini* [les gens de bien, les honnêtes gens] [...] qui se sont enrichis grâce à leurs ténébreuses machinations » ; ils s'opposent aux « jeunes, qui sont mafieux eux aussi, et qui voudraient se faire une situation en employant les mêmes méthodes [186] ». Un point de contact est constitué par le faux républicain Marino, autrefois informateur d'Albanese, que nous retrouvons parmi les *stoppagghieri* et qui s'est enfui après avoir fait disparaître le dossier le concernant au tribunal de Palerme [187]. L'« ancienne » mafia a tout intérêt à obtenir à nouveau le soutien des autorités, par exemple en accusant ses adversaires d'être des « internationalistes ». Sur ce point également s'exprime la particularité de Monreale qui, depuis 1848, est le centre important d'une mobilisation à la fois politique et criminelle : certains des *stoppagghieri* ont participé aux émeutes de 1866 et, au cours des années 1870, apparaissent encore des panneaux anarchistes ou légitimistes. Le successeur du commissaire Palmeri, Negri, tente d'obtenir des informations sur Marino, par l'intermédiaire d'un certain Caputo, un autre membre de la secte ; l'enquête menée par ce dernier est interrompue par un tir de chevrotines. C'est le coup de théâtre. Avec Negri et le commissaire Bernabò, qui lui succédera, les « vieux » redeviennent les amis et les collaborateurs des institutions et les « jeunes » repassent dans les rangs de la délinquance, parmi les adeptes de l'*omertà* la plus stricte.

Giuseppe Palmeri répond aux accusations avec ironie et subtilité, en insistant sur l'incompatibilité entre sa position sociale et le montage policier : « Je n'ai pas besoin de perdre ma vie et ma conscience pour satisfaire mes besoins. Je vis de rente et non d'emploi ; par naturel et par éducation, je n'ai jamais ressenti l'envie de me mêler à des choses sérieuses, tristes ou profondes telles que celles du récit de votre feuilletoniste [188]. » Son frère est donc une figure remarquable de commissaire-notable, à l'exemple de ce Stanislao Rampolla del Tindaro, qui faisait partie de l'état-major d'Albanese et comptait, dans sa famille, un cardinal [189]. Plus généralement, dans une ville comme celle-ci, l'alternance des commissaires représente un élément déterminant pour les équilibres locaux.

L'affaire des *stoppagghieri* est un mélange de mensonges et de vérités possibles. Bernabò affirme qu'il s'agit, à l'origine, d'une société de secours mutuel qui compte cent cinquante adhérents organisés en sections et se développe dans les bourgades et les villages voisins ; mais on ne trouve pas de preuves de ces affirmations dans la documentation et ses collègues commissaires tendent à remarquer que « chaque village possède sa mafia locale ». Cependant les fonctionnaires dénoncent l'existence d'associations mafieuses, à Misilmeri (« Fontana nuova »), à Bagheria (« Fratuzzi ») et en d'autres localités, et personne « ne doute un instant de l'existence de relations » entre les membres de ces groupes pour la gestion de certaines affaires [190]. D'autres aspects du « théorème » Bernabò reposent sur des éléments plus solides, et, en particulier, sur le témoignage d'un repenti, Salvatore D'Amico, de Bagheria, parent de Caputo et impliqué, de ce fait, dans la fracture interne de l'organisation. En effet, ce D'Amico, condamné pour homicide et détenu dans la prison de Palerme, avait été affilié à la « secte », à l'issue d'un rituel complexe « au milieu de représentants émérites des malfaiteurs de Bagheria, San Giuseppe, San Lorenzo, Altarello, Misilmeri, Borgetto [191] » et, naturellement, de Monreale.

D'Amico ne pourra pas témoigner au procès qui a lieu à Palerme, en mai 1878 : il est assassiné un mois à peine avant son ouverture. Douze personnes seulement, parmi lesquelles ne figure pas Di Liberto, le chef présumé, sont jugées et condamnées pour association de malfaiteurs et divers homicides. Mais un vice de forme entraîne l'annulation du procès ; le nouveau procès se déroule en 1880, à Catanzaro, pour cause de suspicion légitime, et il se termine par un acquittement général. D'autres procès ont une issue différente : celui des *fratuzzi* de Bagheria et, surtout, le dernier de la série, celui de la *cosca* de Piazza Montalto, qui se tient en 1883, reconnaît l'existence de l'association de malfaiteurs et prononce douze condamnations à mort pour meurtres.

Les Amoroso et leurs acolytes avaient déjà été soumis à une enquête en 1875, mais, en 1878, survient un fait nouveau. Un certain Rosario La Mantia, de Monreale, venant d'Amérique, déjà condamné pour vol à main armée, se présente devant le consul italien de Saragosse, en Espagne, et se déclare disposé à faire d'importantes révélations. Après des tractations pilotées par le garde des Sceaux, Diego Tajani, il arrive à Rome où il est interrogé. Il raconte avoir rencontré à La Nouvelle-Orléans un compatriote, commerçant en fruits, qui a fini par lui révéler qu'il était Salvatore Marino, « qu'il avait été contraint de partir à l'étranger […], mais qu'il avait laissé au pays des compagnons qui continuaient à exécuter tous ses ordres ». Marino, entre-temps, a contracté la fièvre jaune et, avant de mourir, il prie son compatriote de brûler certaines lettres, ce que La Mantia se garde bien de faire. Les lettres reviennent ainsi à Palerme ; leurs auteurs sont des personnages importants comme Michele Amoroso et Giuseppe Giammona et, derrière certaines expressions obscures, les enquêteurs croient pouvoir lire, en langage chiffré, la préparation de divers crimes [192]. Documents et témoignages ne sont pas utilisés dans le second procès contre les *stoppagghieri* ; ils le sont, en revanche, dans l'instruction du procès Amoroso, ainsi que les révélations d'un autre repenti qui, cette fois-ci, parvient à témoigner. L'affaire La Mantia renforce la thèse des liens étroits entre les *cosche*, que Franchetti avait déjà mis en rapport avec « l'extraordinaire agglomération » des mafieux dans la région de Palerme [193]. Salvatore Di Paola et Giuseppe Maraviglia, membres du groupe de Piazza Montalto, se rendent à Marseille pour intercepter l'informateur et l'abattre, ce qui, d'ailleurs, rend d'autant moins plausible l'histoire de sa rencontre par hasard avec Marino : voilà déjà bien longtemps que La Mantia devait être mêlé aux affaires secrètes de la mafia et de la police. Après avoir été pendant deux ans à la solde des enquêteurs, il disparaît à l'étranger précisément au moment où il aurait dû témoigner [194].

La mise en scène de la police apparaît de façon retentissante à chaque moment des procès *stoppagghieri* et Amoroso. Ainsi en va-t-il de la rétractation à l'audience d'un inculpé qui avait avoué après un mois de détention secrète et arbitraire à la préfecture de police ; aux protestations de la défense, le préfet de police Taglieri répond : *Salus patriae suprema lex esto* [195]. Les témoins appartenant aux différentes factions donnent des jugements différents sur la « capacité à commettre des crimes » des inculpés, sur leur bonne ou mauvaise réputation, mais aucun d'entre eux n'a de choses décisives à dire sur les crimes en question : l'accusation est soutenue par les fonctionnaires du gouvernement qui racontent ce qu'on leur a confié sous le sceau du secret. On observe donc une polarisation destinée à rester typique des procès de mafia : la Sûreté publique joue simultanément les rôles de témoin, de partie en cause et de ministère public et les commissaires de police obtiennent le résultat voulu quand, à l'audience, ils parviennent à « soutenir l'accusation de telle sorte qu'ils convainquent les jurés de l'entière culpabilité » des inculpés [196]. En particulier, la preuve du délit d'association est confiée à la rumeur publique et à la façon dont les organes de la Sûreté publique l'interprètent : dans un procès ultérieur contre une modeste bande de voleurs, à Palerme, on jugera exceptionnel le fait que « la preuve [...] a été faite non seulement à partir des procès-verbaux des fonctionnaires et agents de la Sûreté publique, mais également des déclarations explicites de citoyens privés [197] ». De telles déclarations sont généralement absentes dans les procès de mafia, mais on peut également douter de la crédibilité de fonctionnaires qui refusent absolument de révéler la source de leurs informations. Dans le cas des *stoppagghieri* comme dans celui des Amoroso, la cour protège ce « secret professionnel », qui ressemble fort au « secret d'État » que les fonctionnaires des services secrets ont fait valoir lors des procès des massacres de la « stratégie de la tension » dans les années 1970-1980 : ainsi, la cour s'est-elle opposée à l'inculpation de Bernabò pour réticence et aux protestations visant Taglieri [198]. Le comble est atteint lorsque le préfet de police en personne admet que, lors de chacune des phases de l'enquête sur les Amoroso, il a reçu des instructions d'un important personnage « au-delà de toute critique » et dont, évidemment, il ne peut ni ne veut révéler le nom [199].

De la sorte, les procès sur la réputation des mafieux se transforment en jugements sur la réputation des policiers, c'est-à-dire sur leur crédibilité et celle de leurs mystérieux informateurs, qui, tous, frappent manifestement les uns pour couvrir les autres. C'est toujours un seul des protagonistes de la guerre de mafia qui apparaît : si la bande des Amoroso est une association de délinquants, se demande l'avocat Marinuzzi, « pourquoi ne pas accuser également les Badalamenti ? [200] ». Le *stoppagghiere* qui tue Simone Cavallaro (présenté tantôt comme le chef de l'« ancienne mafia », tantôt comme un parfait honnête homme) est assassiné à son tour le soir même ; mais nous ne saurons rien de cela, ni des autres crimes commis par sa faction. En revanche, nous savons avec certitude que le commissaire Cicognani, envoyé à Catanzaro pour suivre le procès, intervient pour conditionner les jurés [201]. Les fonctionnaires sont peu crédibles, le gouvernement qui les emploie ne l'est pas davantage : les défenseurs – dont les plus importants (Cuccia, Lucifora, Marinuzzi) sont présents dans chacun des procès – soutiennent cette thèse, en particulier lors du procès des *stoppagghieri* et non sans raison, dans la mesure où, à deux reprises, la police reconnaît avoir suscité des associations de « malfaiteurs ». La plaidoirie de Marinuzzi à Catanzaro part des crimes dénoncés par Tajani et les relie aux plus récents, estime que les accusations portées contre les *stoppagghieri* font partie de la tentative de la droite pour faire passer la loi extraordinaire sur la Sûreté publique, conclut par une péroraison sicilianiste qui convainc pleinement les jurés calabrais dont le verdict inflige « une leçon sévère et méritée à tous ceux qui, *enfants ou hôtes* de notre chère Sicile, l'abaissent et la méconnaissent impunément[202] ».

Ce recours au registre régionaliste, effectué par Marinuzzi, qui est un partisan de Crispi, et, de façon encore plus impudente, par Gestivo, n'est pas utilisé lors du procès Amoroso, qui se déroule trois ans plus tard dans un climat bien différent. Le président de la cour fait remarquer que l'association dont il s'agit n'est pas de type politique « comme certains pourraient le croire[203] » et il prévient ainsi toute équivoque au nom du légalisme libéral. Les contestations portent sur l'existence et la nature d'une association formée pour tuer, mais non pour voler, née en 1874, mais inopérante pendant quatre ans, puisque le premier crime qui lui est attribué date de 1878. C'est là un fait curieux, argumente maître Cuccia, « puisque les associations de délinquants, lorsqu'elles existent, doivent par nécessité être actives[204] ». Cette fois-ci, la réponse de Taglieri paraît convaincante : « la base de l'association criminelle » est le gardiennage[205] ; j'ajouterai, pour ma part, que l'association ne menace pas la propriété mais la défend et que les meurtres sont commis lors des conflits à propos de l'offre de protection.

Les gardiens n'habitent pas toujours dans la propriété, car leur réputation suffit à dissuader les gens malintentionnés ; en restant dans les bourgades ou en ville, ils peuvent se trouver au centre d'un réseau, qui peut aussi être commercial. En effet, le gardien a des fonctions de poids dans le circuit complexe et agité de l'échange, ce qui différencie beaucoup cette mafia des jardins d'agrumes de celle du latifundium. Ainsi, les « vols » qu'il faut surveiller sont souvent liés à l'achat et à la vente des agrumes, moment où un accord entre gardien et acquéreur peut se révéler fort dommageable pour le vendeur. Carollo, le gardien du docteur Galati, réclame pour lui vingt pour cent du prix qu'il négocie avec les acheteurs « car c'est la ponction habituelle de la mafia en général * » ; il est beaucoup plus grave qu'il applique d'autres prélèvements sur les fruits « déjà achetés et payés » (mais non encore cueillis), ce

---

* En italien : « *una consueta camorra della mafia* ». C'est, en somme, un vol « habituel », un racket « normal » [N.d.T.].

qui fait subir un lourd dommage à l'acquéreur, « ce qui dis-
crédite la propriété et en éloigne, à l'avenir, les acheteurs
d'agrumes ». Dans un tel cas, le gardien-trafiquant finit par
saboter le mécanisme qu'il est censé garantir. Galati essaie de
se débarrasser de son gardien en louant son fonds, sans recevoir aucune proposition car Carollo décourage les prétendants
en déclarant de façon menaçante que « jamais ce jardin ne
serait loué ou vendu [206] ».

Il existe une autre sorte de gardiennage, celui de l'eau, qui
est confié aux *fontanieri*, lesquels, dans les périodes critiques
de la saison, peuvent, s'ils le veulent, réduire la quantité d'eau
envoyée dans les canalisations pour en revendre une partie
subrepticement, ce qui peut provoquer la destruction – ou le
sauvetage – d'une récolte, la ruine – ou la fortune – d'un propriétaire. Pour une agriculture intensive comme celle de la
campagne palermitaine, il s'agit d'une ressource irrémédia-
blement insuffisante et donc d'importance centrale ; son
monopole est un enjeu stratégique pour les propriétaires des
puits et les *fontanieri* qui les gèrent concrètement. Les cultivateurs d'agrumes « n'ont aucun moyen pour les rappeler à
l'ordre, ni légalement, car la justice coûte cher, ni économiquement, car ce sont des gens inquiétants, dangereux et
compromettants [207] » ; mais l'organisation mafieuse, elle, possède les moyens de le faire, en particulier dans le cas où le
gardien fournirait de l'eau au « mauvais » groupe : c'est le
cas de Felice Marchese, assassiné (d'après le commissaire
Bernabò) sur l'ordre de Di Liberto.

L'économiste Ferdinando Alfonso remarque que les
fontanieri « sont en parfaite correspondance » avec les
« jardiniers », c'est-à-dire avec les *gabellotti* et les intermédiaires (plutôt qu'avec les propriétaires) : face au boom du
marché des agrumes, après l'Unité, ce sont eux qui « achètent
tous les fruits des jardins des propriétaires, puis s'unissent et
font augmenter les prix » payés par les grands exportateurs qui expédient les marchandises vers les lointaines
Amériques [208]. Cette conjoncture de prix élevés et de basse
production pousse à la concurrence pour des achats toujours
plus précoces par rapport aux échéances naturelles de la
saison, à l'avance de grosses sommes par les intermédiaires
avec la perspective de demandes menaçantes de remboursement au cas où la transaction échouerait. Les contrats d'achat

et de vente sont formulés de façon volontairement ambiguë afin de permettre un accord « débonnaire » qui préserve la continuité des affaires et la coexistence de tous, à la condition qu'il y ait un interlocuteur autorisé pour chacune des parties, producteurs comme intermédiaires. Le contrôle des courtiers, qui estiment la production et auxquels revient le rôle de garants et souvent de gardiens du produit après la stipulation des accords, est donc un des champs d'action de la mafia [209]. On parle indifféremment des Amoroso comme de « jardiniers » ou de trafiquants ; beaucoup des personnes assassinées, tels Caputo ou Gaspare Amoroso, sont attirées dans la discrète pénombre d'un jardin, avec pour excuse une transaction commerciale. « Dans l'état actuel des choses, ce sont tous des spéculateurs qui, comme instrument de spéculation, se servent de poudre et de plomb [210]. » Ainsi, à partir de l'exigence originaire de sûreté publique et privée, en passant par l'étroite « correspondance » entre gardiens, *fontanieri, gabellotti* et intermédiaires, par l'entremise du rapport de confiance avec les propriétaires qui transforme les malfaiteurs-gardiens en affairistes et en possédants, le caractère de l'organisation commence à se dessiner : « À la différence d'autres organisations qui furent amenées à subir la rigueur de la Justice (par exemple celle de la *Posa* des meuniers et des charretiers), celle-ci n'a pas pour objectif le monopole forcé d'une industrie déterminée, la taxation obligatoire ou l'augmentation arbitraire du prix de la main-d'œuvre ; mais elle s'attaque, en général, à toutes les sources de la propriété, à toutes les manifestations économiques de la richesse, de l'industrie et du travail [211]. »

Cette distinction opportune entre monopole sectoriel et monopole territorial ne doit pas être comprise de façon trop stricte. Les activités contrôlées trouvent dans les bourgades un moment de passage (vol de bétail, contrebande) ou de départ (commerce des agrumes), dans lequel les membres de l'organisation jouent un rôle de médiation d'affaires, en contact avec d'autres mafieux ou avec des individus étrangers au monde des malfaiteurs. C'est à l'intérieur des bourgades et des villages de l'arrière-pays que se met en place un système qui *tend* vers le modèle du monopole territorial, à partir du nœud du gardiennage des installations, des récoltes et de l'eau. Les deux aspects, qu'il faut considérer conceptuellement de façon distincte, se superposent dans la pratique, chacun d'eux n'excluant pas, entre les *cosche*, des rapports mutuels qui se présentent comme des relations d'affaires ou comme la reconnaissance des seigneuries territoriales respectives.

Les procès pour association criminelle, de 1875 à 1883, mettent utilement en lumière cette réalité, avec cette différence, par rapport aux années 1860, qu'ils respectent davantage les principes juridiques, malgré la persistance de l'illégalisme et malgré les rapports de clientèle entre une partie de la mafia et une partie de l'État.

CHAPITRE III

GARDIENS ET AFFAIRISTES

1. *Mafia et politique*

Le 1er février 1893, Emanuele Notarbartolo de San Giovanni est assassiné dans le train, sur la ligne Termini-Palerme. Descendant d'une des familles les plus éminentes de l'aristocratie sicilienne, c'est un des représentants de la droite historique, mais il est considéré comme au-dessus des partis et unanimement apprécié pour sa droiture morale et les capacités administratives dont il a fait preuve lorsqu'il était maire de Palerme (1873-1876) et directeur général de la Banque de Sicile (1876-1890)[1].

Il ne s'agit pas d'un épisode de terrorisme politique semblable à ceux de la période postunitaire. L'hypothèse d'une agression par des brigands paraît à écarter, ne serait-ce qu'en raison du scénario à ce point « moderne » et rassurant qu'il a induit la victime à abandonner les précautions qu'il prenait depuis 1882, date à laquelle il a subi un enlèvement, à décharger le fusil qu'il emporte avec lui et à s'endormir (« entre le brigand et la voie ferrée, il y a incompatibilité complète, il y a anachronisme[2] »). Le meurtre est accompli avec une arme, le couteau, davantage utilisée lors des crimes passionnels que dans les crimes « sur mandat » (« l'arme dont se sert le tueur à gages […] est toujours une arme à feu[3] »). Il ne s'agit apparemment pas de la lutte entre pairs pour la gabelle ou le gardiennage : nous savons que les mafieux de Palerme n'ont pas coutume de tuer des propriétaires, encore moins des hommes aussi éminents. Pourtant, la « rumeur publique » émet l'hypothèse d'un crime de mafia, et même, affirme le procureur général Sighele, de « haute mafia[4] », en désignant comme exécuteurs deux membres de la *cosca* de Villabate, Matteo Filippello et Giuseppe Fontana, et comme mandant Raffaele Palizzolo. « Dans les lieux publics, dans les rues, partout, on disait : c'est sûrement *la main* de Palizzolo[5]. »

Ce crime marque un saut qualitatif, mais, par certains aspects, reste un pic isolé, le signal de développements futurs. Pour avoir une juste échelle de référence, il faut penser que pendant plus d'un siècle la mafia n'a osé frapper si haut qu'en cette seule occasion. Notarbartolo est le premier des « cadavres excellents », mais aussi le dernier jusqu'à la mort du procureur général Pietro Scaglione, en 1971. À grand crime, grande réaction. L'état d'urgence « mafia » s'impose non seulement à la Sicile, mais à la nation tout entière, entre autres du fait de la tenue, pour cause de suspicion légitime, des trois procès à Milan (1899-1900), Bologne (1901-1902) et Florence (1903-1904)[6] ; et aussi parce que la presse, en accordant une place importante aux débats, « nationalise » l'obscur objet mafia, particularité de la plus méridionale des provinces italiennes, bien plus qu'elle ne l'avait fait avec la discussion parlementaire de 1875. En commençant par ce que le marquis di Rudinì nomme « la scène de Milan[7] », tous les Italiens assistent à un spectacle sensationnel dont les figurants sont les centaines de témoins provenant de Sicile, vêtus d'étrange façon et s'exprimant dans un idiome que seuls les interprètes nommés par les magistrats réussissent à rendre compréhensible.

Dans le premier procès, seuls deux inculpés comparaissent : les cheminots Garufi et Carollo, que la logique des faits désigne comme complices ; rien n'est reproché à Palizzolo et à Fontana (les soupçons contre Filipello s'étaient évanouis). Cette solution ne satisfait pas la famille Notarbartolo, et surtout pas le fils du défunt, Leopoldo, contraint de ronger son frein devant les hésitations et les contradictions de l'enquête et qui, maintenant, « à l'air libre de Milan[8] », provoque un coup de théâtre en accusant Palizzolo. « Je ne saurais vous décrire le frémissement d'anxiété, la tension des esprits des magistrats, des jurés, du public à ces mots – raconte le chroniqueur de l'*Avanti !* ; invinciblement, une attention aiguë, douloureuse lia le prétoire à la parole rapide, incisive, sûre, de ce jeune homme de vingt-huit ans qui venait réclamer vengeance contre le puissant assassin présumé de son père[9]. »

Sous la pression de la partie civile, le procès se transforme en « instruction publique[10] » qui s'oppose à l'instruction officielle. L'inspecteur de la Sûreté publique, Cervis, accuse son collègue Di Blasi, créature de Palizzolo, d'avoir mis l'enquête sur une fausse piste et d'avoir occulté des preuves. Di Blasi est arrêté en cours d'audience. Une enquête, lancée à l'initiative du préfet de Palerme, fait émerger un billet par lequel, le lendemain même de l'assassinat, l'inspecteur inculpé avait réclamé spontanément qu'on lui confie les investigations, en indiquant des « pistes » fantastiques, et le rapport conclut : « Ses relations intimes [de Di Blasi] avec le *commendator* Palizzolo incitent à se demander s'il n'a pas réfléchi à l'intérêt d'avoir en main les fils de l'intrigue pour sauver son ami et protecteur[11]. »

Cervis laisse entendre que le « parti » de Palizzolo a trouvé de l'indulgence, sinon des complicités, auprès du préfet de police de Palerme en 1893, Ballabio ; ce dernier, confronté à Di Blasi, est pris d'une crise de nerfs et le traite de « menteur, de lâche, qui a déshonoré la préfecture de police de Palerme[12] ». Le général Mirri, ministre de la Guerre dans le gouvernement Pelloux en 1893 et chef de la Sûreté publique en Sicile au temps de l'état de siège, accuse la magistrature « du laxisme le plus grand, de négligence ou, plutôt, de culpabilité[13] ». Le préfet de police Lucchesi, ancien inspecteur, s'exclame : « Une main magique, mystérieuse mais puissante, a pesé sur ce procès ! Ainsi s'explique qu'il se déroule après six années, alors que quatre mois auraient dû suffire[14]. » Tous ces témoins – et bien d'autres – font foi de la « capacité à commettre des crimes » de Palizzolo et de ses rapports avec la mafia.

Comme nous le verrons, le général comme le préfet de police ont quelque chose à se faire pardonner et fournissent une contribution à un scandale « trop large et trop imprécis », qui, remarquent non sans préoccupation Pelloux et Sonnino, met en question les équilibres politiques eux-mêmes[15]. Sur la scène de Milan, les acteurs jouent une pièce tellement subversive que le commandement militaire du lieu interdit aux officiers de fréquenter la salle d'audience du procès[16] ; mais les

envoyés spéciaux retracent pour tous, présents comme
absents, ce tableau où les avocats accusent les institutions de
complicité, où hommes politiques et policiers s'accusent les
uns les autres, pour la honte des bien-pensants et la joie des
subversifs. Les premiers doivent admettre la présence « d'un
venin mystérieux, subtil [...] : sous l'écorce de la mafia
s'épanouit la force de la politique, sous l'écorce de la politique la force de la mafia [17] » ; les seconds peuvent constater la
misère de l'État qui prétend les juger : « Il y a là bien plus que
de la "négligence", fût-elle la plus grande, bien plus que du
"laxisme", fût-il énorme. Au-delà de la culpabilité, il y a là un
crime organisé dans l'administration même de la justice, une
justice complice qui protège les assassins, l'infamie, la honte,
le déshonneur [18]. »

Sur certains épisodes, admet le procureur général de Milan,
il faut demander le jugement « de l'opinion publique, qui se
trompe rarement et distribue à qui de droit, en toute justice,
louange et blâme [19] ». Mais, pour l'opinion publique, les responsabilités sont à distribuer entre magistrats, préfets de
police et préfets ; et elles concernent également les gouvernements sous lesquels les enquêtes se sont éternisées.

Paradoxalement, il faut compter au nombre de ces gouvernements celui que dirigeait le marquis di Rudinì, ami personnel d'Emanuele Notarbartolo et leader de la droite, auquel
lui-même appartenait. Ce sont les années (1896-1897) du
commissariat civil pour la Sicile – confié à Codronchi par
Rudinì – dont la tâche officielle est de s'en prendre aux
clientèles ; Sonnino note sarcastiquement que la tâche réelle
de Codronchi consiste à créer un « commissariat électoral »
qui fasse éclater le parti favorable à Crispi et récupère son aile
modérée en regroupant autour du gouvernement toutes les
forces disponibles [20]. Dans une telle perspective, Codronchi
est l'homme qui convient : représentant de la droite, mal vu
par les démocrates de l'île depuis 1875, il n'en a pas moins
été, en 1889-1890, comme préfet de Naples, le fidèle exécutant de la politique de Crispi. En avril 1896, avant même sa
nomination officielle, Codronchi exprime ses propres
desseins : « Tout le monde sait qui a été le mandataire, qui a
été le mandant. La justice s'est arrêtée devant quelques personnages de gros calibre, amis de Crispi. [...] J'ai dit à Rudinì
que je n'ai pas l'intention de m'arrêter, même pas devant ses

propres amis, devant le député Palizzolo, par exemple. Rudinì m'a répondu : parfait, Palizzolo est une canaille [21]. »

Codronchi se surévalue. La réouverture de l'affaire est probablement due à des instructions de Rudinì, par ailleurs difficiles à satisfaire car les indices tendent à mettre en cause non les partisans de Crispi, mais Palizzolo, qui, si « canaille » soit-il, n'en est pas moins un des points d'appui de la droite. En outre, le député a absolument besoin du soutien du gouvernement : en effet, aux soupçons sur l'affaire Notarbartolo s'ajoutent ceux qui portent sur l'assassinat d'un certain Francesco Miceli, qu'il attribue à une persécution de Giolitti, d'où les motivations pseudolégalistes sur lesquelles joue son appui au projet de commissariat civil : « Dès qu'un crime très grave advient dans la province, c'est dans le cabinet du préfet que l'on rédige les premiers actes du procès, le préfet ne dédaigne pas l'action de quelque conseiller privé, qui pourrait être un candidat politique ministériel lors des prochaines élections. [...] Ils estiment toujours que l'auteur des crimes est le candidat de l'opposition dont les amis et partisans sont les complices plus ou moins nécessaires [22]. »

La situation déplaisante dans laquelle se trouve Leopoldo Notarbartolo, qui surprend Codronchi en conciliabule avec Palizzolo, ne doit donc pas surprendre [23]. Durant les mois suivants, un échange quotidien s'établit entre le comte d'Imola, qui donne les instructions de haute politique, et le député de Palerme, qui s'occupe de la gestion locale : dissolutions d'administrations communales, division de biens domaniaux, procrastination des dettes de quelques sociétés, choix des pharmaciens qui devront gérer le service pour les pauvres de Palerme, composition du corps des gardes financiers [24]. Le député est très attentif au choix des gardiens de l'ordre : il proteste contre la mutation du commissaire de police de Palerme Olivieri, qu'il présente comme « un des mes électeurs les plus affectionnés, qui pourrait me rendre de grands services », alors que, précise-t-il, « on laisse dans cette province et dans mon collège d'autres fonctionnaires qui sont loin d'être bienveillants à mon égard ! » ; il intervient en faveur d'un ex-commissaire, un certain Francesco Saitta, ce qui provoque, pour le coup, l'indignation du haut commissaire, qui écrit : « Ce Saitta a été condamné et destitué ; et voilà qu'on le recommande pour qu'il soit nommé chef des

gardes champêtres ! » Palizzolo se montre tout particulièrement intéressé à obtenir sa propre nomination comme adjoint
chargé de la police urbaine dans la municipalité cléricalo-
modérée que dirige le sénateur Amato-Pojero, qui a obtenu
cette charge grâce à l'appui de Codronchi, en 1897 : « J'ai de
nombreux amis dont on a piétiné les droits et les raisons et ils
tiennent immensément à ce que je fasse partie, ne fût-ce que
pour un mois, du Pouvoir exécutif [*sic* !]. [...] Amato aurait
dû écouter les sages conseils de Votre Excellence et ceux des
amis sans lesquels il ne pourrait pas rester plus de quarante-
huit heures maire de la ville [25]. »

Pour comprendre de quels amis il s'agit, il faut rappeler
qu'en vue des élections administratives dans le chef-lieu de
l'île, a été mise en place une réforme électorale qui attribue
aux candidats des bourgades un poids disproportionné ; selon
De Felice, des personnages en odeur de mafia sont ainsi élus
avec quelques dizaines de voix, alors qu'au centre de la ville
des candidats de l'opposition ne le sont pas avec plus de mille
voix. Parmi les mafieux élus, Salvatore Licata, fils de
l'Andrea Licata que nous avons rencontré dans les années
1870 [26]. Seul Palizzolo peut contrôler de tels personnages. Il
n'est donc pas surprenant que, en 1897, Codronchi se déclare
persuadé de l'innocence de Palizzolo et soupçonne plutôt
Figlia et Tenerelli, deux partisans de Crispi [27].

Le préfet de police de Palerme est Lucchesi, dont le haut
commissaire estime que c'est « un homme très habile, [qui]
connaît tout et tout le monde », tout en prévoyant qu'il faudra
l'éloigner car « c'est un mauvais sujet [28] ». C'est en effet un
subtil instrument de la police, rompu à l'usage des « venins »
palermitains au moins depuis l'époque de Malusardi ; une
fois, surpris en conciliabule amical avec un mafieux célèbre,
il se serait exclamé : « Vous voyez à quoi j'en suis réduit ? Cet
individu mériterait les menottes et je le conduirais volontiers
moi-même en prison [29] ». Il donne parfois des instructions
pour le moins singulières : ainsi, à l'été 1896, il demande à
ses subordonnés de ne pas donner suite aux dénonciations
contre les mafieux de Villabate « afin d'éviter que des personnes dénoncées comme ayant commis de graves crimes ne
prennent le maquis, compromettant ainsi le bon fonctionnement de la sûreté publique [30] ». C'est cet homme-là qui doit
rouvrir l'affaire, avec le nouveau procureur général, Vincenzo

Cosenza. On décide de s'appuyer sur les « divulgations » d'un détenu, un certain Bertolani, d'après lequel Fontana (alors en prison à Venise pour trafic de fausse monnaie) se serait vanté d'avoir tué Notarbartolo ; selon Bertolani – qui interprète de façon extensive les désirs de ses protecteurs –, le mandant de l'assassinat ne serait autre que Crispi en personne [31]. Ce choix permet la révision de l'instruction et l'inculpation des deux cheminots, Garufi et Carollo, mais pas celle de Fontana dont l'alibi paraît inattaquable, d'autant que le procureur général ne procède pas à une confrontation entre le préfet de police Lucchesi et un autre employé des chemins de fer, Diletti, qui avait précisément confié à Lucchesi avoir reconnu en Fontana l'homme présent dans le train le jour du crime ; personne ne le sollicitant, le témoin se rétracte et ce n'est qu'au cours du procès qu'il accusera à nouveau Fontana [32].

En 1896-1897, comme on peut le voir, les mécanismes qu'avaient mis en œuvre les relations de Palizzolo en 1893 ne fonctionnent plus de la même façon. Codronchi est déterminé à trouver le mandant puis, lorsque toutes les pistes mènent à Palizzolo, il finit par ne se soucier que de prouver la culpabilité de Fontana ; cet objectif échoue également, du fait des résistances du procureur général Cosenza. Par ailleurs, tant le haut commissaire que son (encore plus élevé) inspirateur politique sont convaincus que leur ancien allié n'est pas coupable, ou du moins qu'il n'est pas le seul coupable. « Je ne me porte pas garant de Palizzolo – écrit Rudinì à Codronchi, en décembre 1899. Le courant d'opinion qui s'est formé contre lui affirme que c'est un homme capable de commettre des crimes. Mais […], l'acharnement dont on a fait preuve contre lui, lors de la première instruction, prouve presque que l'on a cherché volontairement à dévoyer la justice, en l'éloignant de la bonne piste [33]. »

Cette lettre appelle au calme, lors des jours agités du procès de Milan, quand tous tentent de laisser tomber Palizzolo. Rudinì continue à soutenir que le vrai scandale est la non-inculpation de Fontana et que, par conséquent, « s'il y a quelque chose de pourri », il faut le rechercher dans la magistrature [34]. On arrive à faire admettre à Codronchi que Palizzolo est sans doute capable de commettre des crimes. Mais Lucchesi, lui, tonne contre les magistrats, mais aussi contre le député Palizzolo, sans se rendre compte qu'il met ainsi en difficulté ses protecteurs : « Ce comportement – commente Rudinì, fort irrité – me paraît vraiment merveilleux ! [35] ». L'explication de l'attitude de l'ancien préfet de police est tout à fait simple, à en croire le préfet de Palerme De Seta : « Il a réglé sa façon d'agir en fonction de ses intérêts personnels : il lui fallait se montrer violent contre Palizzolo précisément parce qu'il avait été son ami en d'autres temps [36] ».

À Palerme, les événements préoccupent la magistrature, qui est lourdement mise en cause. Cosenza proteste contre la place que le tribunal milanais accorde au « spectacle ignoble et nauséabond d'une vengeance privée [37] ». La partie civile justifie la procédure atypique en la présentant comme une pression « révolutionnaire » rendue nécessaire par l'influence de Palizzolo sur le procureur « qui fit malheureusement la preuve qu'on ne pouvait espérer de lui le triomphe de la vérité et de la justice [38] ». Si Palizzolo prend appui sur la machine judiciaire et policière de Palerme, les Notarbartolo utilisent leur réseau de relations politiques et aristocratiques ; ils peuvent compter, au moment du procès de Milan, sur l'appui d'Humbert Ier, avisé par le prince de Monreale, et sur les liens personnels qui unissent l'oncle de Leopoldo Notarbartolo, le commandant Gaetano Merlo, au chef du gouvernement, le général Pelloux. « Nous voyions que le Ministère nous soutenait – écrit Leopoldo Notarbartolo. Si les fils s'embrouillaient, mon oncle […] prenait le train pour Rome et obtenait de son ami Pelloux tout ce que nous voulions. Ainsi, nous réussîmes à faire confier à la justice les documents ultra-secrets de la Banque de Sicile, de la Préfecture de police, et du commandement des Carabiniers de Palerme, et même ceux du ministère de l'Intérieur [39]. »

L'affaire entraîne cependant un mélange inédit entre ce bloc de forces traditionalistes et modérées, d'une part, et l'extrême gauche, d'autre part. Celle-ci joue un rôle de premier plan et avant tout dans la gestion même du procès que Leopoldo Notarbartolo a confié à deux avocats socialistes, Carlo Altobelli et Giuseppe Marchesano ; ce dernier effectuant le lien avec le socialisme palermitain d'Aurelio Drago et du prince Alessandro Tasca di Cutò. Ce sont les années des scandales bancaires et cette convergence est moins paradoxale qu'il n'y pourrait paraître. En effet, entre gauche et droite, il existe des points de contact : la dénonciation de l'amalgame entre affairisme, politique et administration, et la critique de la dégénérescence du système représentatif qui amène à l'utilisation de la mafia. « Que devrait faire le gouvernement ? – se demande Aurelio Drago. La combattre ? Qui fera donc les élections ? Il faut donc l'organiser. Et le gouvernement l'organise, il l'arme, il la paie [40]. »

Par ailleurs, socialistes et radicaux ont besoin de rentrer dans le jeu politique dont ils ont été exclus par l'état de siège de 1894 et, sur la base d'une position commune d'hostilité à Crispi, ils tentent déjà de se rapprocher des partisans de Rudinì en faisant à Codronchi des « avances » qui ne sont pas payées de retour ; cela explique les violentes attaques contre « le vice-roi de Sicile » lancées en 1899 par Giuseppe De Felice, le socialiste de Catane, ancien dirigeant des *fasci*. « Nous sommes tous deux les cibles favorites du fameux De Felice – écrit Lucchesi à Codronchi. Vous, parce qu'en sincère monarchiste vous avez tout mis en œuvre pour empêcher son élection ; moi, parce que je l'ai inculpé et fait envoyer en prison [41]. »

Le procès de Milan se déroule après la violente répression des mouvements populaires de 1898 et la première phase de l'opposition parlementaire contre les lois « liberticides » de Pelloux, en juin 1899. Les deux derniers mois de cette année-là et les premiers de l'année suivante voient la gauche mener une offensive contre un gouvernement si dur contre les socialistes et si arrangeant envers les mafieux. Comme l'affirme Bissolati, la politique italienne « a deux faces ; sur l'une se trouve la figure symbole de Palizzolo, sur l'autre l'image des députés De Ambris, Chiesi, Turati, fichés et surveillés par la Sûreté publique ». Après un discours très dur de De Felice, l'un des protagonistes de l'obstructionnisme, Pelloux doit admettre que vient de Milan « une leçon, une dure leçon pour tous [42] ». D'ailleurs, le scandale frappe également le gouvernement en la personne du général Mirri, qui doit démissionner quand le procureur général Venturini, qu'il a violemment attaqué à Milan, passe au *Tempo* certaines lettres de 1894, dans lesquelles le général demandait la libération du mafieux Saladino, lié aux amis de Crispi [43]. Le 8 décembre, tandis que se répandent des rumeurs sur la fuite de Palizzolo à l'étranger (il se trouve en fait en Sicile), Pelloux interrompt les communications télégraphiques entre Rome et Palerme et, sans égard pour la procédure, obtient que le parlement vote immédiatement l'autorisation d'arrestation, qui est exécutée sans ordre du magistrat.

C'est là un gros problème, étant donné les liens palermitains du député incarcéré. Comme cela s'est déjà vu à plusieurs reprises, l'harmonie ne règne pas entre la police et la magistrature qui (remarque le *Giornale di Sicilia*), « bien loin d'être l'alliée naturelle de la Sûreté publique, met des obstacles à son action, la rend impuissante et ridicule[44] ». Le commissaire Lancellotti, inculpé pour abus de pouvoir après l'acquittement des membres de la *cosca* sur laquelle il a enquêté, révèle que l'un de ces mafieux lui a déclaré sans ambages se sentir pleinement en sécurité tant que le juge Pezzati, ami de Palizzolo, est à Palerme[45]. Palizzolo, en prison, déclare qu'il place « tous ses espoirs, toute sa confiance » dans le procureur général[46]. Les résistances de Cosenza aux pressions de Gianturco[47], garde des Sceaux du nouveau gouvernement Saracco, risquent de faire naître un conflit entre pouvoir exécutif et pouvoir judiciaire, surtout dès lors que le procureur se réserve le réquisitoire car il n'a pas confiance dans la section d'accusation, qui penche pour la culpabilité du prévenu. À la fin, Cosenza doit décider du renvoi au jugement de Palizzolo et Fontana, mais avec des motivations qui constituent une sorte de plaidoirie en leur faveur. C'est dans ce climat, fait de ruptures, de pressions, de paradoxes, de nouveaux et graves soupçons, que va se tenir le procès de Bologne.

2. *L'onorevole Palizzolo*

« Palizzolo était un homme doux, bon, affectueux, poète à ses heures, un peu léger, très bavard, incapable de garder un secret et donc incapable de confier à autrui un mandat pour une action sanguinaire » : voici le portrait que tracent de lui ses défenseurs[48]. De fait, il s'agit d'un personnage incolore, à l'éloquence démodée tendant à des effets proches du ridicule, du moins pour les oreilles averties d'un chroniqueur qui l'écoute au procès de Bologne : « Il parle en s'appuyant contre une chaise, en prenant une attitude tragique, avec force gestes, en modulant sa voix, qu'il rend tantôt douce, tantôt grave, tantôt véhémente, avec une recherche évidente d'effets. » Lorsqu'il explique sa propre influence, le ton est plus posé : « J'étais le seul député accessible aux électeurs [...]. Je descendais et vivais parmi le peuple, cherchant à être un conseiller et un ami. Et le peuple en éprouvait de la gratitude [49]. »

Comme l'admet sans pudeur la défense, Palizzolo, administrateur de pieuses institutions, membre d'une infinité de commissions, conseiller communal et provincial, s'était forgé une clientèle comprenant des personnes en tout genre, et donc également quelques mafieux dont « il se servait lors des élections [50] », tout comme d'autres parlementaires. Sur certains points, cette interprétation converge avec celle de Gaetano Mosca, qui l'a transmise à la postérité, en lui conférant l'estampille du grand intellectuel : « Il était très populaire, si la popularité consiste à être aisément accessible par des personnes de toute classe, de toute catégorie, de toute moralité. Sa maison était indistinctement ouverte aux honnêtes gens et aux gredins. Il accueillait tout le monde, serrait à tous la main, bavardait infatigablement avec tous ; à tous, il lisait ses vers, racontait les succès oratoires qu'il avait remportés à la Chambre et, par d'habiles allusions, laissait comprendre quelles relations très importantes, et nombreuses, il avait [51]. »

Pour Mosca, nous ne serions pas en présence d'un délinquant, mais d'une créature typique du suffrage élargi, un de ces « hommes nouveaux » qui font de la politique une activité professionnelle, apte à conquérir le soutien des électeurs en pratiquant le don de petites faveurs pour de petites clientèles. Du point de vue pratique, Mosca réduit le chef de *cosca* au chef d'une clientèle, de façon à rendre plus acceptable l'évidente compromission avec un tel personnage de Rudinì et de Codronchi. Du point de vue théorique, il décrit Palizzolo comme l'un des parvenus petit-bourgeois, contre lesquels porte la polémique de son propre mentor, le marquis di Rudinì [52].

De fait, Palizzolo s'est constitué un patrimoine en acquérant des biens domaniaux, mais il ne s'agit pas d'un homme nouveau, comme l'indique le titre nobiliaire de *cavaliere* dont il fait précéder son patronyme. Il entre au parlement en 1882, date symbolique de l'élargissement du suffrage. Il n'est pas un démocrate favorable à Crispi, mais un régionaliste, représentant du parti *palermitain* qui, comme nous le savons, connaît le problème de la « perturbation » postunitaire. En creusant dans sa carrière, on en revient au moment crucial de 1876-1877 ; les résultats d'une telle enquête s'opposent à tout portrait édulcoré : c'est le *manutengolo* des brigands Valvo, De Pasquale et Leone, le collaborateur forcé de Lucchesi et Malusardi. Par la suite également, Palizzolo est mêlé à des épisodes de brigandage, par exemple à l'enlèvement, en 1882, d'Emanuele Notarbartolo[53]. Bien des fils mènent au député Palizzolo : c'est l'un de ses clients qui procure aux bandits les uniformes de *bersaglieri* qui servent à leur déguisement ; après le paiement de la rançon, les bandits se réfugient dans un fonds limitrophe d'une propriété de Palizzolo, à Villabate ; c'est le célèbre inspecteur Di Blasi qui, pris d'une subite illumination, découvre leur cachette. Selon le député De Luca Aprile, le mécanisme habituel aurait joué : le préfet de police Bardesono, pressé par l'opinion publique et par Depretis en personne, aurait « montré les dents à Palizzolo[54] » et obtenu ainsi sa collaboration.

Le *manutengolo* de la bande est un certain Giuseppe Fontana (fils de Rosario), qui, en 1882, à Villabate « et sur une certaine étendue de territoire qui va jusqu'aux confins de la province limitrophe [de Messine] […] exerce une autorité incontestée ». En 1866, il a été frappé d'admonition, en 1873, il a été mis en prison pour homicide et il a attendu, avec confiance, d'être remis en liberté grâce à « des personnes distinguées par leur position sociale » ; dans les années 1880, il a été mis en résidence forcée à Ventotene et, à deux reprises, à Ustica, où Palizzolo est venu le visiter et a obtenu sa libération[55]. Il s'agit d'un cousin du Giuseppe Fontana (fils de Vincenzo) désigné comme le tueur de Notarbartolo. Un autre point de contact entre le député et la *cosca* de Villabate est Filippello, de Caccamo, qui fut le *manutengolo* de Leone, que Palizzolo avait fait précisément se déplacer à Caccamo en 1875. Les membres de la « fraternité » – qui, selon la police, tiennent leur réunion entre Villabate et Ciaculli et ont tous été, à un moment ou à un autre, désignés comme complices et aides des brigands – rançonnent, mènent des attaques à main armée, volent le bétail, exécutent de présumés mouchards et s'adonnent également à l'activité politique, en faveur du maire Pitarresi et de Palizzolo. « La sphère d'action et d'influence de cette société de malfaiteurs ne se restreint pas seulement au territoire de Villabate, mais s'étend jusqu'aux bourgades de Palerme, à Ficarazzi et à Misilmeri, et ses nombreux méfaits sont presque toujours restés impunis, à cause de la terreur qu'elle inspire aux témoins et également à ses victimes qui, craignant de s'exposer à une mort certaine, préfèrent se taire et supporter[56]. »

La responsabilité de l'enlèvement de 1882 peut être déduite de cette logique territoriale, dans la mesure où le lieu de la séquestration (Caccamo) et celui où les brigands se réfugient après avoir encaissé la rançon (Villabate) ont pour seul point commun d'être sous le patronage de Palizzolo. En 1892, cette zone ne fait pas partie de son collège électoral ; l'Alberghiera, le quartier de Palerme où il recueille le plus grand nombre de suffrages, se trouve dans le centre historique. Ce dernier point est souligné par Mosca et par les défenseurs de Palizzolo, qui entendent ainsi démentir ses liens avec la mafia ; celle-ci, en effet, a pour patrie d'élection les bourgades de la cité, alors que dans les vieux quartiers la criminalité a le plus souvent pour visage le *ricottaro*, le proxénète[57]. L'argument renvoie donc au moment où Palizzolo se présentait à Caccamo et, quoi qu'il en soit, peut impliquer des relations autres que les liens électoraux. À Caccamo, comme dans la zone qui s'étend au sud-est de Palerme, à Mezzomorreale, à Ciaculli, à Villabate, il possède des terres et, par conséquent, des relations dans le milieu des gardiens, des *gabellotti*, des *fontanieri*. Nous pourrions en ce cas renvoyer à la catégorie générale du lien entre mafieux et possédants, à cette nuance près que Palizzolo n'est pas un propriétaire suffisamment grand pour employer, comme il le fait, de nombreux salariés fixes, « tous capables de commettre des crimes [...], même si, comme à l'Inserra, les revenus du fonds ne suffisent pas pour payer le salaire du fermier [*castaldo*] : on dirait qu'il ne conserve ces bouts de terrains que pour y garder des repris de justice[58] ! »

L'assassinat de Miceli, dont Palizzolo est amené à rendre compte en même temps que celui de Notarbartolo, peut nous fournir un éclairage[59]. Le lieu du crime est la vaste propriété agricole « Rocca di Monreale », dont la propriétaire,

Marianna Gentile, est morte en 1873, en laissant comme principal, mais non unique héritier, son neveu : c'est une situation particulièrement complexe car il n'y a pas moins de cinq cents parents intéressés à l'héritage, parmi lesquels certains à qui doivent revenir des legs importants et d'autres qui contestent la validité du testament. Palizzolo acquiert des droits sur une partie considérable de l'héritage et investit une très grosse somme, disproportionnée si l'on considère que le fonds est déficitaire, les revenus médiocres et la situation de la propriété chaotique. Il n'arrive cependant pas à mener à son terme son opération de rachat, « à cause des frais […] administratifs et judiciaires, de la rapacité de ceux qui s'étaient déjà emparés de leur part du patrimoine et faute de moyens [60] » ; il change alors de stratégie et tente un accord, tout en empêchant qu'un certain Francesco Di Liberto, le *gabellotto* nommé par l'administrateur judiciaire, ne puisse s'occuper du domaine ; face « aux nombreuses relations » du député, Di Liberto se retire « *pro bono pacis* [61] ».

Francesco Miceli vient alors contrarier ses projets ; fermier de la villa Gentile, c'est un personnage « courageux, fort et déployant une grande activité pour obliger les cultivateurs à agir comme ils le doivent » ; c'est un homme difficile à intimider, ne fût-ce que par tradition familiale : c'est en effet le fils de Turi Miceli, chef des *squadre* de Monreale en 1848, 1860, 1866. Palizzolo déclare qu'il ne craint pas « la mafia de Miceli » et annonce qu'il va « installer dans le domaine des gens capables de le faire se tenir tranquille [62] ». Parmi ces derniers, figurent deux personnages inquiétants, Nicolò Trapani et Filippo Vitale, repris de justice, mis en résidence surveillée par Malusardi, chef mafieux d'Altarello di Baida. Miceli n'en continue pas moins à critiquer la gestion de Palizzolo et de ses protégés et il parvient, entre autres, à convaincre plusieurs des héritiers de ne pas vendre ; il n'est pas impressionné quand Palizzolo se vante de ses rapports passés avec le bandit Leone et ne mollit pas davantage quand un coup de revolver lui effleure le front. Il ne cédera pas avant qu'une décharge de chevrotines ne l'abatte, le 17 juillet 1892. Après sa mort, les hommes de Palizzolo ont les coudées franches et font de la propriété Gentile la plaque tournante de la contrebande de tabac et du vol de bétail, sur le parcours qui, de l'intérieur des terres, mène à Palerme : on y retrouvera, en 1889, des animaux volés à Sciara, à une trentaine de kilomètres du chef-lieu ; c'est là également que sera séquestrée une jeune fille, libérée ensuite par l'entremise de Palizzolo [63].

Cela peut expliquer qu'il n'y a pas une logique économique dans les affaires de Palizzolo et cela peut également nous faire comprendre pourquoi Francesco Paolo Vitale, bien qu'issu d'une famille aisée, accepte de jouer le rôle d'un simple gardien, en compagnie de son cousin Filippo. Il s'agit donc moins d'une propriété gérée par des mafieux que d'un lieu stratégique pour des activités criminelles. Palizzolo ne traite pas avec des mafieux en tant que possédant ou homme politique, il utilise la propriété et la politique comme éléments de connexion entre les *cosche*, c'est un grand coordinateur à l'échelle d'une fraction de province. Depuis longtemps déjà, la police considère comme « acquis » que Palizzolo est « le mécène de la mafia de la campagne palermitaine et particulièrement de sa partie méridionale et orientale [64] ». Mais c'est surtout avec les débats de Milan et bien plus encore de Bologne que sa personnalité apparaît sans voiles, sans équivoques possibles. Outre les initiatives de la partie civile, le grand mérite de ce dévoilement revient à Ermanno Sangiorgi, l'ancien persécuteur de la *cosca* de l'Uditore, que Pelloux a nommé, en août 1898, préfet de police de Palerme (le préfet étant Francesco De Seta) pour mener la bataille contre le député Palizzolo et la mafia.

À la préfecture de police, le parti des adversaires de Palizzolo relève la tête. C'est Sangiorgi qui gère l'arrestation de Palizzolo, avant même que le procureur général Cosenza, réticent, ne délivre le mandat d'amener. C'est lui qui met fin aux hésitations pour que Fontana soit arrêté à son tour : il convoque dans son bureau le prince de Mirto – qui avait engagé Fontana pour combattre, sur ses terres de l'intérieur de l'île, le brigand Varsalona – et n'hésite pas à le menacer de prison. Fontana se constitue alors prisonnier, mais il le fait auprès du gentilhomme, pas du sbire, et il se rend non à la préfecture de police, mais dans la demeure de Sangiorgi, où il arrive dans la voiture du prince, accompagné de son avocat. Devant ce rituel, la presse évoque une négociation « de puissance à puissance ». « Ce prince a des propriétés et des latifundia dans diverses provinces de la Sicile, et l'arrestation de Fontana aurait été très difficile – se justifie De Seta. Ici, il n'est pas inconvenant qu'un propriétaire, même honnête,

prenne pour gardien de ses propriétés des personnes liées à la
mafia, et les protège à cet effet[65]. » C'est encore une fois le
préfet de police qui, tant à Milan qu'à Bologne, témoigne de
la « capacité à commettre des crimes » de Palizzolo et qui tire
des archives de son bureau les documents qui prouvent les
pressions exercées par le député en faveur de très nombreux
mafieux : ces documents constitueront d'ailleurs les arguments les plus solides de la partie civile. Le préfet de police et
le préfet, entre-temps, dissolvent « les commissions et les
conseils administratifs dont Palizzolo faisait partie », ils
gèrent les élections politiques de 1900, auxquelles le député
incarcéré se présente, « porté par sa clientèle, nombreuse et
intéressée » ; ils soutiennent victorieusement l'avocat Giuseppe Di Stefano Napolitano, candidat qui possède toutes les
qualités nécessaires : n'est-il pas « jeune, riche, estimé au
barreau et en ville, nouveau venu dans la vie politique[66] » ?

Depuis longtemps déjà, la « rumeur publique insiste pour
établir des relations » entre l'affaire Notarbartolo et d'autres
crimes « typiques, caractéristiques » ; elle se demande comment expliquer tout cela « sans avoir recours à l'idée d'une
association, ou du moins d'un réseau d'intérêts criminels[67] ».
L'ancien préfet de police, Farias, avait déjà ouvert une
enquête ; Sangiorgi reprend d'anciens contacts et « sous le
sceau du secret professionnel » obtient des informations sur
une fabrique de fausse monnaie : après l'avoir repérée, il met
les installations sous séquestre et emprisonne les faussaires. Le
même informateur lui confie alors les clés de l'interprétation
d'autres méfaits[68]. Comme à l'époque des Amoroso et des
stoppagghieri, nous sommes face à un *deus ex machina,*
l'informateur exceptionnel, la « source digne de foi », mais
anonyme, à laquelle « on peut et doit prêter foi, pleine et
entière[69] » et qui prend par la main les autorités pour les aider à
donner forme à « la ténébreuse association » à l'œuvre sous les
crimes singuliers. La conjoncture de l'affaire Notarbartolo
pousse Sangiorgi à tenter de démolir d'un seul et grand coup le
pouvoir mafieux et, pour ce faire, il fournit des éléments de
connaissance complets, minutieux et d'une importance sans
égale. En trente et un rapports manuscrits, pour un total de 485
pages, rédigées entre novembre 1898 et février 1900, le préfet
de police dépeint une grande organisation, avec ses hiérarchies
et ses méfaits. « La campagne palermitaine [...] est malheureu-

sement – comme d'autres parties de cette province et des pro-vinces voisines – affligée par une vaste association de malfai-teurs, organisés en sections, divisés en groupes ; chaque groupe est dirigé par un chef, que l'on nomme *caporione* […]. Et, à la tête de cette compagnie de mauvais sujets, il y a un chef suprême. Le choix des chefs est fait par les affiliés, le choix du chef suprême par les *caporioni* réunis en assemblée[70]. »

Des gens que nous connaissons bien (et Sangiorgi aussi !), sont à la tête de l'organisation : les Giammona, les Siino, les Bonura, les Biondo. On y trouve également Gaetano Badala-menti, autrefois protagoniste de la vendetta avec les Amoroso. Le « cerveau qui dirige » est encore Antonino Giammona, « qui définit la conduite à suivre par ses conseils, fondés sur une vieille expérience de repris de justice, et donne les ins-tructions sur la façon de perpétrer les actions délictueuses et de prévoir les positions de défense[71] ». La direction des opé-rations est laissée aux plus jeunes, Giuseppe Giammona à Passo di Rigano, Francesco Siino à Malaspina ; ce dernier joue aussi le rôle de chef de l'organisation dans son ensemble. Celle-ci compte environ 670 affiliés dans les groupes des bourgades qui entourent Palerme au sud-ouest (la Conca d'oro proprement dite), mais la préfecture de police ne peut démontrer qu'elle étend son autorité sur toute la province. Les chefs des *cosche* de la zone qui va du sud-est de Palerme jusqu'à la mer ne participent d'ailleurs pas aux réunions au sommet et ne sont pas impliqués dans les sanglants conflits internes de l'organisation. En particulier, les amis de Palizzolo restent à l'extérieur : Salvo Saitta, Francesco Motisi, Filippo Vitale, Salvatore Greco, c'est-à-dire les mafieux de Villabate et les médiateurs de la réconciliation emblématique entre Palizzolo et le chef mafieux de Settecan-noli, Salvatore Conti, un des conseillers communaux sou-tenus par Codronchi en 1897, qui, après avoir tenté d'obtenir son autonomie finira par baiser la main de l'*onorevole*[72].

Quoi qu'il en soit, l'acrimonie avec laquelle « Calpurnio », un plumitif stipendié par Palizzolo, signale les coups de filet de 1900 est tout à fait significative : « On se souvint avec hor-reur, dans tout Palerme, du procès d'une très vaste association criminelle monté par Sangiorgi ! Des centaines de malheu-reux languirent en prison et quand les pauvres gens eurent purgé les quelques mois de peine auxquels ils avaient été condamnés, quelles irréparables pertes ne trouvèrent-ils pas en rentrant dans leurs maisons, parmi leurs familles ![73] »

Comme l'écrit De Seta, « la mafia [...] a été réduite au silence et à l'inaction[74] ». Le procès pour association criminelle, tenu en 1901, se conclut cependant par de nombreux acquittements et de rares et légères condamnations. Cela suscita, de la part de Sangiorgi, un commentaire qui laisse entrevoir des circonstances et des relations, qui restent malheureusement obscures pour nous : « Il ne pouvait en aller autrement dès lors que ceux qui les dénonçaient le soir allaient les défendre le matin[75] ». En l'absence d'un repenti décidé à témoigner à l'audience, la réalité associative de la mafia restait impossible à démontrer.

3. *La ténébreuse association*

D'après Sangiorgi, nous avons affaire à une organisation centralisée ; nous pourrions dire, à plus juste titre, à une fédération des *cosche* des bourgades. Sans doute est-il utile, ici, de se demander si les sources policières ne forcent pas le trait et les données pour les faire entrer dans la législation concernant les associations, afin de mettre en alarme l'autorité gouvernementale. Par ailleurs, les sources judiciaires n'offrent pas de meilleures garanties d'objectivité, et ce pour des raisons inverses ; en effet, la difficulté des instructions lors des maxi-procès peut inciter à poursuivre les crimes isolément, en renonçant à enquêter sur des structures complexes et souterraines[76].

Dans le cas d'espèce, la préfecture de police exagère peut-être en accordant à l'infrastructure mafieuse une dimension provinciale, mais certainement pas en soulignant les relations réciproques entre les groupes de la zone occidentale de la région de Palerme qui, de fait, découlent de l'ensemble des circonstances rapportées et de l'histoire même de la mafia des bourgades à partir de 1875. On pourrait rester perplexe devant le caractère très formalisé de ces organisations criminelles : les affiliés qui versent régulièrement une cotisation en argent liquide et qui, réunis en assemblées, prennent les décisions les plus importantes ; la possibilité donnée à ceux que l'on soupçonne de trahison de se défendre dans de telles réunions[77] ; le rituel des crimes de sang, qui, chaque fois que c'est possible, sont perpétrés collectivement ; l'élection des chefs, des sous-chefs et du chef suprême. Mais il faut alors observer la ressemblance entre ces structures et celles qui sont décrites, dans leurs révélations, par les repentis des années 1960-1980 (Buscetta, Contorno, Calderone, etc.). Le juge Falcone et le préfet de police Sangiorgi peuvent tous deux affirmer, à cent ans de distance, qu'il existe une coordination entre les dirigeants de ces organisations, à base territoriale identique. La direction a besoin d'une délégation de pouvoir et donc d'un mécanisme électoral, d'un ensemble de normes. Naturellement, les équilibres sont instables et un tel système juridique, plus que tout autre, se prête à être violé par la force : accord et conflit représentent les deux phases cycliques – la phase organique et la phase critique – de la vie de chacune des *cosche* et, à plus forte raison, de leur coordination. Sur ce point également, des logiques semblables entrent en jeu à la fin du XIXᵉ siècle comme dans les années 1970. La guerre de mafia brise d'anciennes alliances et provoque de nouveaux équilibres : en l'occurrence, elle se déroule entre les Giammona et les Siino.

L'opposition se manifeste en décembre 1896 quand la découverte d'une première imprimerie clandestine provoque difficultés économiques et premières méfiances. La situation ne s'améliore pas avec la vengeance aveugle dont est victime la fillette de l'aubergiste Giuseppa Di Sano, la présumée moucharde[78]. Le prestige de Francesco Siino est au plus bas, il est contesté par les Giammona, les Biondo et les Bonura, chefs des *cosche* de Passo di Rigano, Piana dei Colli et Perpignano : « gens aisés et fort réputés dans la mafia, ils supportaient mal la supériorité de Siino ». Celui-ci, au cours d'une réunion qui se tient en janvier, s'exclame : « Eh bien, puisqu'on ne me respecte plus comme il se doit, que chaque groupe pense et agisse pour son compte[79] ». Ainsi commence la phase des provocations réciproques et des incidents de frontière. « Parmi les canons de la mafia – remarque Sangiorgi –, il y a le respect de la juridiction d'autrui, et l'infraction à cette règle constitue une insulte personnelle[80]. » Après l'échec des tentatives de conciliation, dont on ignore si elles étaient ou non sincères, commence « une lutte inégale, en moyens et en pouvoir », dans laquelle les Giammona ont le dessus grâce à leurs plus grandes ressources économiques et

militaires, au grand nombre des adhérents à leur parti, au
réseau de protection dont ils disposent (mais que nous ne
connaissons pas précisément). « Nous nous sommes comptés
– doit affirmer Francesco Siino après l'assassinat de son
neveu Filippo – et nous avons compté les autres : nous
sommes 170, y compris les *cagnolazzi* [aspirants], ils sont
500 […]. Il nous faut faire la paix [81]. » La reddition est sanc-
tionnée par le retrait des Siino du « front » des gardiennages
qu'ils contrôlaient et par la fuite à Livourne du chef du clan.

La partie finale du conflit se mêle aux coups de filet de la
police qui frappent particulièrement le parti Giammona. Certaines des informations de Sangiorgi ne peuvent d'ailleurs
parvenir que de l'intérieur, ce qui peut permettre de comprendre la façon dont « la préfecture de police […] pénétrait
silencieusement dans l'organisme de la mafia palermitaine [82] », et l'identité du mystérieux informateur, en nous
ramenant au schéma factieux habituel dans lequel sont impliqués des bouts de mafia et des bouts d'État. Dès les premiers
moments de la rupture, le groupe Giammona accuse Siino
d'être « cul et chemise avec la police » : « Je sais que la cause
des persécutions subies par tant de fils de bonnes mères est cet
infâme flic de Francesco Siino – hurle un mafieux que l'on
vient d'arrêter – mais, sang de la Madone, nous n'arrêterons
pas avant d'avoir exterminé toute sa race [83]. »

Les heurts ne sont pas particulièrement sanglants : quatre
morts et quelques blessés, tous du groupe Siino, c'est-à-dire
une petite partie seulement des crimes que Sangiorgi attribue
à l'organisation. La plupart de ces crimes sont dus à l'activité
quotidienne des *cosche*, au contrôle des transactions économiques qui se déroulent sur le territoire des bourgades pour
imposer « les fermiers [*castaldi*], les gardiens, la main-
d'œuvre, les "gabelles", les prix de vente des agrumes et des
autres produits du sol [84] ». Parmi les 218 mafieux précisément
fichés dans le *Rapporto Sangiorgi*, le groupe numériquement
le plus consistant est celui des *salariés fixes*, qui s'occupent
du gardiennage et de la direction des entreprises agricoles :
45 « jardiniers », gardiens, surveillants [*curatoli*], et fermiers
[*castaldi*], auxquels il faut ajouter les 6 mécaniciens préposés
au fonctionnement des machines à vapeur qui font monter
l'eau. Puis nous trouvons 26 *possédants*, propriétaires de jardins, immeubles, propriétés foncières, souvent parvenus

récemment à ce statut (comme toujours, la préfecture de police souligne cette donnée), mais parfois également issus des *civili*, « bourgeois » ayant fait des études et possesseurs d'un diplôme. Vingt-cinq de ces mafieux peuvent être considérés comme des *intermédiaires* : trafiquants, courtiers, commerçants, industriels, *gabellotti* ; par ailleurs, on trouve 27 ouvriers agricoles, paysans, vachers. Suivent les petits commerçants et les salariés : aubergistes, boulangers, *pastai* [fabricants de pâtes alimentaires], merciers, cordonniers, employés de boutique, maçons, tailleurs de pierre, etc. La comparaison avec la mafia provinciale de Termini et Cefalù, effectuée dans le tableau 1, met non seulement en évidence la présence plus importante (et évidente) de figures urbaines, mais surtout la plus grande spécialisation des fonctions de protection (voir l'entrée *campieri* et gardiens). On pourrait dire que la mafia rurale reflète plus généralement la structure sociale ; de fait, j'ai dû exclure de la comparaison la « première catégorie » des grands notables, présents dans les listes provinciales, car elle n'avait pas de correspondant dans l'organisation palermitaine, plus compacte du point de vue social comme du point de vue fonctionnel.

Tableau 1. *Mafia des bourgades palermitaines et mafia rurale : composition sociale (1877-1898)*

	Bourgades (218 éléments)	Province (206 éléments)
Possédants et propriétaires	26	23
Surveillants, *campieri*, gardiens, *curatoli*, « jardiniers »	45	19
Trafiquants, intermédiaires	25	15
Prêtres	–	8
« Bourgeois » et employés	2	8
Artisans, boutiquiers, travailleurs urbains en général	46	29
Chevriers, vachers, bergers	19	17
Mécaniciens agricoles	6	2
Ouvriers agricoles	11	5
Paysans	12	44
Borgesi [paysans aisés]	–	20
Non identifiés	19	6

Sources : *Rapporto Sangiorgi* ; ASPA, GP, 1877, b 42, listes de Termini et Cefalù, IIe catégorie. Le relevé prend en compte l'année 1898 pour les bourgades, l'année 1877 pour la province.

« Des gens moyens, entre la campagne et la ville[85] », voilà
sur quels personnages l'affaire Notarbartolo a attiré l'attention. Une fois de plus, la hiérarchie sociale correspond à la
hiérarchie criminelle et les gardiens-trafiquants, les possédants et les *gabellotti* forment la quasi-totalité du groupe dirigeant. D'après Mosca, « la condition sociale des membres les
plus influents des *cosche* est un peu supérieure à celle de la
partie la plus pauvre de la population sicilienne, mais il
advient rarement qu'elle atteigne le niveau de la classe
moyenne[86] ». Ici, comme à son habitude, le politologue
cherche à déminer la question, en faisant preuve d'une sorte
de pruderie idéologique face à un concept comme celui de
classe moyenne, si important symboliquement pour le libéralisme modéré et utilisé en son temps par Franchetti, précisément pour cette raison et avec une évidente intention polémique. Il s'agit bien, en effet, au sens propre, d'une classe
moyenne, même si son ascension sociale est récente et suspecte.

Dans le vieux centre-ville aussi, dans « le dédale des
rues et ruelles des quartiers de Castro et d'Albergheria » (le
cœur de l'électorat de Palazzolo), agissent des organisations
« anciennes et stratifiées », composées de mendiants, cambrioleurs et voleurs à la tire souvent mineurs, « casseurs »,
prostituées, souteneurs ou *ricottari*. « La hiérarchie des individus est parallèle à celle du crime » : ce sont les tenanciers
de bordel et de salle de jeux qui tiennent le haut du pavé, avec
les receleurs qui donnent vie à des activités commerciales flo-
rissantes autour de « prétendues agences de prêt ou de bouti-
ques d'achat-vente d'objets de seconde main[87] ». Quelques
années plus tard, on dénoncera une organisation, présente
dans la cité tout entière, qui s'en prend aux cochers.

Dans l'ensemble, cette criminalité des ruelles apparaît bien
distincte, dans sa composition sociale et ses fonctions, de la
mafia des jardins et des bourgades, avec ses possédants, trafiquants, gardiens et *fontanieri*. En revanche, seul un regard
attentif peut permettre de percevoir les différences entre le
versant occidental de l'arrière-pays (la Conca d'oro) et
l'oriental (Villabate, Mezzomorreale, etc.). Avant tout, il
semble que, dans le premier cas, les liens organisationnels
très forts, gérés par la mafia elle-même, représentent une réalité différente de ceux qui sont garantis, dans le second, par le

grand médiateur politique. Bien sûr, l'émergence de l'affaire Palizzolo entraîne une attention soutenue envers la politique locale qui, sur le versant occidental, davantage traité par Sangiorgi, provoque seulement une réprobation à caractère général vis-à-vis de la protection que « députés, sénateurs et autres influents personnages » accordent aux mafieux « pour être ensuite, à leur tour, protégés et défendus [88] ». Il faut toutefois remarquer que Villabate et Monreale, à la différence des bourgades, sont des communes autonomes, où le parti peut directement s'impliquer dans la conquête du pouvoir local, alors que dans le grand centre palermitain l'organisation doit compter avec des intérêts et des regroupements politiques plus complexes. Les groupes de la partie orientale font ainsi preuve d'un moindre degré de spécialisation territoriale et criminelle, car ils bénéficient de réseaux de relations plus amples, du moins sur la ligne qui, de Caccamo et Sciara, va jusqu'à Palerme en passant par Ciaculli et Monreale. Ces bourgs, outre qu'ils vivent d'une riche agriculture intensive, représentent une issue vers l'intérieur des terres, alors que la Conca d'oro débouche inévitablement sur la ville. Une analyse comparative des délits commis par les deux noyaux criminels, celui de l'est et celui de l'ouest du chef-lieu, montre que, dans la zone orientale, les délits communs (vols à main armée, enlèvements, vols de bétail) sont plus fréquents, alors que, dans la zone occidentale, les fonctions « d'ordre » (gardiennage, médiation commerciale) l'emportent.

Il ne faut évidemment pas exagérer. Sur le versant oriental aussi on trouve les typiques assassinats de courtiers ; Fontana garantit des accords peu rigoureux pour étaler le paiement d'une dette, en évitant ainsi l'expropriation de son beau-frère [89]. Filipello peut jouer le rôle de l'homme d'ordre non seulement pour défendre son patron Palizzolo, mais aussi au service de personnages comme Gaetano Focher, inspecteur du Mont-de-piété de Palerme, qui l'envoie à Altavilla pour exproprier un *borgese* qui montre quelque réticence à payer ses dettes. L'ancien *manutengolo* de Leone se contente d'expliquer à l'ex-propriétaire que la mobilité sociale descendante existe, en lui enjoignant « de ne plus passer dans les propriétés de Focher dont il a été exproprié, car dans le cas contraire il lui arriverait du mal » ; puis il quitte le pays, non sans avoir loué le fonds au chef mafieux local [90].

Inversement, contrebande et fausse monnaie, vols à main armée et lettres de menaces sont des délits amplement pratiqués dans la Conca d'oro également. Cependant, et sans doute n'est-ce pas un hasard, ce ne sont ni les Siino ni les Giammona qui tuent Notarbartolo. Les anecdotes dont nous parle le *Rapporto Sangiorgi* décrivent une mafia qui « reste à sa place ». Nous ne parlerons pas de criminalité « plébéienne », comme le fait Marcella Marmo lorsqu'elle nous présente la camorra napolitaine du XIXe siècle qui veut « faire de l'or avec les poux », en exploitant de pauvres relations commerciales et en prélevant un pourcentage sur les salaires. Le prélèvement sur les petites activités commerciales, la *componenda* pour la résolution de ce type d'extorsions et pour la restitution des biens volés existent bien à Palerme, mais ce sont essentiellement des phénomènes liés aux quartiers du centre[91]. La mafia des bourgades, lieux d'une économie riche, vit des relations entre petite délinquance, couche moyenne et classes dominantes ; c'est une activité interstitielle dans laquelle les contacts entre la sphère des « fauteurs de troubles » et les *optimates* se limitent à certaines circonstances. On ne trouve pas un cas d'assassinat d'un membre des classes supérieures ; seul un avocat, qui cherche à obtenir le remboursement de gabelles non payées, est blessé d'un coup de fusil. La réponse à un propriétaire trop indépendant prend toujours la forme du boycott et de la série de délits qui fait le vide autour de lui. Quand le sénateur Eugenio Olivieri nomme un de ses cousins administrateur pour limiter les vols du surveillant [*curatolo*] mafieux, la *cosca* tente d'abord de discréditer l'intrus par divers artifices, elle fait en sorte que, pendant des années, il ne puisse trouver un gardien, mais elle ne le touche pas : si, au lieu d'un « bourgeois », il s'était agi d'un « jardinier », l'issue eût été différente. Même le « message » typique consistant à endommager les arbres ne peut être lancé qu'une seule fois par jardin car, s'il était répété, ce serait une offense non plus contre le *gabellotto* ou le gardien, mais contre le propriétaire[92]. Cette subtilité du rituel renvoie, une fois de plus, à la prudence avec laquelle les intermédiaires s'approchent des couches supérieures.

Les rédacteurs du *Rapporto* se disent certains que la fonction de l'organisation mafieuse consiste à limiter le droit de propriété, mais ils ne peuvent cacher le fait que c'est précisément la défense de la propriété qui représente la motivation de la plupart des crimes, comme dans le cas des quatre personnes assassinées vers la fin 1897 et dont on fait disparaître les cadavres pour rendre l'enquête plus difficile et accréditer le mythe de la toute-puissance de la mafia. Pour brouiller les pistes, des témoins affirment avoir vu les assassinés à Tunis et des lettres des disparus parviennent de Tunisie, jusqu'au moment où les cadavres sont retrouvés. L'expression « *lupara bianca* * » n'est pas encore utilisée à cette époque mais c'est bien de cela qu'il s'agit, d'où le nom d'affaire « des quatre disparus ».

Le premier d'entre eux est le boulanger Tuttilmondo, exécuté parce qu'il avait volé son patron. Le deuxième est Antonino D'Alba, aubergiste et membre de la *cosca* de Falde. Ce personnage détient « un peu d'autorité », qui repose sur « les deux points stratégiques » constitués par son auberge, l'une de celles qui servent de lieu de réunion pour les mafieux, et un entrepôt qu'il possède à l'Arenella, « endroit que l'on dirait fait exprès pour la contrebande [93] ». L'aubergiste est le cousin d'un certain Francesco D'Alba, qui travaille pour Edward et Samuel Hamnett, gros commerçants agrumiers qui appartiennent à la colonie anglaise de Palerme. Les Hamnett soupçonnent leur subordonné d'être l'auteur de lettres de menaces et d'un attentat à la dynamite qui, en septembre 1897, a pris pour cible leur demeure et celles d'autres fabricants de dérivés : signe, sans doute, des tensions, à ce moment-là, entre les différents sujets du marché des agrumes [94]. Pour se protéger, les Hamnett mobilisent un de leurs parents, Francesco Serio, *gabellotto* « bourgeois », « qui entretient avec la mafia des relations de patronage et de clientèle ». Mais quand ce dernier entre en contact avec les chefs de la *cosca* de Falde, ceux-ci se rendent compte que Francesco D'Alba a été prévenu par son cousin : c'est cette trahison qui coûte la vie à l'aubergiste [95].

Enfin, nous avons le cas de Vincenzo Lo Porto et Giuseppe Caruso, deux cochers affiliés à la *cosca* de l'Olivuzza. Dans

---

* La *lupara*, c'est à la fois la balle chargée à chevrotines et le fusil à canon scié, censés servir à la chasse au loup. La *lupara bianca* est un meurtre « blanc » car le sang n'est pas visible, puisque les tueurs font disparaître le cadavre [N.d.T.].

cette bourgade se trouve la célèbre villa d'Ignazio Florio, le grand armateur-financier, descendant d'un commerçant qui s'est apparenté avec la fine fleur de l'aristocratie palermitaine. Florio, tant par sa « moitié » bourgeoise que par sa « moitié » aristocratique, ne pouvait qu'aspirer à la tranquillité et à la sûreté, aussi confie-t-il le gardiennage de sa villa à Pietro Noto, et à son frère Francesco, chef de la *cosca* locale. Durant l'été 1897, les rapports entre Lo Porto, Caruso et les Noto, qui avaient été « de grande intimité », se détériorent car les cochers estiment que les frères Noto se sont attribué la part du lion de la somme qui provient de « l'escroquerie » dont a été victime Joshua Whitaker, un autre grand marchand et entrepreneur anglais [96]. Les deux hommes décident alors d'accomplir un geste retentissant et provocateur : ils volent, à la villa Florio, plusieurs objets d'art de grande valeur. Une fois encore, le vol est avant tout une provocation, un instrument pour diminuer la crédibilité de l'organisation et de ses chefs, éventuellement la demande d'une nouvelle direction. On remarque ici que l'instabilité des hiérarchies mafieuses est ce qui expose les membres des classes dirigeantes, qui veulent entrer en rapport avec une mafia « d'ordre », à être impliqués dans des faits criminels difficilement compatibles avec leur qualité. Ignazio Florio, « surpris et indigné » par ce qui est advenu, demande des comptes à Pietro Noto, responsable de la sécurité de la villa et, plus généralement, de l'Olivuzza. « Le but que s'étaient fixé les deux cochers, celui d'humilier leur chef et leur sous-chef, était donc atteint [97] » et les Noto doivent entreprendre une négociation qui (peut-être après le versement d'une rançon) aboutit à la récupération des objets volés qui réapparaissent mystérieusement dans la villa, aux endroits mêmes où ils se trouvaient quand ils avaient été dérobés.

Il s'ensuit une réconciliation apparente entre les cochers et les Noto ; en réalité, ces derniers décident d'une réunion au sommet de la coordination citadine, dans laquelle interviennent également des mafieux de la province. Au cours de cette réunion, les deux voleurs indisciplinés sont accusés d'agir sans accepter le contrôle de la « société », en particulier en omettant de verser à cette dernière la part de butin qui lui reviendrait. Ils sont condamnés à mort et, entre le 24 et le 25 octobre, ils sont attirés dans une embuscade et abattus.

Cette fois-ci, malgré les moyens mis en œuvre – exécution collective effectuée par une trentaine de personnes, avec l'évidente intention de servir d'avertissement aux membres des *cosche* et aux éléments proches de ces dernières ; dosage attentif des informations vraies et fausses pour désorienter les autorités –, la stratégie de l'organisation ne parvient pas à obtenir pleinement le but recherché, sans doute parce que *l'omertà* est davantage un modèle idéal qu'un comportement réalisable en toutes circonstances : en effet, le père de Caruso dénonce explicitement, « sans réticences, en privé comme en public », la main de la mafia. Il menace même de se rendre à Rome, pour demander justice au gouvernement « si les autorités locales, face à de tels crimes horribles, ne rendaient pas justice [98] » ; seules de nouvelles et lourdes menaces l'induisent à modérer sa protestation. La réaction de deux femmes, l'épouse de Lo Porto et celle de Caruso, est encore plus intéressante car elle met en lumière un point crucial : le rapport entre le monde des « fauteurs de troubles » et les classes supérieures.

Vers la fin novembre, un mois environ après les meurtres, Agata Mazzola, veuve Lo Porto, rencontre dame Giovanna d'Ondes Trigona, épouse Florio, mère de deux jeunes enfants, Ignazio et Vincenzo. Cette dernière sort de son palais pour se rendre jusqu'au couvent des sœurs de charité et Agata Mazzola lui demande une aide charitable pour ses enfants orphelins et pour elle-même, car elle n'a plus les moyens de subvenir à ses besoins. Sangiorgi estime que la veuve Lo Porto ne sait rien du vol qui s'est déroulé à la villa ; il est peut-être plus vraisemblable de penser qu'elle veut, au moyen d'une provocation désespérée, faire évoluer la situation. Mme Florio, cependant, ne se démonte pas et répond avec brusquerie : « Cessez de m'importuner, votre mari était un voleur et il venait voler dans mon palais avec Caruso [99] ». À la sortie du couvent, la discussion reprend en présence de la veuve Caruso. Les deux femmes soutiennent que leurs maris ont été tués pour avoir refusé le projet des frères Noto visant à enlever le jeune Vincenzo Florio et, donc, non pour avoir outragé l'illustre famille, mais au contraire à cause d'un dernier geste de respect envers elle. C'est une tentative pour s'assurer la bienveillance de la noble dame, en jouant sur la méfiance que la violation de la sécurité de la villa avait suscitée à l'encontre de Noto : « les voleurs – affirme alors Agata Mazzola – étaient employés dans votre palais où les personnes étrangères ne peuvent pénétrer [100] ».

Cet échange singulier, et public, de répliques entre les veuves de deux cochers et une des femmes les plus célèbres du tout-Palerme révèle un aspect paradoxal : entre les unes et l'autre, ce ne sont pas les femmes des voleurs qui connaissent le mieux la réalité des faits criminels, mais la noble dame qui a tellement intériorisé la fonction d'ordre de l'appareil mafieux qu'elle considère comme normal la sanglante punition du vol, à supposer qu'il ait été commis par les deux suspects. Les deux veuves ne peuvent que nier les faits, sans mettre en discussion la dévotion due par la classe des « fauteurs de troubles » aux représentants des couches supérieures. Le pauvre Sangiorgi ne sait comment faire entrer ces rapports à l'intérieur des articles du code pénal et, dans le cas d'espèce, comment approcher tant de prestige et tant de richesse : « Mme Florio est une noble dame, religieuse et pieuse, et on ne sait ce qui est plus grand en elle, les immenses richesses dont elle dispose ou les vertus insignes d'une âme bien née et noble ; aussi doit-on estimer qu'une fois invitée à déposer en prêtant serment, elle ne voudra ni ne pourra cacher à la justice sa rencontre avec la veuve [101]. »

4. *L'ascension des intermédiaires*

Deux hommes éminents de la Palerme fin de siècle, Notarbartolo et Palizzolo, sont liés aux sordides mafieux de Villabate, dans la trame de la grande criminalité. Pourquoi l'ancien directeur de la Banque de Sicile a-t-il été assassiné ? La réponse à cette question est décisive, et pas seulement pour la solution de l'affaire elle-même. Nous sommes là à un tournant fondamental dans l'histoire de la mafia palermitaine. L'implication d'un des membres les plus influents de la classe dirigeante dans les tractations violentes qui, jusqu'alors, étaient réservées aux rapports réciproques entre les « fauteurs de troubles » implique un changement d'époque, peut-être la rupture du diaphragme qui séparait les deux mondes ou, mieux, de la valve qui réglait la communication entre eux. Palizzolo, d'ailleurs, représente pour l'époque un cas singulier du rapport entre hommes politiques et mafieux. Il reste à repérer un terrain commun entre ces deux figures si différentes, celle du notable fameux pour son intégrité morale et celle de l'homme politique dont les relations avec brigands et délinquants sont sur toutes les lèvres : un terrain sur lequel Notarbartolo, qui se vante de n'avoir jamais fréquenté Palazzolo de façon privée, au point de déserter les salons où celui-ci est invité [102], doit renoncer à son arrogance de grand aristocrate et, disons-le, de personne honnête.

Avant tout, il y a le champ des institutions représentatives où, de fait, en 1873, advient la première friction entre les deux hommes, au moment où la commune de Palerme, dirigée jusqu'alors par l'alliance des cléricaux et des régionalistes (Palizzolo était adjoint au ravitaillement) passe sous le contrôle des libéraux, dirigés par Notarbartolo. Le nouveau maire invite brusquement l'ancien adjoint à verser les 3 625 lires qu'il doit à l'administration, après un achat de farine [103]. Mais, à partir de 1875, Notarbartolo sera à la direction d'une grande banque publique, en apparence à l'abri des courants les plus périlleux du système politique. Il occupe cette place à la demande du dernier préfet de la droite, Gerra, et il y reste même après la « révolution parlementaire », grâce aux mérites qu'il a acquis en assainissant la banque, en proie à de graves difficultés.

Dès qu'il assume sa charge, le nouveau directeur analyse les raisons de cette crise, en modéré de l'ancienne école, opposé à la finance en liesse et partisan d'une ligne prudemment déflationniste : « Peut-être la mesure du crédit accordé a-t-elle été supérieure à ce qui convenait, d'où la fièvre de spéculations risquées qui, au lieu d'être profitables, ont, au fond, nui au commerce véritable et fécond [104]. » Plus tard, changeant de point de vue, il tendra plutôt à la concentration excessive des financements sur deux sujets à risque, la Trinacria (société d'armement de navires de Palerme) et la Genuardi (entreprise d'exportation du soufre d'Agrigente) ; et cela à cause de la présence de personnages intéressés à ces sociétés dans les organismes dirigeants de la Banque [105].

Selon les statuts de la Banque, le directeur général, nommé par le ministère, est flanqué d'un conseil général de cinquante membres, composé par les représentants des provinces et des chambres de commerce ; c'est un instrument qui devrait représenter les instances de la société civile et qui, dans les faits, apparaît comme un contre-pouvoir politique et clienté-laire face à la structure administrative de la Banque. Comme l'écrit Notarbartolo dans une lettre de 1889 à Luigi Miceli, ministre de l'Agriculture du gouvernement Crispi, il devient toujours plus « difficile d'administrer en étant certain de pré-server les intérêts de l'institution », parce que le conseil général entend « asservir la direction générale et les commis-sions d'escompte, [...] envahir tous les champs [106] ». Les membres du conseil n'ont pas de compétence bancaire, mais ce sont eux « qui s'agitent le plus dans les élections provin-ciales, communales et commerciales » ; on peut même dire que « le but de parvenir à occuper une place dans les conseils administratifs et dans les commissions d'escompte de la Banque enflamme en Sicile les luttes électorales ». Cette ana-lyse reste pourtant « diplomatique » par rapport au tableau que Notarbartolo trace, en privé, pour son fils Leopoldo : un conseil composé de quelques honnêtes gens, d'affairistes comme le sénateur de Catane Tenerelli, de protecteurs de mafieux et de délinquants comme Orioles, de Messine, Figlia, Muratori et Palizzolo, de Palerme [107]. « Ces gens-là – confie-t-il au prince de Camporeale – considèrent la Banque de Sicile comme *res nullius* [108]. »

Les perplexités du directeur général augmentent après 1887, quand, dans le Mezzogiorno, la crise économique frappe les banques populaires engagées dans le soutien à la transformation foncière et, indirectement, les Banques de Sicile et de Naples qui garantissent aux premières le rées-compte. On court ainsi le risque de revenir aux difficultés de 1875, avec cette différence que ce n'est plus un seul grand débiteur qui conditionne les choix, mais les petites banques en difficulté : sans compter que certains membres du conseil – Todaro, d'Agrigente, Palermo, de Messine, ou Muratori – sont actionnaires ou dirigeants de ces petites banques et sont donc à la fois contrôleurs et contrôlés [109].

Quelques jours après la première lettre que nous avons citée, Notarbartolo revient sur ce sujet en écrivant à Miceli : « Le conseil général mène contre moi une opposition person-nelle, je ne vois pas comment l'appeler autrement. Cette lutte, plus ou moins dissimulée, dure depuis plusieurs années. [...] De fait, sur les quatre conseillers électifs du conseil central,

trois (le marquis Ugo, le comm. Palizzolo et l'avocat Figlia)
votent toujours contre les propositions de l'administration [110]. » Notarbartolo visait une réforme du statut qui donne
moins de poids au conseil et change le système de sélec-
tion de ses membres, ce qui aurait renforcé l'importance du
groupe de fonctionnaires qu'il avait lui-même mis en place.
Toutefois, l'appui que lui accordait Miceli, ministre du gouvernement Crispi, n'était peut-être pas assez puissant pour
qu'un partisan de Rudinì comme Notarbartolo puisse contenir
l'influence de fidèles amis de Crispi, tels que Figlia, Muratori
et Tenerelli : Notarbartolo allait devoir compter avec son isolement politique. Le 23 avril, ces deux lettres « personnelles » furent volées sur le bureau du ministre et Palizzolo en
fournit une copie lors de la séance du conseil général du
19 mai, à laquelle le directeur général ne participait pas.
Tenerelli demanda à voir les originaux et, après quelques
hésitations, Muratori les exhiba. Alors, Palizzolo « attaqua
Notarbartolo, en affirmant qu'il était incapable de les juger,
lui et ses collègues, en le taxant de prévarication pour ses
attaques contre des conseillers qui étaient à leur poste depuis
des années et en proposant une motion de défiance qui fut
votée [111] ». La délibération fut annulée par le ministre, car le
directeur général ne dépendait pas de la confiance du conseil,
et une procédure fut ouverte pour le vol des lettres. Les
mesures réclamées par Notarbartolo ne furent pas adoptées
pour autant ; au contraire, le 6 février 1890, après des mois
d'incertitudes, Crispi décréta la dissolution de l'administration de la Banque de Sicile ainsi que celle de la Banque de
Naples.

Eu égard à la période, la situation des deux banques était
assez bonne. La décision gouvernementale parut donc sou-
daine et injustifiée. Girolamo Giusso, directeur de la Banque
de Naples, déclara à la chambre : « J'ai l'impression de me
trouver dans un pays de brigands et d'avoir reçu un coup de
poignard dans le dos [...]. Ces décrets ont toute l'apparence
d'un crime [112] ! » Crispi éliminait deux représentants de la
vieille droite, Giusso et Notarbartolo, en les accusant d'avoir
pris trop de risques, ce qui pouvait paraître paradoxal dès lors
que c'était précisément le gouvernement qui avait insisté pour
que le crédit et l'émission ne soient pas réduits [113]. En outre,
en d'autres circonstances, les deux banques méridionales

avaient offert leur soutien, comme dans le cas du projet, cher
à Miceli, d'une société de navigation italo-britannique qui
aurait eu pour fonction d'assurer aux produits agricoles du
Sud un débouché sur le marché anglais, après la rupture des
rapports avec la France.

Notarbartolo avait eu quelques difficultés pour gérer cette
opération, en août 1889 : « Les événements de mai et ce qui
s'est ensuivi – écrivait-il au ministre Lacava – donnent toutes
les raisons de craindre que l'Assemblée ne soit pas disposée à
suivre les désirs ministériels [114] ». Ce dessein n'était d'ailleurs
pas fait pour renforcer la popularité du directeur dans sa ville.
À Bari, à Catane et à Naples, le projet gouvernemental avait
reçu l'approbation des exportateurs ; mais, à Palerme, la ner-
vosité de la Navigazione generale italiana (NGI), face au
risque de mise en place d'une ligne subventionnée en dehors
du monopole qu'elle détenait à l'échelle nationale, allait provoquer des effets bien différents : les attaques virulentes
contre la Banque de Sicile, menées par les organes de presse
proches du trust de l'armement naval, le démontrèrent bien
vite [115]. En soutenant Miceli, Notarbartolo se rangeait dans le
camp opposé à celui du groupe de pression, de loin le plus
puissant de la ville, qui partait des relations très vastes des
Florio dans les milieux aristocratiques et bourgeois, allait
jusqu'au bloc travailliste fondé sur les ouvriers des chantiers
navals et de la fonderie Oretea et constituait ainsi un parti
transversal, comprenant la quasi-totalité du monde politique
municipal : les partisans de Crispi, avant tout, mais aussi tout
le front conservateur et même Colajanni et les socialistes « de
la marque Florio ».

Palizzolo est un des instruments, avec Rocco de' Zerbi (partisan de Crispi et, lui aussi, personnage fort discuté), de ce
groupe de pression qui possède des ramifications s'étendant
de Palerme jusqu'à Gênes et au-delà, partout où la NGI a des
intérêts. Palizzolo et de' Zerbi interviennent en sa faveur lors
des discussions à la chambre, chaque fois qu'il s'agit de
réclamer des subventions à l'État ou de repousser les
réformes antimonopolistes, périodiquement évoquées et qui
trouveront en Giolitti leur principal défenseur [116]. En la circonstance, Palizzolo, ennemi juré de Crispi et des siens, rame
dans une barque dont Crispi est le pilote : ce qui remet en
question le schéma réducteur de Mosca, mais aussi l'idée,

défendue par Salvemini, qu'il agirait en *ascaro*, en soldat auxiliaire indigène, car une telle image ferait fi de sa capacité à se situer à l'intersection entre le petit et le grand circuit de la vie politique.

En soutenant au parlement les intérêts de la NGI, le député Palizzolo, qui ne lésine pas sur les rappels historiques et les citations érudites, adopte le ton à la fois nationaliste et travailliste typique de nombreux groupes de pression protectionnistes. En 1885, il voit « en Florio et en Rubattino des individus dignes de l'estime de l'Italie tout entière, qui ont rendu à la patrie d'immenses services » ; il loue leur désintéressement, souligne leur rôle dans la défense nationale, soutient leur droit aux subventions publiques : « On ne peut pas dire "il n'y a pas d'argent". Partout, on vous criera : "un cuirassé en moins ! mais ne refusez pas une aide nécessaire à notre marine marchande, à cette grande force nationale, à cette grande industrie de notre pays" [117] ! » En février 1893, quelques jours après l'assassinat de Notarbartolo, Palizzolo intervient encore une fois en faveur des subventions à accorder à la NGI, en décrivant des conséquences apocalyptiques au cas où elles seraient refusées : « Si ce contrat n'est pas approuvé, nous verrons en un seul jour 106 navires abandonner le drapeau italien et 6 000 familles, c'est-à-dire 24 000 ou 25 000 individus ne plus avoir de pain ; des millions et des millions cesseront de circuler dans notre patrie ; [...] ce serait un désastre national [118]. »

Peut-être un succès de la compagnie italo-britannique eût-il également été un désastre (mais on peut se demander pour qui). Par bonheur, après le renvoi de Notarbartolo, l'attitude de la Banque de Sicile envers ladite société devient de plus en plus froide (ce qui fut une des causes importantes de l'échec du projet), en particulier après février 1891, quand Giulio Benso, duc de Verdura, fidèle de Crispi et actionnaire de la NGI, prend la direction de la banque. À partir de ce moment, les relations entre la principale banque sicilienne et le trust de l'armement naval se resserrent. En juillet 1891, alors qu'une âpre discussion sur le renouvellement des conventions maritimes est en cours, le nouveau directeur général lance une opération de rachat – pour un total d'un million huit cent mille lires (soit plusieurs dizaines de milliards de lires actuelles) – de 6 950 actions de la NGI, « afin de soutenir leur

cours sur les places de Milan et de Gênes[119] ». Le premier lot
de 3 000 actions est acquis pour le compte de Florio en personne, qui ne régularise la transaction, par un ordre écrit,
qu'au début de l'année suivante, après que l'un des conseillers nommés par le gouvernement, le duc de Craco, a exprimé
les perplexités des fonctionnaires qui considèrent que ces spéculations sont illégales pour une banque publique. Les fonctionnaires en question ont été mis en place et formés par
Notarbartolo, à qui ils sont restés fidèles, comme le savent
bien les vainqueurs de 1889 qui, alors déjà, avaient tonné
contre « la clique de Notarbartolo », composée d'employés
« arrogants et vaniteux, promus à des places importantes par
le favoritisme du directeur déchu[120] ».

Ce sont ces derniers qui informent Notarbartolo de la nouvelle phase de l'affaire NGI : les achats de 1892 ne sont plus
effectués en faveur de Florio mais, sans garanties réelles, pour
le compte de personnages moins illustres, comme un certain
Salvatore Anfossi. Il s'ensuit l'envoi d'un rapport confidentiel
au ministre du Trésor, Giolitti, puis une inspection confiée au
commendator Biagini (celui-là même qui, trois ans auparavant, avait mis en lumière les carences de la Banque de
Rome). Cette inspection, dont on dit, non sans raison, qu'elle
est « inspirée par Notarbartolo[121] », commence à faire la
lumière sur cette affaire embrouillée. Anfossi, intime de
Palizzolo, est un prête-nom. Le député, administrateur de la
Banque de Sicile et proche de la NGI, est au cœur de l'opération visant à jouer à la hausse des titres de la société et il a
décidé d'utiliser à son avantage propre l'affaire, déjà peu cor-
recte, mise en œuvre avec les deniers publics par Florio et le
duc de Verdura. L'inspection menée par Biagini risque de tout
remettre en cause ; derrière elle se profile l'ombre de Notarbartolo qui, demain, pourrait retrouver sa place de directeur
général dans une phase où le gouvernement du pays quitte les
mains de Crispi pour revenir à Rudinì et à Giolitti, l'homme
qui veut limiter le pouvoir excessif des trusts.

« Anfossi – dira Biagini – qui est un agent de change, non
inscrit au rôle des commerçants de la Chambre de commerce,
est un individu de très peu de valeur et sa moralité laisse beaucoup à désirer[122] » ; il serait donc impensable que la Banque
de Sicile risque de grosses sommes sur la foi d'un tel individu. Ici, sans doute, l'inspecteur ministériel reste-t-il davan-

tage à la superficie des faits qu'Antonino Cutrera, le commissaire criminologue que la préfecture de police lance aux trousses d'Anfossi. Cutrera découvre en effet que la garantie de l'agent de change est acceptée par les banques, même pour de grosses sommes, et ce, bien qu'il soit connu comme quelqu'un qui « manie toutes les affaires louches du commerce ». Il ne possède pas de biens propres, mais joue le rôle d'homme de confiance de plusieurs sociétés anglaises d'import-export et s'occupe du financement des intermédiaires avant l'ouverture de la campagne d'achat-vente des agrumes ; par ailleurs, il récupère auprès des commerçants des chèques qu'il s'emploie à changer en percevant une commission [123]. La médiation d'Anfossi est réellement stratégique, puisqu'elle peut transformer en exportateurs des personnages comme Antonio Rizzuto, dit Perez, et Pietro La Mantia, *manutengoli* et anciens condamnés à la résidence forcée, lourdement condamnés pour faits de mafia, tous deux, par le passé, soustraits aux rigueurs de la justice grâce à l'intervention de Palizzolo [124] ; et en permettant à Fontana d'affirmer que, durant l'hiver de l'assassinat de Notarbartolo, il était en Tunisie pour leurs affaires de vente d'agrumes, ils fourniront au tueur un alibi somptueux, presque parfait.

Anfossi joue, dans le monde des affaires, le même rôle de liaison avec Palizzolo que Filippello dans celui du banditisme. Le pouvoir des *cosche* palermitaines reste ancré au contrôle territorial des bourgades, mais les réseaux de relations et d'affaires des mafieux prennent une tout autre ampleur. Cette faculté leur est donnée avant tout par la fonction d'hommes de confiance des grands marchands ou des grands propriétaires. Ainsi, l'un des condamnés à mort du procès Amoroso, Salvatore Di Paola, allait de Palerme aux exploitations de soufre de la région d'Agrigente, au service de monsieur Reys ; pour trouver Fontana, la police doit « serrer la vis » de deux individus, Santomauro et Perricone, respectivement administrateur et agent d'affaire du prince de Mirto, à Villafrati et à Agrigente [125].

Ce sont parfois les œuvres pies, concentrées à Palerme, mais possédant des biens fonciers dans toute l'île, qui représentent le véhicule de l'expansion du réseau mafieux. Ainsi, on trouve l'un des Badalamenti, Bartolomeo, dans la province de Catane, à Palagonia, où il fait office d'administrateur, puis, en fait, de *gabellotto* des latifundia appartenant à l'œuvre fidéicommissaire « Principe di Palagonia » : « Alors Badalamenti troqua [...] son habituelle *bonaca* * rustique contre un élégant costume en tissu de prix, le nerf de bœuf des *campieri* contre une mince cravache au manche d'argent et d'or ; il porte avec ostentation, sur son gilet, une grosse chaîne en or, à laquelle pendent des breloques, et, aux doigts, ces grosses bagues avec des brillants, qui en Sicile sont en général le signe distinctif des chefs de la camorra. Ainsi, l'ancien condamné à la résidence surveillée, vêtu de neuf et transformé de *campiere* en intendant rural, put être rebaptisé et appelé à occuper le poste, on ne peut plus délicat, de procureur de l'œuvre pie. Puissance de la mafia [126] ! »

La famille Badalamenti sème des cadavres et fait des affaires dans une zone encore plus vaste, entre Palerme et New York, suivant ainsi la ligne de transformation des gardiens en affairistes qui fait de Gaetano Badalamenti, « ancien jardinier », un exportateur d'agrumes [127]. Les anciens intermédiaires, qui n'ont pas beaucoup de capitaux, entrent en relation avec des armateurs, comme les Florio, avec des banquiers désinvoltes, comme Muratori, les financiers de la Chambre de commerce italo-américaine ou les contrôleurs des ventes d'agrumes aux enchères à New York. Nous sommes au point culminant de la crise agricole, qui a balayé la vieille génération des grands exportateurs, souvent d'origine étrangère, qui s'étaient établis en Sicile avant l'Unité. À Palerme, le phénomène du morcellement des structures commerciales est évident. En 1889, il y a 81 exportateurs contre 39 qui opèrent dans la plus grande place agrumière sicilienne, Messine ; il y a de très nombreux « spéculateurs, qui sans aucun frein [...] exercent un trafic illicite » et envers lesquels beaucoup de gens demandent que soit effectué un contrôle des casiers judiciaires. Une solution pour diminuer leur rôle pourrait être la mise en place de magasins généraux, mais une tentative en ce sens échoue en 1898 parce que – observe la Chambre de commerce – leur existence « léserait les intérêts considérables d'organisations pratiquant l'usure [128] ».

---

* La *bonaca* est le manteau noir traditionnel des paysans siciliens [N.d.T.].

L'économie et la politique, mais surtout le rapport entre ces deux sphères, l'affairisme de la fin de siècle, brisent la configuration de classe des appareils de pouvoir palermitain, et aussi de la mafia, qui, pour la première fois, avec Palizzolo et ses relations intimes vers le haut comme vers le bas, entrevoit un enjeu important et tente de s'en emparer. « Ceux qui ont eu intérêt à faire disparaître un rapport dans le cabinet même d'un ministre, en dépensant tant de milliers de lires, ont dû en dépenser beaucoup plus, cette fois-ci, pour tuer Notarbartolo », affirme tranquillement un chef mafieux en parlant avec l'inspecteur de la Sûreté publique Cervis, le lendemain du crime [129]. Et, de fait, des gens qui peuvent atteindre le bureau du ministre peuvent également éliminer l'encombrant rejeton d'une antique aristocratie. Le mobile relie donc entre eux les scènes les plus diverses : les campagnes de la Sicile intérieure, battues par les brigands ; les jardins d'agrumes de Villabate ; les plages de Tunisie ; les guichets de la Banque de Sicile ; le bureau d'Anfossi et ceux, bien plus luxueux, de la Navigazione generale ; la Bourse de Milan ; les salles de Montecitorio. Tout cela acquiert une logique, face à cette Sicile, à cette nouvelle Italie de la fin de siècle, où affairisme, mafia et politique provoquent une réaction en chaîne autour de la question bancaire, nœud crucial de la modernisation du pays.

5. *Révolte morale*

Le 31 juillet 1902, la cour d'assises de Bologne condamna Palizzolo et Fontana à trente ans de réclusion, mais la Cour de cassation cassa le verdict pour vice de forme et ordonna la révision du procès. Le troisième procès se tint à Florence.

De nombreuses années s'étaient désormais écoulées depuis le crime et également depuis l'explosion du scandale à Milan ; la participation de l'opinion publique, si évidente lors des deux premiers débats, n'était plus maintenant qu'un vague souvenir. Les preuves « tombaient l'une après l'autre à terre, comme les pierres d'une mosaïque décomposée, et l'âme tragique qui leur avait donné vie à Bologne faisait défaut [130] ». Un seul nouveau témoin important, Filippello, est convoqué, à la demande de la partie civile, rendue soupçon-

neuse par sa non-citation en tant que témoin de la défense lors
du procès de Bologne. En effet, le fermier de Palizzolo représentait le seul point faible du front de l'*omertà*. En 1896, il
avait été blessé dans un attentat à cause, d'après la « rumeur
publique », d'un différend avec ses associés sur la répartition des sommes reçues pour l'exécution de l'assassinat [131].
Quelques jours avant celui prévu pour sa déposition, il fut
retrouvé pendu et l'enquête conclut au suicide. Il s'ensuivit
un acquittement général pour insuffisance de preuves et
l'affaire Notarbartolo fut alors (le 23 juillet 1904) définitivement close.

Palizzolo revint à Palerme, à bord d'un paquebot de la
Navigazione generale, et il fut accueilli en triomphateur :
« Le martyre de la victime, déclenché par les calomnies des
lâches délateurs, allait se transformer, au fur et à mesure,
en triomphe du juste. Et Raffaele Palizzolo triompha, après
56 mois de martyre déchirant ; il triompha, auréolé de la
lumière éclatante de sa Douleur et de sa Vertu. Et cette Douleur, cette Vertu, consacrées par une abnégation sublime, au
milieu des tourments inouïs de ces cinq années, en hommage
à notre Sicile outragée, furent les corolles baignées de larmes
avec lesquelles, durant les tristes heures de son cruel empri-
sonnement, Raffaele Palizzolo put composer les guirlandes de
cette dure souffrance, ces *Ricordi* qui font frémir d'horreur,
qui font souffrir d'une pitié infinie [132]. »

Le paradoxe de cette rhétorique, largement répandue, du
martyre et de la persécution frappa entre autres Mosca, qui
affirma que cette apothéose « offensait le sens moral » : « Il
est certain que l'on n'a rien pu prouver, ou bien peu, contre
l'inculpé des assassinats de Miceli et de Notarbartolo, mais
l'homme est apparu dans une bien triste lumière, sinon délinquant, du moins complice de délinquants et, même, suspect
d'entretenir des liaisons avec les brigands [133]. » Un mouvement favorable à l'innocence de Palizzolo avait pris forme
bien avant le verdict de Florence, à l'initiative de sa propre
clientèle, sous le nom de « Pro-Sicilia » : il cherchait en effet
des soutiens sur la base de l'idéologie régionaliste la plus vulgaire, en présentant le député mafieux comme la énième victime des torts et des oppressions subis par l'île. Le « Pro-
Sicilia » prit des forces et obtint des soutiens bien au-delà de
la zone d'influence de Palerme, mais, au cours de cette expan-

sion géographique, les références aux cas spécifiques de Palizzolo tendaient à s'effacer et laissaient place à des thèmes fondés sur l'argumentation de Nitti à propos des rapports Nord-Sud, sur les polémiques libre-échangistes à propos du « marché colonial », sur d'autres motifs de la protestation méridionale[134]. Il en allait d'ailleurs de même pour le « *Nasismo* », autre mouvement sicilianiste, encore plus fort que le « Pro-Sicilia », qui se battait en faveur de Nunzio Nasi, ministre originaire de Trapani, accusé de corruption. En ces premières années du siècle, la classe dirigeante insulaire avait toujours plus fréquemment recours au registre régionaliste, car elle était privée de la grande fonction nationale qu'elle jouait dans la phase précédente avec Crispi et Rudinì et craignait que les nouveaux équilibres ne la pénalisent, y compris sur le plan économique.

Le point de cristallisation du mouvement en faveur de Palizzolo était représenté par *L'Ora*, le quotidien dont les Florio étaient propriétaires[135], ce qui montre la permanence du rapport politique, au-delà des péripéties judiciaires. À la tête du comité qui, lors des élections à la Chambre de 1900, présente à nouveau le député prisonnier, dans son collège électoral traditionnel de Palazzo reale, se trouve d'ailleurs Mme Florio. L'avocat socialiste Giuseppe Marchesano, qui avait l'intention de se présenter dans la même circonscription, change d'idée, semble-t-il, après avoir reçu la promesse d'un financement électoral par les armateurs palermitains. Cette singulière transaction entre les deux groupes opposés peut sans doute s'expliquer par la cooptation ultérieure, dans le groupe des juristes de la NGI, du dirigeant socialiste qui finira par jouer un rôle central de médiateur lors des négociations avec Giolitti et la Banque d'Italie[136].

Florio fut entendu à Bologne, par voie rogatoire, comme témoin à décharge. Voici le compte rendu du journal socialiste de Palerme, *La Battaglia* : « *Le témoin* : La maffia ? Je n'en ai jamais entendu parler. *Le ministère public* : Mais si, la maffia, une association qui commet des crimes contre les personnes et les propriétés et dont parfois on se sert également dans les élections. *Le témoin* (sursautant) : C'est incroyable à quel point on calomnie la Sicile ! La maffia dans les élections ! Jamais ! Jamais ! *Le ministère public* : Donc, vous excluez qu'en Sicile les élections se fassent avec la maffia et avec de

l'argent. *Le témoin* : Eh bien, pour être exact, je dois dire
qu'en une occasion récente, en septembre de l'année dernière,
les socialistes ont dépensé cent mille francs pour battre la liste
monarchiste, mais ils n'y sont pas arrivés [137]. »

Ce récit n'est repris dans aucune autre source et nous pouvons le considérer comme un exercice littéraire satirique qui
est cependant tout à fait justifié par les attitudes politiques du
grand armateur qui réussit miraculeusement à rester en dehors
de la mêlée. Ainsi, il n'est pas impliqué dans l'affaire des
deux cochers qui est souvent présentée dans la presse comme
une preuve du pouvoir de « certains mafieux en gants beurre-
frais », mais attribuée à un « monsieur de Palerme » sans plus
de précision [138]. C'est là une des prudentes omissions effec-
tuées chaque fois que l'on évoque le nom, pas vraiment
inconnu, d'Ignazio Florio : dans les comptes rendus des
procès, la plaidoirie de Marchesano, les *Memorie* de Leopoldo Notarbartolo, on ne trouve aucune allusion à la NGI
comme faisant partie du bloc des forces hostiles à la victime
ou, du moins, comme référent politique de Palizzolo. Et pourtant, nous avons vu, en parcourant cette histoire, apparaître à
de nombreuses reprises le trust de l'armement naval, gloire
municipale et grande industrie de Gênes et de Palerme.

Florio maintenait des relations dans tous les secteurs de
l'échiquier politique, socialiste compris ; d'ailleurs, quelques
années plus tard, on allait présenter le bloc populaire et la
maison Florio comme le véritable trust de la vie politique
palermitaine [139]. Mais, en l'occurrence, l'opération était clairement d'origine conservatrice et visait à une reprise des
forces modérées, lourdement battues par les socialistes et les
radicaux lors des élections municipales de juillet 1900. En
septembre, lors des nouvelles élections consécutives à la dissolution du conseil communal, le résultat s'inversa avec le
succès d'une liste d'union monarchiste, dirigée par le prince
de Camporeale ; c'était là une recomposition de la classe dirigeante, au-delà des scission provoquées par l'affaire Notar-
bartolo-Palizzolo, « pour empêcher le triomphe de ceux qui
voudraient faire de la mairie de Palerme une tribune de propagande contre les institutions, contre le patrimoine sacré des
idées de famille, de patrie et de liberté [140] ». Les soutiens
obtenus par le « Pro-Sicilia » se limitent également aux forces
modérées, et la gauche, dans sa quasi-totalité, n'en fait pas

partie, alors qu'elle allait fournir une aide précieuse, sous la forme d'un pont entre les classes, lors de l'affaire Nasi et dans les mobilisations portant sur les questions soufrières et agrumières. D'ailleurs, la « persécution » subie par Palizzolo est attribuée à un complot ourdi contre un député sicilien par les nordistes et par « ce ramassis d'indicateurs de police, bandits de grand chemin, pamphlétaires de tavernes et de lupanars qui usurpent, en Italie, le nom de parti socialiste [141] ». Ce n'était pas sur le thème de la mafia que l'on pouvait aisément établir une communication entre l'aile conservatrice et l'aile progressiste de l'échiquier politique.

On voit là que bien du temps s'est écoulé depuis 1875. Sur ces thèmes, l'apologétique régionaliste, autrefois l'apanage de la gauche, est l'héritage des forces modérées, tandis que la lutte contre la mafia, autrefois le cheval de bataille de la droite historique, commence à faire partie de l'outillage polémique de la gauche. Bien sûr, il s'agit de forces politiques qui se définissent de façon très différente par rapport au passé : c'est l'extrême gauche, radicale ou socialiste, qui, du point de vue idéologique, joue le rôle décisif dans la gestion de l'affaire Notarbartolo. Un lustre de discussion ne s'est pas déroulé en vain et désormais le public, le commun des hommes qui s'informe dans la presse, peut penser que, derrière les ténébreux mystères siciliens, on peut chercher une des clés pour interpréter l'histoire de l'Italie, secouée par l'explosion des scandales politico-bancaires.

Comme instrument de rénovation, la question morale se révèle efficace ; d'ailleurs, dans des situations et avec des protagonistes bien différents, les tournants politiques de l'histoire postunitaire de Palerme sont toujours liés à des mobilisations antimafia. L'offensive de Malusardi avait marqué l'arrivée au pouvoir de la gauche ; avec l'opération Mori, le fascisme tentera de transformer les mécanismes de la représentation politique et de la relation entre État et société. Dans une intrigue semblable, l'affaire Notarbartolo démontre également que la mafia prospère dans une atmosphère de « normalité » et qu'elle est remise en question dans un climat de mobilisation ; chose qu'on a pu vérifier en des périodes très proches de nous. « Le moment est venu de la rébellion morale », affirme De Felice [142]. La question morale est la seule qui puisse, au début du siècle, redonner du souffle au socia-

lisme urbain méridional, au groupe palermitain comme au
groupe napolitain de *La Propaganda* [143]. Cette bataille contre
les diverses « maffie » et camorre provoquera les enquêtes sur
« le mauvais gouvernement urbain » dans les grandes villes
méridionales, point d'appui essentiel de l'opération menée
par Giolitti, visant à renouveler le personnel politique local.
En Sicile, en particulier, on va vers la saison des « blocs
populaires », le nouveau système « ouvert » d'alliances, par
lequel l'extrême gauche se porte candidate pour jouer un rôle
de premier plan dans la lutte politico-administrative du début
du XXe siècle. C'est de cette façon que « les éléments démocratiques et socialistes de l'île » essaient de mener à son
terme l'œuvre de « bonification du terrain social » qui leur a
été confiée par les leaders du parti socialiste italien, au lendemain du verdict de Bologne [144].

Au vrai, les anciens subversifs convertis au réformisme ne
feront pas montre, au cours de l'expérience populiste, d'un
profil moral bien supérieur à celui de leurs adversaires, de
même que les gouvernements dirigés par Giolitti ne brilleront
pas par leur correction, du moins dans le Mezzogiorno, tout
en étant pourtant, contrairement à ce que l'on croit, plutôt
meilleurs que leurs prédécesseurs. Radicaux et socialistes du
nord oscillent entre la reconnaissance de la complexité du
rapport entre État et société et la diabolisation de la société du
Mezzogiorno ; surtout – en particulier après l'expérience de
la politique réactionnaire menée par Crispi et ses amis –,
ils craignent que leur Italie, civilisée et progressiste, ne soit
contaminée par une Italie barbare, corrompue et corruptrice,
qui serait un frein pour le développement du pays tout entier.

« Là-bas, où il n'y avait pas d'industries, où la culture
n'était pas répandue, où manquaient l'esprit d'initiative et la
vigueur de la race pour fonder celles-là et conquérir celle-ci,
la recherche des gains rapides et l'envie envers les richesses
de l'Italie supérieure ont fait naître une race d'aventuriers et
de charlatans, qui [...] s'accrochèrent à la vie politique, soudainement offerte à leurs vanités et à leur avidité, envahirent
les administrations, se mirent à traficoter avec les banques et
eurent pour programme minimum et maximum de se vendre
au meilleur offrant. Ces barons improvisés – dont de' Zerbi fut
le champion le plus génial et le plus raffiné et Crispi le plus
scélérat et le plus énergique (et donc, comme dans les hordes

sauvages, le roi de la tribu par droit divin) et chez qui, sous l'habit de parade du gentilhomme, pointe la cartouchière de l'ancien brigand – vivent du fumier et dans le fumier, ce sont les véritables saprophytes politiques de la nation[145]. »

Ces notations anthropologiques sur la classe politique méridionale ne sont qu'en apparence communes aux socialistes du nord et à ceux du sud, à Turati et à Salvemini, ou encore, à l'intérieur de la même culture radicale et positiviste, à Lombroso et à Colajanni. On rencontre ici une question cruciale : faut-il simplement rapporter la maladie morale du sud à un niveau « inférieur » de civilisation ou bien à un fonctionnement national du système de pouvoir ? Et, quoi qu'il en soit, la corruption des classes dirigeantes peut-elle impliquer un jugement négatif sur une société tout entière ? Arturo Labriola, en polémiquant avec les rédacteurs de la *Critica sociale*, écrit : « Il me semble que l'on abandonne tous les principes du matérialisme historique en estimant que des régions, ou des nations prises en bloc pourraient être considérées comme corrompues, ou comme parfaites, de même qu'il y avait des peuples élus et des peuples condamnés par le Seigneur[146] ».

L'affaire Notarbartolo est la nouvelle occasion de l'essor de cette thématique. Face aux positions équilibrées de journaux modérés comme *Il Corriere della sera*, la presse radicale donne souvent des exemples d'exagération ; ainsi, Alfredo Oriani, le républicain favorable à une politique expansionniste que l'on présentera par la suite comme un des précurseurs du fascisme, dans un article intitulé « Les voix des égouts », parle de la Sicile comme d'un « paradis habité par des diables », « un chancre au pied de l'Italie, [...] une province dans laquelle ni les mœurs ni les lois ne peuvent être civilisées[147] ». La réponse, qui vient d'un personnage insoupçonnable comme Colajanni, insiste encore davantage sur les responsabilités de l'État que sur celles de la société : « Les Siciliens sont las d'être civilisés par les Govone, les Serpi, les Pinna, les Medici, les Bardesono. Dans l'égout se sont vautrés allégrement les Ballabio, les Venturini, les Codronchi, [...] les Mirri, qui sont nés et ont grandi au-delà du Tronto[148] ».

La question de la mafia n'est qu'une des possibles occasions du combat régionaliste. Dans l'aire napolitaine, où il n'existe pas les mêmes traditions séparatistes qu'en Sicile, on peut voir quelles réactions disproportionnées provoque, chez un Scarfoglio, le suicide de Pietro Rosano, accusé par l'extrême gauche d'affairisme et de compromission avec la camorra. Nous sommes encore dans le cadre de la polémique du modérantisme méridional contre socialistes et nordistes : « Rien ne nous relie plus à cet État, nourri de notre sang le meilleur. Le lien de la solidarité nationale s'est brisé en nous ; *nous sommes ceux qui doivent périr.* Et pour abréger notre agonie, nos frères d'Italie ont déchaîné contre nous la meute socialiste, qui s'est jetée contre nous, la gueule pleine de boue, le cœur débordant d'une haine meurtrière. [...] C'est dans un véritable état de guerre guerroyée que nous vivons ; guerroyée contre un troupeau de moutons, qui ne réagit pas, ploie la tête sous le couteau fraternel et se laisse placidement égorger [149]. »

Le mélange de la polémique entre droite et gauche avec un combat régionaliste rend plus difficile l'évaluation des rapports complexes qui, durant ces années-là, s'instaurent entre politique, finance et criminalité mafieuse. Le problème fondamental est celui des déchets du processus de modernisation et de démocratisation du pays, qui amène dans l'aire du pouvoir, en même temps que de nouveaux mécanismes, de nouveaux sujets sociaux. Le risque d'un débat de ce genre est de diaboliser, aux yeux des gens, le processus lui-même et non ses aspects pervers.

Cela ouvre la voie à une position semblable à celle de la vieille droite historique : elle prendra progressivement de l'importance face à l'impossibilité de débloquer le système politique, si ce n'est avec les lents ajustements du giolittisme *. Dans les *Memorie* de Leopoldo Notarbartolo, écrites durant les années de la Grande Guerre « régénératrice », la figure du père avec sa sévère morale kantienne, celle du fils et de sa recherche désespérée de justice se découperont, isolées, et nécessairement vaincues dans une phase historique marquée par les effets pervers du « parlemen-

---

* Giolittisme : doctrine s'inspirant de l'action politique de Giovanni Giolitti (1842-1928). Élu député en 1882, il fut ministre des Finances (1889-1890), de l'Intérieur (1901-1903), et président du Conseil (à trois reprises), entre 1892 et 1893, entre 1903 et 1914, puis en 1920-1921). Partisan d'un réformisme modéré, il fut le symbole du clientélisme parlementaire et domina la vie politique italienne jusqu'à l'avènement du fascisme.

tarisme », qui s'identifie moins avec le mafieux Palizzolo qu'avec le malhonnête Cosenza, le mauvais Crispi, le visqueux Rudinì, le lâche Giolitti. Aucune allusion, hormis quelques appréciations purement personnelles, aux forces qui se sont battues contre la mafia : Marchesano et les autres socialistes, Sangiorgi, l'opinion publique de Milan, de Bologne et (parfois) de Palerme aussi, les journaux radicaux et modérés, parmi lesquels le plus important quotidien de l'île, *Il Giornale di Sicilia*. L'Italie de la fin du siècle, divisée entre un camp conservateur et un camp progressiste capable de se poser de façon critique devant les mystères du pouvoir, et également pour la première fois en mesure d'utiliser librement les instruments de l'information et du débat politique de masse, deviendra un agrégat informe de corrompus et corrupteurs, un pays où « il pleuvait de la boue, où l'on lançait des boules de boue », où « chaque place devenait un pilori ; l'exécuteur, chaque journaliste visqueux brandissant comme une arme la feuille immonde sortant de l'égout des officines du chantage [150] ».

C'est l'interprétation de ceux qui, peut-être, s'étaient déjà mis à chercher un *duce* auquel confier leur propre sort.

6. *Cultures : dans l'organisation et au-dehors*

Par rapport aux procès contre les *stoppagghieri* et les Amoroso, le procès Palizzolo-Notarbartolo marque un énorme progrès en ce qui concerne l'enchaînement logique des faits et la disparition des apories les plus évidentes dans la construction de l'accusation pour des faits de mafia. Stupéfait que, à Bologne, on n'ait pas décidé l'acquittement pour insuffisance de preuves, le correspondant du *Times* écrit que « les jurés semblent avoir fondé leur verdict sur des impressions générales [...] davantage que sur tel ou tel fait particulier [151] ». Et ces « impressions générales » sont celles que suscitent la seule donnée certaine, à Milan et à Bologne (mais qui ne sera plus aussi brûlante à Florence) : le rôle des institutions dans la manœuvre visant à couvrir Palizzolo et, plus généralement, dans la genèse et la persistance du phénomène mafieux ; un rôle dénoncé par l'accusation et non plus, de façon instrumentale, par la défense des Marinuzzi et des Gestivo. Le grand crime éclaire la scène, comme l'avait déjà fait le tournant politique de 1875-1876. Colajanni, dans son célèbre pamphlet *Nel regno della mafia* [*Dans le royaume de la mafia*] reconstruit une histoire dans laquelle, à partir du Risorgimento, les gouvernements de droite et de gauche demeurent sur une ligne de désolante continuité avec les gouvernements les plus récents. Cela aussi vient du débat. Que l'on pense aux réactions indignées du public à Bologne, lorsque sont révélées les tractations entre Palizzolo et Malusardi-Nicotera en 1877 : « ces élections que l'on tient en faisant planer sur la tête des candidats l'épée de Damoclès de l'admonition, jettent une bien triste lumière sur les candidats, d'une part, mais aussi sur l'œuvre du gouvernement [152] ». La responsabilité des institutions est également présente dans les ouvrages de deux fonctionnaires, Cutrera et Alongi, imprimés ou réimprimés à ce moment-là, et riches de remarques de grand intérêt. Dans les quotidiens, paraissent de nombreux articles, dont l'un, du *Giornale di Sicilia*, mérite d'être placé parmi les meilleurs essais à ce propos ; on y dénonce le caractère factieux du rapport entre les *cosche* et la police, les Albanese, Bardesono, Lucchesi qui se sont servis « d'une partie de la mafia pour découvrir les friponneries de l'autre » ; on conclut que, dans la campagne palermitaine, les « relations secrètes » entre « gardiens, régisseurs et gens du même acabit » dessinent « une organisation très vaste [153] ». C'est, comme nous le savons, le thème du *Rapporto Sangiorgi*.

Cependant, la confusion des langages reste grande : « À l'occasion du procès Palizzolo, lors des audiences comme dans la presse et même au Parlement, les définitions de la mafia pullulèrent, se multiplièrent de façon étonnante, allant de la négation la plus absolue de tout contenu illégal à l'accumulation de tout et de tous, de sorte que, pour les uns, la mafia et les mafieux n'existent pas et que, pour les autres, la Sicile et tous les Siciliens ne sont rien d'autre qu'un repaire et un rassemblement de mafieux [154]. » En effet, chaque acquisition de connaissance reste embourbée et comme cachée dans un débat politique et journalistique chaotique et indigent, incapable, d'une part, de définir la problématique et, d'autre part, trop avide d'explications sur la *nature* de la mafia.

C'est le genre de question que, durant les trois étapes du procès, les juges « continentaux » posent à de très nombreux témoins, de la même façon que, dans les années précédentes, les commissions parlementaires l'avaient posé aux personnes interrogées. C'est la question qu'il faut poser à un psychologue des masses, c'est-à-dire à un ethnologue, connaisseur, par définition, des particularités, des « croyances » et des « préjugés » du peuple sicilien. À Bologne, Giuseppe Pitrè, témoin à décharge, répète que le mot « mafia » indiquait anciennement l'idée « de beauté, de grâce, d'excellence dans un genre » et que, dans les temps modernes, il tend à indiquer « la conscience, *parfois* exagérée, de sa propre personnalité, de sa propre supériorité, de sa propre dignité, qui ne se résigne à aucune domination que ce soit », et *peut* « déboucher sur la délinquance » [155]. Pitrè tend à identifier une coutume des Siciliens, positive à l'origine et qu'il est donc possible de revendiquer ; en son temps, le député Morana n'avait pas agi différemment : « Si, par mafia, on voulait entendre que les gens ne sont pas prêts à accepter les abus, les violences, les offenses […], alors tout le monde est mafieux en Sicile [156]. » Comme Leopoldo Franchetti, *mutatis mutandis*, Alfredo Oriani pense au contraire que tous les habitants de l'île sont irrécupérables pour la civilisation, c'est-à-dire mafieux. La troisième position, intermédiaire, est encore une fois celle de Rudinì, exprimée par Mosca, qui distingue délinquance et « esprit de mafia », cette fois-ci *sympathique*, et non plus *bénin*, mais, quoi qu'il en soit, répandu généralement dans toute l'île [157]. Les trois théories, et en particulier la première et la troisième, coïncident singulièrement, dans la mesure où elles présupposent que la mafia n'est rien *d'autre* par rapport à la culture régionale et qu'elle représente un phénomène impossible à limiter, impossible à connaître en soi et pratiquement invincible, entre autres parce que l'identification fait de tous les Siciliens, au moins par réaction logique, des défenseurs de la mafia elle-même : c'est le schéma des mouvements du type « Pro-Sicilia ».

Dans sa plaidoirie, à Bologne, Marchesano définit Pitrè comme « un excellent folkloriste, mais un piètre témoin. Interrogé sur la mafia, au lieu de dire ce qu'elle est, il a dit quelle était l'origine du mot [158] ». De fait, cette façon d'évoquer une mafia originellement bénigne, jamais vue en acte, cette recherche continuelle de la définition de l'essence individuelle du phénomène, qu'il faudrait chercher dans les replis profonds, et insondables, de la psychologie sociale, repose sur un terrain dangereusement glissant. Un florilège des innombrables citations tirées des quelques pages que Pitrè a dédié à la mafia dessinerait la carte plausible des ingénus et des complices, de la fin du siècle dernier à nos jours. Ils ne se rendent pas tous compte (ou feignent de ne pas se rendre compte) du caractère clairement apologétique et trompeur de ces considérations et croient tous (ou feignent de croire) qu'il s'agit de la source objective de la culture des Siciliens. Il existe pourtant des éléments tout à fait concrets pour juger la position de l'ethnologue : son étroite collaboration, au conseil communal et dans les instances dirigeantes d'œuvres et institutions pieuses, avec Palizzolo, « véritable gentilhomme, administrateur probe et honnête » ; son refus, malgré la proposition du gouvernement, de se présenter dans le collège électoral de Palizzolo, à Palazzo reale ; sa participation active, en qualité d'idéologue, au « Pro-Sicilia [159] ».

Entre un sens ancien et positif et un sens nouveau – vulgaire et imprécis, qui pourrait désigner quelque chose de négatif –, Pitrè s'en rapporte à un *quid* impénétrable (« il est presque impossible de le définir [160] ») ; il se différencie bien peu des inculpés et des avocats de la défense dans les procès de mafia, qui soutiennent tous qu'ils ignorent ce que le mot peut bien vouloir dire. C'est la réponse donnée par Carmelo Mendola, membre de la *cosca* Amoroso, au magistrat qui lui demande s'il appartient à la mafia : « Je ne sais pas ce que ça signifie [161]. » Cet échange de répliques paraîtra révélateur à Henner Hess, qui l'inscrira en exergue de son livre, et à Sciascia, qui l'évoquera à plusieurs reprises [162] : le mafieux ne saurait effectivement pas ce qu'est la mafia, car la légalité est, pour les Siciliens, un concept abstrait, porté par un État étranger en tous points ; l'unique modèle de comportement possible dans cette société serait celui que nous nommons mafieux. D'ailleurs, ce n'est pas le seul cas où les inculpés du procès Amoroso apparaissent comme des partisans un peu extrémistes des théories sociologiques et anthropologiques, par exemple, à propos du familialisme des Méridionaux. Quand on lui demande si les membres de la *cosca* sont ses amis, Caravello répond : « Je ne suis l'ami que de ma femme et de mes enfants […], au-dehors, je ne connais personne » ; en réponse à une question sur ses haines « de parti », Emanuele Amoroso affirme : « Mon parti, c'est ma femme et mes enfants. » En suivant cette ligne, les inculpés finissent par en faire trop, en opposant la famille « véritable » (le noyau des proches, avec lesquels on vit) à la famille par le sang, comme lorsque l'un des Amoroso affirme qu'il n'a aucun rapport avec ses propres frères afin qu'on ne puisse croire qu'il entend se venger des Badalamenti qui ont assassiné l'un de ses frères [163].

Hess a interprété la source judiciaire, terriblement intentionnelle, comme si elle pouvait refléter la culture « des Siciliens » et il ne lui est pas venu à l'esprit que les Siciliens peuvent dire ou ne pas dire selon les circonstances et les convenances : intérêts politiques et idéologiques (ou bien d'un autre genre encore ?) pour Pitrè ; tentative désespérée de se sauver, de la part des protagonistes d'un procès qui allait se conclure avec tant de condamnations à mort. Quand Giuseppe Amoroso, oncle des inculpés, les accuse de l'assassinat de son propre fils (leur cousin), l'inculpé Emanuele Amoroso le met au défi de jurer sur l'âme de son père, ancêtre commun de la victime et des assassins présumés. Le président, perplexe, fait remarquer que, devant le tribunal, « il n'y a qu'un seul serment, celui qui est prévu par la loi » ; mais l'avocat Marinuzzi insiste : « il ne convient pas ici [...], car le commun des hommes n'y croit pas », si bien que l'on fait jurer le témoin comme la défense le demandait [164]. Pour Hess, cela serait la preuve de la distance socioculturelle qui sépare l'État et les Siciliens, de la « lacune entre socialité et morale étatique » qui engendre le comportement mafieux [165]. J'aurais plutôt tendance à y voir une habile mise en scène de l'avocat de la défense, tendant à construire devant les yeux des jurés – et peut-être même du témoin – l'image de ses clients comme des personnages injustement accusés, qui croient dans les mêmes valeurs familiales que le commun des mortels et qui ne peuvent donc pas être les féroces assassins de sang-froid d'un de leurs proches parents. Mais il est clair qu'une telle instrumentalisation de la culture traditionnelle ne peut brouiller les idées d'un sociologue allemand que par l'entremise d'une médiation érudite complexe, dans laquelle Pitrè joue un rôle central et que les avocats de l'île contribuent à diffuser.

Cette culture du barreau sicilien se propose principalement d'occulter les réalités associatives sous les données folklo-

riques : dès lors, la mafia devient « une chimère, un songe né
de l'imagination trop fertile d'un commissaire », le « *quid*
mystérieux », l'ajout « postiche » que dénoncent les défenseurs des *stoppagghieri* et des Amoroso[166]. On réduit les
luttes entre *cosche* à des inimitiés de familles, dans un monde
décrit à dessein comme primitif, où l'on fait passer des commerçants aisés comme les Amoroso pour « le commun des
hommes », ou un Fontana, qui commerce d'un continent à
l'autre, pour un « analphabète »[167]. Lorsque se seront évanouis les effets du grand scandale, la perception de la mafia en
restera sur ce plan du folklore et des traditions, et on perdra le
lien avec le grand thème des scandales bancaires qui, l'espace
d'un instant, avait donné au phénomène une dimension autrement « moderne » et dangereuse.

Percevant l'avantage que la discussion sur l'*essence* de la
mafia donne à la défense, Marchesano commence sa plaidoirie en déclarant qu'il ne veut parler que de comportements
criminels précis ; mais il ne reste pas fidèle à ce dessein
jusqu'au bout : « Qu'est-ce aujourd'hui que la mafia ? Une
organisation, comme certains le croient, avec des chefs et des
sous-chefs ? Non. Cela n'existe que dans les rêves de quelque
préfet de police. Donc, ce n'est pas cela, la mafia, mais un
sentiment naturel, une entente spontanée, une solidarité qui
réunit tous les rebelles aux lois de la société civile […]. Les
cosche ont entre elles un lien idéal, l'intérêt commun, et en
commun leurs protecteurs[168]. »

Les données fournies par la préfecture de police, qui pourtant a été une alliée très précieuse de la partie civile, ne sont
pas loin d'être ridiculisées ; les relations entre les *cosche* sont
réduites à la seule communauté des protecteurs ; on a recours
à des notions dont la valeur heuristique est bien faible, tel le
« sentiment naturel ». En reprenant à son compte la vieille et
superficielle définition de Bonfadini, Marchesano dévalue
l'énorme travail de documentation sur les liens entre les faits
et les personnes accompli par lui-même et par Sangiorgi, et
dont on peut déduire bien autre chose que l'existence d'une
« entente spontanée ». Une fois de plus, la stratégie du procès
amène à simplifier, sans obtenir à la fin le résultat attendu.
Pitrè et Palizzolo perdent la bataille, mais ils se préparent à
gagner la guerre : la mafia ne serait « ni une secte ni une
association », elle n'aurait « ni règlements ni statuts »[169], elle

s'identifierait à un comportement, à une culture. Je crois, pour ma part, qu'il existe une idéologie mafieuse qui reflète les codes culturels mais, avant tout, pour les déformer, se les approprier, en faire un ensemble de règles visant à garantir la survie de l'organisation, sa cohésion, sa capacité à faire naître la connivence, à inspirer la terreur à l'intérieur comme à l'extérieur.

Les chants de prison expriment leur mépris pour « *l'omu chi parra assai* », et qui « *cu la sò stissa vucca si disterra* » *. Rosario La Mantia est renié par sa propre famille. La qualification de mouchard (*'nfami, cascittuni*) est un lourd fardeau pour qui en est affublé et c'est aussi une justification pour celui qui tue. C'est donc une arme dans la lutte entre factions : lorsqu'ils tuent Damiano Sedita, les Amoroso s'exclament : « Il n'aura plus son port d'armes gratuit par la police » ; Cusumano est traité « d'infâme mouchard ». L'organisation décrète le boycott des habitants de la bourgade contre Giuseppa Di Sano, aubergiste et informatrice présumée de la police, avant de lui ôter la vie. En accusant Filippo Siino d'être « cul et chemise avec la police », Giuseppe Biondo fait « ce qu'il devait faire pour commander à son tour [170] », à savoir disqualifier son adversaire devant une opinion publique formée de *cagnolazzi* [aspirants] et de complices. L'*omertà*, conçue comme un refus « moral » d'avoir recours au système légal, représente peut-être une valeur générale, un modèle idéal de comportement des populations siciliennes et en particulier du vaste univers criminel ; à coup sûr, ce n'est pas un guide pour l'action des mafieux, qui, nous l'avons vu à de nombreuses reprises, ne se privent pas de collaborer chaque fois qu'ils l'estiment profitable. Il ne faut pas oublier que l'organisation est un intermédiaire entre l'État et les criminels et qu'elle doit donc être crédible envers l'un et les autres. Les autorités savent souvent qui sont les auteurs des crimes parce que les mafieux parlent, sans aucun préjugé idéologique, même s'ils ne s'exposent pas en venant témoigner devant les tribunaux : c'est de là, et non d'une société indéfinie, que provient la fameuse « rumeur publique ». Il y a aussi le cas du mafieux perdant, qui s'adresse à la police en demandant aide

---

* « L'homme qui parle beaucoup, s'enterre avec sa propre bouche » [N.d.T].

et protection, et qui peut, le cas échéant, obtenir un passeport pour l'Amérique, comme ce fut le cas du fermier Santo Vassallo, condamné à mort pour trahison par ses compagnons de *cosca* ; mais, en l'occurrence, le malheureux fut poursuivi jusqu'à La Nouvelle-Orléans et assassiné [171]. Les Vassallo, ou pire encore les La Mantia et les D'Amico, menacent de laisser la *cosca* à la merci des tendances collaborationnistes de ses membres ou de ses ennemis. À la « divulgation » qui met en danger l'existence même de l'organisation, on répond par la terreur, afin que chacun puisse évaluer les probabilités de représailles, y compris longtemps après ou fort loin. Comme le soutient Sangiorgi, « tous, les propriétaires les plus aisés comme les paysans les plus pauvres, les notables comme les individus les plus obscurs, se taisent parce qu'ils ont peur [172] », mais le fait, déjà souligné, que tous ne craignent pas la même sanction – la mort – donne au précepte adressé au monde des « fauteurs de troubles » une tout autre efficacité.

Si les mafieux ne veulent pas en être réduits au rôle d'indicateurs, s'ils veulent maintenir ou renforcer leur autonomie vis-à-vis des autorités, ils doivent donc réussir à préserver la cohésion de leur association par des méthodes qui ne soient pas exclusivement fondées sur la terreur, en garantissant la fidélité : c'est ce qui explique que Filippello, pourtant abandonné et menacé par ses complices, préfère se suicider plutôt que témoigner contre Palizzolo.

Évidemment, les liens du sang ne suffisent pas pour garantir toutes les alliances, bien qu'ils en soient (comme d'ailleurs dans toutes les sociétés) le noyau le plus solide : Mazzara peut s'opposer à Giammona en s'appuyant sur « la solidarité active des membres de sa famille [173] » ; le parti des Siino est clairement fondé sur les liens de parenté. Dans un cadre de famille nucléaire, comme c'est le cas dans l'île, c'est le contexte qui permet de décider s'il faut utiliser le potentiel de cohésion de l'institution familiale : les Schneider ont finement analysé comment le rapport entre frères, très faible dans les familles d'ouvriers agricoles du village de Sambuca, dans la région d'Agrigente, était au contraire exalté dans les entreprises d'élevage, d'où provient la couche moyenne des *gabellotti*, parce que ce genre d'activité implique tout particulièrement un lien de confiance entre ses membres [174]. Une telle exigence est évidemment très grande dans un agglomérat criminel, même si, par la suite, la parentèle ne suffit pas à alimenter les *cosche* : le « compérage », parentèle artificiellement recréée, est un pont vers des relations plus complexes dans lesquelles, comme nous le savons, agissent des formes d'agrégation différentes, calquées sur les modèles de la charbonnerie ou de la franc-maçonnerie de la période du Risorgimento.

En de nombreux cas, par exemple celui de la « *Fratellanza* » [« Fraternité »] de Favara, l'impétrant promet de renoncer aux délits les plus vulgaires, comme le vol, et se prépare ainsi à assumer le rôle de l'homme d'ordre, du notable ou, du moins, de l'intermédiaire dans les affaires. C'est ainsi que la mafia aime se présenter, même si la réalité est plus prosaïque et si, dans les faits, comme Alongi le remarque déjà, les choses sont plus compliquées : celui qui garantit l'ordre agit en général en étroite collaboration avec celui qui le viole et ce schéma tend à s'élargir, depuis le gardiennage rural, son milieu d'origine, jusqu'à un grand nombre d'agissements criminels. Les *santoni,* ces anciens vénérables, qui promettent aux cochers palermitains de leur faire restituer leurs voitures volées, moyennant des sommes « dont ils laissent entendre qu'elles ont été demandées par les *picciotti* [les "gamins" qui ont commis le vol] », sont déjà d'accord avec ces derniers pour la répartition de la rançon [175]. La mafia d'ordre est, avant tout, un modèle idéal présenté aux classes dirigeantes, capable également de fasciner la criminalité « commune ». Le chef d'une bande de cambrioleurs et de voleurs à la tire de l'Albergheria, découverte en 1904, cherche à apparaître comme bien supérieur aux petits délinquants : « En mafieux habile et expérimenté, il se présenta en gentilhomme offensé [...]. Il dit en effet qu'il aurait pu tuer ou blesser, et il a d'ailleurs déjà été condamné pour cette seconde raison, mais il fit preuve d'un mépris olympien pour les voleurs [176]. »

Les codes de la mafia sont donc liés à la nécessité de maintenir la cohésion interne et à la reconnaissance publique de sa capacité à susciter la terreur de ses concurrents potentiels et des mouchards. Le gardien le plus efficace sera celui qui, par sa seule réputation plus que par sa présence physique, découragera les voleurs ; comme dit le proverbe : « la peur garde les vignes ». Les archives, comme les pages d'Alongi et de Cutrera, nous entraînent dans un monde où un vol de citrons peut être une offense à laver dans le sang, où un dommage, même minime, peut représenter « *uno sgarro* » [une offense], la diminution de l'autorité, la provocation rituelle à laquelle il faut répondre, toujours de façon proportionnée. Comme dans tous les genres de vendettas, « la gravité du crime ne réside pas tant dans ses qualités intrinsèques que dans le défi au prestige de la victime[177] ». C'est là le sens symbolique de nombreux épisodes que nous avons déjà évoqués, et que l'on trouve exprimé avec efficacité dans ce récit où le fils d'un propriétaire qui a été contraint à vendre son jardin d'agrumes à un mafieux joue à voler, avec obstination, chaque soir, des citrons dans ce jardin, jusqu'au jour de l'issue sanglante de ce rituel[178]. Sans être ethnologue ni écrivain, Sangiorgi utilise déjà le double concept de *dommage* économique et d'*offense* subie par la *cosca* pour expliquer comment le refus de fournir de l'eau aux cousins Vitale (ceux-là mêmes qui étaient impliqués dans le meurtre de Miceli) avait abouti à la mort du *fontaniere* La Mantia ; et il invite à ne pas s'étonner que, « pour cette raison, *en apparence et en d'autres milieux peu graves*, les Vitale et consorts aient pris, comme ils le firent, la décision de tuer[179] ». L'incapacité de riposter à une offense est un élément déshonorant, que les adversaires soulignent rituellement. Le régisseur Ajello, éloigné du fonds qu'il avait administré pendant des années, est persécuté chaque nuit par une « sérénade » intitulée *Senti l'acqua e di siti mori* [« Tu entends l'eau et tu meurs de soif »], qui lui signifie qu'il est tout près de la source de la légitimation, du pouvoir et de la richesse, mais qu'il ne peut s'y désaltérer ; et ce jusqu'au jour où, exaspéré, il commet l'erreur décisive qui provoque sa mort. Ultime injure, son cadavre sera amené sous les fenêtres de la prison de l'Ucciardone et montré à ses enfants incarcérés[180].

Par ailleurs, l'honneur que les mafieux s'attribuent diffère sur bien des points significatifs de ce que l'on entend généralement par ce mot, dans la société méridionale comme ailleurs. Il ne serait pas nécessaire de rappeler combien de crimes ont été cachés derrière d'inexistantes questions d'honneur sexuel si, derrière l'un d'eux, on ne trouvait « la haute maffia des Ciaculli », dans les personnes de Salvatore et Giuseppe Greco, qui en décembre 1916 décrétèrent l'assassinat du prêtre Giorgio Gennaro, coupable d'avoir dénoncé, au cours de son sermon dominical, l'ingérence des mafieux dans l'administration des rentes ecclésiastiques ; naturellement, on ne manqua pas d'insinuer qu'il s'agissait de la vengeance d'un mari trompé [181]. Le *gabellotto* Gaetano Cinà, pour sa part, est éliminé par un complot ourdi par son frère Luigi, amoureux de sa belle-sœur, et par le chef mafieux Giuseppe Biondo, décidé à punir un homme qui lui a enlevé le contrôle d'un jardin [182] : un frère qui assassine son frère en s'alliant avec « des étrangers », passions et intérêts que l'on cherche à assouvir par tous les moyens, sans égard pour les valeurs familiales si hautement affirmées ! Les assassinats de femmes ne manquent pas, comme dans le cas d'une servante séduite par l'un des Amoroso ou dans celui de la fille de l'aubergiste Giuseppa Di Sano. On peut citer aussi le cas d'un tueur de Monreale qui, n'ayant pas réussi à trouver les ennemis du chef de sa *cosca*, tue un de leurs jeunes enfants afin de ne pas rentrer les mains vides [183]. D'ailleurs, dans des situations extrêmes, les mafieux eux-mêmes finissent par remarquer la différence entre l'honneur « véritable » et celui dont se prévalent les *cosche*. Antonio Badalamenti, alors qu'il court chercher une sage-femme pour son épouse qui va accoucher, tombe sous les balles des tueurs des Amoroso en maudissant ses ennemis qui « tuent par traîtrise » ; dans un roman-feuilleton inspiré par ces tragiques faits divers, Scalici fait sarcastiquement allusion à ces « loyaux gentilshommes de Piazza Montalto [184] ».

Le modèle de la compétition loyale, bien présent dans la culture populaire, encore repérable dans les duels au poignard des *camorristi* ou des *ricottari,* dans ceux des *spataioli* * de Palerme, Catane ou Messine, n'a rien à voir avec les guet-apens des tueurs armés de fusil, en attente derrière les murs d'enceinte des jardins d'agrumes, qui ne laissent aucune chance à leur victime. Le terme « *usticano* », utilisé par les *ricottari* pour désigner ceux qui attaquent en traître [185], pourrait évoquer des comportements et des regroupements nés lors des résidences forcées à Ustica, ou dans quelque autre île semblable. L'idée d'Arlacchi, selon laquelle les hiérarchies entre mafieux sont déterminées par « une libre

---

* Les *spataioli* (de *spada*, épée) sont des gens qui « jouent du couteau » [N.d.T.].

compétition pour l'honneur », qui passe par « des défis et des combats [186] » reflète peut-être une différence entre la *'ndrangheta* et la mafia « traditionnelles » mais, plus encore, elle se fonde sur une documentation littéraire souvent bien éloignée de la réalité. Dans la vraie mafia, l'élimination des adversaires s'accompagne en général de « discussions », de fausses attestations, de prétendus accords qui ne servent qu'à faire baisser la garde aux condamnés : ainsi l'assassinat de Filippo Siino, précédé par une réconciliation solennelle des deux partis, à l'église, est rendu possible par la traîtrise d'un ami de la future victime, qui l'emmène sur le lieu de l'embuscade, du « parjure » et de la « trahison » [187]. L'honorable provocation en duel peut d'ailleurs être utilisée comme un pur et simple leurre ; Antonino D'Alba, que la *cosca* de Falde a décidé d'éliminer, est un homme averti et il se garde bien de se laisser surprendre hors de chez lui ; mais un jour, provoqué par un adversaire qui lui propose une rencontre d'homme à homme, il sort, armé d'un revolver, et trouve à l'endroit prévu pour le duel une douzaine d'hommes qui le criblent de coups [188]. Au rite de la compétition individuelle, fondée sur le courage et l'habileté, s'oppose celui de l'exécution collective qui souligne le fait que c'est l'organisation qui a décrété la peine suprême et que ses membres assument collectivement la responsabilité de ce geste, comme le fait un peloton d'exécution représentant l'État, sur lequel la mafia tend à se modeler.

L'inculpé Mendola et les autres savent fort bien ce qu'est la mafia. Simplement, ils n'ont aucun intérêt à le dire.

CHAPITRE IV

DÉMOCRATISATION, TOTALITARISME, DÉMOCRATIE

1. *De la Sicile à l'Amérique*

En 1890, à La Nouvelle-Orléans, le capitaine Hennessy, de la police locale, est tué dans un guet-apens ; 18 Siciliens sont inculpés pour ce meurtre, puis acquittés par le tribunal [1]. Le contrôle des docks et du commerce des fruits est le motif, typiquement mafieux, d'un conflit entre deux groupes, les Provenzano et les Matranga, conflit qui est à l'arrière-plan du crime. Le schéma de l'alliance de l'une des factions (les Provenzano) avec la police nous est également familier ; c'est cette alliance qui, semble-t-il, provoque par représailles la mort d'Hennessy. La conclusion de l'affaire est, elle, typiquement américaine : 10 des Siciliens acquittés sont lynchés par la foule, excitée, semble-t-il, par des gens qui voulaient rendre impossible une alliance entre Irlandais et Italiens pour la conquête de l'administration communale.

La « mafia » apparaît en Louisiane, et c'est là que naît la théorie du « complot étranger », destinée à un brillant avenir, sous diverses formes et en diverses circonstances. Elle est d'emblée perçue comme une organisation mystérieuse et « subversive » ; on suppose qu'elle remonte aux Vêpres siciliennes ; que ses têtes pensantes sont dans l'île et ses hommes de main partout ; une variante, qui fait preuve d'une certaine connaissance de la situation sicilienne, affirme qu'elle est dirigée par un certain brigand *Leoni* [2].

L'Amérique Wasp ne tolère pas la « ségrégation » volontaire entre les autres « races » et les « natifs », que l'on observe « partout où existe une concentration de main-d'œuvre italienne[3] », car c'est une telle situation qui provoque la persistance de mœurs détestables parmi lesquelles on range le comportement mafieux. Ce schéma est peu convaincant. Aux États-Unis, la mafia perd ses caractéristiques régionales et se mêle à d'autres formes de criminalité ; elle se rattache à la problématique, *nouvelle*, d'un univers multiethnique, beaucoup plus qu'à celle, *résiduelle*, de la société de départ. Les Anglo-Saxons, scandalisés par les résistances à la conformité culturelle qu'est censé produire le *melting pot*, ne sont pas les derniers à renforcer les éléments internes de cohésion des Little Italy, en utilisant comme médiateurs les *éminents* Italo-Américains qui, au moyen de ce que l'on nomme « *padrone-system* », dirigent les immigrés vers le marché du travail, du logement, du crédit et font de la gestion de leurs compatriotes une fructueuse industrie[4]. Le crime organisé serait alors une variante du « *bossism* » politique, affairiste ou syndical. Depuis les années 1920, dans une approche honnêtement fonctionnaliste, de nombreux chercheurs américains, souvent d'origine italienne, ont travaillé sur ces thèmes, en mettant en évidence le lien entre le crime et les « machines » politico-clientélaires des grandes villes, l'un des rares mécanismes d'intégration et de promotion sociale existant pour les immigrés. Au début du siècle, déjà, un des principaux dirigeants de Tammany Hall, l'organisation électorale du parti démocrate à New York, reconnaissait l'existence de cette fonction, avec une impudeur sympathique[5]. Suivant les phases du cycle migratoire, les protagonistes de ces « machines » changent : Allemands, Irlandais, Juifs, Italiens se succèdent à la tête du « crime organisé », qui apparaît comme un intermédiaire entre les institutions (polices locales, municipalités) et le monde souterrain des jeux de hasard, de la prostitution et de la contrebande. Comme Albini l'a souligné, la xénophobie anglo-saxonne présuppose que « le public américain, innocent et sans défense, est la victime de malfaiteurs étrangers qui, secrètement, le dépouillent de sa virginité morale[6] ». En réalité, en réclamant ces biens et ces services plus ou moins illégaux, la société américaine produit d'elle-même des germes pathogènes qui permettent l'expression de toutes les traditions criminelles « immigrées » : par exemple, de la tradition sicilienne qui trouve, aux États-Unis comme sur le sol de la patrie, le système triangulaire qui comprend la classe politique, la police et la délinquance.

Toutefois, la théorie de la transplantation – malgré le caractère paranoïaque de certaines de ses formulations extrémistes – exprime des morceaux de la réalité que les chercheurs italo-américains ont sous-évaluée (peut-être par amour de la patrie !) D'un point de vue sicilien, l'affaire Hennessy indique au fond simplement l'ampleur du réseau d'affaires des intermédiaires palermitains plus ou moins mafieux. La Nouvelle-Orléans est un terminal de ce réseau, comme l'est la Tunisie avec son immigration qui vient du Mezzogiorno, la circulation d'individus en fuite et de marchandises, que ce soient les agrumes de Fontana ou le bétail volé, d'une rive à l'autre du canal de Sicile. De la fin du XIXe au début du XXe siècle, La Nouvelle-Orléans est le second port pour le commerce des agrumes siciliens aux États-Unis, celui vers lequel se dirigent les petits entrepreneurs désireux de s'émanciper de la grande organisation commerciale Palerme-New York[7]. Là, douze ans avant le meurtre d'Hennessy, Salvatore Marino avait été tué[8] ; c'est à partir d'ici que l'on avait pu débrouiller les fils de l'écheveau et aboutir ainsi, en Sicile, aux procès pour associations criminelles ; ici, Vassallo, suspecté d'être un mouchard par une *cosca* palermitaine, avait été rejoint et abattu. Salvatore Marino était commerçant en fruits, les Provenzano et les Matranga sont commerçants et importateurs ; le patronyme Matranga revient souvent au cours de la guerre qui oppose les Badalamenti aux Amoroso dans les années 1870-1880, et j'ignore s'il s'agit simplement d'une homonymie ; ce qui est certain, en revanche, et très significatif, c'est que les deux groupes qui luttent l'un contre l'autre en Louisiane prennent les noms bien connus de *stoppagghieri* et de « jardiniers ».

De 1901 à 1914, plus de 800 000 Siciliens arrivent aux États-Unis. Tandis que la Sicile parvient en Amérique par l'intermédiaire de ses hommes, dans chaque village sicilien l'Amérique prend le visage de « l'agent d'émigration », le médiateur par excellence, qui paie les billets des paquebots et procure un travail au-delà des mers. Initialement, aller en Amérique signifie disparaître, au point que selon le témoignage autorisé du brigand Bufalino, en 1901, les expressions

« envoyer en Amérique, faire les papiers pour l'Amérique » est une façon ironique de dire « tuer quelqu'un »[9]. Cependant, au fil du temps, les deux rives semblent se rapprocher, en particulier du fait de l'augmentation de l'émigration temporaire : les pauvres, les aventuriers, les persécutés pour raisons politiques ou pour des motifs moins nobles, partent, reviennent, puis repartent. Il est donc évident que l'on trouve dans le Nouveau Monde, venant de Sicile, des repris de justice, d'anciens admonestés, des gens recherchés par la police, de même que l'on trouve en Sicile des mafieux qui viennent de revenir et tentent de s'insérer à nouveau dans les équilibres locaux, « en amenant des sommes importantes d'argent de provenance suspecte » et en y laissant parfois leur peau[10]. Les familles mafieuses, comme les familles naturelles, se séparent et se reconstituent dans le faisceau de relations qui traverse l'océan dans les deux sens.

On a souligné que la « main noire », ainsi appelée à cause du symbole tracé sur de nombreuses lettres de menaces, n'est pas une organisation, mais un phénomène criminel, pratiqué par des groupes indépendants les uns des autres et d'ailleurs non spécifiquement siciliens mais, plus globalement, italiens ; ces groupes, me semble-t-il, opèrent davantage sur le modèle de la camorra que sur celui de la mafia. Comme la camorra, en effet, la « main noire » s'emploie à effectuer des prélèvements sur des relations économiques pauvres, qui concernent une communauté située au niveau le plus bas de la hiérarchie sociale, dont font partie aussi bien rançonneurs que rançonnés. Cependant, encore une fois, on ne peut exclure que, dans un centre d'immigration aussi important que New York, les mafieux siciliens aient joué un rôle important dans l'*underworld*, avant même la constitution d'un réseau autochtone.

C'est là en effet l'hypothèse dont part, en 1908, l'administration new-yorkaise en la personne du conseiller communal Theodore Bingham, sur la foi d'un rapport fourni par un « expert » absolument convaincu que « l'immigré italien normal, en règle générale, ne devient jamais un criminel une fois arrivé en Amérique » et que la « main noire » est composée de criminels « qui l'étaient déjà en Italie et qui, en arrivant en Amérique, se joignent à d'autres du même acabit[11] ». Le système juridique américain, ajoute le rapport, n'est pas apte à combattre ces gens-là, car il ne possède pas les instruments de police (admonition, résidence forcée) qui ont prouvé leur efficacité en Italie. Il faut donc expulser les indésirables en prouvant qu'ils ont caché leurs antécédents pénaux et qu'ils sont donc entrés illégalement aux États-Unis.

Bingham met alors sur pied une opération « secrète », mais dont la presse se fait aussitôt l'écho. On envoie en Italie, pour enquêter sur les casiers judiciaires, le lieutenant de police Joe Petrosino, originaire de Padula, ennemi juré des membres de la « main noire » et responsable, en particulier, de l'expulsion de nombreux immigrés qui n'étaient pas en règle [12]. On présuppose que les autorités italiennes sont, sinon complices, du moins incapables [13] et, de ce fait, à l'exception de quelques contacts informels, le policier new-yorkais refuse toute collaboration institutionnelle et même l'escorte discrète qu'on lui offre à son arrivée à Palerme. Comme le dira le préfet de police Ceola, « il suivait en tout point le préjugé de ceux des Siciliens qui croient être mieux protégés en s'adressant non aux Autorités et à la Justice, mais à quelque délinquant connu et redouté, réputé pour avoir de l'autorité et de l'influence [14] ». Plus encore, Petrosino suit de fait la tradition de la police palermitaine, sans pourtant s'en rendre compte et sans autre force contractuelle que celle des dollars avec lesquels il paie ses informateurs et l'ombre bien pâle d'une autorité d'outre-Atlantique. Ainsi désarmé et faisant preuve « d'une imprudence presque inexplicable chez un détective si renommé [15] », il entre dans le triangle classique police-mafia-délinquance. Le 12 mars 1909, il est tué à coups de pistolet sur la Piazza Marina, en plein centre-ville.

S'ensuivent d'âpres polémiques dans la presse américaine qui, une fois de plus, accuse les Italiens de complicité, tandis que ces derniers soulignent l'amateurisme de l'opération. L'enquête, évidemment, s'intéresse à la ligne Palerme-New York. Les habituels informateurs, ainsi que des lettres anonymes provenant de la métropole américaine, désignent Giuseppe Morello, originaire de Corleone, comme chef d'un groupe de faussaires new-yorkais qui, en 1903, avaient résolu une controverse d'affaire avec un compatriote en l'assassinant et qui, de ce fait, avaient été l'objet de l'attention de Petrosino. Faisait, entre autres, partie de ce groupe un personnage que nous connaissons bien, Giuseppe Fontana, qui, après avoir été acquitté à Florence, s'était établi dans le Nouveau Monde où il avait repris une de ses vieilles occupations, la fabrication et la diffusion de fausse monnaie. Deux membres du groupe, Carlo Costantino et Antonino Passananti, étaient soudain réapparus dans leur ville natale de Partinico, au moment même où Petrosino arrivait en Sicile, et étaient restés en contact avec Morello au moyen d'énigmatiques télégrammes chiffrés. Peut-être craignaient-ils que Petrosino ne découvre que Morello avait des antécédents permettant son expulsion[16] ; quoi qu'il en soit, nombreuses étaient les raisons, passées ou présentes, qui pouvaient les inciter à passer à l'action. Outre les deux hommes, la police arrêta quinze personnes, presque toutes de retour d'Amérique, le réseau complet des informateurs du détective ; et, enfin, un chef mafieux, don Vito Cascio-Ferro.

Le casier judiciaire de cet intéressant personnage ne porte, avant 1914, qu'un nombre limité d'inculpations (extorsions de fonds, incendies, enlèvements), toutes suivies d'acquittement. Il ne s'agissait certainement pas d'un notable de province ; son pouvoir se construisit, de fait, à partir d'un réseau de relations s'étendant sur deux continents et sur un événement de portée internationale, l'assassinat de Petrosino, qui lui donna un tel prestige qu'il put « assumer d'une main ferme la direction de la mafia sur tout le territoire de la province de Palerme[17] ». Cascio-Ferro faisait partie, avec Morello et Fontana, du groupe de faussaires arrêtés par Petrosino en 1903. Son séjour new-yorkais, qui avait commencé en 1901, s'arrêta précisément à cette occasion, non sans toutefois qu'il ait effectué l'habituel voyage à La Nouvelle-Orléans. Après le crime, on trouva dans ses papiers une photo de Petrosino et, dans ceux de ce dernier, une note sur Cascio-Ferro, « criminel très dangereux ». Le policier avait prévu de se rendre à Bisacquino, le fief du chef mafieux : pensait-il précisément à lui pour obtenir les informations qu'il désirait ? Cette hypothèse ne fut pas formulée, mais elle me paraît cohérente avec les finalités de l'opération et avec la remarque du préfet de police sur la volonté de Petrosino de s'adresser à des délinquants réputés « pour leur autorité et leur influence ». Il semble que Petrosino ait été sur la piste d'une organisation de fabrication de faux passeports qui avait pour chef un aristocrate mal famé, Francesco di Villarosa, c'est-à-dire d'un réseau situé à la fois en Sicile et en Amérique. Il faut remarquer que, jusqu'aux années 1920, l'une des principales activités d'un éminent mafieux siculo-américain était précisément l'importation clandestine de travailleurs [18]. Il semble que don Vito ait été également impliqué dans l'émigration clandestine : les départs étaient organisés sur des bateaux de pêche de Mazzara del Vallo qui se dirigeaient vers Tunis puis, de là, sur des paquebots de la ligne Marseille-New York [19]. Le chef mafieux était officiellement « représentant de l'entreprise de transports postaux [20] » Caruso ; était-ce une autre façon de dire agent d'émigration ? Peut-être, après avoir joué à l'informateur, Cascio-Ferro voulut-il se favoriser lui-même et favoriser ses amis américains qui, en la personne de Costantino et celle de Passananti avaient fait à Bisacquino le voyage que Petrosino ne put faire. Quoi qu'il en soit, bien des années plus tard, don Vito allait se vanter d'avoir tué le policier américain, « de façon désintéressée », de ses propres mains [21].

L'instruction rendit un non-lieu pour tous les inculpés. Cascio-Ferro présenta le témoignage de l'*onorevole* Domenico De Michele Ferrantelli, qui affirma l'avoir reçu chez lui le soir du crime. L'alibi ne paraît pas si acceptable, eu égard aux relations très étroites entre les deux hommes. De Michele était un grand négociant en huile et céréales, Cascio-Ferro son « agent d'affaires » ; De Michele était le maire, inamovible mais fort controversé, de Burgio ainsi que le député du collège de Bivona, Cascio-Ferro le chef de ses agents électoraux. Il serait intéressant de savoir si De Michele participait à l'expansion du commerce en direction de l'Amérique qui allait de pair avec le développement du phénomène migratoire [22], car, en ce cas, don Vito, avec ses voyages à New York et à La Nouvelle-Orléans, reproduirait sur une plus vaste échelle la figure du mafieux qui crée son propre réseau le long des lignes mises en place par les affaires d'importants personnages. En tout état de cause, nous ne devons pas oublier les fonctions de protection qui accompagnent toujours les affaires. Né à Palerme, Cascio-Ferro s'était établi à Bisacquino, à la suite de son père, *campiere* du baron Inglese, usurpateur bien connu de terres domaniales. Il s'agit d'un effet de la centralisation sur Palerme du marché des locations et du gardiennage : souvenons-nous de don Peppino le Lombard

qui, grâce à Giammona, obtint un poste de surveillant à Alia ;
du transfert vers Caltagirone de don Bartolomeo Badalamenti, avec son équipage « de serviteurs, de garçons de ferme
et de personnages aux mines patibulaires que l'on n'avait
jamais vus auparavant, qui allaient, venaient et disparais-
saient sans laisser la moindre trace [23] » ; de l'opération effectuée par le prince de Mirto lorsqu'il fit venir Fontana dans les
zones où sévissait le bandit Varsalona [24], c'est-à-dire dans la
région Corleone-Sambuca-Burgio, aux confins de la province
de Palerme et de celle d'Agrigente. C'est là que Cascio-Ferro
allait demeurer, sans négliger pour autant d'effectuer de fréquents séjours dans le chef-lieu qui, évidemment, restait un
point stratégique pour la fonction de chef mafieux : *gabellotto*
ou administrateur de l'*onorevole* De Michele et du baron
Inglese dans la région de Corleone, c'était, à Palerme, un
monsieur distingué.

En reparcourant vers l'arrière la biographie de Cascio-
Ferro, nous rencontrons une conjoncture politique extraordinaire, celle des *fasci* siciliens de 1892-1893, et non sans
quelque surprise nous trouvons don Vito à la vice-prési-
dence du *fascio* de Bisacquino, où, en qualité de conféren-
cier vantant les mérites du socialisme, il obtient, « chose qui
paraît incroyable, que les femmes ne suivent plus les proces-
sions du viatique et se confessent à lui et au président du
fascio ». On a peine à imaginer sur quoi pouvaient porter de
telles confessions. Au moment de la répression contre le
mouvement des *fasci*, Cascio-Ferro s'enfuit à Tunis en
décembre 1893, d'où, quelque temps après, « il revint spontanément au pays en assurant M. le Préfet de police de
Palerme et le sous-préfet de Corleone qu'il ne s'occuperait
plus jamais de politique [25] ». À dater de cet instant, il eut
« une conduite politique irréprochable » et, grâce « à ses relations d'amitié avec le baron Inglese et avec l'*onorevole* De
Michele Ferrantelli », il fut bientôt considéré comme un
notable, s'inscrivit au cercle des *civili*, obtint « l'estime de ses
concitoyens » et des autorités [26] : cette dernière appréciation
date de décembre 1908, moins d'un an avant l'assassinat de
Petrosino.

Le subversif devient un homme d'ordre, cette dernière
fonction n'étant pas incompatible avec celle de mafieux. Il
reste à s'interroger sur la logique de son adhésion à un mou-

vement de gauche, qui se heurta à l'hostilité parfois hystérique des classes dirigeantes, sans parler du gouvernement Crispi qui le réprima *manu militari*. En abordant cette question, nous pourrons comprendre comment le phénomène mafieux – non seulement avec les machines politico-clientélaires de New York et de Chicago, mais aussi avec celles de Corleone et Monreale – se réfère à des processus de démocratisation, fussent-ils pervertis ; et comment, en Amérique, terre des possibles, ou dans la Sicile postféodale, les fortunes de la mafia prennent place dans un cadre de mobilité sociale et de profondes transformations historiques.

2. *Terres et villages*

Au lendemain de la proclamation de l'état de siège, en décembre 1893, de nombreux militants des *fasci* doivent répondre, devant les tribunaux militaires, d'accusations portées par « des repris de justice, des gens déjà condamnés pour des crimes de droit commun [27] », à savoir gardes communaux, champêtres ou financiers qui sont souvent une articulation du pouvoir mafieux ; en de nombreux cas, ces gens-là tirent sur la foule, l'incitent à l'insurrection pour justifier la répression [28]. Dans la province de Palerme et dans celle d'Agrigente, lorsqu'ils agitent les questions de la politique municipale, de la fiscalité, de l'usage des biens domaniaux ou bien encore le problème des conventions agricoles, les *fasci* s'opposent à des classes dirigeantes dominatrices et corrompues, capables de toutes les violences. Il n'existe cependant pas d'incompatibilité idéologique absolue entre la mafia et la gauche : « Si le gouvernement l'abandonne, elle se mettra au service du clergé ; si tous l'abandonnent, elle se présentera comme une force révolutionnaire [29] », note le socialiste Drago, confirmant ainsi tout ce que nous savions de la période consécutive au Risorgimento.

On ne peut définir les termes du problème qu'à partir d'une analyse du milieu local. S'il est difficile de faire l'hypothèse d'une position politique commune de la mafia, il n'est pas non plus aisé d'affirmer l'existence d'une parfaite cohérence entre les *fasci* municipaux, qui se sont formés en quelques mois agités et qui n'ont pas une coordination véritable,

hormis un comité central autoproclamé, à Palerme. En
revanche, on peut repérer la ligne de continuité dans laquelle,
sur le plan local, vient prendre place cette flambée imprévue.
À Misilmeri, l'organisation est fondée par Girolamo Sparti,
jeune étudiant, qui a des liens de parenté avec les deux
familles qui luttent entre elles depuis des années pour le
contrôle de l'administration communale. À Monreale, trois
fasci se constituent, dont l'un est dirigé par Rocco Balsano, le
maire, partisan de Crispi, qui pense utile de se convertir soudainement au socialisme pour préserver l'association agricole
autour de laquelle il organise sa propre clientèle. À Lercara, le
fascio est fort, mais on n'arrive pas à savoir qui le dirige ; les
désordres sanglants de Noël 1893 sont, en quelque façon,
attisés par le parti des Nicolosi, que nous connaissons comme
de vieux *manutengoli* de bandits, contre celui des Sartorio
qui, depuis 1876, s'est emparé de la mairie. À Marineo, le
fascio bénéficie de l'appui du parti Calderone qui a récemment perdu le pouvoir, après l'avoir géré de façon bien désin-
volte pendant plus de dix ans [30].

Tantôt nous sommes face à un pur et simple camouflage,
tantôt face à des oppositions plus nettes entre progressistes et
conservateurs, mais toujours à des luttes entre factions et
familles qui se séparent et se recomposent en utilisant le débat
idéologique à leurs propres fins. Très souvent, au cours de ces
années 1890, se met en place, entre les partis, un équilibre qui
tiendra jusqu'à la guerre mondiale. « Dans les villages, la plupart des familles de condition *civile* [bourgeoise] sont unies
par des liens de parenté […] et pas seulement celles d'un
parti ; même celles qui sont dans des partis opposés le sont,
bien qu'elles militent dans des camps opposés [31]. » Il est difficile qu'émergent des hommes vraiment nouveaux, alors que
vont apparaître de nouveaux instruments de relation entre
classes dirigeantes et société (associations agricoles et associations de secours mutuel, cercles), ne serait-ce que pour
adapter les machines clientélaires à l'élargissement du suffrage, entériné par les réformes électorales de 1882 (élections
politiques) puis de 1889 (élections municipales) et qui culmi-
nera en 1913 avec l'adoption du suffrage universel masculin.
En outre, même dans les petites villes et les bourgs, de la fin
du XIXe au début du XXe siècle, du fait de la législation étatique
et des processus mêmes de modernisation, on commence à

estimer nécessaire la réalisation d'un système d'éclairage public, à gaz puis électrique, d'un réseau de voirie et de tout-à-l'égout, d'un système sanitaire et d'un système d'instruction publique. Ce sont de nouvelles occasions d'affaires et d'emplois qui s'ajoutent à celles, plus traditionnelles, de la gestion du patrimoine domanial et de la détermination de la fiscalité locale (que faut-il taxer ? qui doit payer ? qui doit percevoir les impôts et comment le faire ?) ; voilà pourquoi le contrôle des administrations municipales suscite un tel intérêt de la part des groupes politiques locaux, avec leur suite d'adjudicataires, de commissionnaires, locataires, emphytéotes, avocats ruinés, instituteurs, pharmaciens, clients, électeurs, cousins, aspirants et intrigants[32].

C'est là le monde tumultueux des clientèles méridionales tel que le dépeint la plume géniale et féroce de Gaetano Salvemini, le monde auquel font référence les essais et les sources policières, en utilisant le terme « mafia ». Cependant, quiconque voudrait distinguer ce concept de celui de *clientélisme* éprouverait de graves difficultés. Bien souvent, les commissaires de la Sûreté publique et les préfets de police se contentent d'appeler « mafieux » les adversaires du gouvernement. Ainsi, à Misilmeri, les familles Sparti, Scozzari et Di Pisa sont présentées comme « mafieuses[33] », mais le groupe soutenu par le gouvernement lui-même est celui qui a pour chef, à l'échelle provinciale, Salvatore Avellone, un des députés les plus controversés du fait de ses rapports avec la mafia ; c'est d'ailleurs cette opposition, plus que la volonté de combattre la « mafia », qui permet de comprendre l'envoi fréquent de commissaires préfectoraux dans cette commune. À Monreale, le parti municipal dirigé par Balsano, futur député, est accusé de favoriser ses propres clients en gérant les finances publiques et les adjudications ; et, ici aussi, à la demande du député Masi, l'adversaire de Balsano, interviennent des commissaires préfectoraux qui attestent de l'existence des irrégularités et, quelque temps après, font refaire les élections, qui, cependant, comme d'ailleurs à Misilmeri, confirment les équilibres antérieurs. Il vaut la peine de remarquer que le préfet giolittien, que les historiens présentent souvent comme tout-puissant, agit moins par volonté centralisatrice que pour favoriser le député désireux de conquérir cette municipalité indocile ; et il est tout aussi intéressant de voir comment les « mafias » municipales résistent à l'un et à l'autre. À Monreale, on se demande ironiquement pourquoi les commissaires préfectoraux ne sont pas nommés « à vie » comme dans « une cité turque » ; en plus des accents localistes sur « la fière Athènes de la Sicile » qui refuse de plier, émergent les tonalités régionalistes, tant de fois utilisées, sur « les libertés conquises dans le sang » par « la malheureuse Sicile » et jamais respectées par le gouvernement[34].

Mais tout cela concerne essentiellement l'histoire politique. Par rapport à l'aspect spécifique de notre recherche, nous pouvons enregistrer un lien, général mais significatif, entre les groupes dirigeants et la sphère de la délinquance. Le parti Balsano a pour « amis et partisans des gens qui ont été arrêtés et jugés[35] ». Di Pisa est un personnage sanguin, qui a pour habitude de régler ses différends à coups de canne plombée, arme dont il ne se sépare jamais, jusqu'au jour où il est blessé à coups de pistolet. On en sait davantage sur Salvatore Sparti qui, au moment où il va assumer la charge de maire, vient de sortir de prison où il attendait d'être jugé pour meurtre ; il fut acquitté, mais avait déjà été condamné pour agressions, menaces, etc. ; « protecteur naturel de la mafia et de la canaille », il a témoigné en faveur de gens menacés d'admonition en avançant « le refrain habituel qu'il était contraint de le faire pour s'opposer aux actes de ses adversaires[36] ».

À Misilmeri et Monreale, qui sont à coup sûr « des pays de mafia », cette dernière ne montre donc pas sa présence à l'intérieur des institutions municipales avec autant de clarté qu'on aurait pu le penser.

Cherchons à élargir notre point de vue. Il existe un élément qui rend les deux situations semblables : la présence d'une grande quantité de biens domaniaux qui sont, à plusieurs reprises, divisés en lots, sans que les administrations communales puissent ou veuillent exiger les loyers. En particulier, seuls les commissaires préfectoraux, périodiquement nommés après les dissolutions de ces administrations, prennent des mesures contre les auteurs d'usurpations (qui concernent parfois « plusieurs centaines d'hectares » de ces terrains) « car aucun des gens du pays, par peur des vengeances, n'ose prendre l'initiative des actions en justice[37] ». Il faut ensuite considérer la position géographique : Misilmeri et, surtout,

Monreale sont situés à la limite entre la zone latifundiaire et celle de culture intensive, et ils possèdent un vaste territoire agricole qui, du point de vue économique, gravite autour de Palerme. Dans des campagnes de ce genre, la classe politique municipale n'a pas, semble-t-il, de très grands intérêts : c'est d'ailleurs la clé de lecture de la lutte entre factions que nous fournissent les protagonistes eux-mêmes. Les groupes majoritaires dans les deux localités représenteraient une bourgeoisie qui ne possède pas de « biens campagnards » et qui aurait contre elle l'opinion concordante et *saine* de « l'autorité », des « hommes d'ordre » et des « latifundistes » [38]. Il est en effet probable qu'une partie de la classe dirigeante s'intéresse plutôt aux finances municipales, aux adjudications et aux affaires qui en découlent, et qu'elle se gagne des appuis en tolérant que les locataires oublient de payer les loyers des terres communales ou les achètent à vil prix pour les revendre avec bénéfice. Ces groupes s'intéressent à la campagne à cause des revenus qu'elle procure à l'administration communale (surtaxe foncière, loyers emphytéotiques) et parce qu'ils doivent y garantir l'ordre. C'est le vieux problème des gardes champêtres ; à le suivre, on glisse de la sphère des clientèles violentes à celle de la violence mafieuse. Le service effectué par ces gardes champêtres est inefficace « par manque de discipline et à cause des divergences qui existent dans le Corps [39] » ; pire, il peut être pollué : à Misilmeri, entre 1903 et 1906, 5 gardes champêtres sont assassinés ; en 1907, 8 des 25 membres du Corps sont inculpés pour association criminelle, 2 sont en prison pour meurtre, 1 est renvoyé pour vol. De temps à autre, il y a une implosion dans le système du gardiennage privé et public. À Monreale, vers 1911, Vittorio Calò, chef mafieux du petit centre agricole de Borgo Molara, entre en conflit avec la famille des Sciortino qui, semble-t-il, se situe dans la tradition des *stoppagghieri* : les Sciortino sont massacrés. En novembre 1912, tandis qu'il revient de l'un de ses jardins, Giuseppe Cavallaro, trésorier de la commune, tombe sous les coups d'un assassin caché derrière une haie : trente ans auparavant, son père, Simone, avait été tué dans les mêmes circonstances [40]. Entre-temps, Calò perfectionne « son système d'enrichissement, les gardiennages et les systèmes de rançonnement et de recouvrement de tributs », au point de réclamer un pourcentage sur « toutes les manifestations de la vie humaine [41] ».

Comme l'écrit un propriétaire de Misilmeri, la « confrérie » municipale est responsable d'« actes de vandalisme, arbres et vignes coupés, incendies de granges et de bâtiments de fermes » et de « la gangrène sociale » nommée « maffia ». De façon plus modérée, la police affirme que « les conseillers et les adjoints, dont plusieurs, pourtant, ont eu leurs propriétés endommagées, évitent de se mêler aux affaires qui sont du ressort de la Sûreté publique, de crainte de plus graves représailles [42] ». Peut-être sommes-nous devant une division des tâches entre la politique locale et le racket rural, sphères distinctes l'une de l'autre, mais fonctionnant en lien étroit ; nous serions alors devant le type de situation que décrit Giovanna Fiume à propos des Calderone de Marineo, pour la période immédiatement antérieure [43].

Si nous quittons cette zone partiellement transformée, dont le centre de gravité est Palerme, pour nous tourner vers la partie intérieure et latifundiaire de la province ou même plus au sud, jusqu'au « Vallone », vers la frontière avec les provinces d'Agrigente et de Caltanissetta, nous trouvons des situations différentes et un rapport beaucoup plus étroit entre villages et campagnes. Ici aussi, l'histoire des *fasci* s'insère dans la continuité des partis locaux. À Burgio, en 1891, il existe trois organisations – calquées sur la division en paroisses (de la Madone du Carmel, de Marie, de Saint-Nicolas) – qui « à cause de l'acharnement des partis […] exercent une influence sur les masses » ; en 1893, les deux premières se transforment en *fascio*, pour reprendre leur forme antérieure après la répression [44]. À Casteltermini, le *fascio*, considéré comme extrémiste, se protège contre les pièges tendus par la police en tenant ses réunions dans la demeure du grand propriétaire Francesco Lo Bue Perez, neveu d'un sénateur, aux cris de « Vive le *cavalier* Lo Bue, vive le socialisme, vive les *fasci* ! [45] ». À Contessa Entellina, ce sont les Lo Jacono, qui, avec des hauts et des bas, contrôlent le pouvoir local et le marché des gabelles depuis la fin du XVIIIe siècle, qui constituent le *fascio* et accordent leurs propres terres en métayage et non plus avec le système traditionnel de location et de sous-location [46]. Avec cette perspective de réforme des conventions agricoles, une fenêtre s'ouvre sur la grande campagne latifundiaire. « Dans les *fasci* de Girgenti – S. Maria Belice en est un exemple louable – les chefs sont propriétaires. Ils ont suggéré aux paysans […] que le travailleur, par ses efforts, son épargne et la coopération doit lui aussi devenir propriétaire ». À Santo Stefano Quisquina, le *fascio* est fondé, aux cris de « Vive le Roi et [la reine] Margherita, vive la loi ! », par le conseiller communal Vincenzo Panepinto ; il n'en adhère pas moins, comme les membres des *fasci* de Prizzi et ceux de Bisacquino (parmi lesquels Cascio-Ferro) aux grèves pour la répartition du produit proclamés par Nicola Barbato et Bernardino Verro, les prestigieux dirigeants socialistes de Piana degli Albanesi et de Corleone. Pour les modérés comme pour les radicaux, l'objectif est l'introduction du métayage.

La crise des années 1880-1890 a réduit les revenus, mais davantage les profits de l'entreprise agricole que la rente. Le résultat est l'écroulement du marché des gabelles, ce qui rend les grands propriétaires absentéistes, qui vivent à Palerme, à Rome, voire à Madrid, encore plus mal vus par la classe dirigeante municipale, laquelle se convertit soudainement à la solution du métayage, désireuse qu'elle est d'établir de nouvelles relations avec les *borgesi*, ces paysans moyens qui commencent à désespérer de pouvoir parvenir au rang de *gabellotto*. Ce sont les *borgesi* qui constituent l'ossature des *fasci*, qui vont à cheval d'un fief à l'autre pour convaincre les travailleurs de boycotter les propriétaires qui refusent d'accepter les revendications, et qui, même après la répression menée par Crispi, maintiendront en vie le socialisme « de l'intérieur[47] », du moins en certaines situations locales, où émergent des dirigeants comme Verro, Barbato, Panepinto. On peut affirmer qu'ici, socialisme et mafia s'appuient sur les mêmes groupes sociaux, tout en leur proposant deux modèles différents de mobilité et de relation avec la bourgeoisie locale et les latifundistes ; la présence simultanée, dans la même zone, de taux élevés de mobilisation politique et de mobilisation mafieuse ne saurait s'expliquer dans les termes simplistes de l'opposition action-réaction. L'information selon laquelle, dans sa jeunesse, Verro aurait reçu une sorte d'initiation mafieuse[48], qu'elle soit vraie ou non, s'insère dans ce tableau : il y a là un humus commun, dont les figures emblématiques pourraient être Verro et Cascio-Ferro, si proches par leurs origines, si éloignés dans leurs parcours respectifs.

Les statuts de nombreux *fasci* prévoient l'interdiction de s'inscrire aux personnes qui ont provoqué un scandale public, aux repris de justice, aux mafieux ; même si la porte n'est pas fermée à ce que l'*Avanti !* nomme, non sans ingénuité, « une mafia fidèle à sa généreuse origine, la rébellion légitime contre toute forme d'abus de pouvoir [49] ». *La Plebe*, journal socialiste de Santo Stefano Quisquina, nous décrit la rencontre, par hasard, de deux groupes, celui des adhérents à la ligue paysanne et celui des « mafieux » : au fil de l'échange de répliques, tous reconnaissent la supériorité morale des membres de la ligue [50]. Dans une réunion publique, à Prizzi, en 1902, Verro affirme que « depuis que le socialisme s'est développé, la petite délinquance a diminué, et on peut espérer qu'avec le temps diminueront également les assassinats ordonnés par la haute mafia [51] ». C'est l'expression de l'hypothèse du développement linéaire de la civilisation, grâce au conflit social, au cours duquel le socialisme prendrait la place de la mafia, au moins de la basse mafia, en faisant disparaître ses raisons d'existence ; quand le *cavalier* Emanuele Arezzo accuse ses paysans en grève d'avoir « une attitude nullement civilisée et absolument mafieuse », Panepinto réplique que la mafia n'est rien d'autre que le « produit spontané » du latifundium [52].

Panepinto, pourtant convaincu, en bon instituteur, que le socialisme est une forme de pédagogie collective, doit se convaincre qu'on ne peut s'attendre au caractère automatique du progrès humain lorsqu'il visite le groupe de ses compatriotes émigrés en Floride : « Nous avions des illusions sur nos travailleurs de Tampa, mais malheureusement même l'éloignement ne semble pas avoir changé d'un poil leur vieille âme d'inconscients ou de criminels. Les dollars et les hauts salaires ne servent à rien, s'il n'y a personne pour former la conscience politique et morale de ces prolétaires [53]. »

Ce voyage de Panepinto représente également une tentative d'évasion loin des difficultés du socialisme de la région de Quisquina, qui, après les enthousiasmes des grandes grèves agricoles de 1902, n'arrive pas à avoir d'élus dans les collèges électoraux locaux ou provinciaux, à cause de l'opposition permanente avec De Michele Ferrantelli. Verro aussi, persécuté par les autorités, abandonne Corleone et se réfugie à l'étranger ou accepte des charges pour le parti à Messine et à Reggio Calabria. Il est difficile de suivre une ligne de classe dans les bourgs du latifundium sicilien ; mais, par ailleurs, des hommes comme eux peuvent encore plus difficilement se recycler en dehors de cette dimension municipale.

Le mouvement paysan sort de l'impasse vers la fin de la première décennie du siècle, avec l'essor des locations collectives qui prennent la place des ligues comme instrument principal de l'organisation. Grâce à la loi Sonnino de 1906, les coopératives peuvent jouer le rôle d'agence de la Banque de Sicile pour l'attribution du crédit agricole, et donc louer les latifundia pour les concéder en lots plus petits à leurs adhérents. Par ailleurs, dans cette phase, l'usage plus grand de cultures permettant le renouvellement des sols (fève, trèfle) et la première introduction de fertilisants chimiques permettent une intensification des rotations, brisent le lien d'airain entre céréaliculture et élevage extensif qui était à la base de la grande gabelle du XIXe siècle, et rendent relativement rentable l'entreprise agricole. Après une première phase d'hostilité, les propriétaires se mettent à considérer « l'intervention collective des paysans dans les locations comme un effet naturel de l'évolution sociale[54] », en particulier parce qu'ils apprécient le soutien ainsi accordé à la rente, menacée d'abord par la crise, puis par la raréfaction de la main-d'œuvre que provoque l'émigration. La demande des coopératives remet en marche le marché des locations auquel participent maintenant le *gabellotto* particulier et le *gabellotto* collectif, pour reprendre la terminologie des contemporains qui souligne, de façon significative, leur rôle commun d'intermédiaire économique et politico-social vis-à-vis de la grande et unique ressource qui existe dans la société paysanne ; cependant, en transformant la contiguïté en concurrence, les coopérateurs prennent place dans la compétition pour le monopole qui, comme nous le savons, peut provoquer la sanction suprême.

Cela commence avec Bernardino Verro, contraint par un attentat, en 1910, à abandonner Corleone. Lucidement, il décrit les différents niveaux du réseau mafieux : dans le bourg, le *gabellotto* et chef mafieux Michelangelo Gennaro ; à l'échelle de la province, la « clique » protégée par le sous-préfet Spata, qui a pour épouse une Torina, de Caccamo, descendante d'une antique dynastie mafieuse, et par Vincenzo

Cascio, membre du conseil administratif provincial ; tous deux sont liés, par voie de clientèle et de parentèle, au député Avellone, qui fut un des témoins à décharge de Palizzolo et qui, comme ce dernier, fait partie des partisans de Rudinì mis en place, à l'époque, par l'opération « moralisatrice » de Codronchi. Enfin, cette évocation comporte aussi une connexion avec Palerme : « Avellone n'est pas l'inspirateur ou le mandant [de l'attentat], mais c'est le député du collège qui doit demeurer l'homme lige de ses parents et de ses grands électeurs. Je l'ai vu moi-même, au café du Teatro Massimo à Palerme, en discussion avec Gaspare Tedeschi, Palermitain qui habite à Villafrati, où il tient lieu de chef de la mafia et où il a caché Giovanni Mancuso, un des deux, celui qui m'a tiré dessus et qui fut ensuite blessé par balle quand on le transporta à la clinique de Palerme, tenue par le professeur Giuffrè, frère du chef mafieux de Casalvuturo et qui est au courant de l'histoire, à propos de la location, qui m'a valu ces coups de fusil. Quel méli-mélo ! Quel embrouillamini ! Ce Tedeschi est un type bien connu par la magistrature palermitaine, et un soir, justement, il est venu me trouver, *piazza* Bologni, pour jouer les juges de paix entre moi et la mafia[55]. »

Et cela continue avec Lorenzo Panepinto, le dirigeant du socialisme de la région de Santo Stefano Quisquina, en plein essor après avoir obtenu le financement de la Banque de Sicile pour la location de l'ex-fief Mailla. « Décidément, le "subversif" de 1911 est beaucoup plus à craindre pour ces messieurs que ne l'était le subversif de 1893[56] » et, par conséquence, la sanction doit être plus dure. Le 16 mai 1911, Panepinto est assassiné sur le seuil de sa maison. Ses imposantes funérailles remettent au premier plan une Sicile profonde et antique, qui, pour le correspondant de *L'Ora*, évoque « une tribu sauvage » ; l'expression de la douleur collective se joue entièrement autour de figures féminines : entourant la fille du chef défunt, « les femmes de S. Stefano, ceintes de leurs châles noirs, semblaient en proie à on ne sait quelle passion et hurlaient de façon épouvantable. [...] Vengeance était le mot qui courait sur toutes les bouches ». « Vengez-le, vengez-le », ne cessait de répéter la veuve de Panepinto, en guise de complainte[57]. Mais, naturellement, le socialisme ne peut s'opposer à ses adversaires avec leurs propres armes : « Il ne paraît pas possible que nous soyons en 1911 », note, déses-

péré, Verro, accusé d'être un *cascittuni* [un mouchard], incapable de trouver une voie intermédiaire entre « devenir un
délinquant, un instigateur de la délinquance ou mourir
assassiné[58] ».

Quand, au printemps 1914, la gauche triomphe à Corleone,
lors des élections administratives, Verro doit assumer à nouveau la charge de maire, bien qu'il ait pleine conscience du
danger : « C'est boire ou se noyer. […] Que serait-il advenu
de ce mouvement socialiste si les travailleurs, après avoir eu
le pouvoir entre leurs mains, y avaient renoncé[59] ? » À peine
un an plus tard, il est abattu en plein village. Une autre année
se passe et un attentat vise Nicolò Alongi, ancien membre des
fasci, dirigeant du mouvement paysan à Prizzi, paysan lui-
même. Après une trêve, Giuseppe Rumore, secrétaire de la
ligue paysanne, est tué en septembre 1919. Dès lors, Alongi
se définit comme « un mort en congé » et fait ses adieux à ses
camarades : « Je ne sais pas si demain je pourrai revenir vous
embrasser, mais je suis certain que quelqu'un se dressera pour
reprendre le drapeau que l'on veut m'arracher des mains[60]. »
Un mois plus tard à peine, le socialisme du latifundium pleure
une nouvelle victime.

La façon dont se déroulent les batailles pour la location des
fiefs dans la région de Prizzi, avant et surtout après la guerre,
indique clairement quelles sont les causes du crime. Tandis
que les propriétaires sont « disposés à céder », la « force
négative » vient des *gabellotti* locaux et de leurs « rapports de
réciprocité, d'association, d'intérêts et aussi de maffia[61] ». Le
plus important de ces *gabellotti* est un homme très lié à
Cascio-Ferro, Silvestre Cristina, qui sera lui aussi assassiné,
quelques années plus tard, à Palerme[62] ; le numéro deux est
Giorgio D'Angelo, fils du Luciano D'Angelo que nous avons
rencontré comme chef mafieux, dans les années 1880, et
comme *manutengolo* de la bande de don Peppino le Lombard
dans les années 1860. Par ailleurs, l'assassin présumé de
Panepinto est un certain Giuseppe Anzalone, jeune *gabellotto*
de Lercara, qui a le même lieu de naissance et le même
prénom (sans doute est-ce son petit-fils) qu'un autre *manuten-*
golo, bien connu, de la bande ; cet Anzalone Jr. est un personnage important, comme le prouve le fait qu'il soit le « filleul »
de Camillo Finocchiaro-Aprile, le député de Lercara qui fut
ministre de la Justice[63]. Ainsi, cinquante ou soixante ans plus

tard, le rôle fondateur joué par la bande de don Peppino est-il confirmé.

Le tableau de la mafia du latifundium, dans les vingt premières années du siècle, est pourtant plus complexe, davantage lié au nouveau qui est en train d'émerger. La mort de Panepinto est, certes, à mettre en rapport avec « le soulèvement de la mafia des *gabellotti*[64] », mais aussi avec l'opposition entre les socialistes et la caisse rurale catholique, avec laquelle, semble-t-il, les mafieux entretiennent des rapports fort amicaux. Une bonne part des problèmes de Verro à Corleone provient de la difficulté qu'il y a à éviter que la coopérative socialiste ne soit la proie d'intérêts affairistes ; la police estime que la mafia est parvenue à y prendre pied par l'intermédiaire d'Angelo Palazzo, l'administrateur que Verro dénonce pour malversation[65]. Il y a donc, en somme, à la fois une tentative pour faire obstacle aux coopératives, mais aussi pour s'en emparer. Le *gabellotto* collectif peut représenter un instrument de restructuration du pouvoir mafieux ; de même, de façon plus générale, vers la fin des dix premières années du siècle, la machine politique locale de la Sicile occidentale tend à s'articuler de façon différente, avec la généralisation de l'instrument que constituent les locations et les caisses rurales. De véritables puissances se créent, comme la Fédération sicilienne des coopératives qui, en 1911, regroupe, sous la direction du radical-socialiste Enrico La Loggia, 313 organisations de la région d'Agrigente. De la même façon, les prêtres Michele Sclafani et Luigi Sturzo, le premier modéré, l'autre démocrate-chrétien, rénovent le mouvement catholique.

Prenons le cas de Villalba, village du Vallone, théâtre traditionnel des opérations des brigands et d'un conflit entre les latifundistes, qui n'y résident pas, et les *borgesi*, protagonistes de grèves retentissantes, en 1875, 1893, 1901 et 1907 ; ces derniers, selon les circonstances, sont prêts à s'allier « avec les *gabellotti* contre le feudataire, ou avec celui-ci contre les *gabellotti*[66] ». Le conflit concerne deux fiefs, Miccichè et Belici ; l'un est une propriété de la famille princière palermitaine des Trabia, l'autre est également administré depuis Palerme, mais appartient au duc Francesco Thomas de Barberin, qui vit à Paris. Au ferme contrôle des Trabia sur le premier correspond le pouvoir des intermédiaires sur le second : il s'agit des inévitables Guccione qui en ont fait un refuge pour les brigands (ce fut ainsi le cas pour Leone). C'est du fief Belici que les habitants de Villalba, organisés dans la caisse rurale catholique, demandent la location, qu'ils obtiennent en 1908 : « L'idéal était atteint, – pourra écrire don Sgarlata, prêtre du village et président de la société – l'usure avait presque complètement disparu, les oppresseurs et les intermédiaires étaient éliminés. Le paysan a reconquis, avec sa liberté, l'amour des champs et du travail ; maintenant qu'il est devenu *gabellotto* et qu'il travaille pour son propre compte [...], il sait que la sueur qu'il verse lui procurera des biens en abondance[67]. »

Mais, aux yeux de la population, tout le mérite de l'opération revient au jeune neveu du prêtre, Calogero Vizzini, qui, quelques années auparavant, avait été arrêté comme *manutengolo* du bandit Varsalona mais qui, en l'occurrence, en tant que garant de la transaction entre le propriétaire parisien, l'administrateur palermitain, la coopérative, les paysans (et les Guccione !), gagne le titre de *don*, destiné à accompagner son nom au cours d'une longue et emblématique carrière. La gabelle lui est confiée personnellement, selon une pratique assez courante lors des transactions entre latifundistes et organisations paysannes et qui tend à mettre en valeur le rôle central que joue la crédibilité *personnelle*, financière ou politique. Dans le cas d'espèce, don Calogero, ou plus familièrement don Calò, garde pour lui une part conséquente du fief (290 hectares) et accorde gracieusement le reste à la caisse rurale[68]. La mobilisation collective offre à la médiation des notables (et) mafieux de nouveaux champs d'application.

3. Ancienne/nouvelle mafia

Cammarata, 1891. Luigi Varsalona – le fils d'un ancien brigand de la bande de don Peppino, mort en prison – se dispute avec ses complices à propos de la division du butin après un vol au détriment du prince de Mirto. Il est tué. Le procès contre les assassins se conclut par un verdict plutôt doux, grâce à l'intervention d'un témoin à décharge ; moins d'un an plus tard, ce témoin est tué à son tour dans un guet-apens tendu par le frère de Luigi, Francesco Paolo Varsalona, qui s'enfuit après le meurtre [69]. *S. Mauro Castelverde, 1894*. Le paysan Mariano Farinella est tué par des membres du clan Glorioso, qu'il accuse du vol d'une vache. Le jeune fils de la victime, Vincenzo, assiste au crime et, après bien des hésitations, « en rompant le silence » habituel, il s'adresse aux autorités. Le procès se conclut cependant par l'acquittement des Glorioso et il est suivi par l'élimination du « mouchard » (en 1899). Quelques mois plus tard, lors de l'attaque nocturne d'une ferme, trois des assassins présumés des Farinella sont massacrés : les enquêteurs désignent comme responsable Antonio Farinella, fils et frère des deux morts. Deux Glorioso s'enfuient alors en Amérique mais, lors de leur retour au pays, quatorze ans plus tard, ils sont victimes à leur tour de la vengeance d'Antonio Farinella et de ses quatre frères [70].

Ces deux cas voient se dérouler les séquences classiques de la saga des brigands : le proche assassiné, le déni de justice, la vengeance. Pourtant, la coïncidence entre mythe et réalité ne va pas plus loin. Farinella deviendra un représentant typique de « la Haute Mafia », tenancier, maire, mais aussi *manutengolo* de Melchiorre Candino, le principal représentant du banditisme de la région de S. Mauro Castelverde [71]. Varsalona restera dans le maquis pendant plus de dix ans, personnifiant ainsi ce que l'inspecteur Alongi désigne comme le tournant du brigandage : abandon de l'enlèvement et application dans la partie intérieure de l'île d'une stratégie de racket empruntée à la mafia côtière, avec la création d'un réseau comprenant bandits, *campieri*, paysans et propriétaires, avec le prélèvement « d'une nouvelle espèce de surtaxe foncière qui permet aux propriétaires et aux *gabellotti* de se déplacer librement dans la campagne [...], avec la certitude de récupérer ce qui leur serait volé par des délinquants extérieurs à la bande, qui sont inexorablement supprimés [72]. »

Dans les cas de Varsalona et de Farinella, on voit donc émerger la contiguïté des rôles de mafieux et de brigand, la différence résidant dans le mandat d'amener. Candino vit pendant plus de trente ans dans le maquis et cette vie est, d'après l'opinion publique, tolérée « du fait des services rendus à la Sûreté publique [73] », et entretenue « par les allocations des feudataires » ; elle se terminera avec la touche surréaliste de la manifestation publique de sympathie à son égard des notables de Gangi, qui s'inquiètent du maintien de l'ordre dans les campagnes après que le brigand s'est retiré des affaires[74]. Nous sommes bien éloignés, dans ce scénario sicilien, de la figure du « *primitive rebel* », du redresseur des torts que riches et puissants font subir aux pauvres. Deux membres de la bande Varsalona s'en rendent compte à leur détriment lorsqu'ils proposent, « dans un moment d'ébriété », d'enlever un certain G. G. (Guccione) qui a fait exproprier le père de l'un d'eux ; comme il s'agit, à l'accoutumée, « du donateur le plus libéral et le plus généreux pour l'association », la seule formulation de cette idée frappe si négativement le chef de bande qu'il énonce une sentence de mort, aussitôt exécutée, à l'encontre des deux imprudents brigands[75]. Face au « crescendo impressionnant » des vols de bétail, certains seront contraints *d'abandonner* « la culture des champs et des fiefs », déplore le maire de Contessa Entellina, Nicolò Lo Jacono, dont la famille est soumise à la pression du brigand Grisafi. Mais, à l'inverse, d'autres utilisent un rapport positif avec un bandit pour *entrer* dans le marché des locations : ainsi, Emanuele Coco, chef mafieux de Chiusa Sclafani, peut prendre la place des Lo Jacono[76]. Autour du hors-la-loi, nous trouvons toujours les mêmes personnages : le notable, qui joue le rôle de médiateur avec la société locale ; le mafieux palermitain, les intermédiaires, les paysans, les marginaux[77]. Même dans les couches subalternes de la société, il y a des victimes et des profiteurs des entreprises (dans les domaines de l'agriculture, de l'élevage, du commerce et même de l'industrie[78]) que gère le hors-la-loi à l'intérieur des réseaux de parentèle et de clientèle.

De nombreux fonctionnaires de la Sûreté publique « répètent que la délinquance exerce une telle prédominance que toute mesure est inefficace[79] ». Une entreprise de Catane, qui construit une ligne de chemin de fer, ne peut éviter le départ de ses ouvriers, originaires de Syracuse, effrayés par l'assassinat d'un technicien qui travaillait à leurs côtés et, plus généralement, par les douze meurtres commis en un an dans le territoire de Prizzi et Palazzo Adriano ; les autorités observent tranquillement que « compte tenu des circonstances, il n'y a là rien d'anormal[80] ». D'ailleurs, quiconque veut enquêter sur les protections et les complicités avance sur un terrain miné. Cutrera est désapprouvé à deux reprises par

ses supérieurs : la première fois comme enquêteur, lorsqu'il
tente de « coincer », en tant que *manutengolo* de Varsalona, le
baronnet Peppino Coffari de Cammarata ; la seconde comme
chercheur, lorsqu'il souligne l'impuissance des autorités[81].
Le courtier qui s'est fait voler une grosse somme au cours de
l'attaque de la « voiture postale » Palerme-Camporeale craint
que la situation ne se perpétue indéfiniment : « Avec les liens,
les protections et les garanties qu'ils ont auprès des *onorevoli*
de Sicile, qui sont d'accord avec la mafia, quand arrive le jour
du procès, ils en imposent aux jurés par leurs menaces et ils
s'en tirent en obtenant leur liberté[82]. »

Évidemment, le système n'est ni aussi globalisant ni aussi
stable : la protection a, comme toujours, un caractère
clientélaire ; certains, saisis à la gorge, paient, d'autres résistent. De temps à autre, sous forme de dénonciation ouverte ou
de lettre anonyme, les protestations atteignent les autorités
qui mobilisent des forces dans les zones chaudes ; on assiste
alors à la fuite des *manutengoli* qui quittent les localités qui
sont les centres des réseaux – Cammarata et Castronovo dans
le cas de Varsalona – « avant même que les escouades et les
fonctionnaires ne rejoignent les postes qui leur ont été attribués – et c'est là une preuve spontanée et non recherchée du
large prosélytisme de l'association criminelle[83] ». Les
escouades sont des groupes mobiles comprenant des carabiniers et des agents de la Sûreté publique, qui, au fil du temps,
prennent la place de l'armée pour le contrôle du territoire,
sous la direction d'habiles fonctionnaires tels les commissaires Cesare Mori et Augusto Battioni.

De la sorte, de nombreux bandits sont capturés, mais la
Grande Guerre survient et fait empirer la situation du fait du
retour de Tunisie et d'Amérique de nombreux repris de justice et, surtout, de la réactivation du circuit *insoumission-
maquis-banditisme*.

« Plus de la moitié des terres n'a pas été cultivée et, chez
nous, misère, troubles et révolution sont synonymes. Ajou-
tons à cela qu'il y a une immense recrudescence des vols de
bétail et des crimes dans les campagnes. On assiste à des
incursions de plusieurs milliers – entre 20 000 et 30 000 – de
déserteurs qui pour l'instant demandent du pain et qui demain
seront organisés en bandes armées : le brigandage classique
des temps les pires[84]. » En effet, le vol de bétail représente

l'activité principale des hors-la-loi anciens et nouveaux, tandis que les *campieri* permettent le passage des troupeaux à travers les fiefs et que les mafieux falsifient les papiers nécessaires aux contrôles. La faible disponibilité de main-d'œuvre et de capitaux entraîne le passage de la céréaliculture à l'élevage, étant donné les prix élevés de la viande (du fait de la forte demande de l'armée), l'inflation et la suppression de la taxe sur le blé qui ne sera rétablie qu'en 1924. Il s'agit d'une oscillation typique de l'économie latifundiaire qui, selon les cycles, met l'accent sur l'élevage ou sur l'agriculture. La législation du temps de guerre et de la période qui la suit, en bloquant les loyers, rend la gabelle toujours plus attrayante pour ceux qui arrivent à éviter d'être les victimes de vols de bétail ou, mieux encore, qui parviennent à faire en sorte que ce malheur-là et d'autres ne s'abattent sur leurs concurrents. « Un ancien fief, dont la gabelle était fixée à 11 000 lires, en rapportait près de 150 000. Il fallait donc imposer aux propriétaires qu'ils cèdent leurs terres pour des loyers dérisoires ; ainsi la fortune était prompte, rapide, sûre : la *baronia*[85]. »

La réponse de l'État doit tenir compte de la carence numérique des forces, qui amène à dégarnir des zones stratégiques comme la campagne palermitaine. À l'intérieur de l'île, agissent les « escouades pour la prévention et la répression du vol de bétail » qui mènent à son terme l'évolution ébauchée durant la période précédente. Les escouades, groupes de 7 ou 8 personnes à cheval, vont d'une province à l'autre, rentrent rarement dans leurs bases de départ et ne comptent pas sur des renforts en cas de conflit ; c'est une tactique dangereuse, comme on peut le voir en octobre 1916, lorsque, près de Contessa, 2 policiers sont tués tandis qu'ils poursuivent Grisafi. Il ne s'agit pas d'un retour à la période qui suivit l'Unité, avec les sièges de villages et la répression aveugle. Les escouades demeurent un instrument de police et suivent les indications d'un système d'information très au point grâce auquel Mori, sur les territoires de Caltanissetta, Agrigente et Palerme, détruit les bandes Carlino et Grillo et parvient finalement à capturer Grisafi ; autour de ce dernier fonctionne un réseau qui ne comprend pas moins de 375 *manutengoli*, dont 90 de Caltabellotta, son village natal[86].

À la fin de la guerre, la situation est grave. À l'est, dans les Madonie, la dissolution du royaume de Candino laisse le champ libre à ses adversaires, comme le vieil hors-la-loi Gaetano Ferrarello, auquel s'unissent son neveu Salvatore Ferrarello, Nicolò Andaloro, les frères Dino et Onofrio Lisuzzo. L'objectif reste la constitution d'un réseau de *campieri* et de tenanciers et le prélèvement d'une taxe sur la propriété au moyen de la lettre de menace, du vol d'animaux et des déprédations. Un grand médiateur, le baron Sgadari, de Gangi, garantit les accords : « À titre d'arrangement, je les ai amenés à se contenter de 8 000 lires – écrit-il à son beau-frère Leonardo Signorino, accablé de lettres d'extorsion – tandis que, de leur côté, les engagements pris en ma présence demeurent ce qu'ils étaient ». Le baron Pottino doit pourtant céder aux injonctions de son *campiere,* qui admet cependant qu'un précédent paiement « aurait dû le dispenser de tributs ultérieurs ». « Je vous demande seulement 10 000 lires de plus – écrit Andaloro à Signorino –, prenez garde à ne pas vous faire bercer d'illusions *par quelque faux ami, qui voudra certainement sa part de la fête, entre vous et moi*, sinon je vous jure que vous éprouverez la force de mon courroux[87]. »

Ce dernier point fait allusion aux oppositions entre aspirants protecteurs ; en effet, le banditisme de Gangi, qui à certains moments agit de façon coordonnée, traverse également des phases de conflictualité interne, comme celle qui, en 1922, entraîne l'arrestation d'Andaloro par le commissaire Battioni, par suite d'une information donnée par son ami-ennemi Ferrarello. La réglementation des conflits devient plus difficile par rapport au temps où Candino et Varsalona avaient aisément trouvé un accord de répartition de la province – l'un à l'ouest, l'autre à l'est ; l'offre et les appétits criminels se multiplient. C'est à cette époque que commence la vendetta entre les Barbaccia et les Lorello pour le contrôle du bois de la Ficuzza, lieu de repos pour les troupeaux volés entre Corleone et Palerme[88] ; dans le petit village de Godrano, du premier au second après-guerre, il y aura, de ce fait, 58 morts. Les incursions contre des fermes où, de sang-froid, sont massacrées des familles entières, femmes et enfants compris, sont particulièrement impressionnantes : ainsi, celles de Burgio et de Sclafani, en 1922 (respectivement

7 et 8 morts). La raison de ces crimes ? « La prédominance dans la mafia[89]. »

Le premier massacre prend place dans une vendetta interminable, qui commence au début du siècle, dans le territoire délimité par Lucca Sicula, Bivona et Burgio ; une des factions a juré « de supprimer même les chats » de la faction adverse[90] ; le second s'insère dans le conflit entre la bande Dino, qui se développe depuis Gangi vers le sud-ouest (Petralie, Polizzi, Alimena), et la « vieille mafia », dirigée par les Mogavero, de Polizzi, et les Sorce, de Mussomeli, avec lesquels s'allie l'autre groupe de Gangi, qui a pour chef Lisuzzo. De féroces représailles sur les *manutengoli* des uns et des autres pacifications feintes, de trahisons en haines entre frères, il serait vain d'opposer banditisme et mafia d'ordre poussée par un simple « sentiment d'autodéfense » : dans les deux partis, nous trouvons en effet « soif immodérée d'enrichissement, […] vols à main armée, extorsions, meurtres[91] » ; dans les deux cas, l'ambition est d'établir son ordre *propre*.

Le conflit qui se déroule à l'est, vers la région de Mistretta, est moins violent. Pour les *gabellotti* et les *campieri* locaux, poursuivre les voleurs de bétail signifierait entrer « sur les terres de Ferrarello » ; mieux vaut recourir à un médiateur, le prier de « dire quelques mots à Gangi » pour négocier le prix du rachat et récupérer les bêtes[92]. Une grande quantité de lettres de cette teneur est trouvée, au cours de deux perquisitions en 1925 et 1926, dans le bureau de l'avocat Antonio Ortoleva, de Mistretta ; conseiller communal, possédant, maître Ortoleva a défendu avec succès plusieurs personnes inculpées pour vol de bétail, parmi lesquelles un des Farinella. Les lettres mettent en évidence le rôle joué par Ortoleva dans le mécanisme vol de bétail-rançonnement, dans les pressions sur les jurys, dans le racket des gabelles. Il arrive que ce soit par son intermédiaire que les propriétaires paient le *pizzo* destiné aux hors-la-loi. Instructions et nouvelles sur des crimes de sang apparaissent, en un code qui, au vrai, n'est pas si clair que cela. D'après un de ses anciens fidèles, il dirige un tribunal de mafia, actif depuis 1913, qui prend des décisions sur les affaires, mais aussi sur la vie et la mort ; et, de fait, la sanction capitale s'abat sur le dénonciateur[93].

Il est à noter qu'Ortoleva reçoit des lettres de la région de Mistretta et, plus généralement, de la province de Messine, de la partie orientale comme de la partie occidentale de la province de Palerme, des régions de Caltanissetta et d'Enna, et même de la province de Catane. Cet élargissement des réseaux mafieux vers la Sicile orientale s'effectue selon une logique de contiguïté territoriale un peu différente de celle que nous connaissons par l'histoire de Bartolomeo Badalamenti dans la proche Palagonia. Prenons le cas de deux correspondants de l'avocat, les frères Tusa, de Mistretta, qui s'entendent avec lui sur le personnel à employer dans un fief, après avoir pris connaissance de « la volonté de nos sages amis », qui servent d'intermédiaires entre un prêtre possédant et le brigand Salvatore Rapisarda, d'Adrano, qui veut « le protéger [94] ». Les Tusa, et leurs cousins, les Seminara, avancent progressivement vers le sud-est, le long des chemins de transhumance qui, depuis les montagnes de la région de Messine, emmènent les troupeaux passer l'hiver dans le Calatino : en 1906, nous les trouvons à Leonforte, où ils sont administrateurs des fiefs du prince de Gangi ; après la guerre, ils sont tout près de Catane [95]. D'ailleurs, dans la partie intérieure de la province de Catane, les *gabellotti* viennent en général de l'ouest et amènent habituellement, dans leurs bagages, *campieri* « durs » et bonnes relations avec les hors-la-loi [96]. « C'est une tradition de ma famille – affirme l'*onorevole* Gesualdo Libertini – de prendre comme *campieri* d'excellents éléments de Mistretta [97] » : tradition à laquelle Libertini lui-même est fidèle en 1926, quand il demande aux Tusa et aux Seminara de gérer le grand fief de Mandrerosse, sur le territoire de Ramacca, autrefois propriété de la commune de Caltagirone et cédé par cette dernière au notable, grâce à la médiation de Luigi Sturzo ; tradition d'ailleurs confirmée dans les années 1930 et 1940 lorsque Sebastiano Tusa, le seul des frères à ne pas avoir été impliqué dans l'enquête [98], continuera à administrer la propriété en faisant également fonction de podestat dans le bourg nouveau-né de Libertinia. Cette route une fois ouverte, un parcours en sens inverse peut amener les hors-la-loi de la Sicile orientale à se mettre sous la protection de la mafia dans les Madonie : c'est l'histoire du contrebandier de Catane Luigi Saitta, qui aura des prolongements importants [99]. L'expansion des *gabellotti* et des *cam-*

pieri de Mistretta vers les zones d'ancienne mafia est moins pacifique : le baron Giuseppe Camilleri, de Catane, qui, depuis 1913, leur confie ses terres de la région d'Agrigente, doit changer de politique face à la dure réaction venue de Canicattì [100].

Avec l'ampleur du réseau de relations et le statut social d'Ortoleva, il semble bien que l'on atteigne le niveau de la « Haute Mafia ». Les protagonistes du procès de 1928-1929 eurent l'impression d'être arrivés au niveau de la « centrale interprovinciale » de l'île. Voici la plaidoirie d'Angelo Abisso, député de la province d'Agrigente, représentant la partie civile : « Comme la mafia est un État dans l'État, elle a besoin d'une personnalité décorative qui, à l'instar d'un ministre plénipotentiaire, puisse la représenter dans les rapports diplomatiques avec l'autre État. Maître Ortoleva [...] parvient à participer aux luttes politiques et à en déterminer l'issue, à rentrer en contact avec les autorités de l'État et à les asservir, à s'introduire en sous-main dans l'administration de la justice et à en dévier le cours. La toge du défenseur servait excellemment à couvrir les intrigues louches et les relations troubles [101]. »

Au vrai, le rôle d'ambassadeur ne correspond pas à celui de chef, et c'est de cette différence qu'il faut partir pour comprendre comment, soudainement, on nous propose pour capitale de la mafia Mistretta, village précédemment peu marqué par le phénomène mafieux, où traditionnellement « l'arrogance du pouvoir [...] ne requérait pas d'instruments spécifiques autres que son mécanisme bien huilé d'autoreproduction et de cooptation [102] ».

Je distinguerai deux niveaux. Le premier est celui du réseau de relations au sein duquel Ortoleva joue le rôle de médiateur pour la récupération des animaux volés ; il a l'ampleur du rayon d'action et de déplacement des troupeaux, des *gabellotti* et des *campieri*. Ensuite, dans l'espace plus restreint de la région de Mistretta, un agrégat dont la transformation après la guerre – de la sphère de la clientèle à celle de la délinquance – ne doit pas être interprétée sur la base d'une logique d'évolution uniquement interne, mais à la lumière d'une poussée provenant des Madonie ; c'est cette dernière qui, dans les zones limitrophes, provoque des recompositions des systèmes territoriaux afin que la propriété et les intermé-

diaires puissent se heurter ou négocier[103]. Sous d'autres
aspects, l'histoire de Contessa étudiée par Blok à partir des
actes du procès de 1929 indique un processus analogue, la
mise de côté violente de la *cosca* locale – dirigée par la
famille Gassisi – par le groupe de Cascio-Ferro situé sur l'axe
Burgio-Bisacquino-Corleone. Contre l'évidence qui ressort
de son propre travail, l'anthropologue hollandais répète pourtant qu'il faut presque exclusivement tenir compte de la
dimension municipale : « Il n'existe pas de terme local pour
désigner un ensemble de mafieux dans des zones plus éten-
dues de la communauté. Chaque village et chaque centre
urbain avait sa propre *cosca*. Ses membres agissaient sur un
territoire distinct et limité qui correspondait généralement à la
commune. [...] La *cosca* locale était une petite unité relativement autonome[104]. »

En fait, c'est précisément dans cette phase historique que
l'idée de la *cosca* comme système villageois fermé sur lui-
même, déjà peu réaliste si on l'applique au XIXe siècle, devient
clairement erronée.

4. *Un premier après-guerre*

Le premier après-guerre connaît les extraordinaires transformations de la proportionnelle (1919) dans lesquelles cul-
minent les effets du suffrage universel masculin (1913), du
retour chez eux de milliers d'hommes décidés à obtenir une
vie meilleure, des luttes pour la terre. Nous sommes à l'avant-
dernier acte de la crise/transformation séculaire de l'économie latifundiaire, avec laquelle se combinent des facteurs
conjoncturels comme la transformation régressive de la
céréaliculture en élevage, dont le résultat est considéré
comme inadmissible par les mouvements paysans qui s'y
opposent par les occupations des terres, les insurrections, les
demandes d'intervention de l'œuvre nationale des combattants (ONC), les projets de réforme agraire. Le processus
débouche sur une mobilisation du marché foncier qui va durer
jusqu'au virage déflationniste de la seconde moitié des années
1920 : 314 fiefs sont vendus et divisés en lots, pour un total de
139 802 hectares (51 971 par tractation directe, 45 346 par
l'intermédiaire de particuliers, 41 482 par l'intermédiaire de

coopératives) [105]. Les deux derniers chiffres indiquent comment, pour atteindre ses objectifs, la poussée paysanne a besoin en bien des cas de médiateurs, individuels ou collectifs : coopératives, caisses rurales, sociétés « ouvrières », qui sont toutes des articulations des partis locaux. C'est le contexte qui définit l'éventuelle composante mafieuse. Les exemples de la Sicile orientale, quoique isolés, n'en sont pas moins significatifs : Palagonia, où Bartolomeo Badalamenti contrôle la division du fief ; Adrano, où un repris de justice, de retour d'Amérique, assume la charge de maire et s'introduit dans la caisse rurale catholique et dans les opérations de division en lots [106]. Ortoleva participe aux distributions domaniales en 1921-1922 [107], mais il serait difficile de le définir pour autant comme mafieux si nous ignorions son action dans les domaines du vol de bétail, du racket, des relations avec les hors-la-loi.

À Ribera existent deux factions. L'une a pour chef le pharmacien Liborio Friscia, oncle du député ancien combattant Abisso ; l'autre a à sa tête l'*onorevole* Antonino Parlapiano-Vella, de tendance cléricale modérée, et son frère Gaetano, maire du pays. À l'été 1919, la coopérative « Cesare Battisti », dirigée par Friscia, s'adresse à l'ONC en demandant, pour ses huit cents membres, la location du latifundium qui s'étend sur plus de la moitié du territoire de la commune et appartient à don Eristano Alvarez de Toledo, duc de Bivona, sénateur et grand d'Espagne. Fort préoccupé, don Eristano arrive au pays, qu'il n'a jamais visité auparavant, avec l'idée de tout vendre aux Parlapiano ; mais les anciens combattants séquestrent le duc pendant trois jours (26-28 janvier 1920) dans le palais de ses ancêtres et, en le soumettant à d'énergiques pressions, le contraignent à louer ses terres à la « Cesare Battisti ». Dès qu'il est libéré, Sa Grâce transforme en incident international les violences que les « bolcheviques » de Ribera lui ont fait subir [108]. Ainsi, les Parlapiano achètent le fief et le louent à trois coopératives constituées *ad hoc* par des *campieri* appartenant à la mafia locale, qui, à leur tour, les sous-louent « à des prix fort élevés » à d'autres membres desdites coopératives ; par ailleurs, ils préparent la vente parmi les adhérents de leur clientèle [109].

En l'occurrence, ce sont les propriétaires de latifundia qui veulent vendre en accord avec les médiateurs politiques et financiers. Le cas du fief Polizzello, de Mussomeli, qui appartient à la famille princière des Trabia, est différent. Ici, les coopératives « Combattenti » et « Pastorizia » demandent initialement l'intervention de l'ONC pour une expropriation, puis, face à la réaction des Trabia, ils acceptent de gérer un *statu quo* qui puisse garantir le rôle des institutions intermédiaires, dans lesquelles, souvent, les membres sont eux-mêmes une élite qui gère ensuite la sous-location. C'est dans une telle activité que se forme Giuseppe Genco Russo, considéré comme l'alter ego de Calogero Vizzini, auquel, de fait, il est lié par des liens de compérage ; des membres de la famille Genco font office de *campieri* dans les entreprises agricoles de don Calò. La figure de Genco Russo possède cependant des caractéristiques criminelles plus marquées ; il croise souvent la justice, surtout à cause des conflits sanglants qui l'opposent à divers groupes (qui, par ailleurs, se combattent également entre eux) de la famille Sorce, qui s'emploie à contenir la bande de Gangi dirigée par Dino [110]. Voyons maintenant le cas de Villalba. Ici, la coopérative des anciens combattants occupe le fief Belici et demande, en un premier temps, sa location. Depuis 1909, la propriété est passée entre les mains de Matteo Guccione en personne ; ce nouveau latifundiste, comme les anciens, n'apprécie pas les coopératives, les commissions provinciales pour les terres incultes et les institutions « expropriatrices » comme l'ONC. Encore une fois, grâce à la médiation de Calogero Vizzini, en excluant les anciens combattants, un accord d'achat-vente est passé avec la coopérative catholique ; lorsque cette dernière ne parvient pas à s'acquitter dans les délais prévus, c'est encore don Calò qui convainc Guccione de ne pas revenir en arrière [111]. S'agit-il d'un accord entre hommes d'honneur désireux de ne pas annuler une affaire d'importance ? Ou s'agit-il de la remise des comptes entre deux générations ? Si nous considérons qu'à la même époque Guccione est contraint, « par des moyens frisant l'escroquerie », à accepter la participation de Giuseppe Sorce dans une autre de ses propriétés [112], nous pouvons à bon droit considérer comme emblématique cette relève de la garde du fief Belici, qui procure à Vizzini, au-delà des revers peu reluisants de cette transaction complexe, des terres excellentes pour lui-même, le renforcement de son autorité et de sa renommée auprès de ses concitoyens.

La comparaison entre Mussomeli, Villalba et Ribera est éclairante. Genco Russo reste, pour le moment, le médiateur entre le prince et la communauté. Au contraire, Vizzini possède déjà, tout autant que les Parlapiano, la capacité politique et financière lui permettant de piloter l'ensemble de l'opération d'achat et de vente. Il s'agit d'un « homme riche, puissant, craint », d'un « gentilhomme, plusieurs fois millionnaire », qui possède « de grandes propriétés, y compris hors de la province [113] » ; il est engagé dans la gestion (il s'agit, dans ce cas également, de « gabelle ») et dans l'achat de soufrières, même si, comme c'est le cas pour d'autres industriels du soufre de la région de Caltanissetta, la crise va l'abattre. D'ailleurs, même dans cette dernière circonstance, il fait preuve de ses capacités : il obtient de gros prêts de la Banque de Sicile, intervient dans le débat sur le sort du consortium du soufre, participe à Londres, en 1922, aux négociations en vue de la mise en place d'un cartel international du soufre auprès de personnalités de l'importance de Donegani, fondateur de la Montecatini, ou de Jung, futur ministre des Finances [114].

Ainsi, Vizzini est loin de correspondre au stéréotype de l'oncle de campagne, qui n'est jamais sorti de son village, du notable qui s'intéresse à son statut social et non au profit, sur lequel se fonde l'image de la mafia *traditionnelle* et *protectrice* ; et si ce premier aspect est faux, dans la mesure où nous sommes face à d'évidentes discontinuités historiques, celui de la « tutelle » communautaire paraît effectivement important. Vizzini, Ortoleva et Genco Russo montrent comment, dans cette phase historique, la figure du mafieux se rapproche de celle du notable qui, avec une phraséologie progressiste, mais des objectifs affairistes et clientélaires, joue sur les processus de démocratisation et les instrumentalise.

Et les groupes qui obtiennent le plus grand nombre de suffrages aux élections de 1919 et de 1921 sont *progressistes* : la nébuleuse « anciens combattants » qui se répand dans l'ensemble de l'île, les radicaux, les socialistes réformistes, les démocrates sociaux. Le nouveau parti populaire, ou catholique, s'inscrit autant que les autres (et peut-être davantage) dans ce flux politico-criminel, comme on l'a déjà vu pour les Parlapiano et pour Vizzini, comme on le voit également en d'autres cas. Les Gassisi, de Contessa Entellina, soutiennent

Giovanni Lo Monte, propriétaire de Mezzojuso et « chef politique de la mafia », en s'opposant au latifundiste local Antonio Pecoraro, lui-même appuyé par le groupe Cascio-Ferro et par Coco, qui a avec lui de vieux rapports de clientèle. Ce tableau pourrait ressembler au modèle traditionnel de relations entre classes dirigeantes et « fauteurs de troubles », si Pecoraro lui-même n'était à l'origine de l'un des projets de réforme agraire et s'il n'était le représentant d'un parti nouveau. Les heurts sanglants qui voient tomber plusieurs membres de la famille Gassisi-Lo Voi sont dus à la proportionnelle et à l'élargissement des collèges électoraux jusqu'au niveau provincial, ce qui – selon les lignes générales d'évolution de l'après-guerre – augmente les territoires d'influence des groupes mafieux (et donc l'espace des conflits). Les élections plébiscitaires sont de plus en plus rares, de même que la tranquille médiation du notable élu envers tous les intérêts de son collège, selon le modèle du système uninominal que, bien des années après, le plus important des hommes politiques siciliens, Vittorio Emanuele Orlando, évoquera, non sans nostalgie : « Eh bien, si cette unanimité dans les sentiments et les voix devait inclure des éléments que l'on qualifie de mafieux, je ne mettrais pas fin pour autant à la solidarité qui me lie à ces gens, même si je devais, pour cette raison, passer moi-même pour mafieux [115]. »

C'est à ce même Orlando que l'on doit la énième distinction entre une mafia « mauvaise », parce que criminelle, et une mafia « bonne », expression d'honneur et de fidélité : « Je me déclare mafieux et heureux de l'être ! » dit-il dans un discours célèbre de 1925 [116], en rappelant les paroles prononcées par Morana en 1875. Dans les deux cas, cette paradoxale déclaration d'orgueil sicilianiste provient d'une classe dirigeante aux abois, aux prises dans un cas avec les lois sur la sûreté publique, dans l'autre avec le fascisme. Cependant, la clarification du concept de mafia au cours des cinquante ans qui séparent ces deux moments, et en particulier la flambée de violences de l'après-guerre, rend beaucoup plus évident le clin d'œil vers le monde de la délinquance que représente cette « unanimité dans les sentiments » à l'œuvre dans l'élection d'un député à Partinico. La classe dirigeante est à ce point impliquée dans le mécanisme qu'elle paraît incapable d'en sentir les dangers : le jeune député catholique de Gela,

Salvatore Aldisio, futur leader démocrate-chrétien, défend une présumée liberté en polémiquant contre la décision gouvernementale de supprimer les permis de port d'arme, qui, selon lui, serait « une offense » contre « le peuple sicilien » et provoquerait « un dommage économique » (!) à la seule fin d'accréditer « de vieilles légendes »[117]. Pourtant, ce qui se passe en cette période dans son propre collège électoral devrait lui suggérer quelques doutes : les 109 morts de mort violente de Canicattì en 1919 ou les affrontements quotidiens à Sommatino, où des groupes opposés de travailleurs du soufre combattent à coups de bombes et de pistolet, en plein centre, et vont chaque soir se refournir en munitions chez l'armurier du pays[118] !

Du côté fasciste, la situation ne paraît pas meilleure. Comme le dit un télégramme du préfet de Palerme en 1925 : « Ici, le fascisme est constitué de groupes existant [dans] chaque commune […]. Chaque section assume dans sa propre commune des attitudes particulières selon [la] prédominance dans les administrations communales ou selon des liens [avec] des] éléments [de la] mafia ou personnels [liés à] des situations passées[119]. »

En 1924, Ortoleva est fasciste ; à Gangi, les barons Sgadari et Li Destri dirigent une administration communale que la police définit comme « fasciste-mafieuse[120] » ; le groupe de Cascio-Ferro, à Bisacquino, et celui de Santo Termini, maire controversé de S. Giuseppe Jato, inclinent également vers le fascisme. En de nombreux cas, les mafieux conservent leur appui aux notables « compagnons de route » du gouvernement Mussolini : ainsi, les Farinella qui fondent le *fascio* de San Mauro, mais soutiennent Lo Monte, ainsi, Ciccio Cuccia, maire de Piana degli Albanesi, autrefois inculpé pour quantité de crimes, dont plusieurs homicides[121]. En une orgie de transformation sans précédent, les notables – grands ou petits – tentent de sauter dans la charrette des fascistes, à la recherche de soutiens à opposer à Finocchiaro-Aprile et à Orlando, qui n'est passé à l'opposition qu'en 1925. Le cas Lo Monte démontre que des personnages très disqualifiés sont embarqués dans ladite charrette. Parmi les rares hommes nouveaux, il y a Alfredo Cucco, « le petit duce » de Palerme qui, quoi qu'il en soit, se prévaut de ses liens avec le chirurgien de Bagheria, Giuseppe Cirincione, qui sera présenté comme

« le chef craint et terrible, depuis trente ans, de la mafia palermitaine [122] »

Comme on peut le voir, *le* chef « politique » de la mafia est trop souvent identifié pour que cette identification puisse être crédible. Pourtant, cette outrance même met en évidence le lien entre système politique et criminalité, la pénétration réciproque des deux sphères. Écoutons l'appel désespéré qu'un homme qui va être assassiné adresse au procureur du roi : « Mais si ce que dit Piero Palazzolo est vrai, à savoir qu'il est le patron non seulement de Gangi, mais aussi de l'Italie, parce que tous sont ses sujets à commencer par les ministres jusqu'au plus humble policier, si ce malheur a vraiment frappé l'Italie, comme je finis presque par le croire, alors je vous prie de m'excuser pour Vous avoir importuné [123]. »

L'arrogante affirmation de Palazzolo, lieutenant de Ferrarello, correspond au sens commun des mafieux et des « gens bien », et ouvre donc la voie à la relance par le fascisme de sa polémique antidémocratique. Ce qui permet à un mouvement amplement contaminé par la présence de notables de retrouver une physionomie propre : si la mafia s'allie au « parlementarisme », il faut s'en prendre à la mafia pour surmonter la faiblesse et le peu d'attrait du fascisme insulaire. « Si l'on veut sauver la Sicile – écrit le secrétaire du *fascio* d'Alcamo –, il faut briser cette étrange espèce d'organisation qu'est la mafia ; si le fascisme veut bien mériter de la Sicile, il doit résoudre ce problème et alors il est certain qu'il pourra planter sur l'île ses pavillons encore plus solidement qu'il n'a pu le faire au Nord en écrasant le bolchevisme [124]. »

Le pendule de l'antimafia revient vers la droite, comme dans la période postunitaire. Lors de son voyage dans l'île, en mai 1924, Mussolini identifie dans cette lutte le banc d'essai de l'État « régénéré », mais, avec un vrai flair politique, il évite la périlleuse identification *mafia* = *Sicile* : « Nous ne devons pas tolérer davantage que quelques centaines de malfaiteurs dominent, réduisent à la misère, causent des dommages à une population magnifique telle que la vôtre [125]. » Le 23 octobre 1925, Cesare Mori est nommé préfet de Palerme, avec des pouvoirs très larges [126].

C'est le tournant. Mori n'est certainement pas un fasciste ; au contraire, en 1921, alors qu'il était préfet de Bologne, de sensibilité proche de l'ancien premier ministre Nitti, il

s'opposa aux *squadre* fascistes, ce qui lui valut la haine éter-
nelle des extrémistes. Lui confier cette charge signifiait
reprendre les fils de l'action étatique de la période de la
guerre, en comptant, maintenant comme alors, sur l'unité de
commandement et sur la mobilité des forces dans toute la
partie occidentale de l'île. Un homme capable de tuer personnellement un brigand et d'écrire un livre (fût-il épouvantable !) [127] représentait un bon investissement pour un gouvernement à la recherche d'effets de propagande. L'expérience de Mori, par ailleurs, n'est pas limitée à cela. En 1920,
à Trapani, il avait su trouver une position d'équilibre en soutenant le mouvement paysan, tout en maintenant l'ordre, ce
qui lui valut les louanges des propriétaires [128]. Auparavant, il
avait aussi combattu la faction antigiolittienne de Nunzio
Nasi avec une énergie telle qu'elle avait suscité le bon mot
« *Vedi Trapani e poi Mori* * » : il s'agissait déjà de mener en
même temps la lutte contre la criminalité et contre les adversaires du gouvernement, ce qui ressemble fort à ce que Mussolini lui propose de faire, sur une bien plus large échelle. Il y
a un aspect personnel de la situation. En 1925, Mori passe
pour « le petit homme qui pendant plusieurs mois, avec des
moyens insuffisants, tint la mafia entre ses mains, jusqu'au
moment où un député fit en sorte qu'il soit muté [129] » : comme
d'ailleurs d'autres techniciens autrefois proches de Nitti,
Mori voit dans le totalitarisme la possibilité d'obtenir des
résultats en échappant enfin aux pièges de la démocratie.

Avec une telle perspective, l'action d'un préfet ne doit pas
être « une campagne de police en plus ou moins grand style,
mais une insurrection des consciences, une révolte des
esprits, l'action de tout un peuple [130] ». Face aux risques
d'impopularité de la répression et à d'éventuelles réactions de
type sicilianiste, Mori est très attentif à maintenir des points
de contact, un code de communication avec la culture, véritable ou présumée, des masses. Pour lui, comme pour Pitrè, il
existe une bonne *omertà*, qui correspond à l'idée même de
virilité et dont les corollaires honorables peuvent être consi-

---

* Le jeu de mots, calqué sur « Voir Naples et mourir », signifie donc à la
fois « voir Trapani et puis Mori », mais aussi « voir Trapani et puis
mourir » [N.d.T.]. A. Infranca, « Il periodo trapanese del prefetto Mori nel
giudizio della stampa locale », *Nuovi quaderni del Meridione*, 78, 1982,
p. 227-261.

dérés comme des valeurs nationales et fascistes ; il s'agit donc seulement d'en éliminer l'aspect criminel – et superfétatoire.

« L'*omertà* possède en elle-même les moyens spécifiques pour combattre ses propres dégénérescences. Il faut donc en appeler – voilà ce que je veux dire – à la fierté pour réagir face à l'arrogance du plus fort ; au courage pour réagir au crime ; à la force pour réagir à la force ; au fusil pour réagir au fusil [131]. » On peut noter le crescendo jusqu'aux équivalences finales où la force représente en soi une valeur indépendante de la finalité recherchée ; ce que Mori croit avoir compris des codes culturels siciliens ressemble beaucoup, ressemble trop à ce en quoi le fascisme croit lui-même. « La force qui défend la production » est le mot d'ordre inscrit sur l'insigne que le préfet accroche personnellement et un par un sur la poitrine des *campieri* (parce que, avec les Siciliens, il faut un rapport personnel). L'échange de répliques qui se déroule en une telle occasion est intéressant. Mori : « Si, en te voyant avec cet insigne, on te traitait de sbire ? » Le *campiere* : « Que son excellence me pardonne, mais dans ce cas-là, je lui tire dessus » ; le préfet est satisfait (« C'est bien ! ») [132] et montre ainsi que ce n'est pas la légalité qu'il recherche, mais une fidélité et une force. Tout cela au cours de vastes rassemblements durant lesquels, immanquablement, résonne l'appel à l'autodéfense personnelle et sociale, l'exaltation du courage de ceux qui, propriétaires ou paysans, refusent de céder et combattent les armes à la main, de la même façon qu'ils ont su « défier les mitrailleuses autrichiennes [133] ». Mori célèbre un comportement exemplaire pendant la guerre, y compris de la part de mafieux patriotes, fussent-ils corrompus ; thèse quelque peu risible si l'on pense au rapport entre banditisme et insoumission au service militaire, mais qui s'accorde avec l'idée d'une communauté italienne qui demeure au-delà de toute contingence. Il est légitime de se demander jusqu'à quel point la rhétorique préfectorale crée un consensus réel dans l'opinion bourgeoise, alors qu'il me paraît à exclure qu'elle puisse émouvoir les *campieri* favorables à la mafia. *Mutatis mutandis*, le Lombard Mori me rappelle le Toscan Fanfani qui, pendant la campagne contre le divorce (en 1974), fera allusion – inutilement – au risque de cocuage devant les habitants de Caltanissetta, pour instrumentaliser leur peur de la liberté sexuelle des femmes.

L'année des grands coups de filet qui provoquent, à chaque fois, des centaines d'arrestation, est 1926 ; en 1928, il y aurait 11 000 personnes en prison, dont 5 000 de la province de Palerme[134]. On commence par Gangi, on continue par Mistretta, Bagheria, Misilmeri, les bourgades palermitaines, Monreale, Corleone, Partinico ; puis, vers le sud, les régions d'Agrigente et de Caltanissetta, et, vers l'est, on effleure, en passant par Enna et sa région, la zone de Caltagirone et l'ouest de la province de Catane. Dans cette phase, on utilise un regroupement de forces, qui se déplace de village en village : ainsi, sur Bagheria, convergent 800 carabiniers, des groupes de la milice et des agents de la Sûreté publique qui arrêtent 300 personnes[135]. On assiste à une opération particulièrement complexe dans la Conca d'oro, contre les groupes des Sparacino et des Gentile, dont la guerre intestine a provoqué 46 meurtres ou tentatives de meurtre en 1923-1924 : les personnes recherchées se réfugient en effet dans des cachettes souterraines très sophistiquées. La même chose se passe à Gangi, militairement occupée en janvier 1926, au bénéfice de l'opinion publique internationale, nationale et locale : c'est le préfet qui a voulu cette victoire écrasante en refusant l'accord de reddition négocié dès décembre 1925 par le commissaire Spanò avec les bandes Ferrarello-Andaloro, grâce à la médiation décisive du baron Sgadari[136].

Pour réaliser la reconquête des valeurs « populaires », l'État doit gagner le « respect », en se montrant plus mafieux que les mafieux : on le voit dans le discours d'une grande dureté prononcé à Gangi par Mori, devant une foule sidérée par l'arrestation de 450 personnes, parmi lesquelles 300 « complices[137] ». D'où les déploiements inutiles de forces, les fausses négociations qui aboutissent à des trahisons dont on se félicite, les menaces arrogantes de représailles contre les hors-la-loi – mise à mort de leurs troupeaux, vente de leurs biens, déportation de leurs familles et, de façon à peine voilée, violence sur leurs femmes. C'est une forme étrange de propagande, dont le souvenir durera bien des années plus tard : face à l'arrestation de sa mère et de sa sœur, Salvatore Giuliano affirmera qu'il se refuse à imiter « les misérables mafieux de 1926 » qui s'étaient rendus sans combattre devant de telles

méthodes[138]. La capture de 213 femmes et enfants qui
entraîne la reddition de 35 hors-la-loi de la campagne
palermitaine, bien loin d'être « une villégiature » comme le
prétend Mori[139], est une opération terroriste ; d'ailleurs, pour
Mori, les parents ne peuvent être innocents qu'« en sens
relatif ». Une anthropologue américaine, présente en Sicile
ces années-là, nous décrit les habitants de Milocca tandis qu'à
pied, parmi les troupeaux et les familles de ceux qui étaient
parvenus à fuir, ils sont poussés par les carabiniers vers
Mussomeli : plus de 100 des 2 500 habitants resteront en
prison[140]. L'un d'entre eux, un paysan, acquitté après quatre
ans de détention, raconte ce terrible épisode :

> À lu milli novicentu lu ventottu
> a li setti di innaru fu lu fattu.
> Dormivanu tutti comu gigli all'ortu
> 'ntri 'na nuttata l'arrestu fu fattu.
> L'arrestu principià di Mussumeli
> fu tirminatu 'ntra du uri.
> Cu dici figghiu, cu dici mugghieri,
> cu dici sà cu fu 'stu traditeri[141].

« En 1928/le 7 janvier advint ce fait./Ils dormaient tous,
comme lys au jardin/en une nuit l'arrestation fut menée./
L'arrestation commença par Mussomeli/en deux heures, elle
fut terminée./L'un crie "mon fils", l'autre "ma femme"./Un
autre dit "Mais qui donc est le traître ?" ».

5. *En croisant le fer avec la mafia*

À la fin de l'année 1926, Mori envoya à Rome un volumi-
neux dossier sur les actes illicites commis par Cucco, le
numéro un du fascisme palermitain ; en janvier 1927, la fédération du parti fut dissoute et le « petit duce » fut inculpé,
après une autorisation parlementaire acquise en très peu de
temps. L'année suivante, un autre scandale frappa l'*onorevole*
Antonino Di Giorgio, ancien ministre d'un gouvernement de
Mussolini et brillant commandant sur les fronts de la Grande
Guerre. On semblait bien près d'atteindre la « Haute Mafia » :
le Duce n'avait-il pas ordonné de frapper « en haut et en

bas » » ? Di Giorgio fut impliqué dans les enquêtes menées par
le commissaire Spanò parmi son électorat des Caronie [142] et,
bien que sa responsabilité ne soit ni prouvée ni même mise en
cause, il dut se retirer des affaires publiques. Cucco avait, lui
aussi, noué des liens électoraux compromettants, cependant,
les accusations à son encontre ne relevaient pas de délits
mafieux mais d'irrégularités administratives et profession-
nelles, d'abus de pouvoir, dont, quoi qu'il en soit, il fut
acquitté après onze jugements. Un des verdicts utilise le
terme de « conjuration », qui reflète un sentiment largement
partagé [143].

Cette affaire se joua beaucoup plus sur le versant politique
que sur le versant policier de l'opération Mori. Vers la moitié
des années 1920, le fascisme liquida ses compagnons de route
libéraux qui avaient rendu possible sa victoire. Puis il passa à
l'attaque contre les positions des notables à l'intérieur du
parti, que l'on voulait transformer en terne appareil de propagande d'un régime hypercentralisé, où les questions importantes se résolvaient en cercles restreints, dans la confrontation avec des pouvoirs forts : l'Église, la monarchie, les
bureaucraties étatiques ou non, la Confindustria. En province,
les préfets sont encouragés à mettre le PNF * sous tutelle et ils
sont soutenus lors de leurs fréquents conflits avec les responsables fédéraux. Dans toute la Sicile, peut-être dans toute
l'Italie, l'élimination de personnages encombrants parce que
autonomes fut motivée par des accusations, parfois infondées,
d'immoralité ou d'affairisme [144]. À Palerme, l'accusation
porta sur les liens avec la mafia.

« L'appellation de mafieux [...] fut souvent utilisée de parfaite mauvaise foi et dans tous les domaines, y compris le
domaine politique, comme moyen de se venger, d'exhaler sa
rancœur ou d'abattre des adversaires [145]. » C'est Mori qui
parle, et lui-même applique cyniquement ce qu'il dénonce. Il
sait fort bien qui lui fournit les éléments lui permettant de
construire le dossier contre Cucco : Roberto Paternostro,
avocat de nombreux mafieux, dirigeant du *fascio* en disgrâce,
qui avait quelques années auparavant exprimé les craintes
palermitaines face à l'hypothèse de la venue de Mori ; un certain « Mouvement italien empire et travail », composé en

* PNF : Parti national fasciste [N.d.T.].

grande partie de repris de justice, qui se signale par l'apologie de la mafia présentée comme un syndicalisme qui permettait aux paysans « d'arracher par la force aux seigneurs et feudataires locaux des moyens pour vivre » ; enfin, l'*onorevole* Lo Monte, personnage fort compromis[146]. Seul Paternostro, d'ailleurs, refera surface un instant. Les autres disparaîtront en même temps que les « jeux paperassiers » de la liberté politique. Les vainqueurs sont ailleurs. La liquidation du personnel politique décidée par le fascisme provoque une véritable « revanche » agraire, dont l'opération Mori n'est qu'une des composantes. « Il a visé trop haut et il a été remis à sa place », écrit, au sujet de Cucco, Tina Whitaker[147], qui exprime le point de vue des couches dominantes qui ne croient pas aux accusations, mais désirent un ferme contrôle de l'État sur le parti ; le refus des partisans de Cucco de faire du fascisme une simple réédition du modérantisme les inquiète, ainsi que les menaces de nouvelles Vêpres révolutionnaires contre le latifundium. Si l'on en croit la description de Cucco, le Mori de 1927 est un homme « qui a des chaleurs aristocratiques », qui « passe d'un salon à l'autre, d'une réception à une fête », « enivré » par le grand monde[148] et tout disposé à lui accorder une place de choix en mettant à la tête du PNF le marquis Paternò di Spedalotto et le duc de Belsito. Bien plus que dans le domaine de la propagande visant à reconquérir les valeurs « populaires », c'est sur ce terrain-là que se construit le rapport entre fascisme et Sicile, qui tend à être un rapport direct, sans intermédiaires, entre État et classes sociales. Les intermédiaires par excellence sont les *gabellotti*, des *parasites* ; tandis que les *producteurs*, autrement dit les *propriétaires*, sont absous par Mori, car ils sont victimes d'un état de nécessité[149].

On peut se demander dans quelle mesure ces nettes distinctions entre les rôles correspondent aux actes des grands procès pour association de malfaiteurs qui se succèdent à partir de 1927 et impliquent des centaines d'inculpés (le maximum étant atteint avec les 450 inculpés pour l'association de Casteltermini). Dans les chroniques judiciaires, les rôles oscillent, non sans ambiguïté, entre la figure de la victime et celle du complice : l'extorsion de fonds finit par se transformer en protection, voire en société pour la gabelle ou l'entreprise d'élevage ; il y a des cas où les voleurs de bétail demandent et obtiennent, pour restituer les animaux volés, non de l'argent, mais le vol d'autres animaux. En général, à la guerre, celui qui veut maintenir ses positions doit utiliser les mêmes moyens que ses adversaires : ce serait là l'état de nécessité qu'il faudrait alors appliquer à bien des gens de diverse qualité, impliqués, condamnés ou acquittés.

Prenons le cas de Giuseppe Ortoleva, frère d'Antonio, inculpé d'extorsion aux dépens du prêtre-*gabellotto* Filadelfo Versaci, ancien maire de San Fratello[150]. D'après Ortoleva, c'est Versaci qui, menacé par le brigand Russo, l'a prié de « charger quelques-uns de ses *campieri* d'arranger la chose », jusqu'au moment où ces derniers ont rapporté la requête du brigand : 8 000 lires, ramenées d'autorité par le médiateur à 4 000 lires, que lui-même a avancées de sa poche. Pourtant, Russo n'est pas satisfait et se met à voler le bétail appartenant à Versaci ; les *campieri* chargés de la première transaction enquêtent sur ces vols ; 3 000 lires supplémentaires sont déboursées, mais les animaux ne sont pas rendus car, entre-temps, le bandit se tue (?). Comme on le voit, la défense et l'accusation se ressemblent comme deux gouttes d'eau. De son propre aveu, Giuseppe Ortoleva dirige un appareil militaire qui traite avec les hors-la-loi d'une région et, semble-t-il, d'autres encore ; il joue un rôle de médiateur dont il peut tirer profit en argent ou en capacité de contrôle qu'il pourra ensuite transformer en argent grâce à la gabelle. Le discours se complique lorsque le réalisme conduit à y introduire la variable autonome des *campieri* et des prélèvements qu'eux-mêmes peuvent réaliser ; dès lors, il faut se demander quel avantage Versaci tirera en s'accrochant à la chaîne Ortoleva-*campieri*-Russo, plutôt qu'à une chaîne concurrente. Même le rituel des lettres d'extorsion tend à créer une complicité entre des parties adverses, à insister sur le caractère informel du rapport de médiation, à occulter du point de vue judiciaire et idéologique la réalité d'« industries » bien organisées. L'auteur du chantage invite à s'adresser, pour les négociations, à des « personnes qui ont la confiance » de sa victime, laquelle doit chercher parmi ses propres relations ; c'est le cas d'un commerçant de Messine menacé par des brigands, qui, à force de chercher parmi ses propres clients de Gangi, finit par trouver quelqu'un qui lui répond que « ces personnes existent, et il n'est pas juste, il est même imprudent de ne pas les satisfaire, il faut immédiatement prendre des mesures, et je suis personnellement à votre complète disposition [151] ».

Voilà la « société des mafieux active et agissante » qui, selon le procureur général de Palerme, Luigi Giampietro, est « par elle-même une association de malfaiteurs [152] », qui n'a pas besoin d'être prouvée par le comportement criminel de chacun de ses membres. Dans les deux procès où Calogero Vizzini est accusé comme chef d'association de malfaiteurs, il est difficile de comprendre non seulement le degré de culpabilité de l'inculpé, mais aussi la raison même de l'inculpation, qui se réduit au fait que les délits sont commis par ses associés dans les mines de soufre et par ses *campieri* dans le latifundium, donc en rapport avec un réseau d'affaires dont on n'évoque même pas l'éventuelle fonction criminelle [153]. L'accusation d'association de malfaiteurs, attribuée avec facilité aux gros *gabellotti* et aux paysans pauvres, épargne toujours les propriétaires de latifundia ; un exemple typique est celui de Pecoraro, mis en cause par de nombreux témoins du procès de Burgio contre Cascio-Ferro & Cie, mais qui ne figure pas parmi les accusés. Le *Giornale di Sicilia* en arrive à censurer, dans la lettre de Gioachino Lo Voi, future victime d'un assassinat, dont le témoignage est le principal appui de l'accusation, le passage concernant le latifundiste « qui est catholique et protège tous les délinquants. Ses partisans tuent, volent sans arrêt et ce gredin, parce qu'il veut devenir député, les protège. Maudite crapule [154] ! ». Ce qui se passe à Gangi est encore plus éclatant. Au cours de la négociation avec Spanò, Salvatore Ferrarello demande ingénument (ou, peut-être, malicieusement) : « Si nous nous constituions prisonniers, qui garantirait la tranquillité dans les campagnes [155] ? » ; l'ordre est maintenu à l'avantage de personnages comme le baron Sgadari qui, pendant de nombreuses années, a couvert les hors-la-loi, en se portant garant de leurs transactions financières, en servant de médiateur avec les autorités sociales et politiques, au point de négocier leur reddition contre de (fausses) promesses d'impunité, d'où les menaces de représailles dont retentirent les salles d'audience du procès de Termini. Pourtant, ce même bandit, après s'être enfui du bagne lors de la Seconde Guerre mondiale, renoncera à ses desseins de vengeance. « Avez-vous déjà entendu parler de Ferrarello ? – demandera Vizzini à Indro Montanelli, pour illustrer les vertus de la médiation mafieuse – Il avait commencé comme Giuliano et il a fini comme un paisible chanoine. Il a même renoncé, quand il s'est évadé de prison, à tuer le baron Sgadari qui l'y avait fait entrer. Quelqu'un, par la suite, allait arranger l'affaire [156]. » La stupeur de l'ambassadeur anglais Graham est donc justifiée lorsqu'il découvre Sgadari, qu'il considère comme un des « leaders » de la mafia, parmi les coryphées de Mori, élevé à la charge de podestat [157]. À Gangi, précisément, nous pouvons observer, au cours du *ventennio* fasciste, un des cas les plus nets de continuité du pouvoir local, avec les familles des « richards » (Li Destri, Sgadari, Mocciato) qui commettent des « infamies » que stigmatise, en 1937, le carabinier à cheval Francesco Cardenti : « Le baron Li Destri, au temps de la mafia, s'appuyait beaucoup sur les brigands qui maintenant sont emprisonnés à Portolongone (Elba) ; si quelqu'un passait sur sa propriété, comme il en est très jaloux, il disait : "ne passe plus sur mon terrain, sinon je te fais enlever de la circulation" ; maintenant que les temps ont changé et qu'il est ami des autorités […], il dit : "ne passe plus sur mon terrain, sinon je te fais envoyer en résidence forcée" [158]. » Ici, non sans raisons, brigands et résidence forcée apparaissent comme des instruments interchangeables ; il est impossible de soustraire le pouvoir de classe à son lien intime avec le pouvoir mafieux.

Prenons un épisode advenu dans la Conca d'oro *après* le grand coup de filet d'avril-mai 1926. En juin 1927, Giuseppe Carella est tué à Villa Adriana, résidence du baron Luigi Bordonaro di Gebbiarossa [159]. Le coupable, de son propre aveu, est Salvatore Sciacca Jr., qui affirme avoir tué sa victime au cours d'une dispute, alors que l'enquête met en évidence la préparation minutieuse d'un guet-apens et la trame des conflits entre Carella et la famille Sciacca. On accuse Salvatore Sciacca père, dit Cola Innusa, d'être le commanditaire du crime. Depuis presque trente ans, ce dernier est régisseur de la villa, qui peut être considérée comme un fief de famille : avant lui, son beau-père, Giuseppe Biondo (que nous connaissons comme un des membres importants de la « coupole » de la fin du XIXe siècle) avait occupé cette même fonction. Carella, chargé de rationaliser la gestion de l'entreprise, soustraite aux Sciacca, a dit du mal d'eux au baron et il a été puni. C'est là un schéma mafieux classique et l'accusation demande et obtient de sévères condamnations. Le scandale naît de ce que don Cola a défini comme son « collègue » celui qui était « un officier, un gentilhomme [160] » : les Palermitains sont habitués à voir couler le sang des « fauteurs de troubles », moins celui des autres. Les modalités du crime sont aussi l'indice d'une erreur d'évaluation : il a été commis à coups de serpe, comme pour un quelconque délit campagnard, peut-être parce que les relations nécessaires pour monter l'embuscade classique sur le chemin de la demeure de la victime n'existent plus désormais. Sciacca père possède un alibi, le meilleur possible : au moment du crime, il est en province avec son patron qui, cependant, dès qu'il apprend la découverte inopinée du cadavre, se volatilise et laisse son acolyte s'en revenir seul à Palerme.

Pour la défense, Sciacca Sr. s'identifie à la figure de l'*homo sicilianus*, rude mais fidèle envers ses supérieurs. Dans sa plaidoirie-parabole, maître Ferdinando Li Donni imagine une discussion entre jurés [161] : le Napolitain, le Lombard, le Palermitain qui, seul, peut comprendre et expliquer aux autres que Cola était mafieux « si, par mafieux, nous entendons un homme qui partage les sentiments de la campagne, *omertà*, s'occupe de ses affaires, produit quelques témoignages. Ça oui, collègue. C'était un homme des jardins ». Cependant, « le Président nous a donné pour charge d'examiner non si c'était un mafieux, mais si c'était un délinquant. Je vais vous démontrer, au contraire, qu'il était contraint de lutter contre la délinquance ». À Villa Adriana, en trente ans, il n'y a pas eu un seul vol. « Les délinquants du coin savaient qu'ils ne devaient pas faire de mal aux membres [de la famille du baron], sinon l'homme du jardin les aurait fait tuer pour les protéger et les défendre. » Une fois le mystère expliqué aux profanes, tout est clair et le point central apparaît : le lien sauveur du mafieux avec le baron, le lien des autres mafieux avec les autres barons. Cola sera sauvé si on démontre qu'il est, en tout et pour tout, une créature de son patron, capable de tuer pour ce dernier, mais pas pour son propre compte. « L'homme de la campagne – selon maître Berna – reste toujours primitif. » Cola, au contraire, « voyage avec le baron Gebbiarossa, connaît les villes, y demeure pendant de longues périodes, fait des opérations en banque, est toujours aux côtés de son patron, loge dans les mêmes hôtels, voyage dans les mêmes compartiments de chemin de fer, s'assoit à la même table de la maison Gangitano. Voilà pourquoi Cola Innusa n'est plus, ne peut plus être *"u zu Cola"* [l'oncle Cola], mais qu'il est devenu, par œuvre de son patron, par volonté de son patron, don Cola [162] ».

L'accusation décrit un monde préfasciste fait d'exactions contre les propriétaires, dont la fin est scellée par le sang de l'héroïque Carella ; la défense fait remarquer que, depuis un an déjà, avec les premiers coups de filet, ce monde s'est écroulé, que le propriétaire a confirmé sa confiance au-delà de toute contrainte et que, par conséquent, le mafieux *ne peut* être un criminel.

De fait, les Sciacca, s'ils ne s'étaient pas laissé prendre par la panique, auraient conservé à Villa Adriana un pouvoir, peut-être diminué, certainement à utiliser avec prudence, mais durable. Voilà qui en dit long sur les espaces qui demeurent à l'intérieur des relations sociales, au moment même où la mafia-association est balayée. Dans les jardins d'agrumes comme dans les latifundia, la perpétuation des systèmes traditionnels pendant toute la période fasciste, même si elle a lieu dans des situations d'ensemble tranquilles, est un démenti radical de tout présumé état de nécessité. Mori exhibe complaisamment les remerciements de propriétaires de latifundia qui ont pu augmenter les loyers – parfois de 10 à 110 000 lires par an [163]. Une commission *ad hoc* décide quels sont « les centres infectés » et, là, elle dissout les contrats de location en prévoyant le retour joyeux des absentéistes d'hier vers les devoirs et les plaisirs champêtres. Pour le président de cette commission, le système de la gabelle « enfonce ses racines dans la violence et le sang, et trouve, s'il le faut, la perfection ultime du contrat par le fusil et le meurtre [164] ». Il en va bien différemment. Les accords syndicaux qui prévoient l'élimination de la sous-location sont rendus vains, par divers escamotages [165] : les propriétaires ne savent pas, ou ne veulent pas, éliminer les intermédiaires, et se contentent de les avoir remis (pour l'heure) à leur place.

Le sauvetage des propriétaires de latifundia est l'élément commun à tous les procès, qui, pour le reste, présentent des différences notables. Certains sont fondés sur un système de preuves assez solide : les lettres d'Ortoleva et celle de Lo Voi

(Mistretta et Bisacquino), les témoignages des victimes et les appels en cause pour complicité parmi les inculpés. Pour obtenir ces résultats, la police emploie des méthodes que l'ambassadeur anglais décrit comme « *energetic and ruthless* », passages à tabac et tortures qui, parfois, comme au cours du procès pour l'association de Sommatino, sont mis en évidence, ce qui déconsidère la construction de l'accusation [166]. Ce n'est là pourtant qu'une seule des composantes qui brisent l'*omertà* par laquelle les grands-pères invitaient leurs petits-fils à la vengeance, parce que « de toute façon, il n'y a pas de justice et les jurés sont prêts à acquitter même quand ils ont été eux-mêmes les témoins du crime [167] ». Le changement général de route est décisif. Ce sont surtout les « perdants » qui parlent : Giuseppe Gassisi, « après l'assassinat de l'un de ses fils, place la loi du sentiment avant celle de l'*omertà* [168] » ; Giovanni Latino, qui a échappé au massacre de toute sa famille, reconnaît les assassins après s'être tu pendant dix ans. Les conflits entre factions se transfèrent dans les salles d'audience ; non sans risques d'instrumentalisation chaque fois que la politique apparaît sous le judiciaire. Nous ne pouvons pas nous étonner qu'à l'origine des accusations qui impliquent l'archiprêtre Vincenzo Baiamonte, de Burgio, dans le procès Sciacca, on trouve le fils de De Michele Ferrantelli, adversaire politique de l'archiprêtre et ancien *manutengolo* de Cascio-Ferro [169]. Les dénonciations du chanoine Giuseppe Di Prima, de Campofranco, contre le maire Gaetano Bongiorno, ancien du parti populaire, et contre divers religieux, prennent sens dans un climat tendu de conflits personnels et de chantages réciproques [170]. Le commissaire Spanò garde en réserve l'incrimination du maire de Casteldilucio, Domenico Di Giorgio, au cas où le frère de ce dernier, général et ancien ministre, se présenterait comme « témoin à décharge de ses amis » politiques [171]. Le témoignage d'un notable peut être décisif. Au procès pour l'association de Burgio, une faction cherche à bloquer les révélations de la femme d'un inculpé appartenant au groupe opposé : « Nous avons un point fort, le notaire Musso, et par son entremise nous ferons tout le mal possible à votre mari [172]. » La qualification de mafieux repose, nous le savons, sur la rumeur publique ; étant donné le système de la calomnie et de la lettre anonyme qui caractérise le régime fasciste en d'autres domaines également, « quiconque avait des rancœurs à exprimer ou des positions à conquérir vit s'ouvrir devant lui, avec les confidences à la police, les dénonciations et les faux témoignages, un champ de possibilités inespérées [173] ».

Ce transfert de la lutte politique sur le front judiciaire risque de faire se reproduire un cas Cucco dans chacun des villages de la Sicile du Centre-Ouest. Quoi qu'il en soit, la magistrature est prudente, elle acquitte ou applique de légères condamnations dans les cas présumés d'enchères truquées, de banqueroutes frauduleuses de coopératives, d'utilisation abusive des caisses communales (à S. Giuseppe Jato, Partinico, Sancipirrello). Le jeu se fait plus complexe. Au fur et à mesure que l'attaque se déploie vers l'intérieur, elle entre en rapport avec les histoires des partis locaux, tour à tour cooptés, combattus, attirés au sein du régime [174]. L'ambition du régime serait de poursuivre les notables à l'intérieur même des mécanismes où se forme leur pouvoir, en dissolvant coopératives et cercles. Ainsi à Mistretta, avec la « Cerere », autrefois présidée par Ortoleva ; à Sommatino, avec le « Nouveau Cercle », lié à Lo Monte ; à Corleone, où les autorités rebaptisent le cercle agricole « club de la mafia », en prétendant qu'il s'est toujours nommé de la sorte. À Ribera, les partisans d'Abisso se révoltent contre les Parlapiano, mais le régime finit par dissoudre leurs organisations quand Abisso tombe en disgrâce. À Piana dei Greci, les trois coopératives, considérées comme des instruments de parti, sont fermées en 1927 ; parmi elles, il y a la coopérative socialiste fondée par Barbato, qui avait soutenu Mori et à laquelle avaient été donnés en location les fiefs ôtés au maire très controversé Ciccio Cuccia. Aux fonctionnaires qui viennent pour la dissoudre et reconnaissent pourtant qu'elle était correctement gérée, un paysan réplique amèrement : « Si le préfet Mori avait aussi écouté notre parole, à nous qui sommes les intéressés, et pas seulement vos bavardages, on n'en serait pas arrivés à tout ce bouleversement [175] ». Comme le roi et le Duce, le préfet ne sait pas quel mal on commet en son nom…

Dans ce cas, l'opération antidémocratique et le soutien aux propriétaires coïncident dans l'équation générale chère aux fascistes, démocratie = mafia. On peut se demander si dans certains des coups de filet ce n'est pas le facteur politique qui unissait entre elles les centaines de personnes interpellées, même si, ensuite, elles pouvaient n'être condamnées que sur la base du délit d'association criminelle. Il n'est pas difficile de faire l'hypothèse que, dans un village, des personnes liées par la parentèle ou les affinités se soient associées entre elles, à des fins non précisément spécifiées, afin de donner un aspect juridique à ces « nuits de la Saint-Barthélemy, lors desquelles, pour arrêter 50 malfaiteurs, on emportait dans l'abîme autant d'honnêtes hommes [176] ». Pouvons-nous penser que les 11 000 emprisonnés (sans compter tous les interpellés) étaient tous mafieux ?

« On estimait qu'on était face à une secte quand il y avait plusieurs individus d'accord entre eux, ou du moins qu'existait un rapport associatif que, me semble-t-il, on ne peut pas définir, mais qui, en conclusion, était quelque chose comme une fédération, du moins telle que je l'ai vue [177]. » Cette déclaration ultérieure de l'un des magistrats engagés sur le terrain manque pour le moins de rigueur conceptuelle. Mori, qui n'a pas l'habitude des subtilités juridiques, montre qu'il considère l'accusation d'association de malfaiteurs comme un pur et simple expédient technique [178] et, avec Orlando, il s'attarde à ramener le fait mafieux à une culture régionale déviée, dont l'aspect central résiderait dans l'individualisme. Nous avons vu comment la culture du barreau multiplie anciennes et nouvelles figures anthropologiques, telles que « l'homme de la campagne » ou « l'homme des jardins ». Les défenseurs admettent la qualification de mafieux pour des hommes comme Cascio-Ferro, mais en la mettant en rapport avec des attitudes « d'individualisme téméraire », certainement pas criminelles [179]. Si la mafia est un phénomène traditionnel, le Sicilien traditionnel, toujours individualiste, ne voudra s'associer avec personne, ni pour effectuer des actes criminels ni pour autre chose : voilà le syllogisme parfait de maître Puglia, qui cite « le connaisseur véritable et incomparable de l'âme sicilienne », c'est-à-dire, comme d'habitude, Pitrè [180]. Avec un peu plus de réalisme, Giampietro décrit pour sa part le mouvement ascendant qui amène la mafia à prendre la forme d'une organisation pseudo-étatique, doublée d'une « assurance » souscrite par « des propriétaires » et des « hommes d'affaires » pour protéger « leurs biens et leurs personnes ». La vengeance sanglante provient de la concurrence interne et, conformément à la nature collective du phénomène, elle peut être « transversale », c'est-à-dire exercée « contre d'autres membres de la famille ou de l'association » ; elle se réalise toujours « par traîtrise, par embuscades », avec une férocité spectaculaire, « en ajoutant l'offense au meurtre, en répandant du pétrole sur le cadavre, en le décapitant, en le mutilant ou en accomplissant un horrible carnage qui soit le signe du pouvoir terrifiant de la mafia ». « Il faut avoir lu, dans les pages des procès qui concernent les petites ou les grandes associations, les assassinats, les déprédations, les incendies, les violences, les viols, les vengeances sauvages et atroces [...] exécutées en plein jour, à midi, sur les places publiques de cette ville même, les morts étendus sur le sol, les assassins en lieux sûrs, [...] pour avoir une pâle idée de ce qu'est la délinquance mafieuse[181]. »

Au-delà des exagérations volontaires et des outrances, la dimension collective mise en évidence, fût-ce de façon approximative, dans les maxi-procès de la période fasciste n'en reste pas moins la base du phénomène mafieux et, par conséquent, de la lutte contre la mafia. À nos yeux de chercheurs, et non de juges, la véracité des accusations repose sur les biographies personnelles et familiales des personnages, sur la continuité historique des pouvoirs criminels et sur la logique du mécanisme action-réaction qui met en évidence le fait associatif, si difficile à démontrer dans une enceinte judiciaire. Lors de nombreux procès, un des éléments fondamentaux demeure l'importance accordée aux informations (extra-judiciaires) fournies par la Sûreté publique ; Giampietro leur attribue une pleine valeur de preuve, comme dans le cas des procès contre la mafia palermitaine, dans lesquels manquent presque totalement les témoignages – honnêtes, extorqués, instrumentalisés ou faux – que les conflits politiques et partisans suscitent dans les villages. Que l'on pense au procès contre les 213 inculpés de Piana dei Colli, qui se déroule, à en croire les chroniques judiciaires contemporaines, pourtant peu empreintes d'esprit critique, dans une atmosphère surréaliste : le président qui « de temps à autre [...] crie un nom », les interrogatoires qui durent quelques secondes, les témoins qui nient tout en bloc, le procureur qui, faute d'éléments factuels, invite les jurés à condamner les inculpés sur la base de « leur libre conviction[182] », le recours permanent aux procès-verbaux de la Sûreté publique qui sont à la fois l'instruction, la preuve et le verdict même. Il est peu probable que ce type de débat puisse permettre une défense véritable contre un pouvoir policier encore renforcé par une loi de 1926, prévue spécifiquement pour « les provinces siciliennes », qui prévoit la résidence forcée pour ceux que « la rumeur publique » désigne comme « meneurs, participants, complices et aides » des organisations criminelles. « La résidence forcée – souligne le procureur général – est une arme meurtrière[183] » qu'il faut utiliser contre les acquittés et les condamnés à des peines « modestes » : c'est le cas des frères Farinella, dont l'un, Mauro, après avoir purgé une peine de huit ans de prison, est astreint à une période de quatre ans de résidence forcée, suivie aussitôt par une autre de la même durée : il meurt en 1940, dans l'îlot où il a été confiné.

Cela dit, nous ne ferons pas mine de croire que les mesures administratives ont été introduites par le fascisme : c'était sur ces mesures que reposait la capacité de l'État libéral à contrôler la mafia. Les procès s'étaient toujours fondés sur les procès-verbaux de la Sûreté publique et, d'ailleurs, si l'on se remémore les cas des *stoppagghieri* et d'Amoroso, on peut même estimer que sont légalistes l'interdiction faite au commissaire Spanò « de se référer à la rumeur publique et à la notoriété des faits » et l'obligation d'indiquer ses sources « au cas où il fait appel à des confidences »[184]. On ne peut être sûr que certains des verdicts n'aient pas été préparés à l'avance (mais les acquittements ne sont pas si rares, surtout pour les procès « mineurs »). On ne peut être certain de la véracité d'accusations contenues dans trop de lettres posthumes, dans des témoignages et des aveux parfois rétractés à l'audience. Mais cela est également vrai des régimes qui précèdent et suivent le fascisme.

Comment peut-on donc évaluer l'opération dans son ensemble ? Nous ne pouvons pas ignorer l'intention liberticide, mais pas davantage nous arrêter là. La mafia n'a pas été inventée par le fascisme, comme semble le croire Christopher Duggan, qui, dans son travail, par ailleurs remarquable, n'a pas fait la (difficile) distinction entre l'action préfectorale et celle de la police dont, pendant longtemps encore (comme l'ont démontré récemment les souvenirs de Calderone)[185], les mafieux se souviendront comme d'un cauchemar. Tous les

observateurs ont pris acte de la chute vertigineuse des délits
après 1925, mais la statistique ne reflète qu'en partie le
phénomène [186]. Il y a deux thèses opposées. Selon l'une, Mori
aurait anéanti la mafia, qui n'allait renaître qu'en 1943, tout
armée, comme Athéna sortant de la tête de Zeus. D'autres
soutiennent que le préfet fut stoppé au moment où il allait
arriver « en haut [187] », ou encore que l'action ne fut dirigée
que contre les petits délinquants, selon une logique de classe.
Il existe bien, en effet, une logique de classe, mais elle isole
les propriétaires de latifundia de tous les autres : la répression
frappe les professions libérales, les maires et, surtout, les gros
gabellotti, comme les Ortoleva, Tusa, Guccione, Farinella.
Certains réapparaîtront après guerre : Vizzini, Genco Russo,
Volpe [188] ; d'autres ne laisseront pas d'héritiers : Cascio-Ferro
et Candino, Ferrarello et Andaloro, les deux factions palermitaines des Gentile et des Sparacino. Il y a là des noms importants du passé et du futur : parmi les premiers, un Giuseppe
Fontana, de Villabate, et un Salvatore Licata, qui représente,
je crois, la quatrième génération de la famille mafieuse de la
Conca d'oro ; parmi les seconds, un Giuseppe Di Cristina, de
Riesi, un Santo Fleres, de Partinico, un Giuseppe Panzeca, de
Caccamo, un Calogero Lo Bue, de Prizzi, un Antonino Cottone, de Villabate, un Stefano Bontà [189]. Parmi les 500 (!)
mafieux qui s'enfuirent aux États-Unis « pour échapper à
l'insupportable climat politique [190] », nous trouvons beaucoup
des futurs chefs de Cosa nostra : Joe Bonanno, Joe Masseria,
Carlo Gambino, Joe Profaci, Stefano Magaddino ; sans
oublier un trafiquant de drogue de haut vol, Frank Coppola.

Malgré les excès terroristes, les condamnations d'innocents et les persécutions politiques, le flic Mori et l'inquisi-
teur Giampietro ont rencontré et durement frappé la mafia.

6. *Un autre après-guerre*

La mafia donne des signes de vie avant même le débarquement allié de juillet 1943. En 1932, au centre de Canicattì,
sont commis trois meurtres « dont les modalités d'exécution
et le mystère profond qui continue à les entourer » renvoient
« à des crimes typiques d'organisations mafieuses » ; autour
de Partinico, vers le milieu des années 1930, on assiste à « des

incendies, dommages aux biens, homicides [...] sur fond émi-
nemment associatif » ; mais on pourrait citer bien d'autres
épisodes dont la presse ne parle pas, auquel le régime répond
par « quelques condamnations à mort par fusillade » et par
une nouvelle vague d'envois en résidence forcée [191].

Mais toute continuité linéaire se brise avec l'occupation
étrangère et la dissolution de l'État, adversaire, modèle et
complice de la mafia. Le formidable choc suffit à tout
remettre en branle, sans qu'il soit besoin de faire appel au
deus ex machina de la conjuration avec les Américains, à base
d'avions et de chars d'assaut qui arrivent à Villalba avec des
foulards brodés d'un L (comme Lucky Luciano), avec pour
conséquence invraisemblable la mobilisation mafieuse
dirigée par don Calò pour neutraliser les armées italiennes et
allemandes [192]. Il est en tout cas peu crédible qu'en 1942
existe *la* mafia, avec laquelle le haut commandement ou les
services secrets alliés puissent passer un accord. En revanche,
on possède des documents montrant que l'US Navy a confié à
Lucky Luciano la défense des docks de New York contre les
saboteurs allemands, qui, par ailleurs, n'auraient jamais
existé puisque le boss aurait lui-même simulé des attentats
pour obtenir sa libération [193]. Ce qui est bien dans le style
mafieux : menace et protection dans le même temps ! En
revanche, Luciano nie avoir joué un rôle quelconque sur le
versant sicilien : « Là-bas, chez moi, je n'avais pas un seul
contact [194] ».

Salvatore Lucania, dit Lucky Luciano, était parti de
Lercara à l'âge de neuf ans. La dernière vague de mafieux
qui se sont transférés en Amérique date de l'époque de Mori,
puis avec la chute des flux migratoires, le mouvement
s'interrompt [195]. Dans cette phase, à l'initiative entre autres de
Luciano, se crée une organisation américaine qui utilise le
modèle sicilien d'affiliation, mais qui sort des limites antérieures grâce à la grande chance constituée par la prohibition.
Pendant ce temps, à cause du cyclone Mori, la composante
insulaire se replie, de sorte qu'au moment de la reprise le
fossé est on ne peut plus évident.

La mafia acquiert du crédit *après* la fin des combats dans
l'île. Les Anglo-Américains doivent administrer. De l'écroulement de l'appareil d'État, ils ne sauvent que les carabiniers
ou le Service interprovincial de sûreté publique créé par

Mori ; ils cherchent donc les détenteurs de quelque pouvoir informel (prêtres, aristocrates), en ayant en tête le modèle du boss italo-américain ou celui du chef indigène, collaborateur du colonialisme anglais. Pour le rôle de maire, ils font confiance à des notables d'avant le fascisme, parmi lesquels les « hommes de respect » ne manquent pas. Il leur faut d'abord résoudre le problème de l'ordre et des approvisionnements alimentaires menacés par le marché noir. Certains officiers souhaitent un compromis qui pourrait comporter « l'acceptation, jusqu'à un certain point, de la part des alliés, du principe de l'*omertà*, code que la mafia comprend et respecte réellement [196] ». Mais pour cela, il faudrait une mafia centralisée, capable de contrôler la prolifération des traficoteurs et des bandits.

Entre-temps, de l'autre côté, on se réorganise. La Sicile est, de fait, séparée de l'Italie, les partis antifascistes sont faibles et manquent de références nationales (nous sommes aux alentours du 8 septembre). Certains notables décident de prendre de l'avance en demandant la constitution d'une république séparée et en constituant le Mouvement pour l'indépendance sicilienne (MIS). Le leader du groupe est Andrea Finocchiaro-Aprile, représentant en vue du groupe des partisans de Nitti en 1919-1924, fils de l'ancien ministre giolittien Camillo ; mais il faut également signaler Lucio Tasca Bordonaro, qui était avec Vizzini dans le parti agraire dans l'immédiat premier après-guerre, ancien représentant des propriétaires dans le Conseil provincial de l'économie corporative et désormais maire de Palerme. Orlando, pointe émergée d'un passé qui revient soudain au premier plan, se tient à l'écart du MIS.

Ici, comme en d'autres endroits de ce livre, je ne parcourrai pas, du point de vue de la mafia, l'histoire générale de l'île, avec le retour de l'administration italienne, la défaite du séparatisme, la création de la région et la lutte pour la réforme agraire [197]. Je me contenterai de souligner que de très nombreux mafieux passent par le MIS : Vizzini, Navarra, Genco Russo ; Paolino Bontate et Gaetano Filippone ; Pippo Calò et le jeune Tommaso Buscetta. Si l'on en croit Calderone, Concetto Gallo, propriétaire à Catane et commandant de l'Armée volontaire pour l'indépendance sicilienne (EVIS), était lui aussi un mafieux [198]. En septembre 1945, dans une propriété des Tasca, les dirigeants du mouvement décident d'utiliser certaines des bandes qui battent la campagne pour renforcer l'EVIS : « Ce soir-là – commente notre vieille connaissance Francesco Spanò – se réorganisa la vieille *société de mafia,* dans laquelle étaient représentées toutes les *cosche* de Sicile [199]. » De fait, le réseau de relations brisé par Mori trouve une occasion de se renouer autour du MIS. Pour la première et la dernière fois, la mafia, au lieu de s'insérer dans un appareil de pouvoir, semble vouloir contribuer directement à une hypothèse politique. Il est difficile de dire quel est le poids réel du sicilianisme, qui dans le passé avait servi de drapeau aux mafieux et à leurs avocats ; à coup sûr, s'ils avaient une idéologie politique, ce serait celle-là. Plus concrètement, il y a une attention aux mouvements de la classe politique libérale qui est sortie du fascisme, mais n'aura pas nécessairement une place dans l'Italie nouvelle.

Comme d'autres, la mafia se présente comme une victime du fascisme ; mais sa crédibilité est plus grande que celle des notables, et plus encore des latifundistes, auxquels le régime avait confié le pouvoir social, sinon politique [200]. La mémoire des coups de filet et des maxi-procès reste très vive : on se souvient du spectacle des *gabellotti* abandonnés à leur sort, dénoncés, persécutés par leurs anciens protecteurs/protégés. Doit-il y avoir automatiquement une reconstitution d'un front conservateur dans lequel ces éléments intermédiaires se trouveraient aux côtés des propriétaires de latifundia ? Ou bien les *gabellotti* peuvent-ils trouver une place dans la lutte antiféodale (et antifasciste) qui se prépare dans les campagnes [201] ? Ce sont-là les problèmes que se posent les gens de gauche à la recherche d'une bourgeoisie progressiste ou, du moins, d'une mafia « d'en bas » à opposer à la « Haute Mafia ».

Le 16 septembre 1944, arrive à Villalba un camion rempli de militants qui accompagnent le leader régional communiste Girolamo Li Causi, ancien représentant de l'émigration politique et de la Résistance. Vizzini et son neveu Benedetto Farina, qui se relaient au poste de maire, contrôlent la Démocratie chrétienne locale, affiliée au MIS ; ils n'en sont pas moins disposés à accueillir les arrivants. Ils leur demandent seulement d'éviter de faire allusion à des problèmes locaux « par respect de l'hospitalité qui leur est offerte [202] ». La communauté de Villalba n'est pas habituée à des interventions extérieures, qui lui rappellent le fascisme ; c'est précisément aux abus de pouvoir de ce dernier que don Calò – qui a été reconnu innocent au tribunal et a échappé à la résidence forcée grâce aux recommandations de la myriade de prêtres de sa famille – doit une bonne part de son propre prestige. Un conflit interne à cette communauté oppose les catholiques séparatistes des Vizzini-Farina à la vieille famille des Pantaleone, dont le descendant, Michele, a constitué un groupe socialiste. Li Causi se présente au meeting aux côtés de ce dernier : c'est le signe qu'il ne veut pas « rester au niveau de la propagande idéologique », mais aborder des questions qui *ne doivent pas* le concerner, en particulier celle de la location du fief Miccichè dont les Trabia avaient tenu à distance, pendant des décennies, les appareils de médiation et qui, à la fin (*sic transit gloria mundi*), était parvenu entre les mains de la coopérative catholique opposée à celle des socialistes. On peut remarquer comment le langage politico-idéologique « élevé » se superpose à celui des factions locales. Quand le leader communiste se met à critiquer la gestion clientélaire des sous-locations que mènent les catholiques par l'intermédiaire d'un *gabellotto*, don Calò hurle : « C'est faux ! » et la « fin du monde » se déclenche : des dizaines de coups de pistolet, cinq grenades. Il y a 14 blessés parmi lesquels Li Causi qui, selon la légende, « le doigt pointé contre son agresseur », ne cesse de crier : « Pourquoi tu tires, sur qui tu tires ? Tu ne vois pas que c'est sur toi-même que tu tires ? »

Comme on le voit, le dirigeant communiste, héritier de Verro et de Panepinto, ne renonce pas à une pédagogie de la civilisation du conflit de classe qui permettrait de ramener l'*anomalie* sicilienne dans le schéma *normal,* dans lequel « les membres de la vieille mafia, dans leur lutte pour la conquête de la terre, n'auront plus besoin de se mettre hors la loi ». C'est pour cela qu'il stigmatise la conduite de Vizzini, qu'il considère comme « indigne d'appartenir à la mafia ». Nous ne sommes pas très éloignés du démocrate chrétien Bernardo Mattarella qui souligne que « les gens de Villalba qui regardaient avec sympathie le mouvement démocratique chrétien, dans lequel ils pensaient peut-être entrer, ne sont en rien réactionnaires. Il s'agit en grande partie de paysans et de petits propriétaires » qui se sont unis accidentellement avec les « feudataires » du MIS. En fait, cette convergence n'est pas du tout accidentelle. Les événements de Villalba ne ressemblent en rien aux classiques embuscades mafieuses, il s'agit d'un acte de terrorisme « justifié et exalté par la presse séparatiste [203] ». Ceux qui l'accomplissent entendent prendre ouvertement parti.

Une perspective politique identique, conçue comme un projet subversif et non comme la simple gestion du pouvoir (ce qui, pour le coup, prendrait place dans une lignée traditionnelle), apparaît dans la plus retentissante affaire de l'après-guerre insulaire, celle de Salvatore Giuliano [204]. Pourtant, le futur prince des bandits avait commencé en faisant du marché noir ; surpris par les carabiniers, il avait instinctivement tiré sur eux. C'est là une variante mineure du scénario qui veut que la carrière d'un bandit commence dans le registre de la vengeance contre un puissant ou un « infâme », autrement dit de la défense de l'honneur. La Sicile d'après guerre est pauvre et malheureuse ; elle tente de soustraire son blé à la réquisition, c'est-à-dire à d'autres malheureux des régions qui n'en produisent pas suffisamment. C'est une Sicile enfermée dans un horizon localiste que les communistes tentent de briser en rebaptisant les magasins où l'on amasse le blé réquisitionné « les greniers du peuple » et en appelant à la mobilisation contre les propriétaires affameurs. Mais, en de nombreux endroits, la résistance est généralisée dans toutes les couches de la société, y compris parmi les paysans de gauche. Selon une rumeur répandue à Villalba, Li Causi est envoyé « par le gouvernement pour obliger par la force les paysans à accepter la réquisition de leur blé [205] ». Né dans ce contexte, le cas Giuliano connaîtra des suites bien différentes. Le seigneur de Montelepre finira par se battre pour une idée générale (et abstraite) – la « Sicile » – puis par être le protagoniste de la première « stratégie de la tension » de l'histoire de la République, avec le massacre des paysans venus, drapeaux rouges à la main, fêter le 1ᵉʳ mai 1947 à Portella della Ginestra.

À coup sûr, un tel résultat eût été inconcevable sans l'enrôlement de Giuliano, avec le grade de colonel, dans l'armée indépendantiste, l'EVIS. L'offre de violence venue d'en bas trouve sa demande : Giuliano est le premier bandit politique de l'histoire sicilienne ; il attaque des casernes des forces de l'ordre, enlève d'éminents personnages, tue des mafieux de haut rang, tel Santo Fleres, assaille des colonnes de l'armée.

Il cherche à légitimer son action, mais avec une série de zigzags qui ne démontrent pas une grande clarté stratégique : il lui arrive de frapper avec ostentation la police parce qu'elle est républicaine, en épargnant les carabiniers « royaux » ; tantôt il se maintient en contact avec la droite monarchiste du MIS, représentée par les Tasca et les Carcaci, tantôt avec la gauche, animée par son avocat, Antonino Varvaro, qui, lors des élections de 1947, obtient un grand succès à Montelepre en se présentant à la tête d'une liste séparatiste républicaine. Parmi les commanditaires présumés du massacre de Portella delle Ginestra, on cite, outre les séparatistes des diverses factions, les principaux leaders démocrates chrétiens et certains monarchistes de Palerme. Il est probable que Giuliano ait été en contact, à un moment ou à un autre, avec tous ces gens au cours de ses diverses pérégrinations dans et autour du MIS et qu'il ait été (ou se soit senti ?) investi de hautes fonctions au moment où, à l'échelle régionale, les partis de gauche l'emportent aux élections de 1947, et, à l'échelle nationale, où la monarchie s'écroule et où souffle le vent du nord. Il semble que le point décisif soit précisément celui du passage de la monarchie à la république : c'est un moment où s'ourdit une trame qui implique, aux côtés d'hommes politiques et de généraux favorables à la royauté, la droite séparatiste, toute prête à abandonner, avec désinvolture, sa prétendue vocation antiunitaire et anti-Risorgimento à la seule fin de participer à un front réactionnaire [206]. Il se trouve qu'à ce (*possible*) complot s'en superpose un autre, fondé sur la volonté de s'emparer de Giuliano mort ou vif, ce qui déclenche une *émulation* entre carabiniers et police qui entraîne des résultats déconcertants : que l'on pense à l'intervention de Ciro Verdiano, haut fonctionnaire de la Sûreté publique, habitué à rendre d'amicales visites à Giuliano (comme d'ailleurs le procureur général Emanuele Pili), qui fait savoir au bandit : « Méfie-toi de ton cousin » ; cela au moment même où ledit cousin, Gaspare Pisciotta, négocie, par l'entremise de Nitto Minasola et de la mafia de Monreale, avec les carabiniers du CFRB (Commandement des forces de répression contre le banditisme), dirigé par le colonel Ugo Luca. À l'évidence, il n'est pas sans conséquences de savoir *qui* capturera le bandit, ou le convaincra de se rendre et de révéler ses (éventuels) secrets.

Il est donc logique que Giuliano soit pris mort, assassiné (semble-t-il) par Pisciotta, qui a passé un accord préalable avec le CFRB. C'est le 4 juillet 1950, et l'après-guerre est sur le point de se terminer. La mise en scène tendant à faire croire à un combat avec les carabiniers s'écroule misérablement, redoublant les doutes déjà existants ; mais, plus encore que le reste, c'est l'élimination de Pisciotta avec le célèbre café à la strychnine, qui lui est servi dans la prison de l'Ucciardone, qui rend la thèse du complot inéluctable. Qu'on ne s'attende pas à ce que je fournisse ici les clés du mystère. Je me contenterai plutôt de souligner à quel point la mafia sort renforcée de cette affaire, légitimée dans sa fonction d'ordre par les fonctionnaires de police (anciens de l'opération Mori) Messana, Verdiani et Spanò, et par le colonel Ugo Luca lui-même. « Si Giuliano ne tombe pas bientôt entre les mains de la justice – écrit Messana – il sera certainement victime de la mafia. [...] Ces jours-ci, et ce n'est pas une étrange coïncidence, certains des chefs de bande les plus connus ont été trouvés morts [207]. »

Nous sommes ici au début de l'année 1946 et Giuliano agira encore pendant quatre ans. Les bandits tués sont les victimes, non pas tant des décrets de quelque super-organisation que de la lutte pour redéfinir les hiérarchies criminelles dans le chaos de l'après-guerre ; chaos qui représente « l'humiliation » de l'idée de mafia d'ordre, « la preuve quotidienne de l'inexistence de sa fonction de médiation et de régulation [208] ». Ce sont les appareils de l'État qui, à force de l'invoquer, finissent par la faire se matérialiser. En voici un seul exemple. Messana a un contact dans la bande : Salvatore Ferreri, dit Fra' Diavolo ; cet homme est « dans les mains » de la *cosca* d'Alcamo et il promet (sans maintenir sa promesse) de donner Giuliano. Fra' Diavolo est tué mystérieusement tandis qu'il est en état d'arrêt dans une caserne de carabiniers. D'après Spanò, Vincenzo Rimi, chef mafieux d'Alcamo, aurait été « l'intermédiaire pour l'exécution de Ferreri par les carabiniers, parce qu'il craignait qu'emprisonné ce dernier ne parle [209] » : voilà l'opinion d'un préfet de police, pas celle d'un subversif. Si l'on pense que le Rimi en question deviendra un des personnages les plus importants et les plus protégés de la mafia durant les années 1950 et 1960, on peut faire quelques hypothèses sur l'effet polluant de ces liens. Quels effets a donc le complot vainqueur, celui qui relie Luca,

Minasola et Pisciotta ? « Nous sommes un seul corps, bandits, police et mafia, comme le père, le fils et le saint esprit »,
hurlera Pisciotta au procès de Viterbe[210].

Cela dit, il existe une différence de ton entre les orphelins
de Mori, qui remettent en activité les filières avec les mafieux
des Madonie ou d'Alcamo, et Luca, spécialiste de la lutte
contre la guérilla, de retour des Balkans, qui tend aussi à établir une distinction de type politique entre la catégorie des
progouvernementaux et celle des subversifs, dans laquelle,
pense-t-il, sont alliés Giuliano et les communistes (!)[211]. Il fallait une victime propitiatoire pour un front d'ordre construit
sur l'opposition *bonne mafia-mauvais banditisme*, qui reproduit en pire ce qui était advenu en 1877 et qui renverse le sens
des événements de 1926 ; d'où les remarques acerbes de Giuliano sur la vocation collaboratrice de la mafia[212] et la légende
(par ailleurs sans aucun fondement) du Robin des bois de
Montelepre. Pourtant, cette affaire, pour retentissante qu'elle
soit, fait partie d'une opération plus complexe visant à faire
entrer les séparatistes dans la Démocratie chrétienne : la pro-
phétie de Mattarella sur le retour des gens de Villalba dans la
DC se révélera bien plus réaliste que celle des communistes
sur la possibilité d'une rupture interne du front mafieux.
Écoutons le récit d'un autre leader de la DC, Giuseppe Alessi,
de Caltanissetta, sur la façon dont les séparatistes du Vallone,
guidés par Calogero Volpe, soutenus par Genco Russo,
entrent en bloc dans le parti. Alessi s'y oppose, car il sait fort
bien (n'a-t-il pas été avocat lors de certains procès du *Ventennio* fasciste ?) que c'est là « le monde des trois M : [...]
Moulin, Monnaie, Mafia, à savoir les trois forces unies qui
dominent le Vallone » ; mais ses amis lui rétorquent : « Nous
avons besoin de la protection de personnes fortes, capables de
mettre fin aux violences des communistes[213]. » Le chemin
que parcourt Vanni Sacco est plus long ; chef mafieux de
Camporeale, il passe au parti libéral et ce n'est qu'à la fin des
années 1950 qu'il adhère à la DC, ce qui soulève les protestations du maire Pasquale Almerico. Le lieutenant de Fanfani et
futur ministre Giovanni Gioia répond alors à Almerico : « Le
parti a besoin de gens avec qui s'allier, il a besoin d'hommes
nouveaux, on ne peut faire obstacle à certaines tentatives de
compromis. » Isolé, Almerico tombe, victime d'un attentat,
en mars 1957.

Dès la fin de la guerre, avec l'accord des latifundistes, le gardiennage des *campieri* mafieux dans les fiefs de la Sicile occidentale s'est remis en place[214] ; il ne s'agit pas seulement de contrôler les bandits, mais aussi le mouvement paysan. La liste des syndicalistes assassinés s'allonge dangereusement : Accursio Miraglia, Placido Rizzotto, Salvatore Carnevale et bien d'autres sont tués. Par ailleurs, la défense de ce qui existe se transforme, comme d'habitude, en ascension vers le nouveau. La voie mafieuse vers la mobilité sociale et la redistribution des ressources représente une filière qui fait concurrence – et donc qui entre en conflit – avec celles que propose la gauche depuis la fin du XIXe siècle, mais plus encore maintenant, au moment où le latifundium va atteindre la dernière de ses crises, la crise définitive. Avant comme après la réforme foncière de 1950, les grands propriétaires commencent à vendre, entre autres pour éviter d'être expropriés. À la fin de ce processus, 500 000 hectares de terres auront changé de main. Il s'agit souvent d'affaires peu claires, lors desquelles joue, naturellement, le droit de préemption des régisseurs traditionnels, qui parviennent à acheter les terres à des prix « d'affection[215] ». Les fiefs Polizzello, Miccichè, Mandrebianche et Mandrerosse sont achetés et vendus par les soins de Genco Russo, Vizzini et Tusa[216]. Giuseppe Bua et Mariano Licari, à Marsala, Vincenzo Di Carlo, à Raffadali, presque tous les ex-*campieri* plus ou moins mafieux contrôlent cette gigantesque braderie des biens de leurs ex-patrons, ce qui provoque de nouvelles fortunes et de nouvelles clientèles. Le rapport essentiel est noué avec la Démocratie chrétienne et la Coldiretti qui permet l'accès à l'Office de la réforme agraire sicilienne (ERAS) et aux financements régionaux pour la formation de la petite propriété paysanne.

Michele Navarra, dit *u patri nostri* [« notre père »], est également un de ceux qui arrivent à la DC et à la Coldiretti en partant du séparatisme, après un passage au parti libéral. Navarra est un médecin affairiste qui crée une entreprise de transports, en rachetant les camions de l'administration anglo-américaine ; avec Vanni Sacco, il s'emploie à contrôler le Consortium pour la bonification du haut et moyen Belice. Il dirige la reprise de la mafia de Corleone « après le coup de filet du préfet Mori », au cours duquel – écrit le sous-brigadier Vignali – « la délinquance locale organisée cessa toute activité, dans la mesure où même les parents des affiliés à la *cosca* avaient été déracinés ». Il est apparenté aux Lo Bue, de Prizzi, aux Gagliano et aux Gennaro, impliqués dans le meurtre du dirigeant socialiste Bernardino Verro, poursuivis par le fascisme ; dans le second après-guerre, Filippo Gennaro, fils de Michelangelo alors désigné comme chef mafieux, est de nouveau actif sur le marché des locations et des intimidations [217]. Navarra réagit mal au retour d'Amérique de Vincent Collura, personnage lié à Frank Coppola et à Joe Profaci, qu'il juge trop ambitieux ; Collura est abattu d'une volée de plomb en 1957. Un autre personnage jugé encombrant est le syndicaliste Placido Rizzotto qu'un membre de la *cosca*, Luciano Leggio, enlève en plein village, en l'invitant à « une discussion » : « Avant de sortir du pays, Placido disait : "Où m'emmenez-vous, laissez-moi partir" ; il allait à la mort [218]. » Un adolescent, qui avait eu la malchance de voir trop de choses, s'en va lui aussi à la mort : hospitalisé pour une crise de nerfs, il est soigné par Navarra en personne, qui lui fait une injection.

À la fin de la guerre, Leggio « était un jeune paysan, sans biens ni ressources [219] » ; un *scassapagghiara*, au sens littéral du terme, c'est-à-dire un voleur de gerbes de foin, surpris en 1944 par le garde champêtre Calogero Comajanni qui l'emmène, à travers le village, jusqu'à la caserne des carabiniers, « presque à coups de pied dans le derrière [220] ». Le jeune homme se vengera de cette humiliation six mois plus tard, en lui tendant une embuscade près de chez lui. Il n'est pas vraiment exact qu'il n'ait aucune ressource, il est en fait doué d'une habileté naturelle dans le maniement des armes, évidente dès son adolescence, grâce à laquelle il devient le *campiere* d'un certain docteur Caruso, en prenant la place de son prédécesseur, mystérieusement assassiné, en 1945. À vingt ans, il est déjà *gabellotto*, le plus jeune de Sicile ; il s'insère dans le circuit du vol de bétail et de la boucherie clandestine, tout en étant hors la loi, à quelques moments près, à partir de 1948. Le docteur Navarra est le moyen par lequel Leggio évite le sort de « nouveau Giuliano » auquel il est promis, à partir de 1958, par les journaux de Palerme. Pourtant, le bandit ne se contente pas de jouer le rôle de simple exécutant. Son esprit d'indépendance le fait mal voir par le grand chef qui organise contre lui un attentat qui échoue à cause de la terreur qu'il inspire aux tueurs. Sa réaction est meurtrière : *u patri nostri*, qui refusait orgueilleusement toute protection, est criblé de coups en même temps qu'un de ses malheureux collègues (1958). La guerre se termine par une bataille furibonde où convergent « une quarantaine de criminels de part et d'autre », en plein centre de Corleone, sans aucune intervention des forces de l'ordre[221]. Les hommes de Navarra en sortent complètement vaincus.

Pourtant, tout le monde s'attendait à une victoire de Navarra : n'avait-il pas le pouvoir social, ne contrôlait-il pas les contacts politiques ? Si la mafia était uniquement un club de notables, d'affairistes et d'hommes de main obéissants, cette histoire serait incompréhensible. Si les hiérarchies en son sein se contentaient de refléter les hiérarchies *naturelles* – c'est-à-dire *sociales* –, Leggio serait resté l'homme de rien qu'il était. En fait, la capacité à fournir de la violence est un capital essentiel. Il faut savoir où on le dépense. Giuliano joue sur la table de la grande politique ; Leggio, pour sa part, investit dans les circuits mafieux.

Que l'on songe au conflit qui oppose les deux factions de la famille Greco, respectivement situées dans les bourgades palermitaines de Croceverde Giardini et de Ciaculli. La première a pour chef Giuseppe Greco, dit *Piddu u tenenti* [« le lieutenant »] ; la seconde tire son origine d'un certain Salvatore Greco, déjà mort à l'époque des faits et qui est probablement le Greco que nous avons rencontré comme chef de la « Haute Mafia », à la fin du XIXe et au début du XXe siècle[222]. Tout commence en 1939 par une dispute pour des questions « d'honneur » : le droit de s'asseoir sur un banc devant l'église, lors de la fête de la bourgade. Suit une embuscade nocturne, sur le chemin du retour, et le premier mort, un fils du « lieutenant ». À partir de 1946, la guerre est déclarée, faite d'incursions, d'exécutions, de « *lupare bianche* » ; elle culmine par un assaut au cours duquel les femmes Greco de Ciaculli achèvent à coups de couteau un blessé du groupe adverse ; l'une d'entre elles, Antonia, est à son tour touchée et tuée en 1947. L'histoire a des modalités à ce point déconcertantes qu'on avance l'hypothèse de l'intervention de la bande Giuliano aux côtés du « lieutenant » ; mais il s'agit probablement d'une tentative pour attribuer à des brigands impossibles à identifier avec précision cette violence abnorme, si éloignée

de la réglementation à base d'honneur et d'esprit chevaleresque que les apologistes attribuent généralement aux
conflits entre mafieux. J'ai aussi quelques doutes sur l'histoire du banc et de la fête, vu les enjeux de cette affaire : la
location de l'un des plus grands jardins d'agrumes de Sicile,
appartenant aux Tagliavia, armateurs et exportateurs depuis la
moitié du XIXe siècle ; la gestion de sociétés de dérivés agrumiers et d'entreprises de transport ; la lutte pour le contrôle de
Palerme-Est (vol de bétail, approvisionnement des marchés
généraux, contrebande), qui, en 1956, entraînera l'élimination du chef mafieux de Villabate, Nino Cottone, parent des
Greco de Croceverde[223]. À cette date, les deux cousins Greco
de Ciaculli, Salvatore « *Chicchiteddu* » et Totò « le grand »
(ou « l'ingénieur ») s'installent au sommet des pouvoirs et
des trafics de la mafia palermitaine, sans que naissent d'autres
conflits avec leurs parents[224]. Il semble qu'un accord ait été
obtenu grâce à la médiation de Joe Profaci, originaire de Villabate, temporairement de retour en Sicile.

La famille Greco

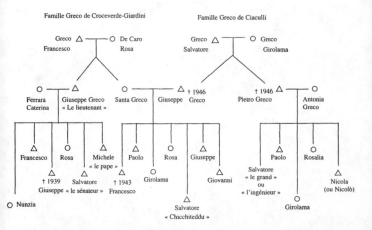

Pourtant, il y avait eu bien des morts, parmi lesquels le père
de « *Chicchiteddu* » et le père et la mère de « l'ingénieur » !
« Les vieux mafieux des jardins pouvaient adorer deux
idoles : la richesse et la vengeance[225] » : dans ce cas-ci, à

l'évidence, l'exigence d'une gestion des affaires de famille, dans une phase de grande expansion, l'emporte sur la vengeance. Nous ne sommes pas devant une vendetta aveugle ou culturellement nécessaire, mais face à un choix lucide, qui, selon les circonstances, peut mener à la paix ou à la guerre : la guerre des Greco, la « férocité » de Leggio, tous les conflits sanglants entre mafieux ou bandits de l'après-guerre.

CHAPITRE V

LA COSA LORO
« LEUR CHOSE À EUX »

1. *L'antimafia*

« Si une belle fille vient à passer, un Sicilien vous dira que
c'est une fille mafieuse ; si un garçon est précoce, il vous
dira qu'il est mafieux. On met la mafia à toutes les sauces,
mais il me semble, honorables collègues, que l'on exagère
un peu[1]. »

Nous sommes en 1949. Ces considérations minimalistes
font mine de s'appuyer sur des observations de terrain, mais
elles sont, en fait, fortement inspirées par une tradition littéraire, c'est-à-dire, comme d'habitude, par Pitrè. Elles sont
avancées par Mario Scelba, ministre de l'Intérieur, célèbre
par sa dureté contre les manifestations ouvrières, et que Pisciotta mettra en cause en le présentant comme le commanditaire du massacre de Portella della Ginestra. La mafia n'existe
pas, elle n'est tout au plus qu'une faible catégorie culturelle :
cette thèse est partagée, dans les années 1950, par une bonne
part de la société régionale et nationale, au fur et à mesure que
les mafieux s'intègrent dans le parti majoritaire, encore plus
aisément que les groupes dirigeants traditionnels qui doivent
avaler l'amère pilule de la réforme foncière et gèrent une
décadence dorée à l'aide des financements et emplois régionaux. L'antimafia de droite disparaît et, avec elle, la tension
antimafieuse dans les appareils étatiques. Ce sont les années
où Lo Schiavo fait l'éloge de Vizzini, de Genco Russo et de la
mafia d'ordre[2].

Les mafieux ont acquis quelques mérites en choisissant les mêmes adversaires que le gouvernement et la bourgeoisie. Il est emblématique qu'à Sciarra les assassins de Salvatore Carnevale se réunissent dans l'immeuble qui abrite également la caserne des carabiniers, même si l'on y entre par deux escaliers différents. Les uns et les autres ont longuement fait pression sur le syndicaliste, pour qu'il « laisse tomber les partis », qu'il abandonne la politique : « *Picca nn'hai di 'sta maladrineria*[3] », « Tu n'en as plus pour longtemps, de cette saleté », lui prédit un *campiere*. Le personnage suspecté d'être le commanditaire de l'homicide Miraglia est tout aussi emblématique : il s'agit de Gaetano Parlapiano-Vella, qui, de retour de la résidence forcée où il avait été envoyé par le fascisme, connaît à nouveau les fastes du pouvoir[4]. Les enquêtes sur ces crimes sont des chefs-d'œuvre de négligence, elles se bloquent au niveau policier ou judiciaire : un peu plus que de l'incompétence, un peu moins que de la complicité. Un petit officier du CFRB, Carlo Alberto Dalla Chiesa, commandant du groupe de Corleone, qui tente d'agir hors des schémas bureaucratiques, est l'objet d'une violente polémique.

La gauche reste seule à crier contre la mafia, à revendiquer ses morts, à dénoncer les collusions – dénonciation qui a d'autant moins de chance d'aboutir qu'elle provient d'une tendance politique complètement isolée après 1948. Aux États-Unis, l'attitude des autorités semble bien différente, et c'est de là que viennent des incitations à rouvrir le débat en Italie même. En 1953, les éditions Einaudi publient la traduction de l'enquête Kefauver[5], que l'on peut considérer comme le premier livre de l'après-guerre sur le sujet. Puis, en 1956, c'est le tour de *La Mafia*, de Reid, qui suit de façon assez confuse les traces du complot sicilien contre la vertueuse Amérique ; ce texte jouit de l'honneur, immérité, d'une préface du grand juriste Piero Calamandrei, qui apprécie justement que la Sicile soit considérée comme « la couveuse de la délinquance américaine » et exprime le vœu qu'une pression, éventuellement une enquête internationale, permette de soulever le couvercle démocrate-chrétien[6]. Le communiste Francesco Renda estime qu'il s'agit d'une « œuvre courageuse […] qui nous rappelle avec amertume le long silence de notre propre littérature depuis de longues années[7] ». Les raisons de ces appréciations sont évidentes. La reconnaissance de l'existence de la mafia provient du grand protecteur des forces qui, en Italie, soutiennent exactement le contraire ; les commissions parlementaires des États-Unis servent de modèle à la gauche italienne, qui, exclue du gouvernement, craint les hypothèses répressives confiées à la police de Scelba ; on fait appel à la mobilisation d'une sorte de presse « de première ligne » que l'Italie centriste regarde avec soupçon.

« Kefauver [...] rappelle d'ailleurs que l'idée de donner vie à la commission est due à seize quotidiens "agressifs" du pays, qui luttèrent par tous les moyens. [...] On peut aussi, dès lors, garder en tête les conditions dans lesquelles la presse italienne a dû agir et qui sont bien différentes de celles de la presse américaine. [...] Le journal ou le journaliste américains des années 1950 ont dû affronter, outre les gangsters, le gouverneur corrompu, le policier complice, le magistrat peureux et soudoyé, mais, au fond, ils n'ont pas eu contre eux la machine tout entière de l'État confédéral[8]. » Ces considérations sont de Vittorio Nisticò, directeur du quotidien palermitain de gauche *L'Ora,* qui, à deux reprises, entre la fin des années 1950 et le début des années 1960, lance des séries de grands reportages dénonçant les rapports de la DC avec la mafia (le journal sera d'ailleurs la cible d'un attentat à la dynamite) : il s'agit d'un journalisme qui ne recule pas devant les grands titres « à effet », mais qui tente cependant de creuser les cas de Corleone ou de la mise à sac immobilière de la capitale, de leur donner une profondeur historique en exhumant les vieilles histoires sur Cascio-Ferro ou les chroniques des procès des années 1920. Vers la fin du centrisme, la question est mise, ou remise, de façon décidée, sur le tapis par une série de journalistes et d'intellectuels *engagés.* L'un d'eux est le sociologue triestin Danilo Dolci, personnage atypique qui introduit la grève de la faim dans le répertoire des actions protestataires italiennes, construit des centres dans la région de Partinico, mène des recherches et prépare des dossiers sur le banditisme, la pauvreté, le clientélisme[9]. D'autres proviennent d'une Sicile profonde et ancestrale : un géomètre de Villalba, Michele Pantaleone ; un médecin de Montemaggiore, Simone Gatto[10] ; un instituteur de Racalmuto, Leonardo Sciascia. Le premier replace la mafia dans une histoire locale concrète et met en évidence la figure d'un notable, don Calò ; le deuxième l'encadre dans une thématique méridionaliste, à

la Franchetti ; le troisième, à mi-chemin entre la fiction littéraire et l'essai, exprime le sentiment que la mafia révèle une
corruption générale, dont on ne sait jamais si elle est globalement italienne ou spécifiquement sicilienne.

« Il faudrait surprendre les gens dans la tanière de l'évasion
fiscale comme en Amérique – pense le capitaine Bellodi face
au mafieux don Mariano. Mais pas seulement les gens comme
Mariano Arena ; et pas seulement ici en Sicile. [...] Ils
feraient mieux de se mettre à renifler autour des villas, des
voitures de luxe, des femmes, des maîtresses de certains
fonctionnaires ; et de confronter ces signes de richesse avec
les salaires, et d'en tirer les conséquences. Ce n'est qu'ainsi
que des hommes comme don Mariano commenceraient à
sentir le terrain manquer sous leurs pieds [11]. » Pour ces intellectuels, la mafia est un phénomène lié au pouvoir : un pouvoir antique qui vient de l'alliance entre la DC et les droites,
entre bourgeoisie et féodalisme ; un pouvoir qui reproduit
donc tous les vices du transformisme italien et sicilien. En
1959, paraît *Il Gattopardo* [12], avec son idéologie du « tout
change pour que rien ne change », envers laquelle la gauche a
un rapport d'amour-haine : elle la déteste car elle estime
qu'elle est réactionnaire tout en la considérant comme une
représentation réaliste de la condition insulaire, et peut-être
aussi comme une consolation envers sa propre incapacité à la
transformer.

Au vrai, les communistes et les socialistes siciliens parviennent à sortir de leur ghetto en 1959-1960, avec l'opération Milazzo, ainsi appelée du nom d'un notable de Caltagirone, ancien séparatiste, à l'origine d'une rupture à l'intérieur
de la DC à la suite de laquelle est constitué un exécutif
régional atypique, soutenu par l'extrême droite et l'extrême
gauche, dans lequel la vieille classe politique d'origine
agraire fait ses dernières preuves, en obtenant des appuis sur
une base radicalement sicilianiste. On a le sentiment que certains groupes mafieux, qui passent des groupes de droite vers
la DC, appuient cette tentative pour conserver quelque chose
des anciennes autonomies fondées sur le rôle des notables, et
cela contre le nouveau parti-machine créé par Fanfani. C'est
le cas de Francesco Paolo Bontate, alias don Paolino Bontà,
propriétaire et locataire de vastes jardins d'agrumes, chef
mafieux parmi les plus importants de Palerme, ancien sépara-

tiste et monarchiste. C'est d'ailleurs à l'intérieur d'un tel
regroupement politique que démarrent deux entreprises qui
seront par la suite objets de vives polémiques à cause de leur
proximité avec la mafia : les financiers Salvo, de Salemi, et
les entrepreneurs de construction Costanzo, de Catane. Il
semble même que le groupe Salvo-Bontate soit parmi les artisans de la chute de Milazzo, avec un changement d'alliance
ayant pour fonction d'assurer aux Salvo une « sorte de
bienveillance » de la part de toute la DC, bienveillance qui
s'est exprimée dans le monopole permanent de la perception
des impôts régionaux, avec une commission (c'est-à-dire une
bonification) de 10 %, alors que la moyenne nationale est de
3,3 % [13]. Selon le repenti Calderone, la mafia avait « très
fortement » soutenu Milazzo, entre autres raisons du fait des
lois favorables aux entreprises de construction qui avaient été
approuvées lors de cette première expérience unitaire [14] :
l'idée que le capital « sicilien » doit de toute façon être protégé, typique du schéma pervers de l'unanimisme régionaliste, amène à projeter, de la pire façon, le passé sur le futur.

Après la chute de Milazzo, on aboutit au centre-gauche, et
l'Assemblée régionale invite le Parlement à donner vie à la
Commission d'enquête sur la mafia, que la gauche réclamait
depuis longtemps ; elle est enfin mise en place en 1963.
Comme pour l'Italie du centrisme et la Sicile du latifundium,
la défaite semble proche pour la mafia. La Commission met
en route un important travail de documentation, dont les
résultats restent cependant inconnus de la majorité des
citoyens. Le président de la Commission, le démocrate-chrétien Pafundi, commence par annoncer que, dans les archives,
s'accumule « une poudrière », mais celle-ci tarde à exploser,
si bien qu'à la fin de la législature, en 1968, la montagne
accouche d'une souris : un rapport anodin de quelques pages.
Ceux qui souhaitaient un procès public contre la classe dirigeante commencent à estimer que l'Antimafia a été « une
occasion manquée [15] ». Le parti majoritaire n'est pas prêt à se
laisser juger ; tout au plus l'est-il à admettre que, dans le
panier démocrate-chrétien, il y avait quelques pommes ava-
riées, comme le partisan de Fanfani, Vito Ciancimino ; l'opposition, pour sa part, répète qu'un tel personnage (maire de
Palerme, adjoint à l'urbanisme, secrétaire de la DC locale) est
emblématique d'un système de pouvoir plus vaste, fait de

clientèle et d'affaires, noué à l'administration communale palermitaine. D'ailleurs, depuis des années, la presse ironise sur le comité d'affaires dit « Valigio » (Vassallo, Lima, Gioia, un entrepreneur et deux politiciens démocrates-chrétiens), qui monopolise la mise à sac immobilière d'une ville qui s'étend et dont le nombre d'habitants gonfle frénétiquement. Déjà, l'enquête ministérielle, confiée au préfet Bevivino en 1964, avait révélé une pratique que les documents de la Commission confirment pleinement : destruction d'édifices anciens et grande extension des espaces verts, publics ou privés, manipulation des plans régulateurs, adjudications truquées, permis de construire faciles, sociétés dirigées par des hommes de paille. « Ainsi, par exemple, cinq obscurs personnages ont monopolisé 80 % des permis [...]. Quatre des cinq bénéficiaires avaient d'autres activités : l'un était un ancien maçon, un autre marchand de charbon, un troisième, ingénieur, avait reçu une sommation en 1957 pour avoir signé des projets sans les avoir rédigés ni dirigés, un quatrième était manœuvre et gardien de chantier, dans l'attente d'une place de concierge dans un des 1 465 immeubles pour lesquels il avait obtenu un permis de construire [16]. »

Francesco Vassallo, un de ces entrepreneurs ayant réussi, vient de la périphérie – de la bourgade de Tommaso Natale ; il fait son apprentissage de *scassapagghiara* dans les années 1930, se lie, par son mariage, à une famille mafieuse locale (deux des frères de sa femme mourront de mort violente en 1961-1962). Dans l'après-guerre, il démarre dans le monde de la construction en brandissant l'instrument coopératif, que les mafieux utilisent souvent, de préférence aux sociétés par actions, pour « donner vie à des microstructures dans lesquelles ils s'associent entre eux, mais aussi avec des individus "collatéraux" à l'organisation [17] ». En somme, à ses débuts, Vassallo possède peu de capitaux, mais ne manque pas de relations : par exemple, avec une importante entreprise de transports et avec l'établissement Montecatini de Tommaso Natale. Ces relations lui permettent, en garantissant sa fiabilité, de participer aux adjudications publiques. Puis le chemin se fait aisé, grâce au crédit facile, à des transformations opportunes dans les plans immobiliers, aux échanges de faveurs et de prestations avec les Lima, les Gioia et d'autres notables, comme Di Fresco ou Matta. Ce dernier atteindra la

notoriété quand la DC tentera de le faire nommer parmi les
commissaires de l'Antimafia, suscitant ainsi une réaction
énergique et victorieuse des communistes, dirigés par Pio La
Torre.

Le heurt est donc inévitable entre DC et PCI, et c'est ainsi
que s'opposent le rapport de la majorité (Carraro)[18], celui de
la minorité de gauche (La Torre) et celui de la minorité de
droite (Pisanò), qui marquent la conclusion de la première
phase de vie de la Commission (1976). Cela ne doit pas,
cependant, masquer l'accord qui s'était constitué entre le
(second) président Cattanei et le président adjoint Li Causi,
accord qui aboutit, à partir de 1972, à la publication d'un
important matériel et qui, plus généralement, repose sur une
évaluation des *fondements* et de l'*histoire* du phénomène
mafieux[19]. En regardant vers le passé, la question des responsabilités est moins brûlante. On peut ainsi charger le centrisme d'un Scelba, qui désormais ne tient plus le haut du
pavé, ainsi que l'État libéral, que l'on désigne comme responsable de tous les maux, au bénéfice commun des deux
forces anti-Risorgimento, les catholiques et les communistes.
Ces derniers obtiennent en particulier satisfaction sur l'affaire
Giuliano et, en général, sur l'évaluation de la mafia comme
instrument des latifundistes contre les paysans. Le schéma
qui oppose les bons aux méchants devient ainsi la clé de lecture de l'histoire de l'île, au moins à partir de 1812, date de la
remise en cause du féodalisme. Les rapporteurs écrivent cette
histoire avec peu d'instruments, mais beaucoup d'idéologie
sicilianiste, dans sa version de gauche, en partant du complot
présumé, tendant en permanence à empêcher le « peuple »
sicilien de réaliser ses objectifs présumés permanents : la
conquête de la terre et de l'autonomie régionale. Il y aurait
donc une mafia déjà bien définie dans la période du Risorgimento et elle se serait rangée du côté de Victor-Emmanuel II,
contre Garibaldi qui désirait donner la terre aux paysans ; en
1867, elle soutient la bourgeoisie agraire contre de fantomatiques projets gouvernementaux de réforme sociale et, de façon
évidente, elle s'oppose aux *fasci*[20]. Il est significatif que le
rapport communiste n'hésite pas à prendre le contre-pied de
l'interprétation d'intellectuels marxistes comme Grieco ou
Sereni[21], qui insistaient sur le rôle autonome des couches
intermédiaires (les *gabellotti*) : la remise en question de cette

tradition interprétative repose sur l'argument, peu convaincant, selon lequel la simple existence d'un pouvoir de classe
(des latifundistes) ferait nécessairement de la mafia un
« phénomène de classes dirigeantes[22] ». De la sorte, la mafia,
outre qu'on la présente comme le metteur en scène de toute
l'histoire de l'île, est conçue comme un pur reflet de la politique et de la société ; on voit combien cette vision ne tient
pas compte de l'avertissement de Rosario Romeo invitant à
définir précisément termes et concepts et à ne pas « céder à la
tentation » de faire coïncider son histoire « avec l'histoire de
la Sicile[23] » ; ou encore, et plus précisément, avec une représentation qui aurait pour fonction de confirmer un schéma
politique préalable. Cela concerne les rapports généraux de
l'Antimafia, non l'énorme masse de documents recueillis puis
(partiellement) publiés, dans des dizaines de volumes dont
découlent d'autres morceaux de vérité, d'autres pistes,
d'autres interprétations possibles.

Entre-temps, la mafia donne des signes indubitables et
tragiques de vitalité. En 1960, le commissaire de la Sûreté
publique, Cataldo Tandoj, est tué à Agrigente. Comme
d'habitude, certaines voix intéressées tentent de brouiller les
pistes en montant un trouble scandale sexuel de province,
impliquant des notables démocrates-chrétiens, alors qu'il
s'agit de l'histoire bien plus prosaïque d'un fonctionnaire qui
a eu des rapports trop étroits avec la *cosca* de Raffadali,
engagée dans les opérations d'achat et de vente des latifundia
de la région, et qui a payé de sa vie l'ambiguïté de ces liens.
Cependant, les gros titres des journaux concernent Palerme.
De 1955 à 1963, la ville est secouée par la lutte pour le
contrôle des marchés généraux, qui fait des dizaines de morts.
En 1962, éclate ce que l'on nomme « la première guerre de
mafia » entre les deux groupes rivaux des Greco (de Ciaculli)
et des frères La Barbera. Ces derniers seront vaincus : l'un
d'eux, Salvatore, est victime d'une *lupara* blanche ; l'autre,
Angelo, s'enfuit à Milan, où il échappe par miracle aux
tueurs du groupe ennemi qui sont parvenus à retrouver sa
trace. Cet attentat a un grand retentissement, car c'est la première fois que la mafia apparaît au grand jour dans la capitale
de l'Italie industrielle. Encore plus retentissante, l'explosion à
Ciaculli, le 30 juin 1963, d'une Alfa Romeo Giulietta remplie
de TNT, qui, destinée aux Greco, tue 7 membres des forces

de l'ordre. Comme à Chicago, dans les années 1930, les voitures qui se poursuivent sillonnent les rues, des bombes explosent, des coups de mitraillettes retentissent. Milan, les Giulietta, le TNT : autant de signes indubitables de la modernité. Le latifundium meurt et, avec lui, la société traditionnelle mais, contre toutes les prévisions, la mafia palermitaine prospère grâce à l'immobilier, la contrebande du tabac et le trafic des stupéfiants. Comment lier le passé à ce présent ? La Commission parlementaire présuppose un « transfert » de la mafia et des mafieux de la campagne à la ville, transfert qui correspondrait mécaniquement au phénomène social du passage d'une société à base rurale à une société à base urbaine. C'est d'un tel changement d'époque que rend compte le remplacement d'une « ancienne » mafia par une « nouvelle » : il n'y a pas, dès lors, de prise de conscience du fait que ce type d'opposition a déjà été utilisé à plusieurs reprises par le passé, à propos d'autres changements d'époque, vrais ou présumés tels. Quoi qu'il en soit, cette thèse est communément admise, par les observateurs les plus divers, et elle sert de base indiscutable dans les formulations des questionnaires et des entretiens.

Bien sûr, il est difficile de comparer Villalba et Mussomeli, lieux typiques du phénomène mafieux, non seulement à Palerme, mais même à Corleone, pour mille raisons parmi lesquelles la dernière n'est pas l'absence d'un taux significatif de violence dans les deux villages de la région de Caltanissetta. La façon dont Leggio prend le pouvoir à Corleone ne ressemble pas du tout au mécanisme de succession paisible par lequel, à en croire Pantaleone, Genco Russo prend la place de Vizzini comme monarque de la mafia sicilienne[24]. Dans les livres de Pantaleone, dans les rapports de l'Antimafia, dans toute la littérature sur le sujet, nous sommes face à une surévaluation évidente du rôle joué par ces deux personnages dans l'organigramme mafieux – rôle récemment réévalué, de façon drastique, par les révélations des « repentis » – et, en même temps, à une généralisation indue du modèle de Caltanissetta, dont la spécificité était déjà soulignée par le journaliste de *L'Ora*, Felice Chilanti : « Les chefs de *cosca,* à Palerme, dans les régions de Trapani et d'Agrigente restent à l'écart, dans l'ombre. Parfois même, ils vivent dans la clandestinité […]. À Palerme, il advient que la police, lorsqu'elle

fournit les données biographiques d'un chef mafieux abattu,
le désigne comme "berger" ou "ouvrier agricole", même s'il
s'agit en fait d'un entrepreneur […]. À Caltanissetta et dans
sa province, le mafieux, devenu chef d'entreprise, a pignon
sur rue. »

Cette mafia « préfectorale », qui s'est développée « sous
les yeux des *onorevoli* Aldisio et Volpe [25] », n'est pas *la* mafia.
C'est un groupe qui, dans la mesure où il avait d'évidentes
caractéristiques politiques, a attiré l'attention des essayistes,
d'autant que se développaient, au même moment, les polémiques sur la lutte pour la terre, le séparatisme, la convergence
vers la DC. Par ailleurs, à la longue, la surévaluation de ce cas
a eu des effets déformants sur la perception du phénomène
dans son ensemble. Il suffit de penser à la difficulté de conce-
voir une mafia urbaine, ou à l'impossibilité de faire entrer
dans un tel schéma un personnage comme Leggio, prompt
à faire usage d'une violence sans fard, auquel on accole
pendant longtemps les qualificatifs de « bandit » ou de
« gangster », plutôt que celui de « mafieux ». Au contraire, le
modèle don Calò insiste davantage sur la médiation que sur la
violence, au point d'aboutir au paradoxe du mafieux qui
n'aurait jamais ordonné un meurtre et dont le pouvoir repré-
senterait une simple traduction dans l'idiome local du pouvoir
social : le *gabellotto*-notable correspondant *ipso facto* au chef
mafieux.

Dans les années 1960, un certain nombre de chercheurs en
sciences sociales, venus en Sicile pour leurs enquêtes de terrain, rencontrent ce schéma. Nous savons déjà que le problème qu'ils veulent résoudre est d'origine américaine et non
sicilienne [26]. Les enquêtes menées aux États-Unis dans la
période d'après guerre présentent une vision de la mafia
comme entité centralisée, liée à des données ethniques et à un
complot étranger ; on accuse implicitement le front démocratique inspiré par Roosevelt, typiquement pluriethnique, de
ne pas avoir su, ou voulu, s'y opposer. C'est là que réside
la première équivoque de la réception italienne de cette
problématique : au moins jusqu'à Bob Kennedy, l'antimafia
américaine est, pour l'essentiel, de droite, tandis que la
culture « *liberal* » cherche à ramener tout cela à des rapports
de clientèle, au « *bossism* », à la petite criminalité, en tout cas

au « *disorganized crime* » d'où sont absentes les connotations ethniques.

Faute de compétences, je n'entrerai pas dans la question du caractère centralisé et monopoliste ou non des activités de la mafia américaine, sur lequel porte la partie la plus intéressante du débat[27]. Je m'intéresse à l'effet de rebond. Boissevain, Hess, Blok, Jane et Peter Schneider viennent dans les années 1960 en Sicile en cherchant une mafia qui soit un calque de la société « traditionnelle », avec ses hiérarchies et sa culture. Les Américains se conforteront ensuite dans l'idée que, dans la patrie d'origine également, il s'agit seulement d'un « système de parrains et de clients qui échangent faveurs, services et autres avantages[28] » : une mafia ramenée à la catégorie générale du clientélisme, destinée à disparaître avec la modernisation. « Avant, il y avait la mafia ; maintenant, il y a la politique », est l'épitaphe peu réaliste que Blok, au terme de son travail, situe sur la ligne de crête de la « grande transformation » de l'après-guerre[29]. Cette thèse, sous certains aspects, rencontre celles qui prévalent en Italie, de Pantaleone aux rapports généraux de l'Antimafia. C'est de là que repartira, dans notre pays, le débat scientifique avec la publication, en 1983, de *La Mafia imprenditrice* [*La Mafia entrepreneuse*] de Pino Arlacchi. Le livre s'ouvre sur une constatation aussi nette que contraire aux données d'expérience : dans « les vingt années de l'après-guerre » la mafia aurait vécu une phase de décadence, une « crise profonde[30] » due à la désagrégation des facteurs sociaux – l'univers « traditionnel » – dont elle serait l'expression. *L'ancienne* mafia serait donc en voie d'extinction, au profit de la *nouvelle*. Ainsi, *La Mafia imprenditrice* reprend la position de l'Antimafia, accomplit une opération, politiquement importante, de mise en évidence du caractère dynamique, et donc dangereux, du phénomène, mais relègue le passé dans la vulgate, brisant ainsi le rapport scientifiquement fécond de ce dernier avec le présent. Surtout, Arlacchi ne traite pas, ou traite en se fourvoyant, le thème de la mafia comme organisation.

J'ignore si le préfet de police de Palerme de 1974, Migliorini, était ou non un lecteur d'essais de sciences sociales, mais la définition qu'il donne de la mafia semble bien due à un anthropologue du monde méditerranéen : désormais en crise, du fait de la disparition du « sens du respect », la mafia serait faite « d'organisations séparées » sans ordre ni hiérarchie, qui durent jusqu'au moment « où sont atteints des objectifs précis », puis se dissolvent. La conséquence qui en est tirée, en vue d'opérations futures, est donc triomphalement nihiliste : « La répression du phénomène général est impossible ! Que pourrait-on réprimer ? Une idée, une mentalité ?[31] »

2. *Le pouvoir territorial*

Leonardo Vitale, fils de feu Francesco Paolo, appartient a une vieille famille de la mafia, au double sens de *cosca* et de lien du sang. Selon toute probabilité, il descend de l'un des cousins Vitale, Filippo et Francesco Paolo, assassins présumés de Francesco Miceli (1892), clients de Palizzolo et chefs mafieux d'Altarello di Baida ; dans cette même bourgade, plus de soixante-dix ans plus tard, l'oncle de Leonardo, Giovan Battista Vitale, joue encore un rôle dirigeant ; Giovan Battista Vitale est « un entrepreneur qui, dans son domaine, commet des abus de confiance et de pouvoir, tant pour l'achat de terrains à bâtir que pour la vente d'appartements[32] ». Leonardo est donc prédestiné, et ce bien qu'il y ait, en lui, peu d'éléments qui fassent penser à une « hypertrophie du moi », au machisme et aux autres traits culturels que les « mafiologues » attribuent dans les années 1970 – pour la énième fois – aux mafieux. Il s'agit d'un garçon fragile et émotif, orphelin dès son plus jeune âge, fasciné par la figure de son oncle auquel il doit démontrer qu'il est « un homme », entre autres pour repousser le soupçon d'homosexualité qu'il ressent en lui-même. De là vient son conformisme vis-à-vis du milieu et du groupe mafieux qui l'entoure, son incapacité à se percevoir comme un individu ; il réfléchira plus tard à cet aspect des choses : « Je ne m'intéressais ni à moi ni à ma vie […], autrement dit je n'accordais d'importance qu'aux autres », « j'admirais tous les autres ». Il devient mafieux parce qu'il désire s'agréger, être un élément de base du groupe. Pour démontrer qu'il est à la hauteur, il tue d'abord un cheval puis un être humain, sans se poser de questions, uniquement *parce qu*'on le lui demande. Nous sommes en 1960, Leonardo a vingt ans. Quelque temps auparavant, son oncle a peut-être eu l'intention de le retenir sur le bord du précipice : « Tu vois mes mains ? – lui a-t-il dit. Il y a du sang sur mes mains, et il y en avait encore davantage sur celles de ton père[33]. » Par la suite, cet oncle sera le commissionnaire de son premier meurtre et, en récompense, l'emmènera à la chasse.

Aussitôt après, Leonardo Vitale est affilié, selon le même rituel que décrivent les sources du XIXe siècle – rituel dont Hess refuse même d'envisager « la possibilité » d'existence[34], certainement à cause de la présence de modèles impossibles à ramener à la conception qui estime que les liens sont essentiellement familiaux et amicaux, si chère aux chercheurs en sciences sociales. Entre-temps, d'autres informations se sont ajoutées à celles du XIXe siècle. Valachi a fait connaître les systèmes d'affiliation à la Cosa nostra américaine. En Sicile, un certain Giuseppe Luppino a révélé, en 1958, qu'il avait refusé d'accomplir un meurtre après avoir prêté serment devant la *cosca* de Campobello di Mazzara, révélation rendue d'autant plus crédible que lui-même fut assassiné peu après[35]. À l'évidence, la mafia a maintenu ses propres rituels, sans les changer, dans des milieux différents, d'un continent à l'autre, sans presque jamais les révéler aux profanes. On peut alors expliquer pourquoi ceux-là mêmes qui devraient prendre acte de ces ouvertures sur les profondeurs ne manquent pas d'en atténuer la portée : les affiliations, l'organisation par « familles » et par zones existent sans doute en Amérique, *mais* seulement en tant que substituts artificiels de l'« humus mafieux » qui existe à l'état naturel en Sicile ; « rituels et langages secrets » peuvent « affleurer çà et là […], *mais* appartiennent à des "philosophies" et à des coutumes archaïques, totalement dépassées[36] ». L'esprit bat en retraite devant ce que révèle le rituel : une organisation enracinée dans le territoire à travers les générations, donc relativement impersonnelle et liée à une profonde conscience de soi, qui, dans la mafia des jardins d'Altarello s'exprime par cette particularité de la piqûre de l'index effectuée, non avec l'aiguille habituelle, mais avec une épine d'oranger amer.

Le juge d'instruction Aldo Rizzo, qui, en 1974, recueille les aveux de Vitale, tente de replacer le phénomène dans un cadre juridique, celui de l'association criminelle qui, ayant un « programme indéfini », se distingue de celles qui ont des limites déterminées dans le temps, selon les buts recherchés[37].

En effet, bien que le climat culturel n'y soit pas favorable, ceux des hommes de loi qui veulent combattre la mafia ne renoncent pas à la replacer dans une thématique associative. Ainsi, Cesare Terranova, qui n'omet jamais les ouvertures théoriques et historiques en rédigeant ses verdicts, soulignait déjà, en 1965, « tout en laissant de côté les fantaisies du passé, que la mafia n'est pas un concept abstrait ni un état d'esprit ; c'est une criminalité organisée, efficace et dangereuse, fonctionnant en agrégats, en groupes, en "familles" ou, mieux encore, en "*cosche*". [...] Il existe une seule mafia, ni vieille ni jeune, ni bonne ni mauvaise ; il existe la mafia qui est une association criminelle[38]. »

Attardons-nous sur les cibles de cette polémique : l'opinion conservatrice qui attribue à l'ancienne mafia « peut-être même une fonction d'équilibre ou, du moins, une fonction positive dans la société, où elle se substitue ou s'ajoute aux pouvoirs défaillants de l'État » ; les notables libéraux ou démocrates-chrétiens dont « les attitudes indulgentes et sentimentales, venant de personnes faisant parfois autorité, qui font preuve de sympathie évidente envers la mafia ou l'ancienne mafia, ont été un frein pour les efforts accomplis en vue de guérir notre société » ; les avocats comme Puglia et (plus prudemment) l'inévitable Pitrè. Pour réfuter la mythologie des mafieux honorables et inflexibles, on cite les procès de la période fasciste avec les « bassesses » « des inculpés qui faisaient assaut d'aveux, accusations, mesures de rétorsion, implorations de clémence et de pardon »[39]. L'allusion à « Son Excellence Giampietro » ne doit pas étonner, bien qu'elle vienne d'un homme de gauche comme Terranova : elle sert à insister sur le fait, déjà affirmé au cours de la période fasciste, que la mafia est, par elle-même, une association criminelle. La chose est moins évidente qu'elle ne peut paraître aujourd'hui. Dans les deux grands procès instruits par Terranova, celui contre les mafieux de Corleone et celui contre le sommet de l'organisation palermitaine, l'instrument de base demeure celui qui fut utilisé, en cent ans d'histoire, par l'État libéral puis par l'État fasciste, à savoir le rapport de police, avec ses sources confidentielles qui, à ce moment-là encore, ne veulent et ne peuvent pas « être nommées » dans le jugement[40]. Pour que les magistrats se convainquent que sont fondées des descriptions pour lesquelles il n'y a pas toujours de confirma-

tions objectives, il faut que la réputation qui amène le mafieux
à être impliqué dans la procédure soit telle qu'elle montre sa
capacité à effectuer les pires crimes ; ce qui est bien difficile
si l'on part des concepts utilisés dans un verdict de 1964 :
« Les mafieux aussi ont des sentiments, eux aussi ont une vie
de relations qui peut être régie par des principes de socialisa-
tion et de convenance, voire d'honnêteté. Ce n'est pas
l'homme qui qualifie l'action, mais l'action qui qualifie
l'homme [41]. »

Tout au contraire, c'est bien le fait d'être mafieux qui qualifie l'action, à condition que cette qualité ne soit pas
confondue avec un inoffensif « caractère mafieux », mais soit
conçue comme le contexte explicatif dans lequel on situe
actions et réactions, accords, affronts et représailles, comme
celles du conflit Leggio-Navarra ou de la première guerre de
mafia ; à condition que l'ensemble des relations entre mafieux
serve à expliquer les dispositions sur le champ de bataille.
Bien sûr, on pourrait se demander : « Comment peut-on
parler d'association dès lors que les associés, au lieu d'être
solidaires, s'entre-tuent ? », mais il s'agirait là d'une « argu-
tie », comme le soulignait déjà, en 1929, Natale Costa, procureur du procès contre la *cosca* de Piana dei Colli [42], et, avant
lui, les enquêteurs des procès Amoroso et *stoppagghieri*.
Dans les guerres, un se divise toujours en deux. D'ailleurs, le
conflit représente toujours la meilleure preuve, même s'il
s'agit d'une preuve déductive et indiciaire, de l'existence de
l'organisation que les repentis des années 1980 désigneront
sous le nom initiatique, déjà connu aux États-Unis, de Cosa
nostra.

Buscetta donne l'impression que ce nom a toujours été utilisé en Sicile pour dire « mafia » : « Nous l'avons exporté en
Amérique [43]. » Il semble en fait probable que la tradition
orale, à laquelle se réfère le repenti, force sur les éléments de
continuité ; nous pourrions être face à un des effets en retour
du modèle américain, s'il est vrai qu'en 1943, en Sicile, il
n'existait plus d'organisation et que l'on attendait un verbe
nouveau ; peut-être fut-il amené alors par les *indésirables*,
Luciano, Coppola, Genovese, expulsés vers l'Italie par les
autorités des États-Unis. Le terme « famille » (pour dire
« *cosca* ») qu'utilisent entre autres Vitale et Buscetta, pourrait
aussi être de provenance américaine. Buscetta, cependant, fait

remarquer la tradition en tous points palermitaine d'une mafia organisée sur la base de l'unité territoriale de la « bourgade » ; la réalité qui émerge de ces aveux est en effet centrée sur Palerme. C'est également le cas pour l'instruction menée par Terranova en 1965 (d'où sortira le procès de Catanzaro en 1968) ; cette dernière s'appuie sur les rapports des carabiniers et de la police qui, avec la mise en place de l'Antimafia et surtout avec le massacre de Ciaculli, avaient enfin cessé de se bercer du « ils se tuent entre eux » qui permettait, du XIXᵉ siècle jusqu'aux années 1950, de tranquilliser l'opinion bourgeoise.

Les faits, dès lors, parlent un langage différent de celui de l'Antimafia, ne montrent plus les signes du transfert présumé du latifundium à la ville, mais indiquent, au contraire, une formidable continuité de l'implantation mafieuse à Palerme, dans le centre et surtout dans les bourgades, ce qui confirme ce que nous savions déjà par les histoires des Greco de Ciaculli-Croceverde et des Vitale d'Altarello. Une telle continuité allait se poursuivre jusqu'à des temps bien plus proches encore des nôtres, au point de provoquer la stupéfaction d'un mafieux de Catane, Antonino Calderone : « Les mafieux palermitains […] naissent, vivent et meurent au même endroit. Le quartier, c'est leur vie ; leur famille vit là depuis des générations et ils sont tous parents. Il y a quatre ou cinq patronymes principaux, les autres sont tous liés à eux. Tout au plus, construisent-ils une maison plus belle, plus luxueuse. Stefano Bontate a rasé la maison de son père à Santa Maria di Gesù, il a bâti par-dessus un vrai palais ; son frère Giovanni a fait la même chose, ainsi que Salvatore Inzerillo, à Bellolampo. Ils n'ont pas bougé d'un mètre de leur royaume, où ils sont les maîtres absolus depuis des dizaines et des dizaines d'années[44]. »

Les 24 chefs de la mafia palermitaine cités en 1963 dans le rapport du lieutenant des carabiniers Mario Malausa (qui allait trouver la mort le 30 juin de la même année, dans l'attentat de Ciaculli) sont de cet acabit. Ils sont tous nés dans la ville ou dans sa périphérie, ils ont été inculpés (pour les plus âgés) dans les procès de l'époque fasciste contre ces mêmes *cosche* palermitaines où ils se trouvent encore, ils ont connu les mêmes péripéties politiques que leurs collègues de l'intérieur de l'île, et ont tous fini par adhérer à la DC. « Il fut un fervent partisan du séparatisme – écrit Malausa à propos de Benedetto Targia ; mais quand ce mouvement déclina, il suivit le sillage d'autres mafieux en passant de parti en parti (libéral ; monarchiste ; démocrate-chrétien). L'aversion dont il fait preuve à l'égard de la légalité démontre clairement que ce n'est pas la conviction politique qui l'a poussé vers la démocratie chrétienne, mais seulement son intérêt personnel [45]. »

En réalité, cette instrumentalisation du fait politique, après l'ivresse séparatiste, est une constante. Voyons le cas de Baldassare Motisi : propriétaire de jardins et commerçant en gros d'agrumes, conseiller municipal démocrate-chrétien, il a, d'après Malausa, « des liens nombreux avec des personnalités importantes et il en profite [...] afin de consolider tant sa position de mafieux que celle d'homme politique » ; ce portrait correspond presque point par point, au prénom près, à celui de Francesco Motisi, conseiller municipal en 1899 et représentant de la mafia de Mezzomorreale. Les 24 mafieux cités dans le rapport sont tous de ces « fauteurs de troubles des classes moyennes » dont parlait autrefois Franchetti : *gabellotti*, propriétaires et locataires de jardins d'agrumes, médiateurs, trafiquants, « chevaliers d'industrie » et « industriels ». Cela, naturellement, n'exclut pas la mobilité sociale. Le conflit entre les La Barbera et les Greco concerne une nouvelle et une ancienne mafia, toutes deux engendrées à l'intérieur de la région palermitaine, sur la base d'une opposition dialectique entre zone occidentale et zone orientale qui existe depuis rien de moins que les temps de Palizzolo. Comme l'explique Terranova, « on peut dire que les Greco ont leurs quatre quartiers de noblesse » : « Ils représentent la mafia traditionnelle, la mafia camouflée sous sa respectabilité [...] et ils sont liés, par un dense réseau d'amitiés, d'intérêts et de protections, aux principaux mafieux de la région de Palerme. Ils détiennent une position prédominante dans le domaine de la contrebande de tabac et de stupéfiants. Les La Barbera, au contraire, viennent de l'obscurité, et leur force vient surtout de ce qu'ils sont entreprenants et ont, à leur suite, une bande d'hommes de main résolus [46]. »

Si, parmi les alliés des La Barbera, il y a Tommaso Buscetta, fils d'un vitrier, qui vient lui aussi « de l'obscurité », il y a également un Pietro Torretta, qui avait autrefois aidé la bande Giuliano et qui est désormais chef de la *cosca* de l'Uditore ; ce dernier est de plus grande noblesse mafieuse : c'est l'administrateur des biens des marquis Di Gregorio, un homme aisé « et fort respecté[47] ». C'est probablement le fils du Francesco Torretta, cité dans le *Rapporto Sangiorgi* comme un des membres, d'un rang par ailleurs modeste, de la *cosca* en 1895. Parmi les accusations portées contre Pietro Torretta, il y a celle d'avoir assassiné un certain Salvatore Gambino, abattu après avoir été férocement tabassé, en 1963. Quelques heures avant sa mort, Gambino avait tué, pour des motifs futiles, Filippo et Michele Bonura, puis était allé trouver refuge auprès de Torretta. Des sources confidentielles présentent sa mort comme provenant de la volonté du chef mafieux de faire respecter les règles en punissant un meurtre « injustifié ». Le tribunal estimera cependant que le mobile attribué à Torretta était insuffisant, étant donné la faiblesse des rapports entre les Bonura et Torretta, comparée aux liens de compérage qui existaient entre ce dernier et Gambino. Peut-être la question se serait-elle posée en termes plus clairs si l'on avait su que, soixante ans auparavant, dans cette même bourgade – qui est un des lieux d'origine de la mafia palermitaine –, d'autres membres de la famille Bonura avaient été les chefs de la *cosca* qui comptait le père de Pietro parmi ses membres ; et que, vingt ans après, un autre Bonura occuperait cette même charge, au même endroit.

Dans des enquêtes judiciaires sur des faits de nature très diverses, il y a parfois des ouvertures de ce type, d'une profondeur historique vertigineuse. Venons-en, pour un instant, aux années 1970. L'ingénieur Giuseppe Di Benedetto, entrepreneur à court d'argent comptant, est sommé par le baron Sebastiano Provenzano, qui lui avait prêté trente millions de lires, de lui rendre cette somme ainsi que les intérêts. Di Benedetto demande alors la médiation du vieux chef mafieux de Passo di Rigano, Rosario Di Maggio, qui se propose aussitôt d'« arranger » la chose. Il explique à l'ingénieur, heureusement surpris, qu'il a été « l'ami » de son père et le grand électeur de son grand-père, l'*onorevole* Lo Monte, protecteur de la mafia lors du premier après-guerre. Les intérêts vont être annulés et les paiements aisément échelonnés ; Rosario Spatola, neveu de Di Maggio, relève la créance : c'est un entrepreneur, il est le banquier et recycle l'argent du groupe que dirige Salvatore Inzerillo, lui-même successeur de Di Maggio à la tête de la *cosca* et chef de la plus grande bande de trafiquants de drogue sur la route Palerme-New York[48]. Ancienne ou nouvelle mafia ? Mafia classique des bourgades, expression de la continuité du contrôle sur un territoire où se jouent les spéculations sur les sols et la mise à sac immobilière de Palerme et de sa région. Le veto, que Michele Greco oppose à la vente de fonds de l'héritage Tagliavia, s'explique à la lumière du rôle traditionnel de locataires de ces terrains que jouent les Greco ; il fait donc jouer une sorte de prescription acquisitive mafieuse, que doit accepter l'*onorevole* Luigi Gioia, liquidateur du patrimoine Tagliavia, parent de ces derniers et, comme tel, probablement au centre d'un antique réseau de relations dont faisaient partie les Greco eux-mêmes. « Il était impensable – commentent les juges instructeurs du maxi-procès – que Michele Greco accepte d'acheter, même en partie, des terrains qu'il considérait comme lui appartenant[49]. » Et nous ne nous étonnons donc pas de trouver, comme bénéficiaires de la division en lots de terrain à bâtir du fonds Scalea, les fils du mafieux Gaetano Cinà[50], ancien régisseur de ces jardins et descendant probable de son homonyme qui, à la fin du siècle précédent, était déjà membre de l'organisation.

Il faut ajouter à cela une autre considération. Il s'agit là de la Palerme de la décadence aristocratique, de la Palerme qui – jusqu'à la moitié des années 1950 – est encore dirigée par un bloc libéral et modéré et qui va donc se laisser conquérir par la classe politique démocrate-chrétienne originaire de l'intérieur de la Sicile, laquelle prend le contrôle de la région[51]. On pourrait donc dire que la mafia est la seule classe « politique » urbaine qui parvient à défendre et à accroître son propre pouvoir.

Le cas des mafieux de Corleone pourrait sembler être une exception, vu le rôle central qu'ils vont jouer dans l'affaire. Il faut, quoi qu'il en soit, vérifier s'il s'agit bien d'une mafia de l'intérieur des terres. Navarra était le chef mafieux de Corleone. Leggio vit presque toujours dans la clandestinité et il passe la majeure partie de son temps à Palerme, vu l'intérêt qu'il porte, en tant que voleur de bétail, au marché de la viande. Il s'installe en plein cœur de l'ancienne mafia des jardins, à Piana dei Colli, avec une entreprise de transport, confiée à Giacomo Riina et à son jeune neveu Salvatore, qui, comme par hasard, deviendra, par la suite, le dirigeant du groupe. Par ailleurs, ce qui se passe à Corleone a des effets immédiats à Palerme ; après l'élimination de Navarra, Leggio est convoqué par Salvatore Greco qui lui demande des comptes sur son initiative, ce qui provoque la colère du nouveau boss[52]. Il semble que la mafia des jardins se soit mise d'accord avec Navarra pour empêcher la réalisation d'un barrage qui, en permettant d'amener l'eau de la région de Corleone jusqu'à la Conca d'oro, aurait mis à mal le monopole de la distribution hydrique ; tandis que Leggio, pour sa part, avait l'intention d'exploiter les possibilités d'affaires ouvertes par la construction du barrage[53]. Les problèmes de Corleone ne sont donc pas internes, ils se situent plutôt sur « cette chaîne qui, le long de la route nationale 118, mène dans la capitale de l'île[54] ». Le long de cette chaîne, se reconstitue un espace définissant une sous-partie de la province, dans lequel jouent un rôle déterminant les mafieux de Cinisi (Cesare Manzella et Gaetano Badalamenti), de Corleone (Leggio) et de Caccamo (Giuseppe Panzeca). Quoi qu'il en soit, le centre est Palerme, le chef-lieu qui, avec l'institution de la Région, est redevenu une capitale.

Quelles activités le réseau des affiliations mafieuses protège-t-il et promeut-il ? À quoi sert la mafia ?

Revenons à Leonardo Vitale, qui – comme le protagoniste du film de Martin Scorsese *Goodfellas* [*Les Affranchis*], devenu gangster parce qu'il veut « se garer devant la bouche d'incendie » – met le feu à la voiture du directeur d'un cinéma, un Calabrais coupable de ne pas le laisser entrer gratis. C'est la seule occasion où Leonardo prend une initiative personnelle. Pour le reste, tous les crimes qu'il commet prennent place dans le quotidien d'une instance collective, la *cosca* ou la famille Altarello-Porta Nuova, dirigée par Pippo Calò. Il faut obtenir des places de gardien dans les jardins et les chantiers, encaisser le *pizzo* [l'argent du racket], donner des coups de téléphone ou écrire des lettres de menaces, empoisonner des chiens de garde et mettre le feu à des machines, si nécessaire tuer avec la vieille *lupara*, cachée derrière un mur d'enceinte ou, de façon plus moderne, debout dans une Topolino dont on a préalablement ouvert la capote. Comme leurs pères et leurs grands-pères, Vitale et les siens tuent généralement d'autres « fauteurs de troubles », un voleur de citrons (*sic* !), un concurrent dans la hiérarchie mafieuse. Une fois, un entrepreneur meurt au cours d'une tentative d'enlèvement : s'il n'avait pas réagi, commente avec déplaisir un des affiliés, « il serait vivant et nous aurions l'argent [55] ».

Pour ce mécanisme de contrôle territorial, il n'y a pas de distinction entre secteurs (agricole, immobilier, commercial). L'important est que le monopole de certaines activités, et en premier lieu le gardiennage, soit réservé à la *cosca*, et que les autres se déroulent avec sa permission et avec sa participation aux profits. Cela vaut également pour les rares industries palermitaines. Le chantier naval, appartenant à l'entreprise génoise Piaggio, confie à la *cosca* de l'Acquasanta certains services internes, dont la charge de maintenir l'ordre parmi les travailleurs, par des méthodes douces, fondées sur le clientélisme, ou, le cas échéant, en n'hésitant pas à utiliser la violence, comme en 1947 lorsque « *zu* » Cola D'Alessandro et ses hommes dégainent leurs pistolets. Une autre entreprise génoise, qui constitue la société « Elettronica Sicula », utilise la médiation du chef mafieux de Santa Maria di Gesù, don Paolino Bontate, dès l'achat des terrains sur lesquels elle compte bâtir son usine. Don Paolino fait également valoir son autorité pour surmonter les résistances locales face aux forages effectués par les techniciens pour capter les veines hydriques, point toujours très délicat dans la région de Palerme. Lors de l'inauguration de l'usine, se déroule « un spectacle [...] vraiment dégradant » : le directeur Profumo vient de commencer son discours quand, soudain, il se retrouve seul car « le fort groupe de fonctionnaires représentant la Région et la Commune » qui se trouvait devant lui s'est levé comme un seul homme et court vers la porte ; c'est à qui saluera le premier don Paolino qui vient d'entrer dans la salle. Il faut penser que le chef mafieux, pour favoriser cette implantation « productive », a mis en œuvre bon nombre de ses relations d'ancien monarchiste devenu démocrate-chrétien, sans doute aussi ses relations de parentèle avec la député (également démocrate-chrétienne) Margherita Bontate ; en échange, il obtient le contrôle de l'embauche des ouvriers et l'approvisionnement de la cantine de l'entreprise, sans oublier quelques compensations non négligeables en argent.

En 1959, c'est lui-même qui demande et obtient que le syndicat de gauche CGIL ne puisse présenter de liste pour l'élection de la commission interne. « Paolo Bontà me sert – déclarera Profumo, le directeur de l'usine – car c'est lui qui me donne l'eau, c'est lui qui me donne le terrain pour agrandir l'usine, je dépends de lui pour trouver les ouvriers[56]. »

La relation entre l'ingénieur Profumo et don Paolino peut éclairer la façon dont, entre protection, médiation et participation réciproque, existe un continuum qu'il faut situer dans le phénomène – auquel nous avons déjà fait allusion – de la transformation des gardiens en affairistes, *gabellotti* et commerçants en tous genres. La médiocrité des crimes commis par un Vitale ne représente que le niveau de base des activités de la mafia ; dans les mains d'autres personnages, les mêmes instruments engendrent d'autres résultats. Prenons le cas des frères La Barbera, qui partent de bien plus bas, puisqu'il s'agissait de deux petits voleurs de bourgade, au point que l'Antimafia parlera d'eux en les présentant comme « des délinquants communs qui se sont infiltrés dans les mailles du filet mafieux[57] » ; comme dans le cas de Leggio, on remarque la tendance à surévaluer le type idéal du mafieux notable, en sous-évaluant le rôle de la violence pour définir les hiérarchies, pour provoquer des ascensions parfois très rapides. Les deux anciens voleurs se transforment bientôt en gardiens de villas (dont ils n'oublient pas d'extorquer quelques fonds aux propriétaires), puis de chantiers de construction ; ils continuent à jouer un rôle secondaire, auquel Salvatore La Barbera était accoutumé depuis sa jeunesse, lorsqu'il était « garçon charretier » dans la bourgade Partanna. Les deux frères finissent par monter une société de fournitures pour le bâtiment, de laquelle seront clients les entrepreneurs qu'ils protègent ; le chef mafieux Bartolo Porcelli les met alors en contact avec Eugenio Ricciardi, homme de confiance du promoteur immobilier Salvatore Moncada. Naturellement, la carrière du protecteur-homme d'affaires se joue aussi *à l'intérieur* d'un groupe mafieux, en l'occurrence la famille du centre de Palerme, dans laquelle se règlent les rapports entre ceux qui aspirent à cette fonction. C'est là, en effet, qu'Angelo La Barbera résout la question de sa concurrence avec Ricciardi, en attirant ce dernier dans un guet-apens tendu par Gaetano Galatolo, dit Tanu Alatu (en 1952). C'est avec cet assassinat

que commence l'ascension qui amène les deux frères
jusqu'au cœur du pouvoir mafieux, à la tête du groupe de
familles dont fait également partie celle d'Altarello-Porta
Nuova.

Les La Barbera ne prennent pas seulement la place symbolique de Ricciardi, ils prennent également en main ses activités. Quand Giuseppe Ricciardi, fils de la victime, trouve les
camions de la petite entreprise de transports de son père sans
roues et posés sur des chevalets, il comprend qu'il doit tout
vendre aux vainqueurs et trouve un emploi de comptable dans
un magasin d'électroménager. Mais l'ambiance ne change
pas. Les nouveaux employeurs du jeune homme, Giulio Pisciotta et Vincenzo Maniscalco, veulent remettre en question le
rôle dirigeant de la *cosca*, ils se réunissent avec d'autres personnages peu recommandables et finissent, en 1960, par
tenter d'extorquer des fonds à Moncada. Maniscalco est
abattu dans un guet-apens. Puis les frères La Barbera, accom-
pagnés de Tommaso Buscetta et de Salvatore Gnoffo, inter-
ceptent Giulio Pisciotta et son associé, Natale Carollo, devant
la gare Brancaccio, où ces derniers, en compagnie de Ricciardi, se rendaient pour récupérer des marchandises ; c'est
précisément Ricciardi qui avait fourni, peut-être involontaire-
ment, l'information aux assassins de son propre père. Sous la
menace des armes, Pisciotta et Carollo sont invités à « une
discussion », dont ils ne reviendront jamais, tandis qu'on
conseille à Ricciardi de rentrer chez lui et d'oublier ce qu'il a
vu. C'est là, du moins, la première version de Ricciardi qui,
dans un second temps, affirme avoir été torturé, puis revient
encore une fois sur ses déclarations antérieures, en déclarant
pour conclure « qu'il ne connaît personne, qu'il est malade,
qu'il a perdu un travail bien rémunéré pour la seule raison
qu'il est le fils de son père, qu'il a peur de tout et de
tous », qu'il désire seulement « vivre tranquille » [58]. À l'évidence, la vie n'est pas facile pour les fils de chefs mafieux.

3. *Militaires et trafiquants*

Le point de vue de la plupart des observateurs, qui considèrent la mafia comme un phénomène primitif et rural, explique
en grande partie que l'on ait pu trouver étonnante la présence,

dès la fin de la Seconde Guerre, de mafieux sur les routes de la contrebande du tabac ou du trafic de drogue à destination des États-Unis. Les échanges transocéaniques sont un des caractères fondateurs de l'histoire même de la mafia, d'abord avec les exportations d'agrumes, sans lesquelles n'existeraient ni la mafia des jardins ni les jardins eux-mêmes. C'est précisément dans les caisses d'agrumes que l'opium et la morphine voyagent de Palerme à New York, dans les années 1920, dans de telles quantités que les Américains imposent, par représailles, une série de restrictions commerciales[59]. Mais, à l'échange des marchandises, se noue celui des personnes, avec l'émigration du début du siècle et celle qui lui succède, même si les flux migratoires se réduisent. Ainsi, des personnages comme Calogero Orlando, né à Terrasini en 1906, ne cessent de traverser l'Atlantique : il part la première fois pour Detroit en 1922, avec quatre cents dollars ; il revient en 1928 avec huit cents dollars et s'enrichit au fil de ses voyages aller-retour en Amérique et en Espagne ; selon ses propos, il pratique l'import-export d'huile d'olive et de fromages, la fabrication et le commerce de sardines et d'anchois salés ; mais, d'après la police, le commerce qui lui permet de s'enrichir est le trafic de drogue[60]. Dans les années 1930, Lucky Luciano importe déjà des stupéfiants depuis l'Europe, peut-être par l'intermédiaire de personnages comme Pietro Davì, dit Jimmy l'Américain : ce dernier revient des États-Unis en 1934 et, dès 1935, il est arrêté à Milan pour trafic de stupéfiants ; nous le retrouvons en 1950 : il importe alors de la morphine depuis l'Allemagne. Mais à ce moment-là, nous sommes déjà dans l'après-guerre, au moment où c'est l'Amérique qui vient en Italie, avec le plan Marshall et ses « indésirables ».

Le principal « indésirable » est précisément Lucky Luciano, libéré de prison et expédié vers sa patrie d'origine après d'obscures tractations avec son ancien persécuteur, le sénateur Thomas Dewey. C'est lui, certainement, qui relance le jeu, en exploitant le « filon aurifère » représenté par les industries pharmaceutiques du nord de l'Italie, où il trouve la matière première[61], puis en entrant en contact avec les raffineurs marseillais. Après l'avoir libéré, les Américains semblent obsédés par celui qu'ils considèrent comme « le roi ou du moins un membre de la famille royale[62] » d'un trafic qui aboutit dans leur pays ; d'où les protestations contre les auto-

rités italiennes, accusées de ne pas prêter attention à ses activités. De fait, les Italiens se montrent réticents à se donner les
moyens d'enquêter sur les tours et détours complexes du
trafic de drogue. Luciano est un paisible homme d'affaires
étranger ; ses affaires sont peut-être illégales, mais elles sont
sans danger pour une Italie où l'on ne produit pas et (surtout)
où l'on ne consomme pas de stupéfiants. L'alarme sociale que
suscite la contrebande est toujours faible ; dans ce cas, elle est
au point zéro.

Le « lieutenant de Lucky Luciano à Palerme » est Antonio
Sorci, connu sous le surnom de *Ninu u riccu* [le riche] car il a
su tirer largement profit du trafic de drogue en réinvestissant
dans l'immobilier, lors de la division en lots de l'ancienne
Villa d'Orléans[63]. Il a pour associé Rosario Mancino, ancien
docker devenu propriétaire d'une entreprise d'exportation, en
apparence d'agrumes, en réalité d'héroïne, qui arrive probablement par une filière libanaise car Mancino est « comme
chez lui » à Beyrouth. En 1951, un de ses envois est récupéré,
en Amérique, par Gaetano Badalamenti, un mafieux de Cinisi
qui va souvent à Detroit, où il est accueilli par son frère, Emanuele, et la mafia locale. Il semble bien y avoir un axe
Luciano-Sorci-Mancino-La Barbera, qui pourrait correspondre à l'organisation palermitaine pour la contrebande de
tabac et le trafic de drogue ; d'après les sources de la Guardia
di finanza [la police financière], cette organisation aurait pour
chef Pietro Davì, auquel nous avons déjà fait allusion. Je ne
saurais dire, cependant, si l'on peut parler à ce propos de
« structure monopoliste dirigée par Luciano[64] ». Toujours
selon les mêmes sources, outre celle de Davì, il y aurait à
Palerme une autre organisation – peut-être concurrente – de
trafiquants internationaux, qui a à sa tête Gaspare Ponente ;
lorsque ce dernier est assassiné en 1958, son successeur est
Salvatore Greco, dit « l'ingénieur ». Un autre Siculo-Américain, Frank Coppola, de Partinico, s'est également lancé dans
ce commerce, indépendamment de Luciano ; il est pris les
mains dans le sac, à la suite, semble-t-il, d'une dénonciation
qui vient justement de Luciano. D'autres personnages, dont il
est difficile de dire précisément quels sont leurs liens avec les
premiers, sont dans l'affaire : les frères Caneba, Serafino
Mancuso, d'Alcamo, qui font la navette entre les États-Unis

et l'Italie, négocient avec les Marseillais la qualité et les prix du produit et organisent les envois.

Il faut bien alors se demander pourquoi l'héroïne, produite sous forme d'opium en Orient, transformée en France et consommée aux États-Unis, passe par les mains des Siciliens. Le fait que la drogue soit cachée dans les malles des émigrants est un premier élément indicatif sur la façon dont les réseaux qui unissent la Sicile à l'Amérique sont réutilisés. Le Niçois Pascal Molinelli, par exemple, s'associe aux mafieux (Buscetta) afin qu'ils s'emploient « à repérer les clients et à traiter avec eux [65] ». Les trafiquants siciliens disposent d'une ressource stratégique : les relations de confiance qu'ils entretiennent avec les acquéreurs, dont ils sont, au vrai, les fiduciaires. De là vient le rôle joué par les groupes qui, même par rapport à la « grande » organisation palermitaine, semblent avoir pour spécificité de se trouver simultanément sur les deux rives de l'océan. C'est surtout à l'ouest de Palerme, vieille zone de rapports avec la Tunisie et donc avec l'émigration clandestine, que l'on trouve des *cosche* essentiellement adonnées au trafic de stupéfiants et typiquement siculo-américaines : c'est le cas à Cinisi, Alcamo, Partinico et surtout à Castellammare del Golfo. Cette dernière localité est la patrie des Bonanno de New York et des Magaddino de Buffalo ; elle produit un pourcentage non négligeable de mafieux des États-Unis, même si son importance en Sicile est loin d'être comparable ; les chefs mafieux locaux, Gaspare Magaddino et Diego Plaja, sont les parents et les amis des boss américains. Comme au début du siècle, le circuit migratoire remet en branle un réseau de « colonies » commerciales mafieuses, qui sont, *mutatis mutandis*, comparables aux compactes colonies juives ou grecques qui faisaient vivre le négoce à l'âge moderne, ou bien encore aux Anglais et aux Américains du début du XIXe siècle, qui envoyaient leurs fils en Sicile pour organiser l'importation des agrumes, transférer les moyens financiers pour en améliorer la culture, envoyer ces marchandises périssables outre-Atlantique sur de fragiles voiliers. Dans tous ces cas, le lien de confiance familial ou ethnique sert à diminuer les grands risques attachés à la transaction : pour la drogue, outre le risque de séquestration de la marchandise par la police, il y a aussi « *il bidone* », l'arnaque toujours possible.

De telles organisations *ne correspondent pas* aux
« familles » de la Cosa nostra palermitaine, précisément
parce qu'elles ne gèrent pas un contrôle territorial, mais des
trafics à longue distance. Il y a là deux modèles d'organisation et, pour les lire, nous pouvons partir de la dialectique
entre « *power syndicate* » et « *enterprise syndicate* » proposée, pour le cas new-yorkais, par Alan Block. Le premier
tend essentiellement « à l'extorsion, et non à l'entreprise », le
second « agit dans le domaine des entreprises illicites : prostitution, jeux de hasard, contrebande et drogue[66] ». À
Palerme, nous pouvons appeler « *power syndicate* » la structure territoriale des familles, avec leurs affiliations rigides,
leur formidable stabilité dans le temps, leur force militaire et,
donc, leur capacité de jouer, en partant du mécanisme du gardiennage, une fonction parallèle de sûreté publique, qui joue
sur le rapport entre extorsion et protection. L'« *enterprise
syndicate* » est, au contraire, le réseau bien plus mobile des
affaires : au XIXe siècle, le vol de bétail et la contrebande ;
aujourd'hui, la gestion du commerce du tabac et des stupéfiants. Que les militants des *cosche* soient également impliqués dans de tels réseaux ne remet pas en question cette
distinction, et ce, ni conceptuellement ni empiriquement.
Buscetta explique comment les familles se limitent à donner à
leurs adhérents « la permission » de participer aux diverses
affaires illicites. Par ailleurs, le réseau ne peut être entièrement mafieux : on y trouve donc, côte à côte, Américains,
Chinois, Napolitains, gens de Marseille et de Tanger, aventuriers, femmes, hommes d'honneur et déshonorés, *scassapag-
ghiari* et banquiers. C'est ce qui arrive également avec la
contrebande du tabac, née à l'initiative de « groupes d'aventuriers internationaux, généralement américains », qui se sont
établis dans les ports francs de Tanger puis de Gibraltar : de
là, elle se dirige vers Gênes ou vers la Sicile, la première destination étant prise en charge par les Marseillais, la seconde
par les mafieux. La contrebande du tabac s'appuie « sur certaines entreprises d'import-export de Tanger et de Suisse et,
pour son financement, sur des banques de Tanger contrôlées
par des Juifs[67] ». Le trafic suppose « l'emploi de capitaux
énormes et de moyens importants pour acheter ou louer des
bateaux [...] ; acheter et disposer en France et en Italie le
matériel radio clandestin ; pourvoir au paiement du tabac

embarqué à Tanger et à Gibraltar (le chargement d'un seul
bateau coûtait en moyenne aux organisateurs 40 000 dollars) ;
engager, payer et répartir en Italie et dans d'autres pays les
commandants et les équipages des bateaux, les opérateurs
radio ; prévoir et amortir les pertes en hommes et en moyens ;
transférer des moyens financiers en Suisse, en Italie, en
France, à Malte [68] ».

Nous trouvons des mafieux comme Badalamenti, Buscetta,
Angelo La Barbera, Calcedonio Di Pisa, Vincenzo Spadaro
qui attendent les chargements sur les plages, vont d'un pays à
l'autre, traitent avec des notables du milieu corse et marseillais, comme Paul Paoli, ou avec des Milanais, comme
Romano Scarabelli ; qui prennent des contacts avec les Napolitains pour créer un autre terminal de distribution quand les
côtes siciliennes commencent à être trop gardées par les
forces de l'ordre. Salvatore Greco, « l'ingénieur », qui
voyage dans toute l'Europe, joue un rôle fondamental : c'est
« le financier, et il est chargé de prendre les contacts avec les
organisations étrangères [69] » ; il est d'ailleurs en rapport étroit
avec le boss marseillais Elio Forni. Mais les contacts entre les
mafieux et des gens qui n'ont rien à voir avec leurs mythes,
leurs rites et leur culture, se fait également à des niveaux bien
plus modestes. La femme d'un contrebandier de Tanger,
arrêté en 1960, réclame, pour elle et pour son enfant qui va
naître, l'argent que « les amis de Palerme » doivent à son
mari : « Vous autres, vous êtes nombreux et, entre tous, ça ne
sera pas un grand poids si vous donnez un peu chacun […], je
suis sûre que vous [à ma place] vous auriez déjà sorti les
pistolets » ; puis elle menace de se venger, en ajoutant : « Je
n'ai pas peur de votre mafia [70]. » Il faut remarquer à la fois
l'imprudence de cette femme « étrangère » qui utilise par
écrit le mot mafia – ce qui peut être compris comme une
menace de délation auprès des autorités – et aussi le manque
de solidarité à l'intérieur du groupe de contrebandiers, qui
s'oppose au soutien apporté à la famille d'un emprisonné, de
règle dans le groupe mafieux.

Cette hétérogénéité provoque des conséquences négatives
pour la sécurité qui est, au contraire, bien assurée par le caractère compact du « *power syndicate* » ; c'est ce qui entraîne la
grande force des familles (de mafia ou proprement dites)
siculo-américaines. Davantage exposées aux dénonciations et

aux trahisons, mêlés à des activités qui laissent inévitablement des traces (bateaux, marchandises, coups de téléphone, lettres, mouvements bancaires), les trafiquants sont parfois pris la main dans le sac : le niveau où ils opèrent reste à la superficie, il est visible, tandis que le niveau où intervient l'organisation territoriale demeure mystérieux, souterrain. Il existe aussi une contradiction potentielle entre ces deux champs d'action. Buscetta rapporte que, en 1958, il a été momentanément expulsé de sa famille parce qu'il avait trop pris de contrats extérieurs : « La contrebande de cigarettes concernait des gens qui n'avaient pas la mentalité mafieuse [71] ». Il faut également évoquer, à ce propos, les perplexités bien connues des familles américaines sur le commerce de la drogue. En outre, pour gérer les grands trafics, les mafieux ont à leurs côtés non seulement des « étrangers », mais des membres de *cosche* autres que la leur, avec le risque que la solidarité en affaires finisse par l'emporter sur celle de la famille. L'affiliation commune implique le droit, simple et général, de s'insérer dans les affaires des autres affiliés ; mais, en pratique, un tel droit, pour être rendu effectif, dépend des capacités organisatrices et financières de chacun : « Pour le trafic des stupéfiants, tout le monde était autonome. Ceux qui avaient davantage de possibilités économiques travaillaient plus que les autres [72]. » Cela explique les grandes différences économiques et sociales entre personnages faisant partie de l'univers mafieux et à l'intérieur même de chaque *cosca* : parmi eux – comme ailleurs –, il y a des riches et des pauvres.

Les structures territoriales peuvent freiner ou modérer, au moyen de polémiques internes plus ou moins instrumentales, ou encore rééquilibrer l'accès aux ressources de leurs affiliés, mais elles ne peuvent en aucun cas bloquer le développement d'activités fructueuses : la conversion des gardiens en affairistes est un phénomène qui se répète continuellement, au fil de l'histoire de la mafia, et on peut considérer qu'il fait partie de l'essence même de cette dernière. Ainsi répartie dans de vastes réseaux de relations, l'appartenance mafieuse continue à favoriser l'identification des groupes siciliens et siculo-américains qui partagent « les mêmes coutumes, la même philosophie criminelle et un héritage commun [73] » ; il s'agit là d'un espace privilégié de communication comparable à celui de l'appartenance à la franc-maçonnerie pour les hommes politiques, les fonctionnaires et les hommes d'affaires. Il existe toutefois un niveau plus spécifique de réciprocité entre « *enterprise syndicate* » et « *power syndicate* » : les entreprises illégales ont en effet besoin de protection, encore plus que les entreprises légales, dans la mesure où elles ne peuvent s'adresser aux autorités publiques pour être garanties.

« Les conséquences économiques de cette particularité sont multiples : le patrimoine illicite est vulnérable, face à la séquestration par les autorités comme au vol ; les droits de propriété ne peuvent reposer sur des documents écrits et sont, en général, définis de façon approximative. [...] Le vol, la tromperie, la banqueroute, l'insolvabilité, la méfiance et les controverses [...] sont beaucoup plus fréquents pour les marchés illégaux que pour les marchés légaux ; en conséquence, non seulement il y a une plus grande demande de protection, mais celle-ci est, de plus, particulièrement difficile à fournir. Inutile de dire que la mafia est fatalement attirée vers ces marchés-là [74]. » La Guardia di finanza n'exclut pas que, dans la contrebande du tabac, « certaines *cosche* mafieuses se limitent à prélever un pourcentage sur les gains des contrebandiers (ce qu'elles nomment le *pizzu*) [75] ». La mafia, dirait encore Gambetta, possède une « marque » commerciale particulièrement appréciée par suite de l'antiquité de l'entreprise, ce qui signifie continuité des affaires et (probable) correction des affairistes ; j'ajouterai à cela sa capacité (présumée) à jouer le rôle d'un *État*, à surveiller et à punir. Cette relation entre criminalité commune et criminalité mafieuse apparaît également dans l'ouvrage de Reuter sur le cas new-yorkais [76]. « La nature de ma tâche est de vérifier les abus », écrit, dans un langage d'inspecteur ministériel, Calogero Di Carlo, membre de la famille Gambino, à Vincenzo Martinez, émissaire des trafiquants de drogue de Marsala [77]. En de nombreuses circonstances, au cours de tractations frénétiques pour apaiser des conflits, vérifier s'il y a eu tromperie, confirmer ou non la propriété de marchandises ou de capitaux, la hiérarchie, tant américaine que sicilienne, semble bien jouer un rôle de garant.

Essayons de relire avec ces instruments l'histoire des années 1950. Lorsqu'il arrive en Italie, Luciano se garde bien d'intervenir dans la restructuration des pouvoirs territoriaux en Sicile : ce n'est pas son intérêt et il n'en aurait pas la force.

Au contraire, il s'établit à Naples[78], lieu d'où il peut aisément entretenir des relations avec l'Amérique, la France, l'Italie du Nord, la Sicile. L'homme qui est impunément giflé sur l'hippodrome d'Agnano, par un voyou du coin[79], n'est pas le chef de la mafia, mais un médiateur, un homme d'affaires. La célèbre réunion de l'Hotel delle Palme, à Palerme, en octobre 1957, est certainement une tentative pour orienter différemment le cours des choses. Dans la perspective de la fermeture de la base cubaine, après la révolution castriste, Joe Bonanno et d'autres chefs de la Cosa nostra américaine tentent de convaincre les Palermitains d'effectuer un partage amical : sans grand succès, si nous en croyons la réplique que Genco Russo prononce, dans les luxueux couloirs de l'hôtel, à l'adresse de son compatriote d'Amérique, Santo Sorge : « Quand il y a trop de chiens sur un os, bienheureux celui qui peut rester à l'écart[80]. » Outre ce personnage, décoratif, mais peu à sa place, les autres représentent les mafias typiquement siculo-américaines : les Badalamenti, de Cinisi et Detroit ; sans doute quelques mafieux d'Alcamo ; à coup sûr les Magaddino et les Plaja ; Frank Garofalo, de Castellammare del Golfo, qui est précisément de retour en Sicile en cette année 1957[81]. Du point de vue des familles Bonanno et Magaddino, de New York et de Buffalo, c'est-à-dire du terminal de la chaîne migratoire, la Sicile peut apparaître comme une petite annexe de Castellammare del Golfo, où tout fonctionne en vue de la *connection* américaine. Mais il s'agit précisément d'une illusion d'optique.

D'après Buscetta[82], ce sont les Américains qui proposent de créer en Sicile une Commission sur le modèle new-yorkais. Il faut voir, cependant, si les résultats correspondent aux intentions. Un organisme provincial palermitain – dont, par conséquence, sont exclus les mafieux de Trapani – est donc constitué, où ne siègent initialement que des personnages de second rang, de simples « soldats », et non les chefs de famille : cela tend à souligner symboliquement que la souveraineté des *cosche* sur leurs territoires reste entière. Même si, par la suite, les pouvoirs de la Commission tendent à augmenter, les groupes hégémoniques – les Greco, La Barbera, Torretta et Leggio – sont autonomes par rapport aux Américains et, à ma connaissance, ils n'ont d'ailleurs pas de parentèle qui compte sur l'autre rive de l'océan. Bien sûr, à

Palerme, les trafiquants ont des correspondants : Luciano
compte sur les La Barbera tandis que, chez les Greco, il y a
des liens entre les deux cousins, le contrebandier, Salvatore
« l'ingénieur », et le chef de *cosca*, Salvatore « *Chicchiteddu* », dont tout le monde parle comme d'un vrai leader. Le
fait que Luciano (et donc, peut-être, les Américains en
général) soit favorable aux La Barbera ne les sauve pas de la
défaite[83], ce qui démontre que l'« *enterprise syndicate* » ne
saurait jouer un rôle décisif dans les luttes à l'intérieur du
« *power syndicate* ». Après une période initiale sous la direction de Giuseppe Panzeca, de Caccamo, « *Chicchiteddu* »
prend la tête de la Commission qui, selon les carabiniers et la
police, voit le jour pour s'opposer à la Commission
antimafia : l'État continue à représenter un bon modèle pour
l'autre État. Le juge Cesare Terranova estime, pour sa part,
que ces informations de la police sont « vagues et non
contrôlées[84] » ; je pense, au contraire, qu'elles font la preuve
d'une relative capacité à pénétrer secrètement le cœur des
choses. Je ne crois pas, en effet, que la Commission se constitue uniquement à l'initiative des Américains et en reprenant
leur modèle, et ce que Bonanno écrit – « la Commission ne
faisait pas partie de ma Tradition ; il n'existait aucun organisme de ce type en Sicile[85] » – ne me paraît pas probant. À
Palerme, un organisme de coordination existait à la fin du
XIXᵉ siècle et, probablement, en d'autres périodes. Déjà, en
1951, les familles du centre de Palerme possédaient une
structure décisionnelle commune et les réunions avec d'autres
groupes de la ville se succédaient[86].

De fait, le monopole territorial est un principe facile à
énoncer, mais dont l'application est difficile : il faut que les
groupes se reconnaissent mutuellement, qu'ils acceptent de
négocier pour obtenir l'autorisation d'intervenir sur le territoire des autres ou pour définir quels avantages (un pourcentage sur les bénéfices, un échange de bons procédés) ils entendent obtenir de l'intervention des autres sur leur propre
territoire. Une partie de la vie quotidienne de Leonardo Vitale
est dédiée à de telles médiations et, pour simplifier ces dernières, il est bon de désigner un siège permanent des négociations. Pour résoudre une controverse entre la *cosca* Altarello-
Porta Nuova et celle de Noce, sur le droit d'extorquer des
fonds à un certain endroit, les deux parties s'adressent à Sal-

vatore Riina, ancien tueur de Leggio devenu un important personnage qui gère, coordonne et fait office de médiateur ; depuis l'îlot où il se trouve en résidence forcée, Giovan Battista Vitale accepte l'issue défavorable de l'arbitrage, tout en précisant qu'Altarello doit obtenir quelque chose à « goûter[87] ». Il advient également que la victime de l'extorsion s'adresse à des mafieux d'autres zones ; c'est ce que fait, en 1983, l'entrepreneur Silvio Faldetta qui, lorsqu'on lui réclame la somme de cinquante millions de lires, part à la recherche de son « interlocuteur habituel » qu'il ne parvient pas à trouver, cette fois-ci ; la zone en effet est contrôlée par Pippo Calò, chef de la cosca de Porta Nuova, auquel Faldetta doit s'adresser, en fin de compte, pour négocier[88]. Parfois ces croisements provoquent des frictions. Un neveu de Buscetta, qui possède une entreprise de construction et travaille à Termini Imerese, est l'objet d'intimidations et d'attentats de la part du chef mafieux local, Pino Gaeta. Dans ce cas, la compétence territoriale rentre en contradiction avec l'autorité d'un notable de Cosa nostra comme don Masino Buscetta. Aux remontrances de ce dernier, Gaeta répond par une accusation infamante : son neveu fréquente un peu trop la police. À la fin, grâce à la médiation de Calò, on aboutit à un compromis ; en d'autres cas, le conflit peut connaître une issue tragique.

Comme on peut le voir, les relations dépassent les limites territoriales, les influences s'entrecroisent. Le grand réseau des trafics internationaux, mais aussi celui, plus étroit, des affaires locales, se développe selon des axes qui ne se limitent pas au territoire de la seigneurie territoriale de chacune des familles. Les frontières ne peuvent être clairement définies, et pas seulement au sens topographique du terme. Un mafieux peut contrôler les relations politiques nécessaires pour des activités qui se déroulent dans différentes localités ; une entreprise peut avoir besoin de protection dans tous les endroits où elle intervient et s'adresser, pour l'obtenir, à une seule *cosca* ; une société de fourniture pour le bâtiment, comme celle des La Barbera peut avoir des clients en différents lieux de la ville et également dans d'autres villes. Je ne crois pas que la Recredit, « société de recouvrement de crédits pour le compte d'entreprises privées », dont un des associés est Salvatore Inzerillo, puisse se limiter au territoire contrôlé par une seule famille. De la même façon, lorsqu'une société du nord de l'Italie, qui s'occupe de construire l'autoroute Palerme-Mazzara, charge deux mafieux de s'occuper « d'obtenir les permis des propriétaires concernés par l'exécution des travaux, afin que ceux-ci puissent commencer au plus vite [89] », les deux hommes doivent forcément agir sur un vaste territoire.

Un seul groupe, celui de l'Acquasanta, contrôle le gardiennage de l'Hotel delle Palme et de Villa Igea, gérés par la même société, mais situés en deux endroits différents de la ville, et il impose à la direction ses propres filières d'approvisionnement en viande : un tel fait est emblématique d'une tendance à aller vers le monopole sectoriel plus que vers le seul contrôle territorial. Le déplacement du siège des marchés généraux, du quartier de la Zisa vers celui de l'Acquasanta, en janvier 1955, provoque un conflit féroce. Il oppose, d'un côté, les groupes qui gèrent le système des avances aux producteurs et des intermédiaires commerciaux, c'est-à-dire la mafia des jardins, dans laquelle, en particulier depuis la mort d'Antonino Cottone, se renforce le pouvoir des Greco ; de l'autre, la *cosca,* qui estime qu'elle a droit au contrôle du marché du fait de ses compétences territoriales [90]. Les morts se comptent par dizaines. Dans le groupe de Ciaculli, Francesco Greco, « grossiste en fruits et légumes », est abattu ; l'impôt du sang payé par la *cosca* de l'Acquasanta est beaucoup plus élevé : deux de ses chefs, Tanu Alatu et Cola D'Alessandro, sont abattus, l'un après l'autre ; un troisième, Salvatore Licandro, est poursuivi jusqu'à Côme et assassiné à son tour [91].

Cette guerre démontre que la règle de la compétence territoriale ne peut s'appliquer de façon automatique dès lors que sont en jeu des intérêts majeurs. Nous pourrions chercher les raisons du conflit dans le marché même, dans le système de rapports entre producteurs, intermédiaires, adjudicateurs, grossistes ; et nous pourrions accuser les autorités de n'avoir pas su – ou pas voulu – trouver les moyens pour favoriser la concurrence au lieu d'accepter le monopole qui provoque les violences entre groupes désireux de l'obtenir. Mais nous resterions encore, en ce cas, au niveau des phénomènes externes, comme si la mafia renaissait toujours à partir de certaines conditions économiques ou sociales ; or, dans la réalité, il existe déjà auparavant un pouvoir pour lequel le contrôle de certains secteurs peut représenter un objectif stratégique ; ce pouvoir est capable de mettre en jeu une telle violence qu'elle rendrait vaine toute transformation interne au secteur visé. L'élément qui déclenche la guerre provient de l'interférence – du court-circuit – entre le réseau des intérêts et les pouvoirs territoriaux. On a soutenu que l'élimination récente de la violence mafieuse dans ce secteur était due à la stratégie antimonopoliste choisie par les autorités municipales et que c'était donc le marché qui a défait la mafia [92]. Je crois plutôt que c'est la transformation des équilibres entre les *cosche* – par exemple l'affaiblissement, puis la destruction, de la *cosca* de l'Acquasanta – qui a rendu possible la mise en place d'une dialectique de marché et facilité certaines décisions « courageuses » de la bureaucratie communale : le facteur décisif réside dans la décision du « *power syndicate* » d'occuper un secteur ou, au contraire, de l'abandonner. Par ailleurs, marchés, poissonneries, boucheries, chantiers sont le décor mais pas nécessairement la cause des conflits. Les marchands de drogue peuvent s'entre-tuer sans que la drogue soit la raison – ou du moins l'unique raison – des combats.

Tentons d'analyser les motifs de la première guerre de mafia, en 1962. Tout commencerait par une grosse affaire de drogue, montée par Cesare Manzella, un Italo-Américain de Cinisi, avec la participation des Greco et d'un groupe de financiers dont font également partie les La Barbera. Calcedonio Di Pisa gère matériellement la transaction, en tant qu'homme de confiance de Manzella et compagnie ; il remet aux intéressés une somme inférieure « de plusieurs millions de lires » à ce qui était prévu, en affirmant que l'un des acquéreurs américains l'a floué. Les La Barbera prennent des informations en Amérique et concluent que c'est en fait Di Pisa qui a empoché l'argent ; mais la Commission, qui instruit l'affaire, acquitte l'inculpé. Cette décision ne calme pas les La Barbera qui décident d'agir personnellement contre Di Pisa et Manzella : tous deux sont abattus. La réaction des Greco est meurtrière : ils lancent aussitôt une série d'actions et de représailles qui entraînent la ruine finale des La Barbera et la dissolution de la famille du centre de Palerme.

À partir d'une telle reconstruction, on voit que, si ce conflit ne trouve pas de solution et s'envenime, les raisons sont à chercher ailleurs que dans le trafic de drogue, qui n'en constitue que le point de départ. Les Greco et les La Barbera, qui financent solidairement l'affaire, sont rivaux dans la mesure où ils représentent deux puissances qui croissent respectivement à Palerme-Est et à Palerme-Ouest. Lors de la controverse, les groupes se divisent selon des lignes préexistantes et, selon toute probabilité, ils n'arrivent pas à se mettre d'accord à cause des rivalités elles aussi préexistantes. Il ne faut pas oublier l'attitude indépendante des La Barbera, qui équivaut à mettre en doute la capacité de la Commission à réglementer, juger et punir – ou acquitter. Je dois toutefois signaler une autre interprétation qui vient de la mafia, en l'occurrence des repentis Buscetta et Calderone[93]. Selon eux, le responsable de la mort de Di Pisa serait Michele Cavataio, successeur de Tanu Alatu à la tête de la *cosca* de l'Acquasanta : il aurait agi de façon à faire attribuer la responsabilité de ce meurtre aux La Barbera, afin de briser la Commission. Les problèmes auraient été accentués par le refus de certains des plus anciens d'appliquer la mesure prévoyant que chacun devrait choisir entre la charge de chef de *cosca* et celle de représentant de la Commission, règle visant à l'évidence à subdiviser le pouvoir, donc à renforcer le caractère collégial des décisions et sans doute également à favoriser la rotation des responsabilités. De ces deux interprétations, la seconde met davantage en évidence les problèmes internes du « *power syndicate* » pour créer et appliquer une loi commune au moyen de la Commission, dès lors que le pouvoir militaire reste entre les mains de chaque famille. Même si tous les groupes font mine d'accepter une même règle, ils peuvent ensuite saboter aisément son application par les instrumentalisations, les fausses pistes et les ruses de leurs membres. Dans la lutte entre la zone est – celle des Greco – et la zone du centre et de l'ouest qui comprend Porta Nuova, Altarello, Acquasanta, Piana dei Colli – celle des La Barbera, Cavataio, Torretta –, ce sont toujours les Greco qui l'emportent, sans toutefois atteindre un point d'équilibre : la bombe de Ciaculli fait voler en éclats la tentative de la Commission pour garantir la paix, c'est-à-dire l'équilibre entre les groupes.

4. Métastases

Après l'attentat de Ciaculli, la génération des Greco, La
Barbera, Buscetta, Leggio (tous nés entre 1923 et 1928) rencontre un adversaire qui, pendant les années 1950, semblait
s'être éclipsé : la répression étatique, mue non par la routine
administrative, mais par une réelle volonté politique. L'impact initial est considérable. Une nouvelle loi sur la résidence
forcée pour les mafieux et les instructions menées par le juge
Terranova bouleversent les organigrammes, provoquent la
dissolution de la Commission et même la paralysie des
familles : « Cosa nostra n'a plus existé dans la région de
Palerme après 1963. Elle était K. O[94]. » Certains des leaders
choisissent de vivre dans la clandestinité : choix définitif pour
les Greco, intermittent pour Leggio qui est arrêté, puis libéré,
échappe mystérieusement aux mesures policières de contrôle
et disparaît jusqu'en 1974, date à laquelle il est capturé et
remis à la justice. Dans les années 1970, toutefois, la phase de
reprise des groupes mafieux est déjà amplement entamée et
elle a été renforcée par l'issue des procès de Catanzaro (1968)
et de Bari (1969) dont la plupart des boss sont sortis
indemnes. Durant ces années-là, les réseaux mafieux s'étendent vers l'Italie du Nord, ce qui est également un résultat
pervers des mesures de résidence surveillée, fondée sur le
préjugé habituel selon lequel la mafia serait le simple sous-
produit d'un milieu « primitif », qui ne saurait donc
« s'acclimater » dans le monde du « développement ». En
fait, ce dernier se révèle être, pour les affaires – et particulièrement pour le commerce de la drogue et les enlèvements –,
un terrain encore plus fructueux que la Sicile. Parmi d'autres,
des mafieux comme Pippo Calò et Leggio s'établissent, temporairement ou définitivement, sur le continent.

Entre-temps, s'est à nouveau posé le problème de l'homme
qui est désormais identifié comme l'ennemi commun de
toutes les *cosche* palermitaines, Michele Cavataio. Après une
série de négociations sans effet, Salvatore Greco décide de
frapper un grand coup en envoyant des tueurs, déguisés en
policiers, attaquer, *viale* Lazio, le siège de la société immobilière qui sert de repaire à Cavataio : ce dernier est une
des victimes de l'affrontement meurtrier qui se déroule en
décembre 1969. La composition du commando met en évi-

dence la réalité des alliances : en font partie deux mafieux de Corleone, parmi lesquels le chef du commando, Bernardo Provenzano ; deux hommes des Bontate ; Damiano Caruso, qui vit à Villabate mais est affilié à la famille de Riesi [95]. Pour la première fois, nous voyons le chef d'une *cosca* de Caltanissetta, Giuseppe Di Cristina, intervenir dans une affaire interne du « *power syndicate* » de Palerme : à la demande des Palermitains, il intervient d'abord, en tant que personnalité extérieure – ainsi que Pippo Calderone, de la famille de Catane –, pour jouer les médiateurs auprès de Cavataio, puis il se range du côté des adversaires de ce dernier et le trahit.

On constate donc l'existence de liens plus étroits entre Palerme et le reste de l'île. Bien entendu, les cas de Caltanissetta et de Catane sont différents. Dans la Sicile de l'intérieur, les continuités historiques sont tout à fait remarquables : à Riesi, à Favara, à Raffadali, à Siculiana, le réseau des affiliations mafieuses semble bien ne s'être jamais interrompu. Di Cristina est le fils d'un chef mafieux ; Leonardo Messina, jeune repenti de Cataldo, dans les années 1980, peut présenter un véritable pedigree : « Ma famille appartient par tradition à Cosa nostra, et moi, je suis la septième génération [...]. Je n'ai pas été affilié parce que j'étais un voleur ou parce que j'étais capable de tuer, mais parce que, par tradition familiale, j'étais destiné à en faire partie [96]. »

Dans ces zones, la mafia, qui risquait de disparaître avec le latifundium et le soufre, trouve un nouveau souffle grâce aux contacts avec Cosa nostra ; Messina dit qu'elle a été « régénérée [97] ». La Région constitue un important élément de centralisation, autour de la question de la dépense publique. Le cas du barrage de Solarino est emblématique ; il est construit par le groupe Rendo, de Catane, mais, devant l'appétit dont font preuve les mafieux de Caltanissetta, comme Giuseppe Madonia, les travaux leur sont adjugés par en dessous : ce barrage coûte son lot de vies humaines [98]. Di Cristina travaille à l'Ente minerario siciliano, établissement public qui gère, avec lourdeur, la décadence des mines de soufre de la Sicile intérieure [99] ; à partir de là, il noue des liens avec Palerme et s'insère dans le marché de l'héroïne. La mafia de Siculiana est, elle aussi, « régénérée », mais par l'émigration au Canada des membres de la famille Cuntrera-Caruana, anciens *campieri* du baron Agnello ; ils passent ensuite au

Venezuela, où ils ourdissent la trame d'un gigantesque trafic de drogue.

La mafia de Catane, au contraire, est nouvelle, même si la *cosca* locale s'est constituée en 1925, à l'initiative de Nino Saitta, oncle des Calderone, à son retour d'une période de clandestinité dans les Madonie, peut-être auprès des Farinella[100]. Pour les années 1950, on connaît l'existence d'une autre *cosca* à Ramacca, créée par des mafieux provenant de la région d'Agrigente, selon un axe dont nous savons qu'il est typique de la communication entre la partie occidentale et la partie orientale de l'île. Comme semblent l'indiquer les liens d'amitié et de compérage entre Pippo Calderone et Di Cristina, l'autre route est celle qui va de Mazzarino à Riesi, par laquelle le soufre était transporté jusqu'aux raffineries et au port de Catane : la famille des Santapaola – dont provient l'un des autres notables de la *cosca*, Benedetto, dit Nitto – était précisément composée de transporteurs de soufre. Enfin, on possède les preuves de la participation des mafieux de Catane à la contrebande de cigarettes, aux côtés des Greco et des Badalamenti[101]. Dans l'ensemble, jusqu'aux années 1960 et au-delà, ce groupe marque assez peu l'image de Catane, où tout le monde (non sans satisfaction) attribue la mafia à la ville rivale, Palerme, et à la partie occidentale de l'île, moins avancée et moins dynamique. Catane aime se dépeindre comme une Milan du Sud, une ville qui commerce, construit, fait des affaires, spécule sous la direction d'une machine politique construite par Nino Drago, le énième partisan de Fanfani[102]. Les diverses criminalités locales peuvent représenter de petits rouages de cette machine, en dépit de signaux inquiétants, rapidement perçus par la partie la plus attentive de l'opinion publique : par exemple, au début des années 1960, la défense d'un membre inconnu de cette *cosca* inconnue (Franco Ferrera), est assurée par Giovanni Leone, ténor du barreau, leader démocrate-chrétien, futur président de la République, venu exprès de Rome. La ville préfère se regarder dans le miroir des « chevaliers du travail » comme Costanzo, Graci, Finocchiaro, Rendo, grands bâtisseurs, qui ont des intérêts dans l'immobilier privé et public, à l'échelle régionale ; on préfère ne pas savoir que ces gens-là, au fil de leurs affaires, sont en contact avec des groupes mafieux auxquels ils concèdent une part des travaux en échange de leur protection. De nombreuses sociétés du nord de l'Italie adoptent la même attitude, mais dans le cas des entreprises de Catane les effets peuvent être plus graves dans la mesure où les liens sont plus intimes. À en croire les aveux d'Antonino Calderone, le frère cadet de Pippo, Carmelo Costanzo, dès ses débuts comme maître maçon, se lie à Luigi Saitta puis passe sous la protection de Pippo Calderone lorsque commence son ascension vers la grande bourgeoisie, pendant la période où Milazzo est à la tête de la région [103]. Toujours d'après le repenti, les mafieux de Catane et de Trapani (de la famille Minore) obtiennent de Costanzo des concessions, des facilités et des paiements en argent. Santapaola se montre aux côtés de l'entrepreneur quand celui-ci va voir ses ouvriers, acquiert une succursale de Renault, fréquente les salons chics de Catane et se met à faire partie de l'*establishment*. Une photographie prise lors du mariage de Giuseppe Costanzo est un véritable portrait de la ville : on y voit, l'un à côté de l'autre, le maire de Catane, le président de la province, le secrétaire provincial de la DC, le député social-démocrate, les neveux de Costanzo et Nitto Santapaola.

En un certain sens, la Catane des années 1970 ressemble à la Palerme des années 1870, avec un groupe mafieux qui établit des liens avec la classe dirigeante, laquelle est prête à fermer un œil, voire les deux. Les cent ans d'histoire que les Palermitains ont derrière eux font cependant la différence. Les mafieux de Catane ne possèdent pas le sens de l'enracinement dans le territoire ; dès qu'ils le peuvent, ils quittent les quartiers-ghettos où ils sont nés et vont s'établir dans les zones résidentielles. Il ne leur est pas possible de faire valoir des prétentions de contrôle territorial : l'unique *cosca* locale gère, avec ses 35 membres, un territoire indéfini (peut-être celui des entreprises Costanzo ?) et il faut vraiment une bonne dose d'imagination pour la comparer aux 54 familles palermitaines qui, avec leurs 3 000 affiliés, couvrent tout le territoire et trouvent les cadres nécessaires à leur reproduction en engageant, au fur et à mesure de leurs besoins, de jeunes gars débrouillards [104]. Traditionnellement, à Catane, le lien avec le territoire correspondait à la possibilité de repérer un personnage « *'ntisu* » (bien connu) auquel, dans chaque quartier, on s'adressait pour récupérer une voiture ou d'autres objets volés ; un tel mécanisme de régulation saute d'ailleurs dans les années 1970, en même temps que bien d'autres, lorsque, du ventre de la cité, émerge une criminalité agressive et anarchique qui commence par le vol à l'arraché, passe au vol à main armée en ville et dans l'Italie du Nord (les voleurs font l'aller et retour en avion !), commence à imposer le *pizzo* aux magasins et aux entreprises. Le groupe mafieux, dont les réseaux de relations vont vers le haut – l'*establishment* – et l'extérieur – Cosa nostra –, regarde avec mépris cette délinquance « commune ». Un jour, Calderone Jr. et Santapaola daignent assister à une fête campagnarde organisée par les *carcagnusi*, mais, habitués qu'ils sont à l'hospitalité des Costanzo ou des Salvo, ils ne peuvent qu'éprouver un certain embarras parmi les poulets rôtis, les Vespa qui passent comme des flèches dans tous les sens et les grandes tapes dans le dos : « C'était vraiment la fête des voleurs. Rien de tout ce qui nous entourait, de ce dont nous nous servions, n'appartenait aux *carcagnusi*. Les Vespa étaient volées, les poulets étaient volés, le vin était volé, la radio venait d'être volée, les pistolets et les fusils étaient volés. Même le coin de campagne où nous nous trouvions n'était pas à eux. Nous étions là en cachette, parce que le gardien était un de leurs amis… [105]. »

Les rapports n'étaient pas toujours aussi amicaux ; Santapaola joue bientôt le rôle de gardien de l'ordre et commence à tuer sans pitié les racketteurs ; à cette fin, la famille doit s'agrandir et admettre dans ses rangs des tueurs nombreux et efficaces, qui soient capables de maintenir le rapport de forces. L'idée de la réglementation se révèle cependant illusoire : Catane reste un champ de bataille entre groupes opposés et la *cosca* elle-même, en s'agrandissant, se brise en diverses factions. Le modèle mafieux se généralise, mais ne peut atteindre un niveau d'homogénéité comparable à celui des zones où il est enraciné depuis longtemps.

Lorsqu'on lui demande le poids relatif des groupes provinciaux dans Cosa nostra, Buscetta répond : « De un à dix : Palerme 10, Agrigente 8, Trapani 8, Caltanissetta 6, Catane 4 [106]. » L'échelle hiérarchique, pensée en fonction de l'actualité, reflète également, dans une certaine mesure, la dimension historique. On peut noter l'absence de Syracuse, Raguse et Messine, zones traditionnellement protégées contre l'infection mafieuse [107] ; il y a pourtant une famille à Mistretta, évidemment reliée à Palerme, ainsi que Gangi et San Mauro

Castelverde, sous la direction d'un certain Giuseppe Farinella[108], dont le nom patronymique nous est bien connu. De l'intérieur de l'organisation également, les choses peuvent être perçues de différents points de vue, selon l'expérience de chacun. Leonardo Messina insiste sur l'importance de Caltanissetta et de sa région, entre autres raisons pour se faire sa propre publicité : « En général, on pense que, si un repenti n'est pas palermitain, il n'a rien à dire[109] ». Vincenzo Marsala, qui est de Vicari, village de l'intérieur de la région de Palerme, donne un conseil au juge d'instruction : « Monsieur le Juge, […] si on ne commence pas par les villages, jamais on n'en finira avec cette sale engeance. L'arrière-pays, c'est le réservoir de la mafia[110]. » Gaspare Mutolo, Palermitain pur sucre, affirme : « Malheureusement, la mafia c'est Palerme », et il rapporte un bon mot de Rosario Di Maggio sur Riina : « Ici, à Palerme, que peut-il bien faire, si nous sommes tous d'accord ? On le fout dehors à coups de pied dans le derrière et on le renvoie à Corleone faire pousser du blé[111]. » Il s'agit en effet d'un bon mot, car la seule et unique culture dont se soit jamais occupé Riina est celle de la mafia urbaine.

Avec une acuité qui lui provient de son point d'observation périphérique, Catane, Calderone Jr. remarque que l'égalité entre les familles et les provinces « ne vaut que pour la forme » ; en réalité, il existe « un pouvoir hégémonique des Palermitains […] ; en particulier, les Greco exercent, depuis toujours, un pouvoir effectif sur toute la Sicile[112] ». Il serait intéressant de savoir quel sens a ce « toujours » pour le repenti. Dans les années 1970, Salvatore Greco « *Chicchiteddu* » et son cousin homonyme, « l'ingénieur », vont s'établir au Venezuela et, après être revenus quelquefois en Sicile, disparaissent complètement : des informations non contrôlées donnent le premier pour mort de mort naturelle et on ne sait rien sur le second. Buscetta décrit un « *Chicchiteddu* » désabusé, décidé à tout lâcher ; cette description est cohérente avec sa propre thèse d'une mafia autrefois noble qui serait désormais en pleine dégénérescence : « *Chicchiteddu* » aurait alors été le dernier leader prestigieux. On a cependant quelques raisons d'avancer des doutes sur la volonté des deux hommes de se retirer complètement. C'est précisément à ce moment-là que le Venezuela, avec les Cuntrera et les Caruana, devient une importante base d'opération du trafic de la drogue. On pourrait avancer l'hypothèse qu'après la sanglante guerre de mafia et la désagrégation des structures de coordination, les Greco aient estimé que le « *power syndicate* » de Palerme n'était plus gouvernable ; qu'ils aient préféré faire usage de leurs capacités, de leurs relations et de leurs capitaux sur le versant de l'« *enterprise syndicate* ». Dans le réseau des trafics et des affaires, l'Amérique du Sud commence en effet à jouer un rôle important[113].

À Ciaculli, l'héritage des deux cousins est repris par Michele Greco, fils de don Piddu *u tenenti* [le lieutenant], qui appartient donc à la branche de Croceverde Giardini. « *Chicchiteddu* », qui était lié aux deux branches, puisque sa mère était de Croceverde et son père de Ciaculli, avait été le point d'équilibre idéal de la réconciliation, celui qui, selon Buscetta, avait fait le geste magnanime de reprendre ses cousins de Croceverde dans la famille, bien que les milieux mafieux aient admis que « la raison était entièrement de son côté[114] » (on aura reconnu la raison du plus fort, puisque Ciaculli l'avait emporté militairement). Les séquelles de l'antique guerre entre les Greco sont encore perceptibles longtemps après. « L'ingénieur », dont le père et la mère avaient été abattus, rappelle à ses pairs, pour disqualifier Michele Greco, que le père de ce dernier, don Piddu, n'avait pas hésité, contre toutes les règles mafieuses, à se rendre au tribunal afin de demander justice pour son fils : on a là une preuve supplémentaire du sens de la continuité historique chez les mafieux puisque les faits cités remontent à plus de trente-cinq ans (la présumée démarche de don Piddu aurait eu lieu à l'occasion de l'assassinat de son fils, Giuseppe, en 1939). Quant à Michele Greco, au moment de son arrestation, il se plaint d'être victime d'un quiproquo, dû à son homonymie avec les deux chefs mafieux avec lesquels il n'aurait rien à voir[115] : ce qui ressemble fort à une prise de distance. Les vainqueurs des années 1960 laissent donc l'organisation provinciale, et même leur famille, entre les mains d'un groupe différent et, en un certain sens, adverse.

Un triumvirat composé de Riina, Badalamenti et Stefano Bontate (le fils de don Paolino) est chargé, vers 1970, de réorganiser la mafia palermitaine, d'en reconstituer les familles, de garantir leur coordination. La *cosca* de Palerme Centre (ex-La Barbera) est dissoute, puis réformée ; celle de l'Acquasanta, qui avait causé tant de problèmes, de Tanu Alatu à Cavataio, disparaît définitivement[116]. Vers 1973, la Commission provinciale palermitaine est reconstituée, sous la présidence de Badalamenti ; en 1975, on forme une Commission régionale dirigée par Pippo Calderone. Mais il y a plus. On affilie certains boss napolitains qui travaillent depuis longtemps avec les Siciliens dans la contrebande des cigarettes et que l'on espère ainsi mieux tenir sous contrôle. Cette solution est surtout formelle, car elle n'évitera ni les conflits ni les tromperies réciproques. Le système de réglementation, qui a déjà du mal à fonctionner en Sicile occidentale, peut difficilement être imposé à des groupes éloignés et hétérogènes ; et d'ailleurs, quoi qu'il en soit, la mafia au sens strict ne peut être comparée aux phénomènes parallèles qui pullulent dans le Mezzogiorno. Dans les faits, comme le souligne à plusieurs reprises Calderone Jr., l'autorité de la Commission régionale sera toujours inférieure à celle de la Commission palermitaine. On assiste à une tentative pour « internaliser » (néologisme laid mais efficace qu'utilisent les chercheurs en sciences sociales), c'est-à-dire pour amener toutes les transactions à l'intérieur de la structure territoriale de Cosa nostra, afin d'éviter les conflits du passé et d'établir un ordre géométrique et hiérarchique.

La gestion Badalamenti commence par le meurtre symbolique du petit voyou qui, bien des années auparavant, avait osé gifler Lucky Luciano. Le nouveau leader s'emploie à faire savoir aux Américains que « l'offense a été lavée dans le sang, même si c'est avec retard[117] ». Peut-être faudrait-il, plutôt que de retard, parler de choix du bon moment. Badalamenti veut faire plaisir à ses amis d'outre-Atlantique – qui ont toujours servi de référence à la mafia de Cinisi dont Badalamenti est issu – précisément au moment où il arrive au pouvoir. D'ailleurs, le message ne plaît pas à Leggio, qui critique Badalamenti « parce qu'il avait fait savoir à Cosa nostra américaine que, grâce à lui, la province de Palerme fonctionnait bien et que lui-même était devenu le "chef des chefs"[118] ». La fonction dirigeante du grand trafiquant siculo-américain prend fin, soudainement, en 1997 : pas de règlement de comptes dramatique ni d'accord de succession, mais une mise à la porte, indolore mais totale, qui laisse penser que le pouvoir de Badalamenti provenait davantage de ses relations externes que de sa force à l'intérieur du « *power syndicate* ». Buscetta, qui révèle l'épisode, se refuse à fournir la moindre tentative d'interprétation. Calderone, pour sa part, rappelle que Badalamenti était au départ très proche des Corléonais et de Michele Greco et qu'il fut ensuite accusé par ces derniers « de s'être enrichi avec la drogue, au moment où de nombreuses familles étaient en difficulté et où bien des hommes d'honneur mouraient presque de faim [119] ».

Le nouveau chef, Michele Greco lui-même, ne suit pas la même ligne que son prestigieux cousin Salvatore « *Chicchiteddu* » ; il opère une sorte de renversement d'alliances, en se liant étroitement avec les Corléonais. En face de lui, commence à apparaître l'étoile de Stefano Bontate, chef de la famille de Santa Maria di Gesù, qui s'allie avec le jeune chef de la *cosca* de Passo di Rigano, Salvatore Inzerillo. Les camps sont en place pour de nouvelles affaires, pour de nouveaux et sanglants conflits.

5. *La guerre du pouvoir et de l'argent*

Quand un mafieux protège un entrepreneur, il n'admet aucune interférence, pas même celle d'autres membres de l'organisation. Prenons le cas de Pasquale Costanzo : l'hypothèse de son affiliation semble avoir été prise en considération par les Calderone, qui finirent par la rejeter car Costanzo, du coup, aurait été trop soumis au jeu des pressions « de la part de tous les hommes d'honneur, qui se seraient sentis en droit de s'adresser *directement* à lui [120] ». Ce choix entend donc préserver non seulement l'autonomie de Costanzo, mais aussi l'exclusivité de la communication avec la famille de Catane, c'est-à-dire avec Calderone. Pour leur part, les Salvo sont mafieux depuis des générations et les cousins Nino et Ignazio Salvo sont affiliés à la *cosca* de Salemi ; pourtant, souligne Buscetta de façon convaincante, leur statut social ne découle pas des charges qu'ils occupent à l'intérieur de Cosa nostra, mais de leur richesse et des relations politiques qu'ils cultivent, dans la DC et à l'extérieur, à grand renfort de versements d'argent, afin d'éviter que quelqu'un ne mette en discussion le monopole de la perception des impôts régionaux. Comme l'affirme, en 1964, le démocrate-chrétien Giuseppe

Alessi, « la question est brûlante, car l'enjeu porte sur des milliards et peut apporter la vie et la prospérité à des partis, à des courants politiques, à des groupes de personnes. Je ne voudrais pas que nous allions chasser les moineaux et que nous ne nous préoccupions pas des aigles rapaces [121] ».

Le fait que Badalamenti soit « particulièrement fier » de l'amitié des Salvo et qu'il prenne toutes les précautions pour la préserver des incursions d'autres affiliés montre que la hiérarchie du pouvoir mafieux et celle de l'argent se recoupent et se valent. Les relations des Salvo avec les Bontate, père et fils, sont encore plus anciennes et plus solides. C'est dans ce contexte qu'il faut situer l'enlèvement et le meurtre, en 1975, de Luigi Corleo, beau-père de Nino Salvo, qui doit alors se rendre compte que ces appuis ne suffisent pas à le protéger. Inculpé, Salvo soutiendra qu'il n'est pas un mafieux, mais une victime, au même titre que les autres entrepreneurs siciliens, et qu'il ne s'est adressé à Bontate qu'afin d'obtenir sa protection. Il ajoutera une remarque intéressante : « Jusqu'à l'enlèvement de mon beau-père Luigi Corleo, je pensais avoir instauré une coexistence incommode mais tranquille avec ces organisations, en estimant, à tort, qu'il suffisait de bien se comporter pour ne pas avoir d'ennuis avec qui que ce soit [122]. » On peut y lire le trouble d'une mafia qui tente de se transformer en grande bourgeoisie, estime que le réseau habituel de Cosa nostra est une protection suffisante et, au contraire, tout en « se comportant bien », est happée par la dimension criminelle de la compétition entre protecteurs.

Quoi qu'il en soit, en Sicile, une industrie de l'enlèvement sur le modèle sarde ou calabrais est vouée à l'échec, car elle briserait le pacte entre protecteurs et protégés, instauré dès 1877, et qui reste de fait en vigueur à l'exception des périodes de chaos qui suivent les deux guerres. Je cite, pour exemple, un cas de 1976 qui pourrait avoir eu lieu un siècle auparavant. Une bande d'indépendants, de Trapani, enlève un certain Campisi, acte que désapprouvent les « hommes d'honneur » ; le chef mafieux de Partanna, Stefano Accardo manifeste cette réprobation par une dénonciation auprès des carabiniers ; les gangsters de Trapani ripostent par un attentat dont le chef mafieux réchappe par miracle : l'affaire se termine par le massacre des cinq gangsters, coupables du double affront [123]. La mafia continue donc à respecter les forces extérieures à elles, d'où la décision de la Commission d'interdire les enlèvements sur le territoire de l'île (hors de l'île, la chose est différente, comme le prouvent les activités de Leggio). Cette règle est en général respectée, sauf dans les moments les plus chauds des rivalités entre mafieux.

Dans le cas des Salvo, le contrat de protection va au-delà de l'ambiguïté habituelle. À propos de l'entrepreneur Moncada, ami intime des La Barbera, le juge Terranova commentait : « On n'arrive pas à établir si c'est une victime ou un *manutengolo* des mafieux ou encore s'il a été l'un et l'autre, selon les moments et les circonstances [124] ». Ce que l'on nommait, dans les discussions de la fin du XIXe siècle, *manutengolismo*, on l'appelle aujourd'hui *contiguïté*, et les deux mots, de façon significative, ont un sens tout aussi indéterminé. Dans l'instruction du maxi-procès, le juge Falcone et les autres remarquent que certains des entrepreneurs indiqués comme victimes par Vitale sont devenus, dix ou quinze ans plus tard, des associés, intéressés aux affaires et complices des extorqueurs de fonds [125]. De fait, on demande souvent aux commerçants d'aider, en l'associant dans une affaire, le protecteur à se transformer en « entrepreneur ». Mais il faudrait analyser de façon différente le cas de ceux qui tirent avantage des réseaux mafieux, *puis* subissent des dommages. Salvo tonne contre l'État, « pratiquement absent de la lutte contre la mafia [126] », avec des tons polémiques qui viennent de loin, mais qui, en l'occurrence, sont purement formels : il s'agit en effet de gens qui, comme les Guccione, grâce à leurs contacts avec le réseau mafieux, ont une place prédominante sur un marché dont les autres sont exclus précisément parce qu'ils n'ont pas ce genre de contacts. A-t-on le droit d'évoquer son *propre* état de nécessité quand on prospère sur un état de nécessité *général*, dans lequel d'autres vivent sans en tirer les mêmes profits ? C'est bien le cas des Costanzo, qui ouvrent des chantiers et font des affaires, sans craindre les intimidations, grâce aux actions violentes décidées, *de façon autonome*, par leurs protecteurs. Il nous faut citer ici un verdict – rendu en 1991 par un juge de Catane, Luigi Russo – à faire pâlir le sauvetage des propriétaires à l'œuvre dans les grands procès de la période fasciste. Le magistrat confirme que la plupart des révélations de Calderone Jr. sur les Costanzo sont fondées, mais estime que les comportements de ces derniers ne sont pas répréhensibles dans la mesure où ils ont été dictés par un état de nécessité, en tout point semblable à celui du boutiquier victime de racket. On n'entend pas discuter ici cette question sous ses aspects juridiques, mais d'un point de vue sociologique, sur lequel le juge Russo insiste, non sans faire preuve d'un pathos surprenant : il plaint les entrepreneurs milliardaires contraints de laisser les mafieux tenir leurs réunions dans leurs locaux, partage l'angoisse des Costanzo qui voient leur nièce épouser un leader de la *cosca*, Salvatore Marchese, lui-même cousin des Calderone. Bref, il défend la thèse de l'utilité sociale de la collusion : « Le refus de tout dialogue ayant pour but d'atteindre un certain point d'équilibre [avec les mafieux] amènerait l'entrepreneur à renoncer au fonctionnement de son entreprise ; et paradoxalement cela adviendrait précisément dans ces zones du territoire national où le maintien et le développement de l'emploi devraient servir à aider les populations à s'affranchir de la présence mafieuse [127]. »

Nous retrouvons, une fois de plus, la fausse équation sousdéveloppement = mafia, dont on tire le corollaire, encore plus faux, selon lequel le développement s'opposerait à la mafia ; c'est à partir de ces présupposés que de larges secteurs de l'opinion publique, de la Confindustria ou du syndicalisme, expriment, à Catane ou ailleurs, leur préoccupation devant la « criminalisation » des entrepreneurs. Le juge Russo défend une thèse particulièrement originale en prétendant que même l'affiliation à Cosa nostra d'une personne menacée serait un escamotage *défensif*, ne rentrant donc pas sous la catégorie d'association mafieuse et ne pouvant par conséquent être puni [128]. Historiquement et conceptuellement, un tel *acte défensif* est l'essence même du phénomène mafieux.

La possession d'un capital personnel de relations avec l'*establishment* politique et économique est un des éléments qui définit l'existence de notables à l'intérieur de Cosa nostra, dans la mesure précisément où l'on peut désigner comme notable celui qui, dans une organisation, fait valoir une légitimation acquise hors de cette dernière. Il y a d'autres facteurs qui opèrent en ce sens et, avant tout, celui du prestige, part essentielle du rôle joué par un mafieux. Par exemple, à en croire Buscetta, Vincenzo Rimi n'avait jamais occupé de charge, « c'était un simple homme d'honneur de la famille d'Alcamo, dont je ne connais pas le chef, mais c'était quelqu'un qui avait un très grand ascendant dans Cosa nostra », grâce à ses dons « d'équilibre et de sagesse » [129]. Il me semble excessif d'affirmer, comme le fait Buscetta, avec l'orgueil du *self-made man*, qu'en *aucun cas* le pouvoir mafieux ne peut être transmis en héritage ; si c'était vrai, nous aurions du mal à comprendre les continuités de seigneuries familiales comme celle des Greco ou l'ascension rapide d'un jeune homme tel Stefano Bontate à la tête de la *cosca* de Santa Maria di Gesù, dans laquelle son père avait occupé la même charge. À l'inverse, selon Buscetta et Calderone, Michele Greco est un personnage « effacé » et on peut donc conclure que, s'il obtient la direction de la Commission, c'est uniquement grâce au nom qu'il porte. Les Greco et les Bontate, qui sont riches et puissants depuis des générations, sont donc aussi des « Messieurs », carte de visite qui ne gâte rien dans un milieu aussi traditionaliste que celui de Cosa nostra, où la seule richesse ne définit pas le « rang », comme le prouve la modeste autorité dont jouit Tommaso Spadaro, qui est pourtant un grand boss de la contrebande du tabac et du commerce de la drogue.

Il est difficile de dire quel est le rang de Tommaso Buscetta, que l'on nommait autrefois « le boss des deux mondes », du fait de ses allers et retours permanents entre l'Europe, l'Amérique du Sud et l'Amérique du Nord ; recherché par les polices d'une bonne partie du monde en tant que trafiquant de drogue de haut vol, il affirme au contraire, dans ses aveux, qu'il n'a jamais participé au commerce de la drogue, qu'il n'a jamais occupé de charge, qu'il est un simple « soldat » de la famille de Porta Nuova, dirigée par Pippo Calò, et que, par-dessus le marché, des La Barbera à Stefano Bontate, il s'est toujours trouvé du côté des perdants. Il semble probable que Buscetta ne veuille pas révéler ses activités dans l'« *enterprise syndicate* » ; il n'en reste pas moins difficile de comprendre le prestige dont il jouit parmi les mafieux emprisonnés ou enfermés dans les cages du maxi-procès, au cours duquel tous écoutent ses accusations dans un respectueux silence. Sauf à prendre pour bonne l'interprétation qu'il donne lui-même : « Dame nature m'a donné du charisme, j'ai quelque chose en plus [130]. » En réalité, il existe une dissonance entre le rôle, objectivement modeste, que Buscetta s'attribue dans les aveux recueillis par Falcone et le ton de l'autobiogra-

phie qu'il dicte à Enzo Biagi ou les révélations faites devant
la Drug Enforcement Agency (DEA), le département américain de lutte contre la drogue, dont le dirigeant, Frank Monas-
tero, affirme : « Buscetta doit être considéré comme étant au
plus haut niveau, avec des liens sur trois continents. [...] Dans
l'organisation, Valachi n'avait ni la même force, ni le même
charisme, ni le même rang que Buscetta [131]. »

La divergence pourrait s'expliquer par la différence des
points de vue sicilien et américain, dès lors qu'un trafiquant
de drogue siculo-américain peut être un leader dans cette activité sans occuper des charges importantes dans la hiérarchie
de Cosa nostra. La fin des années 1970 est un moment de
boom sans précédent du commerce de la drogue, qui se
déroule toujours entre les deux mondes, le nouveau et
l'ancien, dont Buscetta pourrait être un des boss. Du Nouveau
Monde arrive un fleuve d'argent par les filières bancaires – et
le parquet de Palerme a lancé le juge Falcone, vu son expérience des délits financiers, sur cette piste-là. De l'Ancien
Monde part un fleuve d'héroïne qui, en 1982, couvre 80 % du
marché du nord-est des États-Unis.

Aux deux extrémités de la filière se trouvent deux cousins,
Carlo Gambino et Salvatore Inzerillo, c'est-à-dire, dans le rôle
de l'acquéreur, la plus puissante *cosca* de New York et, dans
celui du vendeur, le chef de l'une des plus anciennes *cosche*
de Palerme. Entre les deux, pour gérer un autre maillon de la
chaîne, l'importation de la marchandise, d'autres Siciliens
immigrés récemment et qui se sont établis sur la côte Est des
États-Unis, entre autres pour échapper à la répression du
début des années 1960. Les enquêteurs en arriveront à la
conclusion qu'outre les mafias italo-américaine et sicilienne
il y en a une troisième, la mafia *sicilienne* du trafic de drogue,
dirigée par Badalamenti [132]. Le rôle fondamental de ce personnage, qui vient d'être expulsé de la Cosa nostra de Palerme,
fait comprendre que ce groupe siculo-américain n'est pas une
filiale de la maison mère ni un terminal de l'organisation
territoriale insulaire [133] (ni d'ailleurs américaine), mais qu'il
s'agit d'un « *enterprise syndicate* » relativement autonome
vis-à-vis de l'une comme de l'autre. C'est le signe d'un renversement de tendance par rapport aux années 1950, quand
les acquéreurs étaient venus en Europe ; désormais, ce sont
les vendeurs qui vont en Amérique. Il s'agit encore d'un flux

alterné de marchandises, de capitaux, de cadres, où l'émigration se mêle au commerce de la drogue – comme il se mêlait autrefois à celui de l'huile et des agrumes – par l'entremise de « parents » et « d'amis » d'une fidélité à toute épreuve, qui, depuis un siècle, vont d'un continent à l'autre, dans les deux sens. Dans le groupe Inzerillo, « le mélange incroyable des liens de parenté – fait remarquer Falcone – est tel que l'on a du mal à s'y retrouver et il est intéressant de noter qu'à chaque génération les liens se font plus étroits, par suite de mariages entre cousins » ; cette endogamie est consciemment voulue, dans le cadre « d'une récupération apparente des valeurs traditionnelles [...], qui sont instrumentalisées afin de rendre le groupe plus homogène et plus soudé [134] ». C'est le vieux modèle des mafias de Cinisi et d'Alcamo, géré cette fois-ci sur une échelle bien plus vaste, depuis Palerme, et dans lequel l'élément de cohésion familial tend à se substituer aux structures de la mafia territoriale, impossibles à appliquer au réseau transcontinental.

Après le déclin de la *French connection*, vers la fin des années 1970, les anciens contrebandiers de tabac, riches de capitaux et de relations accumulés durant les années précédentes – Tommaso Spadaro, Nunzio La Mattina, Pino Savoca – commencent à s'approvisionner directement en Extrême-Orient. Désormais, les Siciliens raffinent eux-mêmes, grâce à l'importation de techniciens marseillais, et ils expédient en Amérique. Ils gèrent donc directement plusieurs maillons de la chaîne. Sous certains aspects, cette gestion est unitaire puisque tous les mafieux peuvent bénéficier de cette structure « industrielle », comme des filières commerciales, en payant une quote-part de la marchandise. Cependant, en fait, l'éclatement est évident ainsi que la méfiance réciproque des différentes puissances en jeu. Giovanni Bontate, par exemple – appliquant ainsi un système qui rappelle ceux du protocapitalisme de l'âge moderne, le « *putting out* » des Flamands –, ne se contente pas de faire travailler sa morphine par les raffineurs en les rémunérant : il commence par la leur vendre, puis la rachète une fois raffinée [135]. Il y a en outre deux goulots d'étranglement du libre accès aux ressources : le premier concerne l'importation de la morphine base, que les trois personnages cités ci-dessus tiennent solidement en main, si bien que les autres (par exemple, les Corléonais) doivent

« s'adapter à la part qui [peut] leur revenir [136] » ; le second provient de l'exportation en Amérique, où Inzerillo exerce un contrôle dont nous ignorons s'il est exclusif et dans quelles proportions. L'instruction menée par Falcone et, avant celle-ci, les enquêtes d'un fonctionnaire de police qui travaille en liaison avec la DEA, Boris Giuliano, nous permettent de connaître la structure de ce groupe, autour duquel fleurit tout un monde d'entrepreneurs, de banquiers, de recycleurs d'argent, avec une division interne des tâches entre le secteur du trafic de drogue et celui des affaires. Dans ce dernier secteur, l'homme le plus important est un cousin d'Inzerillo, Rosario Spatola, connu, entre autres raisons, pour avoir donné, en 1979, l'hospitalité à l'ami des Gambino, le banquier – en situation difficile – Michele Sindona, durant son mystérieux voyage en Sicile. La différence entre Spadaro et ses associés, d'une part, et Inzerillo, de l'autre, tient à ce que les premiers n'interviennent que sur le versant de l'« *enterprise syndicate* », tandis que l'autre ajoute à son rôle de grand trafiquant sa fonction de chef de famille de Cosa nostra et qu'il est lié d'un côté au représentant traditionnel « du trafic international de stupéfiants » siculo-américain, Badalamenti, de l'autre à Di Cristina, et enfin à Bontate [137], leader du groupe « minoritaire » de la Commission. Dans les enquêtes américaines et italiennes, le nom de Buscetta apparaît souvent.

Dans cette période de pointe, les profits annuels du commerce siculo-américain sont de l'ordre de plusieurs centaines de millions (peut-être un milliard) de *dollars*. C'est le point de départ de ce qui fut nommé la seconde guerre de mafia qui, annoncée par les assassinats, encore périphériques, de Di Cristina et de Pippo Calderone, démarre vraiment avec les meurtres de Stefano Bontate, de Salvatore Inzerillo et d'une bonne part de sa famille (au sens propre). En deux ans (1981-1982), cette guerre se transforme en véritable hécatombe, puisqu'il y a de cinq cents à mille victimes. Parmi ces dernières, un des précurseurs du trafic d'héroïne, Antonino Sorci, ancien associé de Luciano, ou Leonardo Caruana, de la fameuse famille des marchands d'héroïne d'Agrigente et du Venezuela. Il est significatif qu'Inzerillo déclare, après la mort de Bontate, qu'il est certain que Riina ne le touchera pas, car il doit encore encaisser plusieurs centaines de millions comme quote-part d'une livraison de drogue : il n'en est pas moins aussitôt démenti par une rafale de Kalachnikov qui perfore le blindage de son automobile. Le cadavre d'un frère de Salvatore, Pietro Inzerillo, est retrouvé à New York « avec de l'argent dans la bouche et entre les testicules ». Le message : « Tu as voulu manger trop d'argent… [138] » ; message identique à celui de la carte *d'or* jetée, cent vingt ans auparavant, sur le cadavre de don Giuseppe Lumia [139]. Le « *power syndicate* », et en l'occurrence le bloc des « vainqueurs », tend à l'évidence à supprimer la composante siculo-américaine et à s'emparer, non pas tant des profits du trafic de drogue auquel, nous l'avons vu, tous pouvaient participer (il resterait cependant à savoir dans quelle exacte mesure), qu'à des leviers fondamentaux de contrôle de ce trafic. Il faut faire une distinction entre la Commission, dans laquelle Greco et Riina ont la majorité, et les familles, et d'abord celle de Santa Maria di Gesù, la plus nombreuse et la plus puissante de toutes, qui voit tomber sans réagir son chef prestigieux. Il n'y a même pas de tentative pour se défendre de la part des « perdants », attitude encore plus déconcertante si on la compare aux continuelles représailles, d'un côté comme de l'autre, qui avaient marqué la première guerre des Greco contre les La Barbera.

« Quand on parle de guerre de mafia, je ne comprends pas bien ce que signifient ces mots – déclare Mutolo. Il y a guerre de mafia quand deux familles mafieuses, ou davantage, prennent les armes et savent qu'un groupe combat contre un autre groupe de personnes. À Palerme, au contraire, d'après moi, d'après ma mentalité, cette guerre de mafia, il n'y en a pas eu ; il y a eu une trahison [140]. » Et, de fait, il y a bien « trahison », au sens où l'offensive de la Commission brise transversalement les familles, en mettant en évidence la fragilité de leur cohésion interne. La *cosca* n'est plus la cellule de base de l'organisation mafieuse, soumise qu'elle est à la pression opposée et contraire de deux forces : la centralisation du pouvoir militaire dans la Commission et les poussées centrifuges dues au développement des réseaux d'affaires. Déjà, Cavataio avait créé un rassemblement occulte et transversal, comme le sera celui des Corléonais : « Quand je dis les Corléonais – explique Buscetta dans la salle du maxi-procès –, je n'entends pas me référer aux Corléonais nés à Corleone. Je me réfère au rassemblement corléonais. » « À la famille ? »

demande le président. « Non, au rassemblement », répète le repenti [141]. Buscetta lui-même, allié à Bontate et à Inzerillo bien qu'il appartienne à la *cosca* de Calò, allié de Riina, est un exemple de cette dislocation des forces, qui se joue le long des axes des grands trafics. Les deux frères Bontate, Stefano et Giovanni, trafiquent tous les deux, l'un à l'insu de l'autre, et cela est certainement à mettre en rapport avec le choix de Giovanni de se mettre du côté des « vainqueurs », puisqu'il accepte (ou peut-être même favorise) l'assassinat de son frère, au mépris de tous les codes familialistes. La règle selon laquelle la famille ne gère pas les affaires en première personne peut impliquer l'enrichissement de quelques affiliés seulement, au point de provoquer une sorte de lutte de classe à l'intérieur des *cosche*. Le rassemblement corléonais pourrait dès lors comprendre la plus grande part de la structure territoriale et militaire palermitaine, qui se rebelle contre certains de ses chefs. Ce qui expliquerait l'absence de lutte et l'aisance avec laquelle se déroule le changement de direction. « Le fait que non seulement des chefs de famille ont été tués impunément, mais que, surtout, des membres des mêmes familles ont pris la place des chefs signifie, sans aucun doute possible, que les remplaçants étaient d'accord pour l'élimination des chefs [142]. »

On peut donc reprendre ici l'analyse qui a été faite pour le conflit Leggio-Navarra : l'argent, les relations extérieures, économiques et sociales, Gambino, Sindona, les Salvo, Lima, sont tous du même côté, et pourtant ce côté est vaincu dès que le conflit devient armé. La mafia intervient dans le monde des affaires et des notables, mais elle ne se transforme pas en un cercle de notables et d'hommes d'affaires ; face à un défi, elle réagit en accentuant son aspect militaire, dont un homme comme Riina est le meilleur (le pire !) représentant.

Il faut dire que cette interprétation des faits ne correspond qu'en partie à celle que fournit Buscetta. En effet, le repenti soutient qu'à la base de tout cela « il n'y a pas de mobile important. Il y a une prise de position des Corléonais [143] », une sorte de volonté de puissance de Riina et consorts. Son analyse met en lumière trois sortes de contradiction : entre réseau affairiste et organisation militaire ; entre les différentes familles et les commissions ; entre les différents « rassemblements » qui ne correspondent pas aux familles (ni de mafia

ni par le sang), comme on peut le voir avec les cas des frères
Bontate ou des deux cousins Badalamenti, qui sont rangés
dans des camps opposés [144]. La guerre se transforme en opération centralisatrice qui finit par bouleverser l'autonomie des
familles et (mais là, Buscetta ne serait pas d'accord) porte à
son terme un processus commencé, fût-ce avec beaucoup de
précautions, par Salvatore Greco « *Chicchiteddu* ». Il est
pourtant évident que le trafic de drogue est l'élément déclen-
chant, évidence que Buscetta n'admet qu'en termes très généraux, en parlant de décadence de la « moralité » de Cosa
nostra, de « confusion » dans ses organismes de direction.
Non seulement il dément, contre toute évidence, sa propre
participation, mais il essaie de blanchir ses amis, pas Inzerillo
(cela aurait été impossible !) mais Stefano Bontate, qui, en
fait (on le savait et d'autres repentis l'ont confirmé), s'en
occupait activement. Buscetta en arrive à affirmer que, dans
les années 1960, la Cosa nostra sicilienne ne se mêlait pas du
commerce de la drogue et, du coup, il fournit d'autres explications à la première guerre de mafia (explications qui, en
réalité, sont complémentaires). Il n'hésite qu'un instant,
quand Falcone lui rappelle que Di Pisa vendait à coup sûr de
l'héroïne, puisqu'il avait même tenté d'en vendre à un agent
du Narcotic Bureau [145]. C'est lui qui avance la thèse d'une
nette distinction entre la Cosa nostra sicilienne en Amérique,
qui se livre au trafic de l'héroïne, et la Cosa nostra américaine, qui refuse cette activité. Buscetta est démenti par
l'implication des Gambino dans l'import-export des Siciliens
mais, à l'évidence, il veut couvrir les versants américains, du
Nord et du Sud [146], qui le concernent au moins autant que le
versant sicilien. Sur ce dernier, au contraire, il fournit une
moisson d'informations, lucides et souvent vraies ; il est
significatif que l'un des rares *trous* de sa reconstruction porte
précisément sur l'expulsion de Badalamenti en 1977, moment
essentiel de la *connection* siculo-américaine.

   Il faut d'ailleurs réfléchir sur la suite de cette affaire. Badalamenti, en fuite, arrive au Brésil, chez Buscetta, et lui
demande de venir à Palerme « afin de diriger – explique Buscetta –, en vertu de mon ascendant, la contre-offensive face
aux Corléonais [147] » ; nous possédons sur ce point une confir-
mation donnée par des écoutes téléphoniques qui montrent
que les Salvo cherchaient à le convaincre pour le même

motif [148]. Buscetta estime que cette idée est « folle » et, de fait, il n'a pas tort : qu'aurait bien pu faire son « ascendant » (dont, quoi qu'il en soit, nous ne réussissons toujours pas à comprendre l'origine) face à l'énorme pouvoir militaire de la Commission, à un moment où, à Palerme, les morts se comptent par dizaines *chaque jour* ? Il est pourtant étrange que cette idée « folle » soit formulée par des personnages très importants et qu'elle soit prise suffisamment au sérieux par les ennemis de Buscetta – mystérieusement au courant du projet de Badalamenti, mais non du ferme refus opposé par Buscetta – pour provoquer une réaction impitoyable et le massacre de deux de ses fils, de son frère et de divers autres parents. On en vient à penser que « le boss des deux mondes » est appelé à jouer le rôle de médiateur au nom de quelqu'un d'autre, qui se trouve dans un de ces deux mondes, et que la Commission veut faire comprendre, par ses actions symboliques et féroces, qu'elle refuse toute interférence extérieure. Nous possédons un témoignage, pas très clair, de Mutolo, selon lequel, après la mort de Bontate et d'Inzerillo, John Gambino part des États-Unis et se rend en Italie pour rouvrir le dialogue, « étant donné que les routes qui existaient venaient de s'interrompre », puisque Inzerillo était un de ceux « qui apportaient le plus de drogue en Amérique ». Par ailleurs, en février 1984, Badalamenti, qui téléphone aux États-Unis depuis Rio de Janeiro, répète encore, peut-être avec la force du désespoir : « C'est nous qui avons l'autorisation de l'importer [l'héroïne] ; personne d'autre ne l'a. » Michele Greco, au contraire, se déclare prêt à relancer les échanges sur d'autres bases, mais il demande aux Américains de « donner quelques coups pour baiser Buscetta » et de s'employer à « tuer tous ceux qui sont logés, [c'est-à-dire] qui se sont enfuis en Amérique [149] ». Au Brésil, Buscetta est arrêté et, interrogé par Falcone, il se décide à parler.

6. *Terroristes et repentis*

Au même moment où se déroule la guerre de mafia, commence en Sicile le massacre de personnages de tout premier plan. Le premier à être tué, en septembre 1979, est Cesare Terranova qui, après voir été élu sur les listes du parti communiste et avoir participé à l'Antimafia, était revenu dans la magistrature. Suivent, parmi les magistrats, Gaetano Costa (1980) et Rocco Chinnici (1983), pour s'en tenir à ceux qui furent tués à Palerme. Les victimes ne manquent pas parmi les hommes politiques : Piersanti Mattarella, président de la Région, auquel ne suffit pas le capital de bonnes relations avec le milieu mafieux accumulé par son père, Bernardo, et Pio La Torre, secrétaire régional du PCI, tué en 1982. Il faut y ajouter les hommes des forces de l'ordre, comme le sous-préfet de police Boris Giuliano, les officiers des carabiniers Russo et Basile et, enfin, le général Carlo Alberto Dalla Chiesa, nommé en 1982 préfet de Palerme. C'est là un phéno-mène difficile à interpréter. Hormis Notarbartolo, la mafia palermitaine n'avait jamais produit de « cadavres excel-lents », au moins jusqu'à l'assassinat, en 1971, du procureur général Pietro Scaglione ; ce meurtre avait d'ailleurs été inter-prété comme une preuve de la collusion du magistrat, dans la logique du « ils se tuent entre eux ». À le considérer dans la perspective consécutive à l'assassinat de Dalla Chiesa, le meurtre de Scaglione apparaît au contraire comme le premier des nombreux épisodes d'intimidation envers les institutions et le système politique.

Dans certains cas, la direction même des coups implique l'interprétation à donner. Russo et Boris Giuliano sont des enquêteurs de pointe, le second, en particulier, du fait de ses liens avec la DEA. La même logique vaut pour les juges Costa, qui enquête sur les Inzerillo, et Rocco Chinnici, qui saute dans l'explosion d'une voiture piégée tandis qu'il coor-donne le pool des magistrats engagés dans l'instruction contre les « vainqueurs » de la guerre de mafia. Il faut mettre ici en évidence un aspect qui, pour avoir été l'objet de maintes exa-gérations rhétoriques, n'en est pas moins réel : l'isolement, qui entraîne la mort. Dans les milieux policiers et judiciaires, la majorité se contente d'administrer au jour le jour, par inca-pacité, paresse, peur ou complicité. En parcourant les entre-tiens menés par la Commission parlementaire, vers le milieu des années 1970, parmi les hommes de terrain, on comprend aussitôt qui sont ceux qui vont mourir : les rares personnes qui donnent des réponses engagées et intelligentes. Parmi elles, le général Dalla Chiesa, homme de prestige, riche d'une longue expérience, connue de tous ; envoyé à Palerme pour servir de symbole [150], il est aussitôt, symboliquement, éliminé. L'expédient, utilisé en d'autres phases historiques, consistant à tenir en réserve un fonctionnaire qui *sait* et que l'on envoie en Sicile quand la nécessité y contraint (nous pensons à Sangiorgi, à Mori), ne fonctionne plus. Il est facile de frapper une cible mise en évidence de la sorte ; on l'avait déjà vu avec Terranova, considéré, même dans le milieu judiciaire de Bari, comme le « persécuteur » du malheureux Leggio [151] ; ou avec Costa qui, pour passer outre aux hésitations de ses collaborateurs, avait signé seul, contrairement à la pratique usuelle, le mandat d'amener des membres du groupe Spatola-Inzerillo.

Les effets sur l'autre camp se font lourdement sentir. « Pour les policiers et les carabiniers [...], le guet-apens tendu à Costa fut un message sans équivoque ; désormais, ils savaient que plus on enquête sérieusement sur la mafia, plus on est en danger de mort [152]. » Pour avoir une réaction nette, il aurait fallu autre chose que *cet État-là*, profondément pollué par les collusions de sa classe politique, englué dans les automatismes d'une gestion fondée sur les accords et les compromis, freiné par la pratique et la théorie du « gouvernement faible », incapable, comme on l'avait vu pour Dalla Chiesa, de donner à ses organismes un signal univoque. Malgré cela, après cette tragédie, on voit éclore une saison de résultats extraordinaires, obtenus par le pool antimafia, composé des magistrats Falcone, Borsellino, Di Lello, Guarnotta, sous la direction d'Antonino Caponnetto. On recueille les aveux de Buscetta puis, au fur et à mesure, ceux d'autres repentis ; on mène à son terme l'instruction qui conduit à l'inculpation de 707 affiliés présumés à Cosa nostra. Alors commence la chasse à l'homme pour que les cages ne restent pas vides dans la salle où va se tenir ce que l'on nommera le maxi-procès.

La parole, dès lors, est à nouveau à la police, qui avait brillamment démantelé le réseau des raffineries d'héroïne et qui, avec le rapport « des 162 », avait fourni au pool la carte des « vainqueurs ». Dès la fin de 1983, la *squadra mobile* [« brigade mobile »] de Palerme compte une victime, l'agent Calogero Zucchetto, qui, parmi les jardins d'agrumes et les bars de Ciaculli, avait repéré le clandestin Salvatore Montalto, sur le territoire des Greco et de leurs alliés, les Prestifilippo. À ce qu'il semble, le fait que le policier se soit infiltré parmi ces gens-là et les ait, en quelque sorte, utilisé pour tendre son piège, a décidé de son sort. Parmi les mafieux, circule l'information selon laquelle les supérieurs de l'agent assassiné, les commissaires Beppe Montana et Ninni Cassarà, auraient déclaré que Mario Prestifilippo et Pino Greco, dit « *Scarpazzedda* » [« petite chaussure »], le tueur des vainqueurs, ne devaient pas être pris vivants [153]. La chose n'est pas impossible, dans un moment de rage et de découragement ; mais comment, par quelles filières une telle rumeur a-t-elle pu parvenir aux oreilles de l'ennemi ? Beppe Montana se lance dans la recherche des clandestins et utilise ses vacances pour surveiller, depuis son canot à moteur, les luxueuses villas de la côte ; il est tué, en short, sabots de bois aux pieds, le 28 juillet 1985. Toute la brigade mobile se jette à la recherche des tueurs et arrête un suspect, un certain Salvatore Marino, qui meurt sous les coups dans les locaux de la police. À l'enterrement, aux côtés de la *cosca*, qui découvre les vertus des garanties légales, on trouve le responsable du parti radical, Marco Pannella. Le ministre de l'Intérieur, Oscar Luigi Scalfaro, se précipite à Palerme et, avec une rapidité jamais vue auparavant (et surtout pas lors de la mort de l'anarchiste Pinelli dans les locaux de la préfecture de police de Milan, en décembre 1969), il dissout la meilleure structure d'enquête existant à Palerme en transférant ses membres aux quatre coins de la péninsule. La mort de Marino est donc une excellente affaire pour la mafia. Le commissaire Cassarà rentre chez lui à des heures imprévisibles, il se déplace en voiture blindée, escorté par deux agents, dont Roberto Antiochia, revenu précipitamment de vacances pour « couvrir les épaules » de son chef. On ne saura jamais comment un groupe d'au moins quinze tueurs parviennent à avoir l'information qui lui permet, le 6 août 1985, d'intercepter les trois hommes, au pied de l'immeuble de Cassarà, et de les cribler de balles. Nous sommes *vingt-quatre heures après* les décisions de Scalfaro : à ce moment-là, les hommes de la brigade mobile sont seuls, comme s'ils étaient, eux, les déviants, les subversifs, sur lesquels s'abat l'énorme puissance d'un État moderne.

Dans cette tragique histoire, il y a une bonne partie des problèmes d'une lutte énoncée rhétoriquement par l'État, mais pratiquée uniquement par quelques-uns de ses fonctionnaires : ce sont des gens qui risquent leur peau pour défendre leurs amis, polémiquent avec des collègues incapables, rencontrent la trahison mais continuent leur chemin, tout en sachant que « les enquêteurs qui font leur travail vraiment sérieusement finissent par se faire tuer[154] » ; qui, précisément pour cela, sont dans un rapport *personnel* de conflit avec les mafieux, ce qui favorise les réactions meurtrières de ces derniers. Comme les logiques institutionnelles sont précaires et contradictoires, il n'y aurait pas de lutte si n'intervenait l'esprit de corps, le culte des morts en service, le point d'honneur de qui refuse de céder. Puis advient ce qui advint lors des funérailles de Cassarà : policiers et carabiniers s'affrontent, presque les armes à la main, le cercueil du jeune Antiochia, « enlevé aux officiels de la préfecture de police », est transporté, recouvert d'un drapeau tricolore, au siège de la brigade mobile[155]. Le second agent de l'escorte de Cassarà, Natale Mondio, qui avait miraculeusement survécu à l'attentat, sera à son tour abattu en 1989. Scalfaro, Pannella et les autres tranquilles représentants du train-train italien ne peuvent comprendre qu'il y a une Italie « en première ligne » qui combat et meurt à l'insu de tous, même si leurs enterrements sont retransmis en direct. Cela provoque l'isolement ultérieur, sans parler des conflits qui vont prendre l'apparence de luttes de factions : que l'on pense aux furieux désaccords provoqués par l'activité du pool, aux désormais proverbiaux « venins » du Palais de justice de Palerme et du Conseil supérieur de la magistrature[156].

Nous retrouvons les mêmes contradictions, mais à un niveau plus élevé, dans le débat qui oppose, d'un côté Giampaolo Pansa et Nando Dalla Chiesa, de l'autre Leonardo Sciascia. Nous sommes dans la période du maxi-procès, qui s'est ouvert en février 1986. Pansa décrit une Palerme qui n'est pas assez mobilisée pour cette grande occasion et où existe même un « marais » prêt à engluer et à « engloutir le grand procès[157] ». Mais il y a une autre Palerme, qui fait de la lutte contre la mafia le levier d'un renouvellement général ; il y a un mouvement à l'intérieur de la classe politique qui amène sur le devant de la scène, dans la DC, des gens comme Elda Pucci et Leoluca Orlando, maire « antimafia », soutenu par une majorité atypique qui finira par comprendre les communistes. Sciascia, pour sa part, se méfie, en bon libertaire, de « la culture des menottes[158] » : que peut-il sortir de bon d'un mouvement politique qui prétend exercer une influence sur une affaire judiciaire ? Le risque, c'est que le front antimafia ne soit rien d'autre qu'un marchepied qui permette à certains ambitieux, comme Orlando lui-même, de commencer leur carrière ; le risque serait encore plus grand si les ambitieux étaient Falcone et Cie, qui, se contentant de procéder de déduction en déduction, de repentir en repentir, pourraient bien laisser de côté l'obligation de vérifier les responsabilités individuelles.

Il est important de rappeler que l'occasion de cette polémique contre « les professionnels de l'antimafia » est offerte par un compte rendu de Sciascia à propos du livre de Duggan sur l'opération Mori [159], ouvrage qui, comme on l'a déjà dit, démonte tellement bien l'instrumentalisation politique par le régime fasciste de la lutte contre la mafia qu'il en oublie en route toute notion de ce qu'était ou pouvait bien être la mafia. Il est étonnant que l'auteur de *Il Giorno della civetta* [*Le Jour de la chouette*] ne se rende pas compte de cet aspect des choses. Sciascia peut également négliger le fait que, au-delà du cas fasciste, depuis les temps de la droite historique jusqu'à ceux du bloc partisans de Rudinì-socialistes lors de l'affaire Notarbartolo, le front antimafia traite toujours le camp ennemi de puissance à puissance, voire de faction à faction, pour prendre la place des adversaires et se substituer à eux. (Mais il ne faudrait pas oublier, quoi qu'il en soit, qu'il y des factions meilleures ou pires que les autres ; parmi les pires, les Palizzolo, Lo Monte, Ciancimino.) Ce qui est étrange, c'est que, tout à fait inopinément, le compte rendu se conclut par une attaque contre Paolo Borsellino et contre le pool, qui n'ont strictement rien à voir avec les ambitions et les factions *politiques*. On sent, dans ce cas, l'influence des polémiques menées par les socialistes et les radicaux contre la magistrature [160]. J'ai cependant l'impression que Sciascia prévoit que le maxi-procès risque de se transformer en opération liberticide pour une raison liée spécifiquement à notre problème : il ne croit pas que l'on puisse juger Cosa nostra, et pas même qu'on puisse l'identifier, pour les mêmes motifs qui l'amenaient à soutenir, en 1973, qu'un mafieux ne sait même pas qu'il est un mafieux, précisément parce que la mafia est un comportement et non une organisation [161].

De fait, le maxi-procès vise surtout le « *power syndicate* », contrairement à l'instruction menée contre le groupe Spatola-Inzerillo par Falcone, qui s'était intéressé à l'« *enterprise syndicate* », en utilisant surtout l'instrument de l'enquête bancaire pour mettre en évidence le gigantesque réseau du trafic de drogue. Pour la première fois, Cosa nostra en tant que telle devient l'objet d'une procédure. Déjà, à Catanzaro et à Bari, à la fin des années 1960, on avait vu que la rumeur publique recueillie dans les procès-verbaux de la police ne suffisait plus pour condamner des individus. En 1974, le commandant Russo (inscrit lui aussi sur la triste liste de ceux qui allaient mourir) exprimait devant l'Antimafia sa frustration face à « la nouvelle affirmation de la puissance et de l'intelligence mafieuses », démontrée par l'issue défavorable des procès : « Quand ce sont des informations dignes de foi que nous avons recueillies, l'information digne de foi n'a aucun poids ; les écoutes téléphoniques n'ont pu, légalement, être utilisées ; les révélations ne sont pas crues. Que faut-il faire ? Attendre que le mafieux se déclare coupable de crimes précis ? Cela, il ne le fera jamais [162]. »

L'existence de révélations – si Russo faisait référence à Vitale – aurait pu prouver le contraire. Vitale, cependant, ne représente pas le type idéal du grand mafieux, comme le démontre la définition de « Valachi des bourgades » qui lui est accolée : comme si ces bourgades de Palerme, sur lesquelles on ironisait, n'étaient pas le cœur et la pépinière du phénomène mafieux. Par ailleurs, paradoxalement, on croit dans l'ensemble ce que dit Vitale, dans la mesure où les crimes qu'il avait dénoncés étaient vérifiables à partir d'éléments objectifs. Mais, comme d'habitude, on se désintéresse de la thématique de l'association, entre autres à cause de la difficulté à donner un cadre juridique à ce problème : Est-ce un crime de piquer un doigt et de brûler une image pieuse ? Quelle importance accorder au fait que certaines hiérarchies accordent un permis d'exercer une influence territoriale indéterminée [163] ?

En introduisant le concept d'*association mafieuse*, la loi La Torre, de 1982, fait un pas un avant. Ce sont les faits qui indiquent le chemin : si, en effet, le conflit indique toujours l'existence d'organisations ennemies, une série de crimes comme celle de 1981-1982, qui ne repose pas sur la séquence normale – action-représailles – de la guerre entre bandes, implique l'existence d'une superorganisation qui juge et punit. En ce cas, la contribution des repentis est déterminante, même si les membres du pool soutiennent, pour désamorcer les polémiques, qu'« ils jouent, au fond, un rôle assez marginal [164] ».

Les exagérations des médias et la faible connaissance de l'histoire de la mafia n'aident pas à comprendre le phénomène des repentis. Buscetta et consorts ne sont pas – comme on le soutient – les premiers à parler, à briser le mur « d'acier » de l'*omertà*. Les mafieux parlent toujours avec la police, ils la mettent sur la piste de leurs adversaires par des lettres anonymes, par des entretiens confidentiels, par le *do ut des*. Dans les instructions de Terranova, les personnes interrogées savaient presque tout, même sur l'existence de la Commission ; le cas ultime est celui de Di Cristina qui, seul à seul avec un officier des carabiniers, raconte tout ce qui peut servir à faire du mal aux Corléonais [165]. D'ailleurs, si de l'extérieur l'organisation semble parfaitement compacte et soumise à la loi de l'*omertà*, de l'intérieur on a l'impression exactement opposée d'un risque *normal* de trahison ; d'où les qualifications d'espion, *'nfami*, *tragediatore* *, que s'attribuent réciproquement les mafieux : ainsi Luppino, s'adressant aux carabiniers, souligne que les vrais mouchards sont ses adversaires ; Vitale tue un autre affilié qui répète à qui veut l'entendre que son oncle est un informateur de police. La nouveauté du maxi-procès réside en ce que les mafieux parlent devant le tribunal : on n'est donc pas devant un processus de transformation du droit qui deviendrait de plus en plus barbare, comme on l'a soutenu ; on assiste, en revanche, à l'entrée dans un mécanisme de garantie légale d'un phénomène qui, jusqu'alors, ne concernait que les rapports personnels – donc nécessairement ambigus – entre mafieux et policiers. D'ailleurs, ce n'est pas une innovation absolue et on la trouvait déjà dans les procès de l'époque fasciste, contrairement à ce qu'affirme Sciascia : c'est le cas entre autres de Giuseppe Gassisi qui accusait Cascio-Ferro et consorts [166].

* Les *'nfami*, « infâmes », sont des mouchards, les *tragediatori*, ceux qui « font du théâtre », « en font toute une tragédie » et, par conséquent, parlent trop [N.d.T.].

Bien entendu, dans un maxi-procès, il est difficile d'établir les responsabilités des individus ; et cela ne vaut pas seulement pour les centaines d'hommes du rang de Cosa nostra, mais aussi pour les membres de la Commission. Ces derniers doivent en effet répondre d'une quantité de crimes qui découlent du caractère présumé centralisé de l'organisation, et surtout de la règle énoncée par Buscetta : un crime « excellent » ne peut être commis sans l'aval de la Commission, un crime « normal » sans celui de la famille sur le territoire de laquelle l'opération doit être menée. En particulier, on a du mal à croire qu'existe et soit réellement respectée l'obligation de se dire mutuellement la vérité entre affiliés à Cosa nostra, ce qui aurait pour conséquence qu'il faudrait accorder la même valeur à des faits que le repenti a constatés *de visu* et à des informations qu'il a recueillies en discutant avec d'autres affiliés à Cosa nostra. Au cours des débats, Buscetta lui-même montre d'ailleurs que, en maintes occasions, ces règles ont été violées, ce qui suscite l'objection logique d'un défenseur : « La règle qui ne souffre aucune exception à la page 14 de l'interrogatoire souffre de très nombreuses exceptions dans les quatre cents pages suivantes [167]. » Sciascia en tire la conséquence que les repentis offrent « un point de vue digne de foi dans les détails, mais pas dans l'ensemble. Dans les révélations, il y a au fond une contradiction intrinsèque et essentielle : le fait d'affirmer que la mafia est un fait unitaire, que, comme une cathédrale, elle se termine par une "Coupole" et, en même temps, d'en donner une représentation faite de désordre, de différends internes meurtriers, d'internes prévarications et abus de pouvoir [168] ».

Je ne m'arrêterai pas sur le caractère probant de cette question [169]. Mais, en ce qui concerne l'interprétation « d'ensemble » du phénomène, les considérations de Sciascia me paraissent faire fausse route. La Commission n'est pas la coupole d'une cathédrale, ni le cerveau d'une pieuvre ; c'est un organisme de coordination, doté des pouvoirs que ses membres entendent concrètement lui donner. Le fait que la majorité Riina-Greco soit précisément la première à violer les règles ne démontre qu'une seule chose, que l'on savait déjà : les mafieux ne sont pas meilleurs que les autres hommes qui forment des institutions et cherchent ensuite à les détourner à leur propre avantage. La description donnée par Contorno, le second repenti, l'homme d'action de Bontate, est simpliste et, de ce fait, parfaitement lucide : « Le serment est du genre les dix commandements... ne pas regarder les femmes des autres, toujours dire la vérité [170] », tous les préceptes que les bons catholiques ne respectent jamais. Calderone raconte l'affiliation d'un voleur qui se rebelle quand il entend dire que le vol est interdit ; il faut lui expliquer que cette règle ne s'applique qu'entre confrères [171]. La description de Buscetta souffre de formalisme « juridique », pour deux raisons : lorsqu'on explique un système de normes à quelqu'un qui ne les connaît pas, on a tendance, par là même, à en faire un système absolu, comme cela advient dans n'importe quel manuel de droit ; quand un système de réglementation ne fonctionne plus et implose tragiquement, la solution la plus évidente consiste à attribuer la responsabilité de sa dégénérescence à la « férocité » de ses propres adversaires, en l'occurrence en décrivant la mafia « d'autrefois » comme bonne et respectueuse des règles. Par ailleurs, Buscetta sait fort bien que c'est la force qui fait le droit et que les institutions représentatives de Cosa nostra sont le reflet des rapports de forces ; Calderone le souligne, par exemple, quand il décrit la faiblesse de la Commission régionale face au pouvoir énorme des Palermitains.

Pourquoi se repent-on ? Avant tout parce que l'on perd, parce que l'on entend poursuivre la bataille par d'autres moyens et que l'on songe à se venger. Buscetta dénonce les crimes de ses ennemis et cache ceux de ses amis, sans compter les siens et, en ce sens, il est exact qu'il conserve « la sensibilité mafieuse » et aussi « la façon d'agir mafieuse » [172]. Il présente le modèle d'une mafia antique, auquel les Corléonais auraient renoncé, et s'efforce de convaincre, ou de se convaincre, qu'il n'est pas le vrai repenti, que ce sont ses ennemis qui ont trahi ; il agit de la même façon que Valachi qui, selon un policier du FBI qui l'interroge, « ne se considère pas comme un traître à Cosa nostra ; pour lui, le vrai traître est Vito Genovese [173] ». D'emblée, lors de ses aveux devant Falcone, Buscetta tient à montrer sa crédibilité en situant son discours sur un plan élevé : « Je tiens à préciser tout de suite que je ne suis pas un espion, au sens où ce que je vais dire n'est pas dicté par une volonté de m'attirer les faveurs de la Justice. Et je ne suis pas non plus un "repenti", au sens où mes révélations ne sont pas dictées par de mesquins calculs d'intérêt[174]. »

Dans ce contexte, un dialogue – voire un rapport réciproque d'estime et de confiance – s'établit entre les enquêteurs et leur témoin. Dans le volume d'entretiens paru quelques mois avant son assassinat[175], Falcone parlera de la sicilianité comme d'un code symbolique et culturel commun, qui permet au juge et au mafieux de se comprendre. Si cela fait allusion à quelque chose d'autre que la connaissance du dialecte ou de la mimique, je me permettrai d'exprimer quelques doutes. La capacité d'établir un contact provient bien davantage de la capacité, de la passion du juge, d'un projet poursuivi avec lucidité. La manifestation d'une sympathie – au sens étymologique du mot – avec la condition du mafieux tend à indiquer une voie possible de sortie de Cosa nostra aux affiliés, toujours plus nombreux, qui craignent d'être broyés. Falcone, sur le plan beaucoup plus direct du rapport juge-repentis, reste sur le chemin de la réappropriation et de l'inversion des codes de la culture populaire qu'avait déjà pris Mori : il s'agit de démontrer que, sous les fausses valeurs mafieuses, il y a des valeurs qui peuvent être utilisées à des fins de civilisation. De la part de Buscetta, ce terrain commun ne peut être repéré que dans l'antique concept de mafia d'ordre, qui s'oppose à une mafia méconnaissable parce que terroriste, défigurée par l'avidité et le trafic de drogue. La drogue, en particulier, est par elle-même un facteur de subversion de l'ordre social : c'est dans cette intention idéologique, sans compter d'autres finalités plus pratiques, que les vainqueurs sont qualifiés de narcotrafiquants, qualification qui n'est pas attribuée aux perdants, alors même que dans la réalité, si tant est que l'on puisse faire ce genre de distinction, c'est plutôt le contraire qui semble vrai.

L'idéologie de la mafia d'ordre est le terrain de communication entre le monde du dessous et le monde d'en haut, qui comprend non seulement les institutions, mais le vaste ensemble des clients et des sympathisants de la mafia. Calogero Vizzini se présentait comme celui qui « arrange » les choses, en évitant de plus graves conflits. Pour désigner de telles finalités, on pouvait même utiliser le mot « mafia », en se gardant toutefois d'oublier la technique du renversement polémique contre l'incompréhension des gens du Nord, déjà

utilisée dans les revendications de Pitrè, Morana et Orlando,
réaffirmée dans l'épitaphe, déjà citée ici, de Ciccio Di Cristina, le père de Giuseppe, où il est fait mention de « la loi de
l'honneur, [de la] défense des droits ». Il ne s'agit pas d'un
résidu de mafia agricole, que l'on se plaît à présenter comme
patriarcale et protectrice. Leggio cite doctement Pitrè et fait
comprendre que, si on ne peut parler de mafia à son propos, il
pourrait s'agir de *mafiosità (*c'est-à-dire de cette façon,
censée être bonne, d'être mafieux). Spatola, après avoir été un
entrepreneur dynamique en recyclage d'argent sale, trouve le
temps, en prison, de rédiger quelques notes qui définissent
son propre credo sur la mafia, ou plutôt – selon ses termes –
sur l'*omertà* qui « aide les faibles et n'en profite pas », qui
« fait toujours du bien »[176].

La mafia conserve une idéologie d'ordre parce qu'elle
continue à jouer une fonction d'ordre. De temps à autre, elle
abat quelque voleur à l'arraché et il arrive même que Michele
Greco, au cours d'une séance du maxi-procès, exprime son
désaccord et celui de ses collègues face au mystérieux assassinat du fils, âgé de onze ans, de l'adjudicataire du nettoyage
du tribunal ; déclaration dont s'ensuit, semble-t-il, la punition
exemplaire du tueur[177]. Il est donc logique que la rupture
idéologique advienne sur ces thèmes. À coup sûr, Buscetta est
bien le dernier à pouvoir s'identifier au mafieux à l'ancienne.
Plusieurs fois divorcé, donc capable de changer trop souvent
de femmes et d'alliances, « vaniteux » selon l'opinion générale de l'Antimafia et de ses ex-collègues au maxi-procès,
c'est un homme nouveau, sans tradition familiale. D'ailleurs,
si la mafia n'est pas un comportement, il n'existe pas davantage – contrairement à ce que l'on continue à penser – un type
humain de référence auquel elle s'identifie. Il y a un modèle,
celui du mafieux qui parle par sentences et paraboles, à la
Michele Greco. Mais si, laissant de côté les représentations
idéologiques fournies par les mafieux et les experts ès mafia,
nous passons à la réalité, nous trouvons de tout : Buscetta,
grand homme mais « déshonoré », les rusés ou les sadiques
de toutes sortes, ceux qui trouvent de bonnes raisons pour ne
pas participer aux actions sanglantes, comme Antonino Calderone, ceux qui ne supportent pas de ne pas tuer. Giuseppe
Sirchia, en résidence forcée à Linosa, découvre la littérature
et entame une correspondance avec Sciascia, en déclarant

qu'il n'aspire qu'à vivre tranquille, mais, à son retour, il
tombe sous les coups de la vengeance de Bontate. Ce dernier,
présenté par Buscetta comme un gentilhomme, est un homme
capable de s'excuser en arrivant en retard à un rendez-vous,
parce qu'il a dû changer une roue et « *inchiaccare* » [étran-
gler] un homme [178]. La seule catégorie qu'il faut mettre en évidence est celle des hommes du rang, fidèles jusqu'au bout à
leurs chefs, comme Caruso, le tueur gaffeur de Di Cristina, ou
le sauvage et habile Contorno, qui parle sur le même rythme
qui lui est nécessaire pour échapper aux guet-apens, au cours
desquels il lui arrive de trouver, face à lui, un ami : « C'était
un ami à moi, et même de vieille date ; quand il arrive devant
moi, il avait une vraie tête de mort, je comprends tout de suite
l'embrouille ; je me dis : "*Finivu* !" ["Je suis foutu"] [179]. »

Leonardo Vitale est aussi un de ceux qui agissent par esprit
grégaire. Il pourrait, lui, expliquer ce qu'était l'ancienne
mafia, faire usage à bon droit de son idéologie. Mais il est fou,
et peut-être sa folie lui permet-elle de voir plus clairement les
choses : il se couvre d'excréments pour expier son péché,
brûle les vêtements achetés avec l'argent du crime, fait preuve
d'indulgence pour son oncle, mais non pour leur commun
héritage qu'il considère comme l'origine de ses maux :
« Infirmité mentale = mal psychique ; mafia = mal social ;
mafia politique = mal social ; autorités corrompues = mal
social ; prostitution = mal social ; syphilis, crêtes-de-coq, etc.
= mal physique qui se répercute dans ma psyché, malade
depuis mon enfance ; crises religieuses = mal psychique qui
provient de ces maux. Voilà les maux dont j'ai été victime,
moi, Leonardo Vitale, ressuscité dans la foi du vrai Dieu [180]. »
Quand Leonardo sort de l'asile, il a quitté la logique mafieuse,
il est en paix avec lui-même et c'est alors que les tueurs le
rejoignent et l'abattent sans pitié.

Comme on le voit, si tous les mafieux ne sont pas égaux,
tous les repentirs ne le sont pas non plus ; et la rupture, pour
être complète, n'a pas forcément besoin de s'appuyer sur la
folie. Ainsi, les femmes y arrivent d'abord, et mieux. Pas
toutes, évidemment, et il peut se faire que certaines d'entre
elles jouent leur rôle supposé de vestales de la vengeance ;
cependant, quand il s'agit de se décider à changer de camp,
elles font preuve d'une plus grande ductilité mentale, différente de celle de leurs hommes. Les procès de mafia sont

pleins de personnages féminins, comme la femme du *campiere* Comajanni, tué par Leggio, qui trouve le courage
d'accuser ce dernier après une longue période d'incertitude et
qui trouve face à elle un procureur selon lequel il ne faut pas
« écouter une petite bonne femme qui disait une chose puis en
dit une autre [181] ». Serafina Battaglia a perdu son homme, un
mafieux, et cherche à sauver son fils d'un sort identique en
s'adressant au boss Torretta, qui lui promet sa protection et
laisse en fait les Rimi, d'Alcamo, le tuer. Alors, cette femme,
au procès de Catanzaro, affronte Torretta, et lui jette son
mépris au visage : « Et vous avez le front de vous faire
appeler hommes d'honneur [...]. Vous êtes un homme qui ne
vaut pas une demi-lire [182]. » Et puis, il y a l'histoire de Felicia
Bartolotto, épouse de Luigi Impastato, de Cinisi, mafieux
depuis des générations ; leur fils, Peppino, est un militant du
groupe d'extrême gauche Democrazia proletaria : dans les
meetings, dans les radios locales, il tonne contre des personnages excellents comme don Gaetano Badalamenti. La mafia
et l'antimafia se rencontrent ici au sein d'une même famille,
dans un crescendo de haines, de menaces, de protections
ambiguës. Le père sera abattu, puis le fils ; pour ce dernier, la
mafia a prévu un faux attentat à la bombe pour que l'on puisse
l'attribuer au jeune subversif. En mémoire de son fils, Felicia
apprend à se battre, comme elle le peut, en accordant des
entretiens sans faux-fuyants à des journalistes continentaux :
« J'ai envie de parler de ça, parce que l'histoire de mon fils
prend son essor, les gens comprennent ce que signifie la
mafia. [...] Eux, ils pensent : "C'est une Sicilienne, elle
tiendra sa langue." Eh bien non. Je dois défendre mon fils ; je
dois le défendre politiquement. Mon fils n'était pas un terroriste. Il luttait pour des choses justes, des choses précises [183]. »

7. *La politique vue de la mafia…*

Au cours de 1992, année terrible, la mafia assène quatre
coups meurtriers, en assassinant ses deux plus grands
ennemis, Giovanni Falcone et Paolo Borsellino, mais aussi
deux personnages qui font le lien entre elle et le pouvoir officiel, Salvo Lima et Ignazio Salvo. Il s'ensuit une réaction de
l'État qui déploie l'armée en Sicile et parvient à arrêter de

nombreux boss, dont certains vivent dans la clandestinité
depuis des temps immémoriaux, parmi lesquels Totò Riina,
élève de Leggio, leader des Corléonais, successeur de
Michele Greco à la tête de la Commission. À la suite de quoi,
survient l'inculpation de Giulio Andreotti, peut-être l'homme
politique le plus éminent de l'Italie républicaine, mis en cause
pour association mafieuse. On lui reproche un échange dense
et continuel de faveurs, dont l'origine remonterait à la fin des
années 1960, moment de la conversion à « l'andréottisme »
du courant le plus important de la DC sicilienne, celui des
anciens « fanfaniens », qui s'étaient détachés de Fanfani et de
Gioia, et que dirigeait précisément Salvo Lima. L'ancien président du conseil aurait également commissionné à Cosa
nostra l'assassinat du journaliste romain Mino Pecorelli, et
surtout, il serait impliqué dans le meurtre de Dalla Chiesa,
dont, selon les enquêteurs palermitains, les causes seraient à
rechercher moins dans l'hostilité de la mafia à l'égard du
général que dans un complot politique, dont l'origine serait
l'homicide de Moro. Cette péripétie, retentissante et imprévi-
sible, se combine avec la débâcle des partis de gouvernement,
après le cyclone de Tangentopoli ; ce qui amène de nombreux
Italiens à se demander quels ont bien pu être les rapports de la
mafia avec les autres pouvoirs qui, de façon occulte ou manifeste, ont gouverné l'Italie des dernières trente années. Et,
vers la moitié des années 1990, de l'intérieur de Cosa nostra,
pour la première fois, provient une moisson d'informations
qui, sur les rapports entre mafia et politique, semblent confirmer les pires hypothèses qui avaient été formulées par l'opinion publique.

Les sources dont nous disposons – contrairement à ce qui
est advenu dans les années 1980 – émanent d'un groupe assez
consistant de mafieux de « rang » élevé ou moyen, disposés à
collaborer avec la justice. C'est une désagrégation, une crise
générale qui frappe l'organisation, provoquée par le renforcement de la répression, mais aussi par le tour de vis centralisateur donné par les Corléonais. En revanche, nous ne possédons pas les témoignages des leaders qui ont traité avec les
grands politiques, ni celui de Riina, ni de Badalamenti, ni – et
pour cause – de Bontate. Aujourd'hui, Buscetta admet enfin
ses propres rapports, de longue date, avec Lima, sa propre
participation à la tentative présumée de libération de Moro ;

cependant, pour le reste, il se fonde lui aussi sur des informations provenant de Badalamenti ou de Bontate.

C'est donc le tam-tam de Cosa nostra qui met en cause Lima et Andreotti pour leurs liens avec Bontate d'abord, et Riina ensuite. L'opinion communément partagée par les mafieux est en elle-même un élément significatif, dans la mesure où, dans une organisation certes secrète, présente sur plusieurs continents et impliquée dans des activités différentes mais liées entre elles, il faut bien qu'existe un instrument de communication acceptable et accepté – ce qui ne signifie pas qu'il faille croire pour autant que l'on y respecte vraiment l'*obligation* de se dire la vérité entre affiliés. Le chef mafieux expliquera à ses collaborateurs et aux hommes du rang les faits politiques et ses propres relations avec les hommes politiques selon les codes dominants parmi les mafieux eux-mêmes ; il donnera, de ce qui advient dans le monde d'en haut, une interprétation adaptée à lui-même et à ses compagnons. On dira donc que le juge Corrado Carnevale veut – et donc peut – « arranger » les procès, pour de l'argent, ou par amitié ; que Lima veut – et donc sait – intervenir sur les questions de politique judiciaire, par fidélité et gratitude envers qui lui procure des voix ; on ajoutera que, si Lima ne peut le faire, ce sera *lo zio* [l'oncle] Giulio (Andreotti) qui s'en occupera directement, pour les mêmes raisons. En échange, on pourra lui procurer des objets « qu'il aime à la folie », par exemple « tel tableau particulier[184] ». D'un autre côté, on dira que Falcone est quelqu'un qui « veut commander », qui est prêt à tout pour que le maxi-procès aille à son terme. Comme on le voit avec ce dernier exemple, les représentations ne sont pas forcément fausses, mais elles sont toujours déformées et simplifiées, voire simplistes. On prévoit que, dans le monde d'en haut, comme dans celui de Cosa nostra, les règles solennellement énoncées ne seront respectées que tant qu'elles seront utiles ; on est certain qu'à la fin, en regard des rapports personnels et, en dernière instance, de la force, elles ne vaudront plus rien.

Vers la fin des années 1970 et au début des années 1980, la répression commence à frapper Cosa nostra, qui tente de convaincre son partenaire démocrate-chrétien de bloquer la machine de la justice. La voie la plus évidente passe par le contrôle des voix. Lors de sa rencontre présumée avec

Andreotti, Bontate se serait exclamé : « En Sicile, c'est nous qui commandons, et si vous ne voulez pas que la DC disparaisse complètement, vous devez faire ce que nous vous disons. Sinon, non seulement nous vous enlevons les voix de la Sicile, mais celles de Reggio Calabria et de toute l'Italie du Sud. Vous n'aurez plus que les voix du Nord, et là-haut tout le monde vote communiste, vous feriez mieux d'accepter les nôtres [185]. » La menace est mise en œuvre, après que Riina eut remplacé Bontate, à l'occasion des élections de 1987 : on incite alors à voter pour les forces qui défendent un strict légalisme juridique – socialistes et radicaux – et non pour la DC à laquelle on ne pouvait plus se fier. Dans la prison de Palerme, l'Ucciardone, on vote de façon compacte en ce sens et – semble-t-il – il y a une collecte en faveur des radicaux. Dans quelques quartiers populaires, les résultats correspondent au but recherché, mais au niveau de la ville, de la province et de la Région, le succès des socialistes correspond à leurs résultats nationaux et, de fait, il va de pair avec le succès de la DC, qui obtient elle aussi ses résultats conformément au reste du pays, en dépit du boycott de Cosa nostra.

Il faut donc se demander où sont allés finir, à cette occasion – sans même parler des voix de l'ensemble du Mezzogiorno que Bontate évoquait – les 180 000 voix qui, à Palerme, en 1988, auraient été contrôlées par la mafia, à en croire le juge Ayala ou encore, à partir de 1994 – après l'affaiblissement de l'organisation du fait de la répression – les 50 000 ou 60 000 voix dont disposerait encore Cosa nostra, selon les estimations des députés progressistes [186]. Remarquons d'abord que la méthode inductive qui sert à élaborer ces estimations paraît un peu sommaire. On multiplie en effet le nombre présumé d'adhérents aux *cosche* par le chiffre de 70 ou 80 voix influencées par chaque mafieux. Or, si l'on peut aisément admettre que le premier des 2 700 affiliés (en 1988) ou des 780 (de nos jours) puisse influencer 80 électeurs, voire davantage, et que le second, ou le troisième, puisse en faire autant, il est improbable que le centième ou le millième ou le deux mille sept centième affilié soit encore capable de trouver, dans le milieu formé par le réseau clientélaire des *cosche* mafieuses, 80 voix *de plus*, que ses compagnons n'auraient pas déjà trouvées avant lui. Pour faire mieux et gagner d'autres voix, il faudrait faire ouvertement de la propagande, posséder – sinon une hypothèse politique – du moins une machine politique, d'une autre nature donc que la machine mafieuse. Par ailleurs, faisait remarquer Falcone à son collègue et ami Ayala, « tout cela présupposerait une unité de type politique de Cosa nostra, qui n'existe pas dans la réalité. Il n'y a pas de décision du conseil d'administration de Cosa nostra qui dise, à chaque occasion, pour quel parti ou quel candidat voter [187] ». En admettant que dans une circonstance exceptionnelle, comme lors des élections de 1987, cela puisse advenir, il est bien possible que l'instrument ne soit pas tel que l'on puisse changer de cheval durant la course ou que les chefs mafieux ne veuillent ou ne puissent pas gérer ce changement de cap. Enfin, rien ne garantit que des alliances nouvelles et improvisées puissent fonctionner mieux que les anciennes : ainsi, Claudio Martelli, élu cette année-là à Palerme, avec un programme prônant le légalisme juridique, confiera, lorsqu'il sera nommé ministre de la Justice, une importante mission, à Rome, au pire ennemi de Cosa nostra, Giovanni Falcone [188].

Je me rends compte que mon raisonnement semble mettre en discussion l'idée d'un échange entre mafia et politique uniquement fondé sur le moment électoral. Pour comprendre ce que la mafia donne à la politique, il faudrait sans doute prêter davantage attention à la façon dont l'une et l'autre sont liées aux entreprises « sales » et garantissent les affaires (par exemple, les travaux publics) et les transactions financières qui se déroulent sur leur territoire. Bien sûr, les mafieux jouent le rôle d'agents électoraux et de grands électeurs, ils orientent les votes préférentiels, participent à la partie exécutive de la machine politique. En revanche, il n'est pas certain que dans une grande ville, et encore moins à l'échelle régionale – le cas de certains villages ou quartiers particulièrement touchés par le phénomène est différent –, ils puissent représenter la partie noble de cette machine politique, son moteur, les circuits par lesquels transitent idées et décisions. Si nous envisageons le passé, l'intervention de la mafia dans les moments importants de la vie politique sicilienne présente un bilan ambigu. Elle a soutenu, en son temps, le séparatisme sans parvenir à lui faire obtenir de grands succès électoraux ; et il faut souligner que le Mouvement pour l'indépendance de la Sicile (le MIS), bien qu'il n'ait jamais eu le soutien massif qu'on lui accorde parfois, obtint pour son propre compte, et

non en vertu de l'appui des *cosche*, un remarquable vote
d'opinion. Puis, les mafieux ont épaulé la droite, jusqu'à
l'épilogue agité de l'opération Milazzo, et ce n'est que
lorsque la Démocratie chrétienne eut triomphé qu'ils finirent
par y adhérer, « par convenance personnelle », dirait le lieutenant Malausa[189], en ouvrant ainsi la longue période durant
laquelle ils mêlèrent leur propre sort au sien.

Cosa nostra n'est pas un parti, elle n'obtient pas de
consensus par elle-même. Cela renvoie la balle dans le camp
de la politique, aux opinions, aux échanges matériels et symboliques. Par exemple, lors du succès de Forza Italia à
Palerme, lors des élections politiques de 1994, quelques mois
à peine après l'élection plébiscitaire, comme maire de la ville,
de Leoluca Orlando (auquel on pouvait attribuer une tendance
politique opposée), la mobilisation de la mafia *suit* – comme
au bon temps de la DC – la constitution d'un front qui est, *par
lui-même*, capable de produire des mythes, des idées, des projets, des instruments et des hommes pour le gouvernement de
la chose publique. Le fait que Forza Italia ait centré une partie
de ses campagnes électorales de 1994 et 1996 sur un programme légaliste spécieux (attaques contre la législation prévoyant des récompenses pour les repentis, contre les conditions de détention et de sécurité dans les prisons, contre le
concept même d'association mafieuse) démontre une fois de
plus la primauté de la *proposition* politique. On pourrait
d'ailleurs dire, en un certain sens, que les thèmes qui, selon
les enquêteurs palermitains, ont été l'objet de négociations
illicites, souterraines et inefficaces entre Cosa nostra et
Andreotti au cours des années 1980 font désormais partie du
programme officiel, légal et public de Forza Italia, programme adressé au peuple italien, et donc également aux lobbies mafieux.

Cosa nostra semble donc incapable de mettre en œuvre sa
propre influence électorale sans l'initiative préalable d'un
parti politique ; et à plus forte raison s'il s'agit de déterminer
une politique. Voilà pourquoi, pour la mafia des quinze ou
vingt dernières années, le terrorisme s'est toujours présenté
plus comme une voie obligée – aux effets meurtriers, mais à
l'efficacité douteuse – pour tenter de faire obstacle aux adversaires et d'influencer les alliés, actuels ou potentiels. Ainsi,
Piersanti Mattarella aurait été tué parce qu'à un certain

moment, tout en venant d'une famille sensible aux influences
mafieuses, il se serait rangé de façon décisive contre la mafia.
Mais c'est surtout l'incapacité du pouvoir politique à
contrôler le pouvoir judiciaire, au moment de la validation
définitive des résultats du maxi-procès, qui lance les représailles. Ignazio Salvo et Salvo Lima, les présumés grands
médiateurs entre la mafia et Andreotti, auraient été punis à
cause de leur incapacité à garantir les protections que Riina et
consorts attendaient. À la fin, en 1993, les Corléonais Brusca
et Bagarella projetaient de frapper ce « *cornuto* » [« cor-
nard »] d'Andreotti, ou du moins ses enfants, parce qu'il avait
« tourné le dos » à ses amis [190]. L'un ou l'autre épisode pourrait avoir eu un déroulement différemment de celui que les
repentis ont décrit ou dont la magistrature de Palerme a fait
l'hypothèse au cours de son enquête, mais, en somme, la
logique reste celle-là. Il ne me semble pas, en revanche, que
les « perdants » du groupe Bontate-Inzerillo aient vraiment
eu recours à des méthodes opposées à celles des Corléonais –
« traditionalistes », dit l'acte d'accusation contre Andreotti
comme le disait déjà celui du maxi-procès [191]. De fait, la
logique qui, au début, a poussé Cosa nostra vers le terrorisme
était commune aux différents groupes que la concurrence
pour le contrôle de la politique et des hommes politiques, des
affaires et des trafics, rendait équivalents, avant même la
seconde guerre de mafia, c'est-à-dire le coup d'État de la
Commission. Ainsi, Buscetta attribue à Inzerillo l'assassinat
du juge Gaetano Costa. Et quand Stefano Bontate se rend
compte que Rosario Nicoletti – secrétaire général de la DC, il
se suicidera en 1984 – négocie avec Riina, il déclare à
Mannoia : « Si ce *crasto* * ne se remet pas d'aplomb, il va fal-
loir le tuer [192]. »

Toujours selon le repenti Mannoia, lors d'une rencontre
consécutive à l'assassinat de Mattarella, Bontate aurait « mis
en garde l'*onorevole* Andreotti contre l'adoption d'interventions ou de lois spéciales, qui auraient certainement de très
graves conséquences [193] ». Il ne nous intéresse pas, ici, d'établir si cette rencontre a eu lieu ou non. Ce qui nous intéresse,
c'est que la ligne de Cosa nostra, telle qu'elle est exposée par
les chefs aux affiliés, prévoit le passage d'une relation –

* Le « *crasto* » est un escargot, donc une bête à « cornes » [N.d.T.].

d'accord ou d'intimidation – avec un administrateur pour gérer des affaires, obtenir des adjudications, etc., à une tentative pour influencer – par des avances ou des menaces – la politique générale. C'est ce pas en plus, et lui seul, qui explique l'escalade terroriste. Il y a des exemples encore plus clairs : Falcone, en collaboration avec Martelli, met au point des mesures législatives contre la mafia et la surveillance des verdicts de la Cour de cassation, ce qui, semble-t-il, permet de sauver le maxi-procès. C'est sur ce plan supérieur du conflit que la mafia joue sa carte meurtrière ; sans pour autant obtenir le résultat espéré. Et d'ailleurs, quels résultats concrets auraient bien pu obtenir les attentats des Offices ou de *via* Fauro (en 1993), si semblables à ceux du terrorisme politique ?

8. ... *et la mafia vue de la politique*

En prévision de son départ pour Palerme, où il allait au-devant de son destin, Carlo Alberto Dalla Chiesa se rendit auprès d'Andreotti, en répondant à une demande du sénateur qui lui paraissait naturelle « étant donné ses présences électorales en Sicile ». « J'ai été très clair – nota le général dans son journal, le 16 avril 1981 – et je l'ai assuré que je n'aurai aucun égard envers cette partie de l'électorat qui sert de réservoir à ses grands électeurs. Je suis convaincu que la méconnaissance du phénomène [...] l'a conduit, et le conduit encore, à des erreurs d'évaluation des hommes et des circonstances[194] ».

Il y a là, exprimée de façon extrêmement synthétique, une interprétation de l'ensemble de la question des rapports entre le grand leader et Cosa nostra. Dalla Chiesa distinguait trois niveaux : celui d'Andreotti lui-même, qui aurait entretenu avec la mafia une relation médiée, instrumentale, limitée au problème électoral ; celui des « andréottiens », « la famille politique la plus polluée de l'île[195] », les grands électeurs – Lima, le président de la Région, D'Acquisto, le maire de Palerme, Martellucci – auxquels le grand leader, par légèreté, aurait accordé sa confiance ; celui de l'électorat des grands électeurs, les familles mafieuses, distinctes donc des familles politiques. Nous ne sommes pas très loin de ce qu'affirme aujourd'hui le sénateur ex-communiste Maca-

luso : « Andreotti ne fait pas la politique. De Gasperi, Fanfani, Moro se sont confrontés à la complexe histoire sicilienne. Pas Andreotti ; il se servait de ce qu'il trouvait ou de
ce qu'on lui proposait. En 1968, Lima arrive. Et c'est Lima
qui fait la politique [196]. » Si, donc, Dalla Chiesa et Macaluso
repèrent un réseau aux nombreux maillons, qui relie
Andreotti à la mafia, et qu'il faudrait lire à la lumière d'une
responsabilité plus politique que pénale, c'est Andreotti lui-
même qui se maintient, par ses déclarations, sur une position
de fermeture totale, en niant entre autres avoir convoqué
Dalla Chiesa, en affirmant même qu'il n'y eut « aucune allusion aux arguments dont font mention les pages du journal »
du général [197]. Et il soutient cela alors même que cette conversation est écrite, on pourrait dire gravée, dans le journal de la
future victime de la mafia. Dans cette page, Dalla Chiesa
raconte comment Andreotti, incité par lui à se prononcer sur
les méfaits de ses partisans, fait soudain référence à Sindona
et raconte l'histoire d'un certain Inzerillo, « tué en Amérique
et ramené en Italie dans un cercueil, avec un billet de 10 dollars dans la bouche ». Dalla Chiesa, nota, avec colère, que
cela « allait dans le sens » de la légèreté d'Andreotti et que,
malheureusement, dans ce genre de choses, « le folklore l'emportait encore [198] ». Pourtant, à ce moment précis, Andreotti,
qui nie aujourd'hui que cette partie de la conversation ait eu
lieu, semble bien faire allusion, de façon finalement non
banale, à une piste, à une clé interprétative.

L'Inzerillo en question était le frère de Salvatore, grand
opérateur du trafic de drogue, et son assassinat marqua – avec
celui de Bontate – le début de l'offensive des Corléonais. Il
semble que le grand enquêteur n'ait pas su grand-chose sur
cette affaire, comme d'ailleurs, en avril 1981, presque tout le
monde ; en revanche, pour une fois, Andreotti semble fort au
fait des secrets. D'ailleurs, la question des conflits entre
mafieux à propos de l'enjeu majeur du trafic de drogue
débouche aussitôt sur le personnage de Michele Sindona, qui,
on le sait, fut soutenu par Andreotti et les « andréottiens »
même après son inculpation par la justice italienne et même
après l'assassinat de l'avocat Ambrosoli qu'il avait comman-
dité. Sindona avait des rapports très anciens avec les Gambino
de New York et il en tissa d'autres avec Rosario Spatola ; il
s'insère donc fort aisément dans la *connection* siculo-améri-

caine qui est sur le devant de la scène lors de la seconde
guerre de mafia. Selon le repenti Mannoia, Sindona faisait
office de financier du groupe Bontate-Inzerillo, office que le
chef de la loge maçonnique P2, Licio Gelli (et avec lui, peut-
être, Roberto Calvi, président du Banco Ambrosiano) rem-
plissait pour les Corléonais. Pour sa part, Mutolo affirme, en
termes plus généraux, que les uns et les autres avaient investi
dans les banques de Sindona ; lorsque les affaires de ce dernier se mirent à aller de mal en pis, ils exigèrent « la restitution de leur argent[199] ».

Le conflit sanglant entre les deux ailes de la mafia militante
à Palerme n'implique pas nécessairement une opposition
parallèle entre les filières de financement utilisées par l'une et
l'autre à Milan ou à New York, et pas davantage d'ailleurs
entre leurs correspondants politiques. Mais il est en revanche
possible que l'explosion de la violence, sur une telle échelle,
avec une telle évidence – on pense évidemment au meurtre de
Giorgio Ambrosoli, syndic de faillite de la banque Sindona, à
l'attentat contre le sous-directeur du Banco Ambrosiano, au
mystérieux assassinat de Calvi, au « suicide » de Sindona –,
ait rendu difficiles les rapports de ces groupes affairistes et
mafieux avec leurs correspondants politiques. En partant de
ces éléments, nous pourrions tenter de reconstituer, de façon
purement hypothétique, une version andréottienne cohérente.
En changeant brusquement de sujet avec Dalla Chiesa,
Andreotti aurait pu vouloir lui signifier qu'il y avait deux ailes
de la mafia, l'aile siculo-américaine, liée au commerce de la
drogue, et l'aile politique, que le danger venait du premier
groupe et que son rôle consistait à protéger le second, c'est-à-
dire Lima et les Salvo. On expliquerait ainsi pourquoi les
mesures prises contre les trafiquants de drogue, dont
Andreotti se vante encore aujourd'hui, sont allées – et vont
encore – de pair avec la défense de Lima. Ainsi s'explique-
raient également les allusions cryptiques à la vengeance des
narcotrafiquants et/ou des Américains – de type terroriste
contre Lima et Salvo, judiciaire contre Andreotti lui-même –
ainsi que les attaques contre Buscetta, qui, en ce qui concerne
le versant américain, en sait beaucoup plus que ce qu'il a bien
voulu dire.

Macaluso, en explicitant, d'une certaine façon, la thèse
d'Andreotti, estime que le trafic de drogue a provoqué un

début de séparation entre la classe politique et la mafia, en ter-
rorisant la première et en rendant la seconde audacieuse.
C'est là une explication plausible, mais pas convaincante,
dans un sens spécifique comme dans un sens général. Dans un
sens spécifique, on ne peut mettre en évidence, au cours de la
guerre de mafia et de l'escalade terroriste, un conflit entre narcotrafiquants et hommes politiques ; on assiste plutôt à une
tentative de la Commission pour contrôler davantage trafics et
relations politiques. Dans un sens général, la mafia ne se
réduit jamais à une association de trafiquants, de financiers
aseptisés dont les capitaux n'existeraient que dans le monde
virtuel des ordinateurs [200]. Ces dernières années, elle s'est, il
est vrai, enrichie grâce à la drogue, mais elle a aussi utilisé
les occasions, toujours plus nombreuses, de profit liées à
l'État-providence, elle s'est renforcée grâce à la prolifération de l'illégalité à tous les niveaux, elle a surtout tiré de ses
contacts avec une machine politique corrompue l'idée –
dont peu importe qu'elle soit ou non réaliste – qu'elle
pouvait agir en protagoniste sur la scène de la lutte pour le
pouvoir.

La tentative d'attribuer tous les maux à la drogue est également le signe de la nécessité, pour certains représentants de la
classe politique, de sauver leur âme, en toute mauvaise foi –
je crois que c'est le cas d'Andreotti – ou en toute bonne foi –
c'est sûrement le cas de Macaluso [201]. L'histoire des rapports
entre mafia et politique n'est certainement pas *la véritable*
Histoire de l'Italie, comme le suggèrent les éditeurs de l'acte
d'accusation contre Andreotti, ni même la véritable Histoire
de la Sicile. Mais parmi les autres, belles et moins belles, de
civilisation ou de barbarie, elle est une des histoires d'Italie,
et non la moindre ; une partie provient de la drogue, une autre
des profondeurs de l'histoire sicilienne, une autre du système
politique. De cette histoire, et du rôle que lui-même y joue,
Andreotti ne veut rien dire, au point que l'invraisemblance de
sa défense est sans doute l'indice le plus net d'une culpabilité.
Il pourrait dire qu'il a soutenu Sindona pour sauvegarder les
rapports de l'Italie et du Vatican ; qu'il a connu les Salvo pour
des motifs électoraux ; qu'il a laissé Lima mener la politique
régionale sans rien y comprendre ; qu'il a parlé de certains
sujets avec Dalla Chiesa sans leur attribuer d'importance.
Toutefois, pour être crédible, il devrait admettre qu'il ne s'est

pas rendu compte à quel point les Lima, les Salvo, les Nicoletti étaient à tout le moins tenus en main, soumis à un chantage ; à quel point, dans leur entourage – qui, *directement* ou *indirectement*, était aussi le sien – grandissait quelque chose de trouble, de dangereux, pour eux et pour notre malheureuse patrie. Andreotti connaît certainement le rôle attribué aux Salvo dès l'instruction du maxi-procès ; il ne peut lui échapper que l'assassinat d'Ignazio Salvo, celui de Lima, les massacres de Capaci et de *via* d'Amelio, marquent l'offensive la plus retentissante de Cosa nostra. *Aujourd'hui encore*, malgré tout cela, Andreotti estime que les Salvo sont des personnages d'importance locale : c'est là l'aspect le plus invraisemblable et le plus stupéfiant de toute cette affaire, plus encore que sa liaison présumée avec Riina.

9. *Le problème de Falcone*

Le cas Andreotti et, plus généralement, l'histoire de la mafia dans les vingt dernières années permettent de reposer certaines des questions d'interprétation dont nous sommes partis. La mafia est une organisation, elle relie entre eux des « fauteurs de troubles », dans une structure ancienne et stable, rendue cohérente par les rites et les serments de l'affiliation, capable de survivre, de se renouveler et même de se renforcer durant plus d'un siècle. Depuis ses origines, elle produit une série de hiérarchies internes, autonomes par rapport aux hiérarchies *générales* de l'économie et de la politique, mais, pendant toute la première partie de son histoire, elle demeure un pouvoir mineur par rapport à celui des grands propriétaires et des grands notables et qui ne peut fonctionner que s'il est relié à eux par une série de réseaux de clientèle. Après bien des années passées en Amérique, Frank Coppola, dès qu'il rentre en Italie, se déclare à nouveau « tout dévoué » à Vittorio Emanuele Orlando et s'emploie à favoriser les intérêts politiques de ce dernier ; pour sa part, Orlando pouvait rendre des services à la mafia et en préserver les intérêts – parmi bien d'autres, qu'il défendait et protégeait si et quand cela lui convenait. Buscetta ranime aujourd'hui, non sans nostalgie, la prudente conception que les mafieux « traditionnels » se faisaient de leur rapport avec la politique, en affirmant que

Cosa nostra devrait aller jusqu'à autoriser un député complice à voter une loi antimafia, parce que tous les gens raisonnables se rendent compte qu'un tel député « doit conserver son image publique, même aux dépens de Cosa nostra[202] » : les hommes politiques doivent respecter les règles de la politique, les mafieux celles de la mafia, car les choses peuvent fonctionner lorsqu'on les laisse dans leur ordre naturel. J'ajouterai que la mafia traditionnelle – durant l'âge libéral ou dans la première période républicaine – ne pensait en aucun cas à influer sur le contenu des lois ; elle laissait des problèmes de cette sorte, non seulement sur la forme, mais aussi sur le fond, au jugement des grands notables, aux capacités de négociation de quelque association de propriétaires ou de lobbies locaux. Puis, les choses ont changé, beaucoup plus rapidement à l'extérieur qu'à l'intérieur de Cosa nostra, qui a fait preuve d'une surprenante stabilité au fil du temps. La grande propriété a disparu en tant que sujet politique et social, si rapidement que l'on peut se demander si le fascisme ne l'a pas artificiellement maintenue en vie pendant vingt ans ; les notables ont laissé leur place à la machine des partis, à cause de la proportionnelle, de l'hégémonie démocrate-chrétienne, de la désagrégation de la société paysanne « traditionnelle ». Le système politique n'en est pas, pour autant, devenu imperméable aux mafieux, qui surent tirer profit de l'espace de pression ainsi ouvert sur la politique, afin que celle-ci redistribue le flux croissant de ressources qu'elle était appelée à gérer, ou qu'elle paralyse les appareils administratifs, policiers et judiciaires de l'État ; et ne parlons pas des communes et de la Région, où il serait très ingénu de faire l'hypothèse d'une quelconque distinction entre politique et administration.

Au moment où la société, en général, cesse d'être rigidement structurée d'après la richesse et l'autorité, la mafia commence à penser qu'aucun couvercle ne saurait plus retenir ce qui bout dans sa propre marmite ; et, à la fin, l'organisation tente de transporter le réseau à l'intérieur d'elle-même, de soumettre à ses propres fins tous ses interlocuteurs externes, qu'ils soient dans les affaires ou la politique. Il faut se rappeler la réponse de Buscetta quand on l'interroge sur le poids des secrets de Sindona : « les secrets de Sindona sont une plume comparés à ceux de Bontate » ; peut-être parce que ces

derniers sont alourdis par du plomb, commentait Sciascia[203].
Ce qui s'écrit là, c'est une histoire dont les hiérarchies s'in-
versent : Bontate a des secrets plus lourds que ceux de Sindona, Riina vaut davantage que Bontate et le berger Leggio
élimine le notable Navarra.

En ce sens, la bataille intellectuelle – et pas seulement judiciaire – menée par Giovanni Falcone a été très importante, en
particulier sa tentative pour extraire Cosa nostra du réseau de
ses relations externes, avec le monde des affaires et de la politique, afin de pouvoir l'examiner en elle-même. Ce qui était
pour lui un problème de stratégie judiciaire et répressive coïncide, d'une certaine façon, avec notre problème de chercheur,
dans la mesure où ce qu'on n'arrive pas à distinguer ne peut
pas non plus être combattu. Falcone, en particulier, se refusait
à lire les relations de la politique avec la mafia d'après un
schéma hiérarchique : « S'il est vrai que de nombreux
hommes politiques siciliens ont été, au sens plein du terme,
des adeptes de Cosa nostra, il n'en est pas moins vrai qu'ils
n'ont jamais bénéficié d'un prestige particulier du fait de leur
rôle politique. En somme, Cosa nostra a une telle force, une
telle cohésion et une telle autonomie qu'elle peut dialoguer et
passer des accords avec quiconque, mais jamais, quoi qu'il en
soit, en position subalterne[204]. »

De façon analogue, les mafieux particulièrement riches en
relations extérieures, avec la politique ou les affaires, n'ont
pas pour autant bénéficié d'un pouvoir correspondant à l'intérieur de l'organisation. Aujourd'hui, les repentis décrivent,
avec un grand luxe de détails, les « contacts excellents » de
Bontate avec le monde « d'en haut » ; cela ne doit pas nous
faire oublier avec quelle facilité le boss de Santa Maria di
Gesù a été éliminé. Et quand nous analysons le rôle éminent
des Salvo et de Lima dans le système de pouvoir politico-
mafieux, nous devons garder en tête qu'Ignazio Salvo et
Salvo Lima ont été éliminés au même titre que n'importe quel
pauvre habitant des bourgades.

« Au-dessus du sommet de l'organisation – affirmait Falcone – il n'existe aucun "troisième niveau" de quelque sorte
que ce soit, capable d'influencer ou de déterminer les objectifs de Cosa nostra. » Et comme il savait que le monde de la
mafia ne comportait ni montreurs de marionnettes, ni marionnettes ni supercomité qui contrôlerait les leaders de la cou-

pole, sans même qu'ils le sachent, il estimait que l'idée du
« grand vieux » qui, « du haut de la sphère politique, tir [erait]
les ficelles de la mafia » était un signe de « grande sottise »[205].
Cette thèse a ensuite été confirmée, non seulement par les tribunaux, mais par la réaction meurtrière de l'organisation
mafieuse. Auparavant, cette même thèse avait été l'occasion
d'attaques de plus en plus virulentes, venant également du
front antimafia – et notamment de Leoluca Orlando –, contre
Falcone, accusé d'avoir gardé « dans ses tiroirs » les procès
les plus brûlants, ceux qui concernaient la politique, de
n'avoir pas voulu s'en prendre au « troisième niveau », à la
fantomatique supercoupole. On connaît les considérations de
Buscetta à ce propos : d'emblée, il laissa entendre qu'il avait
des informations très importantes à ce sujet, mais ne voulait
pas les révéler, parce que le pays n'était pas prêt à les recevoir
et que le scepticisme qui se serait ensuivi aurait bouleversé les
procédures judiciaires en cours. On peut estimer, surtout, que
le pool avait pour intention première de porter à son terme le
maxi-procès, qui allait permettre de considérer comme
acquise l'existence de Cosa nostra en tant qu'entité organisée
et centralisée, chose dont bien peu de gens (experts en mafia
compris) étaient disposés à convenir auparavant. Sous la
direction de Giancarlo Caselli, le magistrat turinois qui dirige
les enquêtes sur Cosa nostra depuis la mort de Falcone, la
magistrature de Palerme s'est ensuite lancée à fond dans la
connection mafia-politique, mais en continuant à s'inspirer de
l'idée de la « souveraineté » de Cosa nostra, que Falcone avait
avancée.

Bien sûr, dans un tel contexte, les crimes politico-mafieux,
qui, jusqu'à présent, demeurent les plus obscurs, sont difficiles à interpréter. Le problème a été bien posé par Nicola
Tranfaglia qui s'est demandé si les rapports entre Cosa nostra,
certains groupes terroristes et lobbies occultes expriment un
« projet politique cohérent » ou ne représentent au fond que
« des alliances tactiques, même si elles peuvent être fréquentes[206] ». L'assassinat de Dalla Chiesa pourrait être
ramené à cette seconde hypothèse, si son lien avec l'affaire
Moro était prouvé. On n'a pas manqué d'attribuer à Cosa
nostra un rôle organique dans un front international, sans
doute inspiré, à l'origine, par une logique anticommuniste.
Mattarella et La Torre étaient d'ailleurs les représentants de la

gauche démocrate-chrétienne et du parti communiste précisément dans la phase historique où ces deux groupes expérimentaient un accord difficile ; La Torre avait été un des protagonistes de la lutte contre l'installation des missiles Cruise à Comiso ; Terranova et Costa faisaient partie des rares hauts magistrats « rouges ». En 1982, voici comment *Segno*, revue d'inspiration catholique qui était – et est toujours – un point de référence dans la lutte contre la mafia, commentait ces faits : « Au moment où les institutions démocratiques – le pouvoir légal – subissent l'influence croissante de la gauche et des forces populaires, les centres de pouvoir extralégaux, qui ne dédaignent ni les homicides ni les massacres comme arme politique, entrent en lice pour donner leur propre solution sur l'issue et le débouché de la crise politique de notre pays[207]. »

On peut citer un projet de participation au coup d'État néofasciste prévu par le prince Borghese, présenté en 1970 à Leggio par Salvatore Greco « *Chicchiteddu* », accompagné par Buscetta, qui peut avoir été prévu par les milieux italo-américains (en liaison avec la loge P2 ?) et qui est repoussé. Après la malheureuse expérience de Mori, les mafieux n'ont aucune sympathie pour le fascisme. Puis, il y a l'affaire Sindona ; ce dernier, en 1979, aurait tenté d'organiser une révolte séparatiste, dont, toutefois, on ne trouve pas la moindre trace dans la presse ou dans l'opinion publique : à l'évidence, il s'agit d'une agitation tellement secrète que même ses nécessaires protagonistes, les Siciliens, n'en surent jamais rien.

Le Grand Complot demeurant introuvable, il faut noter que, dans les deux cas cités, l'initiative vient du groupe des perdants de la seconde guerre de mafia, pour lesquels les relations politiques représentaient une part importante du capital possédé : ils étaient les plus riches dans ce domaine, comme dans celui des narcodollars. Cela ne signifie pas qu'ils croyaient vraiment pouvoir réaliser ces projets extravagants ; il est plus probable qu'en les accréditant ils aient voulu renforcer leur propre prestige de médiateurs, tant vis-à-vis de leurs interlocuteurs extérieurs que de leurs adversaires dans Cosa nostra. Ainsi, Bontate cherche à redorer son pouvoir chancelant à l'intérieur de la Commission en se proposant à la DC comme médiateur dans l'affaire Moro, tandis que pour la raison opposée – dévaloriser le capital de Bontate – ses adversaires dans Cosa nostra, Riina et Calò, font obstacle à cette proposition[208]. S'il s'agit là d'une interprétation plausible, il faut remarquer qu'un événement que nous considérons comme absolument central dans l'histoire récente de l'Italie est traité par les mafieux de façon purement instrumentale, liée à leurs conflits internes : dans leur univers halluciné, tout est subordonné aux « affaires de Cosa nostra ». Il s'agit d'une logique qui est commune à toutes les organisations sectaires, par exemple les organisations terroristes avec lesquelles, vers la fin des années 1970, la mafia entre dans un rapport d'échange[209], que je définirais davantage comme culturel que matériel. Avec les terroristes, les mafieux se rencontrent en prison, ils se mesurent à leurs exploits. Les Brigades rouges, Prima linea et les autres organisations semblables se font concurrence pour gagner le soutien des compagnons de route ; c'est à qui tirera le plus haut, sur les cibles « excellentes » : c'est peut-être aussi pour cette raison que Moro est tué. Cosa nostra nomme l'assassinat de Dalla Chiesa « opération Carlo Alberto », et, dans les prisons, les mafieux de Catane exultent, ils gagnent en crédibilité et en respect vis-à-vis de tous ceux qui pensent que ce sont les tueurs de Santapaola qui « ont mené à son terme, avec une efficacité opérationnelle parfaite, l'homicide[210] ». Quand Lima sera assassiné, un mafieux emprisonné, rassuré parce que les siens se faisaient entendre au-delà des murs de la prison, dira : « Ils ont commencé, finalement ![211] ». La mafia ne publie ni journaux ni bulletins d'informations, par conséquent une bonne part des actes dont elle est la protagoniste semblent conçus comme des messages destinés à être amplifiés par le tam-tam des prisons, les bavardages des bourgades palermitaines, les conversations des trafiquants dans les hôtels du monde entier : à Rio, Badalamenti et Buscetta décodent le meurtre « excellent » de Dalla Chiesa en regardant le journal télévisé[212]. Buscetta fournit une interprétation de la mort de Costa, ordonnée par Inzerillo, non pour bloquer l'enquête, mais « uniquement pour faire étalage de sa puissance[213] », c'est-à-dire pour compenser l'effet des attentats des Corléonais sur le peuple de Cosa nostra.

Le rôle des conflits internes entre factions prédomine donc, de façon écrasante. J'estime, pour ma part, qu'après la défaite du MIS, la mafia n'a porté – et ne porte encore – qu'un faible intérêt à la grande politique, dans laquelle elle ne s'implique

que marginalement, et sans grand enthousiasme. Mais, évidemment, les affiliés à Cosa nostra sont intéressés à ce qui advient quotidiennement dans la gestion de la chose publique : à la machine politique plus qu'aux projets politiques. Nous avons vu comment, en 1987, Riina ne parvient pas à punir la DC par une saignée de ses voix, peut-être d'ailleurs du fait de résistances internes à l'organisation : ainsi, Antonio Madonia continue à voter pour les candidats DC, afin de préserver de vieux rapports « d'amitié [214] ». Sur un plan plus général, les Madonia, tout en faisant partie du camp des Corléonais, cachent même à leurs alliés « leurs rapports de connaissance avec les "personnes qui comptent" dans les milieux politiques, administratifs et économiques [215] », à l'évidence parce qu'ils ne tiennent pas à ce que d'autres essaient de les utiliser. On se souviendra que Pippo Calderone cherchait à préserver ses liens avec Costanzo de ses compagnons de mafia, que Calò cherchait à briser le rapport exclusif qui liait Riina – quand celui-ci n'était pas encore le grand chef – à Vito Ciancimino. Franco Restivo, grand notable démocrate-chrétien, était le « compère » d'Antonino Mineo, chef mafieux de Bagheria, et, naturellement, il le favorisait ; pour les La Barbera, puis pour Stefano Bontate, le rapport avec Lima avait une grande importance. Le lien avec les grands entrepreneurs, les grands hommes politiques, bref, avec l'*establishment*, ne dépend donc pas du rang du mafieux à l'intérieur de l'organisation ; en revanche, celui qui dispose de ces relations se trouve dans une situation stratégique de médiateur vis-à-vis du monde extérieur. « Lorsqu'un homme d'honneur – même de haut rang, comme un *capo-mandamento* – avait besoin d'entrer en contact avec un représentant politique, il devait passer par ces filières [216]. »

On peut dire, mais seulement aux fins de ce raisonnement, que le fait qu'un homme politique soit affilié à Cosa nostra ou seulement complice a une faible importance : quoi qu'il en soit, la filière reste privée et l'organisation ne s'identifie pas avec les filières utilisées par ses membres. Les indéniables processus de centralisation ne transforment pas pour autant le caractère double du phénomène mafieux, que nous avons repéré dès ses origines : les rapports avec les hommes politiques et les affairistes dessinent aux marges, et même à l'intérieur de l'organisation, un ensemble de réseaux fluides, à tra-

vers lesquels se reproduisent une série d'entrecroisements
entre monde du dessous et monde d'en haut. De telles relations représentent, pour le chef mafieux, des capitaux privés,
analogues à ceux qu'il emploie dans le trafic de drogue, et il
peut donc se faire qu'il estime plus utile d'être partie intégrante d'une machine politique que de poursuivre l'intérêt
général présumé de l'organisation.

D'ailleurs, Cosa nostra est-elle en état de prendre en main
la gestion du pouvoir politique – ou même d'aspirer à le
faire ? La conception parasitaire du rapport avec la politique
représente, de toute façon, une limite pour ce faire, et il faut
aussi prendre en considération le problème des instruments
d'interprétation de la réalité dont disposent les affiliés et les
chefs eux-mêmes. Ils sont convaincus, en effet, comme le dit
un proverbe souvent cité dans les études du XIXe siècle, que
« qui a de l'argent et des amis, de la justice il peut bien faire
fi » ; ils y ajoutent aujourd'hui la confiance dans les représailles violentes vis-à-vis des amis qui ne tiennent pas leurs
promesses. Mais de la sorte, ils voient les choses comme à
travers le trou d'une serrure et, avec un tel angle de vue, on ne
saurait percevoir la complexité des mécanismes qui règlent le
fonctionnement du pouvoir officiel, les relations entre les
divers groupes politiques, les rapports entre système politique, administration et magistrature et le rôle de l'opinion
publique. Il est très difficile d'influer sur ce très vaste champ
de forces avec quelques instruments pour le moins rudimen-
taires, la carotte de l'échange de faveurs et le bâton de l'intimidation terroriste. Totò Riina estime qu'il peut conserver
l'appui d'Andreotti en le menaçant ou en lui rappelant ses
engagements à l'aide de la cérémonie, rassurante et miel-
leuse, du baiser donné lors de leur seconde et fameuse rencontre. Si cette dernière a vraiment eu lieu, elle signifie moins
la reconnaissance par Andreotti de la souveraineté de la
mafia [217], que la énième manifestation de son cynisme, de sa
capacité à manipuler ceux qui, en regardant les choses depuis
le monde d'en dessous, conservent une confiance ingénue
dans la correction des puissants du monde d'en haut.

Reste enfin la question de l'efficacité des actions terroristes
qui découlent des processus de centralisation de Cosa nostra.
On peut raisonnablement introduire ici la notion d'effet pervers.
De la même façon que, depuis la moitié des années 1980

– peut-être comme conséquence de la guerre de mafia –, la participation sicilienne au commerce mondial de l'héroïne tend à décliner, il pourrait se faire (espérons-le !) que le choix « militariste » entraîne un déclin de l'influence de Cosa nostra sur la politique italienne. Défis et réponses se sont réciproquement renforcés et, à coup sûr, le développement même du terrorisme est une des raisons qui expliquent, depuis une quinzaine d'années, l'existence d'une antimafia et d'une résistance sans cesse plus vive de la part de certaines institutions[218] et d'une partie de l'opinion publique. À la fin de 1996, moment où j'écris ces lignes, une grande partie des cadres et des leaders de « la ténébreuse association » a été condamnée et emprisonnée : mais avec quel retard, à quel prix de sang et de civilisation, avec quelles (permanentes ?) déformations de son esprit public l'Italie a-t-elle obtenu ce résultat ?

La lourdeur des coûts payés démontre à quel point le cynisme et la nonchalance du pouvoir politique, durant les trente dernières années, ont été politiquement – et éthiquement – inacceptables. « J'avais lu un jour – écrit Andreotti dans son livre-apologie – qu'on avait arrêté un gros bonnet de la mafia, un certain Michele Greco, dit *il Papa* ["le pape"][219]. » Michele Greco était le chef de la Commission, durant les années où lui-même était au pouvoir, et Andréotti, inculpé d'association mafieuse, se souvient donc avec peine qu'il a lu une fois son nom dans le journal ! C'est vraiment là où se confrontent les deux différents points de vue, celui du monde d'en dessous et celui du monde d'en haut. Riina a estimé qu'il pouvait influer sur la politique, par des faveurs et des menaces ; Andreotti, lui, pense que le grand homme politique, et la grande politique elle-même, passent parmi des faits et des personnages aussi vulgaires sans en être le moins du monde souillés ; il pense que la mafia elle-même n'est, au fond, pas digne de son attention.

C'est d'ailleurs ce que pensait un grand homme d'État comme Vittorio Emanuele Orlando ; c'est ainsi que la classe politique de l'âge libéral et des vingt-cinq premières années de la République voyait le problème, de même que les fonctionnaires de l'État, les notables et les entrepreneurs de la belle Sicile. Si ce n'est qu'à un certain moment, ce mécanisme, fondé sur la tolérance réciproque, a commencé à devenir fou, que la mafia s'est mise à intoxiquer de plus en plus les consciences, les institutions de la démocratie, la possibilité même que la démocratie puisse exister. Le cas de Calvi, et surtout celui de Sindona – homme issu de rien, soudain projeté aux sommets du monde financier international, en Italie et aux États-Unis, il constitue « une des plus grandes, peut-être la plus grande société financière européenne » et tente de s'emparer des leviers fondamentaux du capitalisme italien [220] en s'appuyant sur le groupe andréottien, la loge P2 et Cosa nostra américaine et sicilienne – démontrent à quel point, depuis le moment du tournant, que nous avons situé vers la fin des années 1970, un des réseaux affairistes et mafieux a risqué de se répandre au cœur même du pouvoir économique et politique italien. De ce point de vue, la responsabilité – encore hypothétique pour le moment – d'Andreotti n'a rien à voir avec celles, auxquelles on la compare parfois avec beaucoup de légèreté, d'un Crispi ou d'un Giolitti ; et cela dans la mesure même où le danger dont a été porteuse la mafia au cours des trente dernières années de l'histoire d'Italie n'a aucun précédent.

Cosa nostra s'est liée de façon absolument nouvelle à la grande politique et aux grandes affaires, dans la grande saison (terminée, du moins peut-on l'espérer) de l'État-providence et du gouvernement « faible », désintégré entre instituts *ad hoc*, lois *ad personam*, lobbies, factions, clientèles et faveurs, Unités sanitaires locales et Régions, pots-de-vin pour tous ; dans la grande saison de l'affairisme rampant et des pouvoirs occultes. Pour lire un tel système – le contexte dans lequel se sont développées les métastases mafieuses – il faudra une Histoire de l'Italie, car une Histoire de la Sicile n'y suffira pas. Par ailleurs, dissoudre la mafia dans ce contexte impliquerait la même erreur que celle des anthropologues qui pensaient qu'elle *était* la société méridionale. De la même façon, seuls ceux qui croient que la politique se déroule entièrement entre Palazzo Chigi, siège de la présidence du conseil, et Montecitorio, où se réunit le parlement, peuvent penser que la mafia *est* la politique. L'organisation aujourd'hui appelée Cosa nostra est active sous divers noms, en des temps divers et sous divers régimes, depuis bien des années ; elle est vieille, mais elle ne craint pas la modernité ; souhaitons que cette formidable continuité historique puisse être, au plus tôt, interrompue.

NOTES

CHAPITRE I

1. On peut cependant rappeler : S. F. Romano, *Storia della mafia*, Milan, 1966 ; F. Brancato, « La Mafia nell'opinione pubblica e nelle inchieste dall'Unità al fascismo », in Antimafia. *Relazione sui lavori svolti* [...] *al termine della V legislatura*, p. 163 et sq. Nous citerons, au fil du texte, les ouvrages de G. Barone, R. Mangiameli, P. Pezzino, G. Raffaelle, N. Recupero, qui sont les représentants les plus aguerris de la « nouvelle » histoire sur ce thème. Nous donnons ici la liste des travaux que nous avons précédemment publiés et que nous réutilisons dans cet ouvrage : « Nei giardini della Conca d'oro », *Italia contemporanea*, 156, 1984, p. 43-53 ; « Il tenebroso sodalizio », *Studi storici*, 1988, p. 463-489 ; « Tra banca e politica : il delitto Notarbartolo », *Meridiana*, 7-8, 1990, p. 119-155 et, en collaboration avec R. Mangiameli, « Mafia di ieri, mafia di oggi », *ibid.*, p. 17-44 ; ainsi que S. Lupo, *Andreotti, la mafia, la storia d'Italia*, 1996, Donzelli.

2. « Una nuova fase della lotta alla mafia. Intervista con Giovanni Falcone », *Segno*, 116, 1990, p. 10.

3. Pour une telle interprétation, cf. N. Tranfaglia, *La Mafia come metodo*, Rome-Bari, 1991.

4. L. Galluzzo, F. Nicastro, V. Vasile, *Obiettivo Falcone. Magistrati e mafia nel palazzo dei veleni*, Naples, 1989, p. 167-168.

5. Mise en scène par le comédien Giuseppe Rizzotto, elle fut écrite, semble-t-il, par un certain Gaspare Mosca ; elle est publiée in G. G. Lo Schiavo, *100 anni di mafia*, Rome, 1962.

6. Cité in P. Alatri, *Lotte politiche in Sicilia sotto il governo della Destra (1866-1874)*, Turin, 1954, p. 92-93.

7. Rapport du 31 juillet 1874 au ministère de l'Intérieur, publié avec la documentation relative à la loi de sûreté publique de 1875, APCD, 1874-1875, Documenti, alleg. A1, p. 13.

8. Rapport du 4 avril 1875, APCD, 1874-1875, Documenti, n. 24 ter, p. 20.

9. L. Franchetti, « Condizioni politiche e amministrative della Sicilia », in L. Franchetti, S. Sonnino, *Inchiesta in Sicilia*, Florence, 1974 (1re éd. 1876). Il existe une édition récente de l'ouvrage de Franchetti, Rome, 1991, avec une introduction de P. Pezzino.

10. N. Recupero, « Ceti medi e "homines novi". Alle origini della mafia », *Polis*, 2, 1987, p. 316. Voir également, du même auteur, « La Sicilia all'opposizione (1848-1874) », in M. Aymard, G. Giarrizzo [éds.], *La Sicilia*, Turin, 1987, p. 41-85. L'étymologie, fantaisiste au point de paraître surréelle, qui voit dans « mafia » un sigle composé des initiales du slogan « Mazzini Autorizza Ferimenti Incendi Avvelenamenti » (Mazzini autorise blessures, incendies, empoisonnements) – cité par H. Hess, *Mafia*, préface de L. Sciascia, Rome-Bari, 1991 (1re éd. 1970), p. 6 – renvoie d'une certaine façon à un tel contexte.

11. Rapport du Grand Jury réuni à La Nouvelle-Orléans en 1892, cité in H. S. Nelli, *The Business of Crime. Italians and Syndicate Crime in the United States*, Chicago, 1981, p. 65.

12. G. Pitrè, *Usi, costumi, usanze e pregiudizi del popolo siciliano*, Palerme, 1978, vol. II, p. 292 et 294 (1re éd. 1889).

13. *Ibid.*, p. 288-293 ; G. Traina, *Dizionario siciliano*, 1898, suppose une origine toscane du terme ; V. Mortillaro, *Nuovo dizionario siciliano-italiano*, Palerme, 1875, estime qu'il s'agit d'un « mot piémontais [sic] introduit dans le reste de l'Italie ».

14. P. Arlacchi, *Mafia, contadini e latifondo nella Calabria tradizionale*, Bologne, 1980 (cet ouvrage met en évidence cet aspect dans la région de Gioia Tauro) ; F. Piselli, G. Arrighi, « Parentela, clientela e comunità », in P. Bevilacqua, A. Placanica [éds.], *La Calabria*, Turin, 1985, p. 367-494.

15. A. Cutrera, *La Mafia e i mafiosi. Saggio di sociologia criminale*, Palerme, 1900, p. 57.

16. Sur la camorra au XIXe siècle, voir les travaux fondamentaux de M. Marmo, « Economia e politica della camorra napoletana nel sec. XIX », *Quaderni dell'Istituto universitario orientale*, Dipartimento di scienze sociali, Naples, 2, 1989, p. 103-130 ; « Ordine e disordine : la camorra napoletana nell'ottocento », *Meridiana*, 7-8, 1990, p. 157-190 ; « Tra le carceri e i mercati. Spazi e modelli storici del fenomeno camorrista », in P. Macry, P. Villani [éds.], *La Campania*, Turin, 1990, p. 691-730. Une ébauche sur deux siècles a été tracée par I. Sales, *La Camorra e le camorre*, Rome, 1988.

17. E. Ciconte, *'Ndrangheta. Dall'Unità a oggi*, Rome-Bari, 1992 et *Processo alla 'ndrangheta*, Rome-Bari, 1996. Sur la difficulté d'une histoire de la mafia calabraise, P. Bevilacqua, « La mafia e la Spagna », *Meridiana*, 13, 1992, p. 110-116.

18. H. Hess, *op. cit.* ; A. Blok, *La Mafia di un villaggio siciliano, 1860-1960*, Turin, 1986 (1re éd. 1974) ; J. et P. Schneider, *Classi sociali, economia e politica in Sicilia*, Soveria Mannelli, 1989 (1re éd. 1976) ; P. Arlacchi, *Mafia, contadini e latifondo, op. cit.*, et *La Mafia imprenditrice. L'etica mafiosa e lo spirito del capitalismo*, Bologne, 1983. J. et P. Schneider sont revenus sur le sujet avec des arguments nouveaux et convaincants : « Mafia, antimafia e la questione della cultura », in

G. Fiandaca, S. Costantino [éds.], *La Mafia, le mafie*, Rome-Bari, 1994, p. 299-324.

19. Sur cette thèse, R. Catanzaro, « La mafia come fenomeno di ibridazione sociale », *Italia contemporanea*, 156, 1984, p. 7-41.

20. Voir *supra*, p. 170 et sq.

21. Plaidoirie de l'avocat G. Russo Perez, GDS, 8 juin 1930.

22. Tribunal de Palerme, verdict contre Spatola et 119 autres inculpés (Juge instructeur : G. Falcone), p. 485.

23. Voir *supra*, p. 114-115.

24. N. Gentile, *Vita di capomafia*, Mémoires recueillis par F. Chilanti, Rome, 1993 (1re éd. 1963), p. 201.

25. J. Bonanno, *Uomo d'onore. L'autobiografia di J. B.*, Milan, 1985.

26. Interview de Pagano, in Inchiesta Bonfadini, p. 483.

27. Entretien avec I. Montanelli, *Pantheon minore*, Milan, 1958, cité par P. Arlacchi, *La Mafia imprenditrice*, *op. cit.*, p. 43

28. Voir respectivement la lettre de l'évêque de Caltanissetta G. Jacono, du 12 juin 1935, citée par C. Naro, *La Chiesa di Caltanissetta tra le due guerre*, Caltanissetta-Rome, 1991, II, p. 167, et C. Sarauw, *Note e richieste al R. Governo per l'assetto dell'industria zolfifera siciliana*, Catane, 1922, p. 5-6.

29. Voir, par exemple, les considérations critiques de R. Catanzaro, « Mafia come impresa ? », in *L'Italia estrema*, Rome, 1992, IV, p. 37-43 et *Il delitto come impresa. Storia sociale della mafia*, Padoue, 1988 ; U. Santino, *La Mafia interpretata*, Soveria Mannelli, 1995 ; U. Santino, G. La Fiura, *L'Impresa mafiosa*, Milan, 1990.

30. Voir *supra*, p. 298-299, les positions apologétiques de Buscetta ; pour le versant américain, voir P. Jenkins, « Narcotic trafficking and the American mafia : the myth of internal prohibition », in *Crime, law and social change*, novembre 1992, p. 303-318.

31. Lettre publiée dans le *Diario della settimana*, supplément hebdomadaire de *L'Unità*, 30 octobre-5 novembre 1996, p. 58.

32. D. Gambetta, *La Mafia siciliana. Un'industria della protezione privata*, Turin, 1992. Voir également R. Catanzaro, *Il delitto come impresa*, *op. cit.*, p. 27-30 et p. 76-79.

33. Cette ligne interprétative apparaît clairement dans l'ouvrage de M. Onofri, *Tutti a cena dal don Mariano. Letteratura e mafia nella Sicilia della nuova Italia*, Milan, 1996.

34. Voir en particulier M. Marmo, « Le ragioni della mafia : due recenti letture », *Quaderni storici*, 88, avril 1995, p. 195-211 ; R. Catanzaro, « Recenti studi sulla mafia », *Polis*, 2, 1993 ; U. Santino, *La Mafia interpretata*, *op. cit.*

35. G. Mosca, « Che cosa è la mafia » (1901), in *Uomini e cose di Sicilia*, Palerme, 1980, p. 12 ; c'est nous qui soulignons. Ce passage est cité par G. Fiandaca, S. Costantino, « La mafia degli anni '80 tra vecchi e nuovi paradigmi », *Sociologia del diritto*, 3, 1990, p. 76.

36. Extraits du verdict du tribunal de Locri, en 1950, cité par E. Ciconte, *'Ndrangheta*, *op. cit.*, p. 242 ; c'est nous qui soulignons.

37. Témoignage de L. Vitale, in Maxiprocesso, p. 13.

38. Tribunal de Catane, Ordonnance de détention préventive contre
V. Aiello et d'autres (décembre 1993).

39. Cité par O. Cancila, *Storia dell'industria in Sicilia*, Rome-Bari,
1995, p. 306.

40. Rapporto Sangiorgi, p. 6

41. G. Fiandaca, S. Costantino, *La Mafia, le mafie, op. cit.*, p. X-XI ;
U. Santino, *La Mafia interpretata, op. cit.*, p. 37 et sq.

42. Voir ch. v, § 4, les révélations de Buscetta qui correspondent avec ce
que nous savons de la *cosca* de Catane Santapaola-Pulvirenti, par ailleurs
très différente de la *cosca* palermitaine : Tribunal de Catane, Ordonnance,
cité *supra*, p. 71 et sq.

43. A. Block, *East Side-West Side. Organizing Crime in New York*, Car-
diff, 1980. Je suis en accord avec R. Catanzaro, « Recenti studi... »,
op. cit. et « La struttura organizzativa della criminalità mafiosa in
Sicilia », in *La Criminalità organizzata*, Milan, 1993, p. 147 et sq. Les
critiques de U. Santino, *La Mafia interpretata, op. cit.*, sur l'incompatibilité de mon schéma avec celui de Block ne sont pas de nature à me faire
renoncer à l'usage de cette terminologie.

44. La distinction entre protecteurs et protégés, avancée par
D. Gambetta, *La Mafia, op. cit.*, p. 319 et sq., est critiquée par U. Santino,
La Mafia interpretata, op. cit., qui rappelle le cas d'Angelo Siino, que
Gambetta considère comme un client de l'entreprise mafieuse mais qui
est, en réalité, un élément organique de Cosa nostra ; voir également les
critiques de M. Marmo, « Le ragioni della mafia », *op. cit.*

45. Toutefois, l'arrivée d'autres chefs mafieux (Masseria, Bonanno,
Gambino, Profaci) date d'avant la moitié de la décennie, à un moment où
la répression n'avait pas commencé et où les mafieux étaient en bons
termes avec les partis gouvernementaux.

46. À Chicago, trois boss (Torrio, Al Capone, Ricca) sont originaires de
Campanie, il y a deux Calabrais (Colosimo et Nitti) et seulement deux
Siciliens (Accardo et Giancana). Par ailleurs, le fait qu'à New York
comme à Chicago les non-Siciliens proviennent tous de Campanie et de
Calabre peut indiquer un lien avec d'anciennes traditions criminelles.
J'utilise les données fournies par H. Abadinsky, *Organized Crime*, Chi-
cago, 1994.

47. La tentative de distinguer une mafia « d'appellation contrôlée »
en Amérique a légitimé des légendes comme celle de l'élimination
simultanée, dans tous les États-Unis, de quarante à soixante « vieux
mafieux » siciliens, en même temps que Maranzano ; voir l'analyse
critique de A. Block, *Space, Time & Organized Crime*, Londres, 1994,
p. 3 et sq.

48. R. Scarpinato, membre du pool des enquêteurs palermitains, a écrit
que « les liens de sang doivent être laissés de côté, si nécessaire. Si l'organisation décide l'assassinat du parent d'un homme d'honneur, celui-ci doit
accepter cette éventualité comme une nécessité supérieure », in
« Caratteristiche e dinamiche degli omicidi eseguiti e ordinati da Cosa
nostra », *Segno*, 176, 1996, p. 78.

49. N. Gentile, *Vita di capomafia, op. cit.*

50. Je tire ces informations de A. Block, *Space, Time, op. cit.*, p. 27. Je pense que l'expression « Treasury Police » utilisée par Block renvoie à la « Guardia di Finanza ».

51. J. L. Albini, « L'America deve la mafia alla Sicilia ? », in S. Di Bella [éd.], *Mafia e potere*, Soveria Mannelli, 1983, I, p. 189.

52. F. J. Ianni, *Affari di famiglia*, Milan, 1984.

53. C'est la présentation qui en est donnée dans la quatrième de couverture de la célèbre biographie du fils de Bonanno, Bill (G. Talese, *Honor thy Father*, New York, 1981 (1re éd. 1971).

54 G. Hawkins, *God and the mafia* (1969), cité par U. Santino, G. La Fiura, *L'Impresa mafiosa, op. cit.*, p. 257.

55. Sur Hawkins, voir les critiques de P. Reuter, *Disorganized Crime*, Cambridge, Mass.-Londres, 1983, p. 7 ; les déclarations de Sciortino se trouvent *in* Antimafia, Relazione Bernardinetti, p. 593.

56. H. Hess, *Mafia, op. cit.*

57. P. Arlacchi, *La Mafia imprenditrice, op. cit.*, p. 66-67 ; J. et P. Schneider, *Classi sociali, op. cit.*, en particulier p. 250 ; pour une interprétation semblable, A. Blok, *La Mafia di un villaggio siciliano, op. cit.* Lors d'interventions plus récentes, de nature politique et journalistique, Arlacchi a changé de point de vue ; voir une critique de son ancienne position in *Gli uomini del disonore*, Milan, 1992, p. VIII.

58. Ordonnance du juge d'instruction d'Agrigente, 2 avril 1986, in G. Arnone [éd.], *La Mafia d'Agrigento*, Cosenza, 1988, p. 279-280.

59. G. M. Puglia, « Il mafioso non è un associato per delinquere », *La scuola positiva*, I, 1930, p. 156.

60. R. T. Anderson, « From Mafia to Cosa nostra », *The American Journal of Sociology*, 3, novembre 1965, p. 302-310.

61. President's Commission on Organized Crime, *Report to the President*, I, *The Impact*, Washington, 1986, p. 26-27

62. H. Hess, *Mafia, op. cit.*, p. 109. G. Alongi, *La Maffia nei suoi fattori e nelle sue manifestazioni. Saggio sulle classi pericolose di Sicilia*, Turin, 1886 ; il existe une deuxième édition revue et corrigée : *La Mafia*, Palerme, 1904. A. Cutrera, *La Mafia e i mafiosi, op. cit.*

63. L. Violante, *Non è la piovra. Dodici tesi sulle mafie italiane*, Turin, 1994, p. 58-59, 81 et sq.

64. Je suis en accord avec les questions que pose A. Baratta, « Mafia e Stato. Alcune riflessioni metodologiche », in *La Mafia, le mafie, op. cit.*, p. 95-117. Il s'ensuit l'exigence de lier le concept de mafia à celui de « bourgeoisie mafieuse », sur lequel ont insisté U. Santino, par exemple dans « La mafia come soggetto politico », in *La Mafia, le mafie, op. cit.*, p. 122-124 et G. Di Lello, *Giudici*, Palerme, 1994, p. 10. Je remarque seulement que l'on ne peut, en aucune façon, considérer la mafia comme une classe sociale (et réciproquement) et qu'une telle suggestion ne saurait aider à introduire les nécessaires distinctions entre les différents éléments qui constituent le réseau mafieux.

65. Ce point a été mis en évidence par F. Conti, lors d'une intervention au séminaire de l'IMES sur les phénomènes associatifs durant la période libérale (Rome, printemps 1996).

66. N. Gentile, *Vita di capomafia, op. cit.*, p. 55.

67. Témoignage Buscetta, _Débat_, I, p. 37.

68. L. Natoli, _I Beati Paoli_ (publié en feuilleton à partir de 1909) [trad. fr. _Histoire des Beati Paoli_, 3 vol., 1990-1991, Paris]. Voir également F. Renda, _I Beati Paoli. Storia, letteratura e legenda_, Palerme, 1988.

69. H. Hess, _La Mafia, op. cit._, p. 134 et sq.

70. V. W. Turner, _Il Processo rituale_, Brescia, 1972, p. 103.

71. G. Ciotti, _I casi di Palermo_, Palerme, 1866, p. 7.

72. M. Marmo, _Tra le carceri e i mercati, op. cit._, p. 724. Voir également les interventions de M. Marmo et de P. Pezzino in G. Fiume [éd.], _Onore e storia nelle società mediterranee_, Palermo, 1989.

73. G. Giarrizzo, entrée « mafia » de l'_Enciclopedia italiana_, Rome, 1993, app. V, p. 278.

74. G. Alongi, _La Maffia, op. cit._, p. 75. Un rapport du préfet de Trapani, du 16 mai 1874 (in APCD, 1874-1875, Documenti) relevait déjà le lien entre le concept d'humilité et celui d'humanité ; quant à E. Onufrio, « La mafia in Sicilia », _Nuova antologia_, 1877, p. 365-367, il rappelait la terminologie des prisonniers de la camorra et des _ricottari_ [terme sicilien, désormais inusité, désignant les souteneurs]. Voir également P. Pezzino, _Una certa reciprocità_, p. 118.

75. Cité in R. Mangiameli, « Gabellotti e notabili nella Sicilia dell'interno », _Italia contemporanea_, 156, 1984, p. 67.

76. S. Romano, _L'Ordinamento giuridico_, Florence, 1945 (1re éd. 1918), p. 101 ; il faut cependant préciser que Romano n'utilise pas le mot mafia.

77. _Ibid._, p. 36-37.

78. G. G. Lo Schiavo, « Nel regno della mafia », _Processi_, 1955, cité par L. Galluzzo _et al._ [éds.], _Obiettivo Falcone, op. cit._, p. 75. Lo Schiavo écrivit un roman tout aussi hagiographique – _Piccola pretura_, Milan, 1948 – dont P. Germi tira un film, _In nome della legge_, 1949. Voir également, du même Lo Schiavo, _100 anni di mafia, op. cit._

79. D. Gambetta, _La Mafia, op. cit._ p. XII-XIII ; voir, à ce propos, les remarques critiques de G. Fiandaca, « La mafia come ordinamento giuridico : utilità e limiti di un paradigma », _Segno_, 155, 1994, p. 23-35.

80. Cité par C. Mori, _Con la mafia ai ferri corti_, Milan, 1932, p. 15 et sq.

81. G. Falcone, en collaboration avec M. Padovani, _Cose di Cosa nostra_, Milan, 1991, p. 37 [trad. fr. _Cosa nostra. Le Juge et les « Hommes d'honneur »_, Paris, 1991, p. 38]. Pour les références à Giampietro faites par Terranova, voir _supra_, p. 258.

82. Voir les lettres de Santapaola et de Ferrone dans le _Diario della settimana_, supplément de _L'Unità_, 30 octobre-5 novembre 1996, p. 58-62.

CHAPITRE II

1. On estime généralement qu'il provient de l'arabe « _marfud_ », qui aurait donné en sicilien « _marpiuni_ » (escroc, filou) « _marpiusumafiusu_ ». Voir Lo Monaco, _Lingua nostra_, 1990, cité par G. Giarrizzo, _Mafia, op. cit._, p. 277-278.

2. *Poche parole alla Commissione parlamentare*, Palerme, 1867, en annexe de l'Inchiesta Fabrizi, p. 515. Plus généralement, voir P. Alatri, *Lotte politiche, op. cit.*, et F. Brancato, *La Sicilia nel primo ventennio del Regno d'Italia*, Bologne, 1956.

3. Lettre de Pantaleoni à Ricasoli, septembre-octobre 1861, cité par F. Brancato, *La Mafia, op. cit.*, p. 193-195.

4. Il s'agit des attentats meurtriers que la préfecture de police attribua à un complot des oppositions de droite et de gauche (dans lequel aurait également été impliqué le très modéré prince de Sant'Elia). Voir le livre, brillant mais peu convaincant, de L. Sciascia, *I Pugnalatori*, Turin, 1976 [éd. fr. *Les Poignardeurs*. (Suivi de) *La Disparition de Majorana*, trad. J.-N. Schifano et M. Fusco, Paris, Les Lettres nouvelles, 1977 ; 2ᵉ éd. Flammarion, 1984] et l'essai solidement documenté de P. Pezzino, *La Congiura dei pugnalatori*, Venise, 1992. Le crime politique occupe une grande place, dans la Palerme de ces années-là, pour définir les rapports entre les démocrates et entre ceux-ci et les autorités, comme le prouvent l'assassinat de C. Trasselli et la tentative de meurtre contre F. Perroni Paladini, deux garibaldiens modérés ; voir P. Alatri, *Lotte politiche, op. cit.*, p. 109 et 137.

5. La dernière version de ce raisonnement est due à N. Tranfaglia, *La Mafia, op. cit.* ; voir à ce propos les critiques de P. Bevilacqua, « La mafia e la Spagna », *op. cit.* L'ouvrage de V. Titone, *La Società siciliana sotto gli spagnoli e le origini della questione meridionale*, Palerme, 1978, présente une variante plus typique de la tradition culturelle de l'île.

6. D. Gambetta, dans *La Mafia, op. cit.* et dans « La protezione mafiosa », *Polis*, août 1994, p. 302-303, soutient pour sa part que l'Espagne *introduisit* [sic !] dans le Sud la « défiance » dont provient la mafia, en donnant une valeur significative à la présence d'une violence endémique – ce qui d'ailleurs, notons-le, n'est pas la même chose que la mafia – dans d'autres ex-colonies espagnoles comme les Philippines. Un tel raisonnement est faible et allusif. Pourquoi faudrait-il appliquer cette comparaison aux Philippines et non à la Chine et au Japon, où existent des formes massives de criminalité organisée ? Pourquoi la domination espagnole aurait-elle eu des effets aussi néfastes dans l'Italie du Sud et pas aux Pays-Bas, en Lombardie et en Espagne même ? Il faut rappeler que la Sicile n'était pas une colonie, mais un des royaumes de la couronne d'Aragon, qui passa à la fin du XVᵉ siècle à celle de Castille en conservant son statut, ses institutions, son influence (y compris sur les politiques impériales). On ne peut l'assimiler aux Amériques ou aux Philippines, mais plutôt à l'Aragon et aux autres possessions ibériques des Habsbourg, à l'exception de la Castille. Voir H. G. Koenigsberger, *The Practice of Empire*, Ithaca-New York, 1969 ; G. Giarrizzo, « La Sicilia dal Cinquecento all'Unità d'Italia », in G. Giarrizzo, V. D'Alessandro, *La Sicilia dal Vespro all'Unità d'Italia*, Turin, 1989.

7. Voir les analyses de O. Cancila, *Così andavano le cose nel secolo sedicesimo*, Palerme, 1984 ; il paraît toutefois excessif de définir le Saint-Office comme « une grosse organisation mafieuse » (p. 29).

8. L. Franchetti, *Condizioni politiche e amministrative, op. cit.* ; cette thèse a été abondamment reprise par la suite, ainsi par P. Pezzino, *Una*

certa reciprocità di favori. Mafia e modernizzazione violenta nella Sicilia post-unitaria, Milan, 1990.

9. Voir, par exemple, l'intervention de D. Gambetta dans le débat avec S. Lupo, P. Pezzino et N. Tranfaglia, in *Passato e presente*, 31, 1994, p. 24-25.

10. S. Lupo, « Tra centro e periferia. Sui modi dell'aggregazione politica nel Mezzogiorno contemporaneo », *Meridiana*, 2, 1988, p. 18-22.

11. P. Pezzino, *Una Certa Reciprocità, op. cit.* et *Il Paradiso occupato dai diavoli*, Milan, 1992. Voir également les contributions de E. Iachello et A. De Francesco in F. Benigno et C. Torrisi [éds.], *Elites et potere in Sicilia*, Rome, 1995.

12. G. Fiume, *Le Bande armate in Sicilia (1819-1849). Violenza e organizzazione del potere*, Palerme, 1984, p. 117. Parmi les contemporains qui partagent ce point de vue, voir L. Bianchini, cité par F. Brancato, *La Mafia, op. cit.*, p. 172.

13. G. Fiume, *Le Bande armate, op. cit.*

14. E. Sereni, *Il capitalismo nelle campagne*, Turin, 1980 (1re éd. 1946), p. 145 et sq.

15. G. Cammareri Scurti, *Il latifondo in Sicilia e l'inferiorità meridionale*, Milan, 1909, p. 80 et sq. ; *Inchiesta parlamentare sulle condizioni dei contadini nelle province meridionali e nella Sicilia*, Rome, 1908, VI ; S. Lupo, « I proprietari terrieri del Mezzogiorno », in *Storia dell'agricoltura italiana in età contemporanea*, Venise, 1990, II, p. 105-150.

16. Inchiesta Fabrizi, p. 117.

17. G. Fiume, *Le Bande armate, op. cit.*, p. 74.

18. Rapport du 3 août 1838, cité par E. Pontieri, *Il riformismo borbonico nella Sicilia del Sette e dell'Ottocento*, Rome, 1945, p. 222-225.

19. Cité par G. Fiume, *Le Bande armate, op. cit.*, p. 75.

20. Cité par G. Fiume, *La Crisi sociale del 1848 in Sicilia*, Messine, 1982, p. 64.

21. G. Fiume, « Il disordine borghese nella Sicilia dei Borbone : il caso di Marineo (1819-1859) », in Coll., *Contributi per un bilancio del regno borbonico*, Palerme, 1990 ; S. Costanza, *La Patria armata. Un episodio della rivolta antileva in Sicilia*, Trapani, 1989 ; S. Lupo, « Tra centro e periferia », *op. cit.*

22. Inchiesta Bonfadini, p. 277.

23. A. De Francesco, *La Guerra di Sicilia*, Catane, 1992.

24. G. Fiume, *La Crisi sociale del 1848, op. cit.* ; R. Romeo, *Il Risorgimento in Sicilia*, Bari, 1950 ; G. Giarrizzo, *La Sicilia dal Cinquecento all'Unità, op. cit.*

25. Parmi les études récentes, voir G. Giarrizzo, *La Sicilia dal Cinquecento all'Unità, op. cit.* et P. Pezzino, « La tradizione rivoluzionaria siciliana e l'invenzione della mafia », *Meridiana*, 7-8, 1990. Dans la Colombie contemporaine aussi, les cartels des narco-trafiquants sont implantés dans les zones qui ont connu une guerre civile endémique ; voir P. Burin des Roziers, *Cultures mafieuses. L'exemple colombien*, Paris, 1995. On pourrait dire des choses semblables pour les « seigneurs de la guerre » des régions limitrophes de la Chine.

26. Cet objectif est énoncé dès décembre 1860 par le lieutenant M. Cordero di Montezemolo, dans une lettre à Cavour citée par G. Scichilone, *Documenti sulle condizioni della Sicilia dal 1860 al 1870*, Rome, 1952, p. 62-63.

27. Où, « de toutes les maisons », sortent des hommes armés, exhibant des drapeaux rouges qui portent l'inscription « République » et, par ailleurs, soutenus par les moines réactionnaires. Ils se dirigent ensuite vers Palerme. Inchiesta Fabrizi, p. 347.

28. V. Maggiorani, *Il Sollevamento della plebe di Palermo e del circondario nel settembre 1866*, Palerme, 1866, p. 82-83 ; G. Ciotti, *I Casi di Palermo, op. cit.* ; A. Maurici, *La Genesi storica della rivolta del 1866 in Palermo*, Palerme, 1916, p. 469 et sq Parmi les travaux historiques, voir F. Brancato, « Origine e caratteri della rivolta palermitana del settembre 1866 », *Archivio storico italiano*, 1955, et le numéro thématique des *Nuovi quaderni del Meridione*, 16, 1966.

29. V Maggiorani, *Il Sollevamento, op. cit.*, p. 6.

30. A. Maurici, *La Genesi, op. cit.*, p. 471.

31. Inchiesta Bonfadini, p. 522.

32. Que l'on pense à l'aliénation des biens des institutions religieuses, qui met fin à l'afflux d'argent provenant de toute la Sicile, alors que la société palermitaine pouvait jusqu'alors employer sur place ces ressources ; ou encore à la façon dont le nouvel État complète l'action du gouvernement bourbonien dans le domaine des travaux publics et de la distribution des offices (dans le champ judiciaire, par exemple) en favorisant d'autres villes au détriment de Palerme. La plupart des entretiens cités dans l'Inchiesta Fabrizi soulignent la spécificité de Palerme. Contre cette interprétation, voir P. Alatri, *Lotte politiche, op. cit.*, p. 10 et sq.

33. Voir le témoignage de l'inspecteur Felzani, *in* Processo Amoroso, p. 53. C'est chez Amoroso que Badia est arrêté, c'est là que se déroulent les réunions du comité insurrectionnel. Voir A. Maurici, *La Genesi, op. cit.*, p. 337 ; P. Alatri, *Lotte politiche, op. cit.*, p. 138. Sur Miceli, voir par exemple G. Fiume, *Le Bande armate, op. cit.*, p. 102 et sq.

34. V. Maggiorani, *Il Sollevamento, op. cit.*, p. 69. Cela rend encore plus invraisemblable la thèse selon laquelle, en 1863, Sant'Elia aurait été un des mandants des « poignardeurs ». Comment peut-on penser qu'un tel personnage (en rapport, entre autres, avec les Guccione d'Alia, qui furent parmi les plus importants *gabellotti* mafieux : voir E. Guccione, *Storia di Alia*, Caltanissetta-Rome, 1991, p. 345) aurait eu besoin, pour engager des hommes de main, de s'exposer en interpellant des candidats dans Palerme, pour ainsi dire au hasard…

35. Inchiesta Bonfadini, p 406. Parmi les actes insignes de Licata, figure celui d'avoir dénoncé l'imaginaire complot bourbonien-républicain de Corrao ; voir P. Pezzino, *La Congiura, op. cit.*, p. 178.

36. Intervention du duc de Cesarò, in Inchiesta Bonfadini.

37. G. Petix, *Memorie e tradizioni di Montedoro*, Montedoro, 1984, I, p. 241-242.

38. Il y a d'autres épisodes de violence dans lesquels la famille est impliquée : un Caico est enlevé, vers 1874, et libéré moyennant rançon ; le paiement est « suivi de la capture de trois des malfaiteurs et de l'exécu-

tion d'un quatrième » ; un Caico, maire de Montedoro, est arrêté en 1897 pour l'assassinat du chef d'une faction adverse (il sera finalement acquitté). Voir : L. Hamilton Caico, *Vicende e costumi siciliani*, Palerme, 1983, p. 161-162 ; le témoignage du sénateur F. Morillo di Trabonella, Inchiesta Bonfadini, p. 1028 ; G. Petrix, *Memorie, op. cit.*, p. 291-294.

39. Inchiesta Bonfadini, p. 462-463.

40. ASPA, GP, b. 35, f. 6; le préfet de police au procureur du roi, 21 septembre 1875, p. 14-16.

41. S. Lupo, *Il Giardino degli aranci, op. cit.*, et O. Cancila, *Palerme*, Rome-Bari, 1988.

42. L. Franchetti, *Politica e mafia in Sicilia. Gli inediti del 1876*, A. Jannazzo [éd.], Naples, 1995, p. 190. La lettre de protestation de Turrisi fut publiée dans *L'Amico del popolo*, 24 août 1874. La liste des mafieux de Cefalù in ASPA, GP, 1877, b. 39.

43. D. Farini, *Diario di fine secolo (1896-1899)*, Rome, 1961, II, p. 909.

44. Inchiesta Bonfadini, p. 473.

45. L. Tirrito, *Sulla città e comarca di Castronovo di Sicilia*, Palerme, 1873, II, p. 69-70 ; il faut préciser que les Nicolosi étaient bourboniens. Sur les Guccione, voir Guccione, *Storia di Alia, op. cit.*

46. Liste des mafieux de Termini, I cat., n. 20 in ASPA, GP, 1877, b. 39. Sur Leone, voir G. Alongi, *La Maffia, op. cit.*, p. 85. Sur Valvo, voir G. Di Menza, *Le Cronache delle assise di Palermo*, Palerme, 1878, p. 74.

47. R. Mangiameli, « Banditi e mafiosi dopo l'Unità », *Meridiana*, 7-8, 1990, p. 73-117.

48. Ibid.

49. ASPA, GP, b. 85.

50. Cité par R. Mangiameli, « Banditi e mafiosi », *op. cit.*, p. 104. Borsani fut déplacé dans l'année même.

51. Inchiesta Fabrizi, p. 29.

52. Voir en particulier H. Hess, *Mafia, op. cit.*, et A. Blok, *La Mafia di un villaggio siciliano, op. cit.*

53. Rapport du 31 juillet 1874, cité *supra*, p. 13-14.

54. C. Fiore, « Il Controllo della criminalità organizzata nello stato liberale », in *Quaderni dell'Istituto universitario orientale, op. cit.*, p. 132.

55. N. Turrisi Colonna, *Cenno sullo stato attuale della sicurezza pubblica in Sicilia*, Palerme, 1988 [1re éd. 1864], p. 29-39.

56. Résumé des rapports (18 janvier 1875), APCD, 1874-1875, Documenti, all. 2, p. 57. La camorra napolitaine exerce une fonction analogue, mais pendant une brève période, jusqu'à la répression lancée par S. Spaventa ; voir M. Marmo, « Economia e politica della camorra napoletana », *op. cit.*, p. 114 et sq.

57. N. Turrisi Colonna, *Cenno, op. cit.*, p. 43.

58. *Ibid.*, p. 48.

59. Il déclare en privé à Franchetti que ses *campieri* « doivent » ravitailler les brigands : « forcément, car une vengeance peut détruire une immense oliveraie » ; L. Franchetti, *Politica e mafia, op. cit.*, p. 58.

60. G. Giarrizzo, *La Sicilia, op. cit.*, p. 700.

61. Cité par N. Recupero, *La Sicilia all'opposizione, op. cit*, p. 48-49.

62. Rapport du préfet de police, 28 février 1876, in ASPA, GP, b. 35.

63. N. Recupero, « Ceti medi », *op. cit.*, p. 313.

64. Je cite le rapport de police sur le groupe de Giammona, cité *supra*.

65. *Corriere giudiziario*, supplément du *Giornale di Sicilia*, 15 mai 1878. Les rituels sont décrits in ASPA, GQ, b. 7 (1880).

66. Respectivement, G. Di Menza, *Cronache*, *op. cit.* et Témoignage Rudinì, in Inchiesta Fabrizi, p. 118. Prison et résidence forcée mettent en rapport les criminels napolitains et siciliens : voir G. Di Menza, *Cronache*, *op. cit.*, et le rapport du préfet de Trapani, APCD, 1874-1875, 16 mai 1874, p. 15. La légende des trois nobles catalans qui donnent naissance, à Favignana, aux criminalités régionales, est emblématique : voir E. Ciconte, *'Ndrangheta*, *op. cit.*, p. 6-8. Sur la camorra des prisons, voir M. Marmo, *Tra Carceri e mercati*, *op. cit.* D'après un document de 1861, l'armée bourbonienne introduisit à Naples – depuis la Sicile, où on enrôlait les forçats – une camorra « plus large, plus féroce et aussi plus basse » que celle du lieu (in G. Machetti, « Camorra e criminalità popolare a Napoli », *Società e storia*, 51, 1991, p. 80).

67. G. Baglio, *Ricerche sul lavoro e sui lavoratori in Sicilia* : *il solfaraio*, Naples, 1905, cité par G. Barone, « Formazione e declino di un monopolio naturale », in S. Addamo *et al.*, *Zolfare di Sicilia*, Palerme, 1989, p. 94.

68. T. V. Colacino, « La Fratellanza », *Rivista di discipline carcerarie*, 1885, cité par P. Pezzino, *Una Certa Reciprocità*, *op. cit.*, p. 212 et sq. (sur l'ensemble de la problématique sociale, p. 202 et sq.) ; voir également F. Lestingi, « La fratellanza nella provincia di Girgenti », *Archivio di psichiatria*, 1884. Les textes de Colacino et Lestingi sont utilisés par A. Cutrera, *La Mafia*, *op. cit.*, p. 125.

69. E. J. Hobsbawm, *Les Primitifs de la révolte dans l'Europe moderne*, Paris, 1959.

70. L. Pirandello, « La lega disciolta », *Corriere della Sera*, 6 juin 1910. *Novelle per un anno*, Milan, 1980, vol. III, t. 1, p. 70-80 ; [tr. fr. *Nouvelles pour une année*, Paris, Del Duca, 1950-1960 et Paris, Gallimard, 1972-1988]. Ce texte est également cité in G. Giarrizzo, *Mafia*, *op. cit.*

71. Dans ces chiffres ne sont pas compris les insoumis au service militaire ni les déserteurs. Rapport de la Commission Depretis, APCD, 1874-1875, Documenti, Progetti di legge, n. 24 A, p. 21.

72. Rapport de Calà Ulloa, 25 avril 1838, in E. Pontieri, *Il Riformismo*, *op. cit.*, p. 217.

73. Sur ce projet de loi, voir L. Mascilli Migliorini, « Il mondo politico meridionale di fronte alla legge di PS del 1875 », *Nuova rivista storica*, 1979 et F. Renda, *Storia della Sicilia*, Palerme, 1985, II, p. 32 et sq.

74. Rapports de G. Fortuzzi, 4 janvier et 4 avril 1875, ACPD, 1874-1875, Documenti, Progetti di legge, n. 24 ter, p. 20, 58.

75. Commissione Depretis, *ibid.*, n. 24 A, p. 23.

76. APCD, Discussioni, séance du 4 juin 1875, p. 3883.

77. *Ibid.*, p. 3890 et 3886-3887.

78. Rapport cité *supra*, p. 12.

79. Voir les polémiques à ce propos *in* Inchiesta Bonfadini. Voir les réglementations concernant l'admonition in C. Fiore, « Il controllo della criminalità organizzata nello Stato liberale », *op. cit.*

80. Circulaire du 6 juillet 1871, citée par P. Alatri, *Lotte politiche*, *op. cit.*, p. 363.

81. G. Giarrizzo, *Catania*, Rome-Bari, 1986, p. 25-26. Pour les désaccords entre la préfecture de police et Borsani, prédecesseur de Tajani et futur président de la Commission parlementaire, voir également P. Alatri, *Lotte politiche*, *op. cit.*, p. 180 et sq.

82. APCD, 1874-1875, Discussioni, 11 juin 1875, p. 4124. On lira ce texte, et d'autres, in D. Tajani, *Mafia e potere*, P. Pezzino [éd.], Pise, 1993.

83. APCD, discours cité *supra*, p. 4132.

84. Voir R. Mangiameli, « Dalle bande alle cosche. La rappresentazione della criminalità in provincia di Caltanissetta », in G. Barone, C. Torrisi [éds.], *Economia e società nell'area dello zolfo*, Caltanissetta-Rome, 1989, p. 210-211.

85. Les matériaux de l'enquête, consultables aux Archives nationales (ACS), ont été en partie publiés dans l'Inchiesta Bonfadini (1968) et par E. Iachello, *Stato unitario e disarmonie regionali*, Naples, 1987. Sur l'enquête, voir l'introduction de E. Iachello et, également, P. Pezzino, *Una Certa Reciprocità*, *op. cit.*, p. 31-80.

86. P. Villari, *Lettere meridionali*, F. Barbagallo [éd.], Naples, 1979 [1re éd. 1875].

87. Je cite d'après l'ébauche de Bonfadini, séance du 25 mars 1876, Inchiesta Bonfadini, p. 156. Ces thèmes furent repris dans le rapport final, *ibid.*, p. 1135 et sq.

88. S. Salomone-Marino, *Leggende popolari siciliane in poesia*, Palerme, 1880, p. XXII. Voir surtout la belle analyse de R. Mangiameli, *Banditi e mafiosi dopo l'Unità*, *op. cit.*

89. Rapport du général A. Casanova, p. 48-53. Voir également G. Fiume, *Le Bande armate in Sicilia*, *op. cit.*, en particulier les cartes des p. 159-169, qui montrent que le rayon d'action des bandes reste le même pendant les périodes pré et postunitaires et qu'il coïncide par ailleurs avec la zone traditionnelle de l'infection mafieuse.

90. APCD, 1874, Documenti, rapport du ministre Cantelli sur les mesures de Sûreté publique, p. 2 et 4. Sur le mélange entre hors-la-loi et auxiliaires du crime, voir également le témoignage de don Peppino le Lombard, in R. Mangiameli, *Dalle bande alle cosche*, *op. cit.*

91. Entretien avec le colonel commandant d'Agrigente, Inchiesta Bonfadini, p. 576. L'importance des alliances municipales est soulignée par G. Fiume, *Le Bande armate*, *op. cit.*, et R. Mangiameli, « Banditi e mafiosi », *op. cit.*

92. G. Pagano, *La Sicilia nel 1876-1877*, Palerme, 1877, p. 41.

93. H. Hess, *Mafia*, *op. cit.*, et P. Pezzino, *Una Certa Reciprocità*, *op. cit.*, p. 129-131.

94. Entretien, cité *supra*, du colonel commandant d'Agrigente, p. 580. L'épisode est également évoqué par P. Pezzino, *Una Certa Reciprocità*, *op. cit.*, p. 60-61.

95. E. Fincati, *Un Anno in Sicilia, 1877-1878*, Rome, 1881, p. 76. Ce point de vue est influencé par l'amélioration des rapports entre État et classes dirigeantes après 1876.

96. R. Mangiameli, *Banditi e mafiosi*, *op. cit.*, p. 98.

97. APCD, Discours cité *supra*, p. 4126.

98. Cette expression sarcastique est de G. Di Menza, *Cronache delle assise di Palermo*, Palerme, 1978, II, p. 232. Sur ces épisodes et pour un portrait de Di Menza, magistrat et homme de gauche, voir R. Mangiameli, *Banditi e mafiosi*, *op. cit.*, p. 75.

99. APCD, Discours cité *supra*, p. 4131.

100. Entretien cité *supra*.

101. Rapport final, Inchiesta Bonfadini, p. 1158.

102. À en croire, du moins, le témoignage du baron, p. 699-702.

103. Le réquisitoire de Tajani et le témoignage de Barraco sont publiés in N. Russo [éd.], *Antologia della mafia*, Palerme, 1964, p. 163.

104. APCD, Discours cité *supra*, p. 4133.

105. Voir, respectivement, dans l'Inchiesta Bonfadini, le rapport, p. 5 et l'entretien (consécutif à sa démission), p. 969-970.

106. APCD, Discussioni, 11 juin 1875, p. 4114.

107. Je renvoie à l'introduction de L. Sandri à l'Inchiesta Bonfadini et à E. Iachello, *Stato unitario*, *op. cit.*, p. 7-86.

108. S. Sonnino, *I contadini in Sicilia*, in L. Franchetti, S. Sonnino, *Inchiesta*, *op. cit.*, II.

109. L. Franchetti, *Condizioni politiche*, *op. cit.*, p. 93.

110. Entretien Rudinì, Inchiesta Bonfadini, p. 951 ; Pitrè, *Usi e costumi*, *op. cit.*, p. 291.

111. L. Franchetti, *Politica e mafia*, *op. cit.*, p. 41.

112. *Ibid.*, p. 68-69, 37 et 48-49.

113. *Ibid.*, p. 198 et, pour les références précédentes, p. 34, 32, 62.

114. *Ibid.*, p. 36, 46, 49.

115. *Ibid.*, p. 196.

116. Parmi les *Lettere di Sidney Sonnino ad Emilia Peruzzi*, sous presse, que j'ai pu lire grâce à la courtoisie de Paola Carlucci, il en est une (lettre CXXX, Palerme, le 2 mars 1876) dans laquelle il écrit, à propos de Turrisi : « Ici on dit qu'il est lié à la mafia, mais cela nous importe peu, et nous voudrions écouter ce qu'il dit ».

117. L. Franchetti, *Condizioni politiche*, *op. cit.*, p. 91.

118. *Ibid.*, p. 31.

119. Il faut rappeler que Franchetti n'a pas trouvé trace de semblables phénomènes durant son voyage dans le Mezzogiorno continental, en 1874. Voir L. Franchetti, *Condizioni economiche e amministrative delle provincie napoletane*, Rome-Bari, 1985.

120. De façon volontairement fallacieuse, Giuseppe Torina, ancien maire et député de Caccamo, considéré comme un représentant de « la Haute Mafia », soutient que « les mafieux sont à la campagne » et pas dans les villages ; Inchiesta Bonfadini, p. 441.

121. L. Franchetti, *Condizioni politiche*, *op. cit.*, p. 33-34. La tentative de distinguer entre deux *manutengolismi* (par intérêt et par nécessité) se trouve déjà dans le rapport, cité *supra*, de Rasponi, 31 juillet 1874, p. 13-14.

122. R. Mangiameli, *Banditi e mafiosi*, *op. cit.*

123. L. Franchetti, *Condizioni politiche*, *op. cit.*, p. 55.

124. Franchetti surévalue la mobilisation des propriétaires contre les brigands ; voir R. Mangiameli, *Banditi e mafiosi, op. cit.*, p. 98-99.

125. Jusqu'à l'abolition de la féodalité, les villes pouvaient dépendre des barons (*città baronali*, « cités baronales ») ou directement du roi (*città demaniali*, « cités domaniales »).

126. Je ne peux que renvoyer à R. Romanelli, *Il Comando impossibile*, Bologne, 1988.

127. E. Iachello, *Stato unitario, op. cit.*, p. 70, rappelle que Fortuzzi est l'une des sources de Franchetti. Voir également E. Cavalieri, introduction à l'Inchiesta, p. XXIII.

128. L. Franchetti, *Condizioni politiche, op. cit.*, p. 218-239 (pour les citations, p. 219, 221, 222, 224).

129. C'est le titre d'un pamphlet de R. Conti, *Risposta all'orrendo libello di Leopoldo Franchetti*, Catane, 1877.

130. G. Alongi, *La Maffia, op. cit.*, p. 9.

131. G. Pagano, *La Sicilia nel 1876-1877, op. cit.*, p. 35.

132. ACS, Justice, AGR, b. 37, 1877, en particulier le *Prospetto dei processi* [...] *per abusi di autorità*. Voir également, pour le énième conflit entre magistrature et préfecture de police, ASPA, GP, 1877, b. 42.

133. G. Pagano, *La Sicilia nel 1876-1877, op. cit.*, p. 41.

134. ASPA, GP, 1877, b. 39. Mais Rasponi, dans son rapport du 31 juillet 1874 cité *supra*, annonçait déjà « une liste de mafieux classés par gradation ».

135. Fiche sur M. Abbate, n° 66 de la liste de Termini, IIe catégorie.

136. Fiches sur A. Di Marco, n° 70 et sur L. Crimi, n° 67, liste de Termini.

137. Fiche n° 50, Termini.

138. Fiche sur G. Demma, n° 52, Termini.

139. Rapport du commissaire, 10 juin 1877 ; télégramme de Nicotera au préfet, 26 janvier 1877 : ASPA, GP, 1877, b. 39. Fiche Torina, Ire cat., Termini, n° 22. L'entretien avec Torina (Inchiesta Bonfadini, p. 433-442) est une polémique contre les « excès » de l'admonition.

140. Lettre du 17 février 1877, ASPA, GP, 1877, b. 39.

141. Rapport du commissaire, ASPA, GP, 1877, b. 39.

142. Fiche n° 3, Ire cat., Termini.

143. Témoignage au procès Notarbartolo, in G. Marchesano, *Processo contro Raffaele Palizzolo & C. Arringa dell'avv. G. M.*, Palerme, 1902, p. 309. On trouvera d'autres attestations de mérites accordées à des notables mafieux des années 1880 dans le livre de H. Hess, *Mafia, op. cit.*, p. 92-94.

144. « La questione Avellone », *Giornale di Sicilia*, 3 avril 1892, cité par O. Cancila, *Palermo*, Rome-Bari, 1988, p. 235.

145. Fiche n° 1, Ire cat., Termini.

146. Fiche n° 4-5, Ire cat., Termini.

147. Rapport du 10 juin 1877, in ASPA, GP, 1877, b. 39. Les frères Runfola sont des propriétaires de Valledolmo, n° 6 et 7 de la liste de Termini, Ire cat. ; Cerrito paraît être un membre de la famille de grands locataires de fiefs de Caltavuturo.

148. Informations fournies par le député Girolamo De Luca Aprile, rapportées dans le résumé de la première instruction sur l'assassinat de Notarbartolo, in ACS, Justice, MAP, b. 126. Il faut remarquer que De Luca Aprile fut l'un de ceux qui critiquèrent Malusardi ; cf. F. Brancato, *La Mafia*, *op. cit.*, p. 230. G. Marchesano, *Processo*, *op. cit.*, p. 348-349, remarque que Palizzolo étant favorable au gouvernement, les raisons de son admonition ne peuvent être liées à des calculs électoraux.

149. *Prospetto dei processi* [...] *per abusi di autorità*, *op. cit.*, p. 138.

150. G. Alongi, *La Mafia*, *op. cit.*, p. 299.

151. Cité par P. Pezzino, *Una Certa Reciprocità*, *op. cit.*, p. 138.

152. *Ibid.*

153. APCD, Discussioni, séance du 8 juillet 1896, p. 7315-7353, et en particulier p. 7347. C'est nous qui soulignons.

154. Les lettres sont reproduites par G. Marchesano, *Processo*, *op. cit.*, p. 320-329. La lettre concernant Filippello se trouve in ASPA, GQ, 1866-1939, b. 20.

155. APCD, Discussioni, séance du 8 juillet 1896, p. 7315-7353.

156. A. Cutrera, *La Mafia*, *op. cit.*, p. 91. Sur Li Destri, voir H. Hess, *Mafia*, *op. cit.*, *passim*.

157. S. Sonnino, *I Contadini*, *op. cit.*, p. 68. Voir également, S. Lupo, *Il Giardino degli aranci. Il mondo degli agrumi nella storia del Mezzogiorno*, Venise, 1990.

158. Voir l'intervention de S. Corleo in E. Iachello, *Stato unitario*, *op. cit.*, p. 259-260. Le ton de Villari (*Lettere meridionali*, *op. cit.*, p. 56) est identique. N. Colajanni (*La Delinquenza in Sicilia e le sue cause*, Palerme, 1885, p. 35 et sq.) est peu convaincant.

159. Thèse exprimée dans le rapport final de l'Inchiesta Bonfadini, p. 1079.

160. APCD, Discours cité *supra*, p. 4125.

161. L. Franchetti, *Condizioni politiche*, *op. cit.*, p. 95.

162. Entretien in Inchiesta Fabrizi, p. 77.

163. L. Franchetti, *Condizioni politiche*, *op. cit.*, p. 97-99.

164. *Atti della Giunta per l'inchiesta agraria*, XIII, Rome, 1884-1885, f. 1.2, p. 249.

165. Respectivement : anonyme, 22 mars 1879 ; lettre d'un conseiller au préfet (les *settembrini* sont les participants à l'insurrection de septembre 1866) ; liste des conseillers en 1879 : ASPA, GP, b. 61.

166. Processo Amoroso, *op. cit.*, p. 160.

167. G. De Felice, *Maffia e delinquenza in Sicilia*, Milan, 1900, p. 52-53.

168. Lettre du préfet de police au préfet, 10 octobre 1875, ASPA, GP, 1876, b. 35 ; anonyme in ASPA, GP, 1880, b. 51.

169. Témoignage du président de la cour d'appel de Palerme, S. Schiavo, *in* Inchiesta Bonfadini, p. 376-377.

170. Entretien *in* Inchiesta Bonfadini, p. 477.

171. C'est une expression de Gestivo (entretien cité), dont l'idéologie philomafieuse ne manque vraiment pas de clarté.

172. Je cite d'après le mémoire de Galati, « I casi di Malaspina e la mafia nelle campagne di Palermo », in Inchiesta Bonfadini, p. 999-1016, en particulier p. 1000 ; également in ASPA, GP, 1876, b. 5.

173. Plaidoirie de maître Siracusa, Processo Amoroso, p. 218.

174. Le préfet de police au préfet, 10 octobre 1875, in ASPA, GP, b. 35.

175. Mémoire de Galati, *op. cit.*, p. 1001.

176. Le préfet de police au préfet, 18 septembre 1875, in ASPA, GP, b. 35.

177. Processo Amoroso, *op. cit.*, p. 238 ; c'est nous qui soulignons.

178. Le ministre au préfet, 18 septembre 1875, p. 3, in ASPA, GP, 1875, b. 35, f. 6.

179. Le préfet de police au préfet, 26 octobre 1875, fonds cité *supra*, p. 11 et 10.

180. Échange de lettres entre Gerra et Codronchi, 26 et 30 novembre 1875, fonds cité *supra*.

181. Mémoire du 29 décembre 1875, fonds cité *supra*.

182. Le ministre au préfet, 12 août 1875, p. 2 et 4.

183. Rapport du préfet de police au procureur du roi, 29 septembre 1876, in ASPA, GQ, b. 7 (1880). Voir également G. Di Menza, *Le Cronache*, *op. cit.*, p. 221 et sq. ; A. Cutrera, *La Mafia*, *op. cit.*, p. 118 et sq.

184. Le sens de ce terme apparaît clairement au cours du procès de 1878, en particulier dans la déclaration de l'inculpé S. Spinnato, 27 avril 1878, in ASPA, GQ, fonds cité *supra*.

185. G. Di Menza, *Le Cronache*, *op. cit.*, p. 232.

186. Le commissaire Bernabò au préfet de police, 16 septembre 1876, p. 3, in ASPA, GQ, fonds cité *supra*. Deux des inculpés de la « secte » soutiennent qu'ils ont été persécutés par Albanese, *ibid*.

187. Le procureur du roi à Palerme au ministre, 18 janvier 1879, in ACS, Justice, MAP, b. 49.

188. Lettre au *Giornale di Sicilia*, 28 mai 1878.

189. Sur le conflit tragique qui l'opposa au maire de Marineo, Calderone, voir le mémoire écrit en 1887 par son épouse, G. Cirillo Rampolla, *Suicidio per mafia*, introduction de G. Fiume, Palerme, 1986.

190. Rapport du commissaire de Misilmeri, 1ᵉʳ décembre 1876, in ASPA, GQ, fonds cité *supra*.

191. G. Di Menza, *Cronache*, *op. cit.*, p. 238.

192. Les documents se trouvent in ACS, Justice, MAP, b. 49 ; le texte des lettres in Processo Amoroso, p. 148-150.

193. L. Franchetti, *Condizioni politiche*, *op. cit.*, p. 96.

194. ASPA, GP, b. 63.

195. Processo Amoroso, p. 56.

196. Rapport du préfet à propos du procès d'un mafieux palermitain accusé du meurtre de sa femme, 23 août 1914, p. 3, in ACS, Police judiciaire, b. 144.

197 Rapport du préfet, 16 juin 1912, p. 2, fonds cité *supra*, b. 374.

198. Témoignage et incident in ASPA, GQ, b. 63.

199. Processo Amoroso, p. 41.

200. *Ibid*., p. 203.

201. Rapport du commissaire Cicognani, 8 mars 1880, in ASPA, GQ, fonds cité *supra*.

202. Télex de Marinuzzi in *L'Amico del Popolo*, 5 mars 1880 ; c'est nous qui soulignons. Un résumé détaillé de la plaidoirie se trouve in ASPA, GQ, fonds cité *supra*.

203. Processo Amoroso, p. 24.

204. *Ibid.*, p. 251.

205. *Ibid.*, p. 40.

206. G. Galati, *I Casi di Malaspina*, *op. cit.*

207. E. Arnao, *La Coltivazione degli agrumi*, Palerme, 1899, p. 373.

208. Respectivement : F. Alfonso, *Trattato sulla coltivazione degli agrumi*, Palerme, 1875, p. 463 ; entretien de l'exportateur F. Puglisi, in E. Iachello, *Stato unitario*, *op. cit.*, p. 200.

209. Voir la description de l'assassinat de l'un de ces courtiers dans le rapport de Bernabò au préfet de police, 24 septembre 1876, ASPA, GQ, fonds cité *supra*. Pour une analyse plus détaillée de ces transactions, voir S. Lupo, *Il Giardino degli aranci*, *op. cit.*

210. Entretien Pagano, in Inchiesta Bonfadini, p. 483.

211. Le préfet de police au procureur du roi, 29 septembre 1876, cité *supra*, p. 8.

CHAPITRE III

1. Un portrait de Notarbartolo, hagiographique, mais qui est apparu digne de foi chaque fois qu'il a été possible d'effectuer des recoupements, a été tracé par son fils, L. Notarbartolo, *Memorie della vita di mio padre, Emanuele Notarbartolo de San Giovanni*, Pistoia, 1949. Sur la période où il était maire de Palerme, voir O. Cancila, *Palermo*, *op. cit.*, p. 148-155 ; sur la direction de la Banque de Sicile, voir R. Giuffrida, *Il Banco di Sicilia*, Palerme, 1973, II, p. 307-319. Voir également G. Barone, *Egemonie urbane*, *op. cit.* et P. Pezzino, *Una Certa Reciprocità*, *op. cit.*, p. 159-165.

2. G. Marchesano, Processo, *op. cit.*, p. 213.

3. *Per l'assassinio del comm. Notarbartolo* (24 octobre 1896), p. 1, in BCI, Carte Codronchi, Commissariato civile per la Sicilia, cat. 16, Processo Notarbartolo, b. 8217.

4. Rapport au garde des Sceaux, 26 février 1894, p. 1, in ACS, Justice, MAP, b. 126.

5. Témoignage au procès de Milan du préfet de police de Messine, Peruzy, ancien inspecteur de la Sûreté publique à Palerme, in *Giornale di Sicilia*, 23-24 novembre 1899.

6. R. Poma, *Onorevole, alzatevi !*, Florence, 1976, a décrit les débats que pour ma part j'ai suivis dans les chroniques du *Corriere della Sera*, du *Giornale di Sicilia*, de l'*Avanti !* et d'autres quotidiens.

7. Lettre à Codronchi, 5 décembre 1899, in BCI, fonds cité *supra*.

8. L. Notarbartolo, *Memorie*, *op. cit.*, p. 339.

9. *Avanti !*, 18 novembre 1899.

10. *Corriere della Sera*, 4-5 septembre 1901.

11. Rapport du préfet De Seta, 15 mai 1900, in ACS, PS, AGR 1879-1903, b. 1, fasc. 1/11, p. 4, où se trouve également le billet de Di Blasi.

12. *Giornale di Sicilia*, 3-4 décembre 1899.

13. *Giornale di Sicilia*, 15-16 décembre 1899.

14. *Giornale di Sicilia*, 23-24 novembre 1899.

15. S. Sonnino, *Diario 1866-1912*, B. F. Brown [éd.], Bari, 1972, I, p. 423 et 428.

16. *Avanti !*, 8 décembre 1899.

17. Rastignac [V. Morello], « I discorsi del giorno : *de malo in pejus* », *La Tribuna*, 15 décembre 1899.

18. G. De Felice, *Maffia e delinquenza, op. cit.*, p. 42.

19. Lettre au garde des Sceaux, 14 février 1900, p. 6, in ACS, Justice, fonds cité *supra*, b. 125.

20. L'intervention de Sonnino à la Chambre, le 6 juillet 1896, se trouve in S. M. Ganci, *Il Commissariato civile per la Sicilia del 1896*, Palerme, 1958, p. 320-340. Une liste des députés favorables au gouvernement au moment de la nomination de Codronchi in BCI, fonds cité *supra*, cat. 15, b 8182. Sur le commissariat civil, voir la synthèse de G. Barone, *Egemonie urbane, op. cit.*, p. 285-294.

21. D. Farini, *Diario, op. cit.*, II, p. 908.

22. Discours du 8 juillet 1896, cité *supra*.

23. L. Notarbartolo, *Memorie, op. cit.*, p. 333.

24. Lettres et notes in BCI, fonds cité *supra*.

25. Billets non datés, in BCI, fonds cité *supra*. Le moment pendant lequel Amato-Pojero fut maire de Palerme sera présenté, lors de l'enquête sur la commune de 1900-1901, comme « une des périodes les plus tristes et les plus malheureuses » de la cité ; voir O. Concila, *Palermo, op. cit.*, p. 205.

26. G De Felice, « Le responsabilità del governo : i consiglieri della mafia », *Avanti !*, 28 décembre 1899 ; O. Concila, *Palermo, op. cit.*, p. 103-104.

27. D. Farini, *Diario, op. cit.*, II, p. 1188.

28. *Ibid.*, II, p. 908.

29. « La mafia : sue origini e sue manifestazioni », *Giornale di Sicilia*, 10-11 décembre 1899.

30. Rapporto Sangiorgi, pièce jointe au XVIᵉ rapport, p. 16.

31. Les tractations entre Codronchi, Lucchesi et Bertolani se trouvent in BCI, fonds cité *supra*, cat. 14, b. 7816 bis. D'après un *Memorandum* de la partie civile (14 janvier 1900, p. 4-5), Cosenza aurait convaincu Bertolani d'éviter de faire référence au mandant : ACS, Justice, fonds cité *supra*.

32. L. Notarbartolo, *Memorie, op. cit.*, p. 335-338.

33. Lettre du 5 octobre 1899, p. 3-4, fonds cité *supra*. Une autre lettre de Rudinì à Codronchi (10 octobre 1899, *ibid.*) va exactement dans le même sens.

34. Lettre du 5 octobre 1899, p. 1.

35. *Ibid.*, p. 2.

36. Rapport du préfet De Seta, 15 mai 1900, cité *supra*.

37. Cosenza à Gianturco, 1ᵉʳ avril 1901, p. 4, in ACS, Justice, fonds cité *supra*, b. 126.

38. *Memorandum* du 14 janvier 1900, cité *supra*, p. 14.

39. L. Notarbartolo, *Memorie, op. cit.*, p. 351-352.

40. A. Drago, « La maffia è necessaria », *Avanti !*, 5 décembre 1899.

41. Lettre du 8 juillet 1900, in BCI, fonds cité *supra*, cat. 16, b. 8223. Sur les positions de G. De Felice, voir par exemple « L'ex-Viceré Codronchi e la mafia », *Avanti !*, 9 décembre 1899.

42. APCD, Discussions, 1er décembre 1899, p. 344, 383.

43. « Attorno al processo Notarbartolo », *Il Tempo*, 2 janvier 1900 et l'article de G. De Felice, « Sempre le lettere del generale Mirri », *Avanti !*, 4 janvier 1900.

44. « La mafia : sue origini », article cité *supra*.

45. Documents de janvier 1900, in ACS, Justice, fonds cité *supra*, b. 125.

46. Rapport du 1er mars 1900, in ACS, Justice, fonds cité *supra*.

47. La correspondance entre les deux hommes (déjà utilisée par G. Barone, *Egemonie urbane, op. cit.*, p. 315-316) se trouve in ACS, Justice, fonds cité *supra*, b. 126.

48. *Memoria in difesa di R. Palizzolo*, Palerme, 1904, p. IX.

49. *Corriere della Sera*, respectivement le 28-29 septembre et le 1er-2 octobre 1901.

50. *Memoria, op. cit.*, p. IX.

51. G. Mosca, « Palermo e l'agitazione pro-Palizzolo », in *Uomini e cose di Sicilia*, Palerme, 1980, p. 52.

52. Voir les considérations de V. Frosini, dans l'introduction à G. Mosca, *Uomini e cose, op. cit.*, p. XIV-XV, ainsi que la notice nécrologique sur Rudinì, *ibid.*, p. 89-98. On peut remarquer que Mosca sera élu député de Caccamo : aurait-il usé d'égards particuliers envers les amis de Palizzolo ?

53. ASPA, GP, b. 84 et L. Notarbartolo, *Memorie, op. cit.*, p. 165-188.

54. G. Marchesano, *Processo, op cit.*, p. 417.

55. Respectivement : rapport du 21 août 1882, p. 2-3, in ASPA, GP, b. 84 ; rapport du 3 août 1875, in ASPA, GP, b. 33 ; fiche personnelle, in ASPA, GQ, b. 20 ; P. Pezzino, *Una Certa Reciprocità, op. cit.*, p. 163-164.

56. Rapporto Sangiorgi, rapport XXIV, p. 4-5.

57. A. Cutrera, *La Mala vita di Palermo*, Palerme, 1900.

58. G. Marchesano, *Processo, op. cit.*, p. 332.

59. E. Bertola, *Requisitoria pronunciata alla Corte d'Assise di Bologna*, Bologne, 1902. Voir également la synthèse procurée par le *Corriere della Sera* du 9-10 septembre 1901.

60. E. Bertola, *Requisitoria, op. cit.*, p. 27.

61. *Ibid.*, p. 28.

62. Déclarations des témoins Accardi et Barabbino, *ibid.*, p. 30, 32 ; voir également P. Pezzino, *Una Certa Reciprocità, op. cit.*, p. 161.

63. Rapporto Sangiorgi, p. 370-372. Un cas semblable à celui du domaine Gentile est le domaine Ferreri, près de Tommaso Natale, quartier général des voleurs de bétail et des « contrebandiers les plus dangereux » : le commandant de la légion des carabiniers au préfet, 3 janvier 1896, ASPA, GP, b. 148, f. 16.

64. « Per l'assassinio del comm. Notarbartolo. Sunto e impressioni della pratica esistente in questura », 24 octobre 1896, in BCI, fonds cité *supra*, cat. 16, b. 8217, p. 23.

65. ACS, Intérieur, AGR, 1879-1903, b. 1, fasc. 1/11, télex du 18 décembre 1899.

66. Le préfet au président du conseil, 24 octobre 1900, p. 3-4, in ASPA, GQ, b. 20.

67. « La misteriosa scomparsa di 4 persone », *Giornale di Sicilia*, 6-7 et 12-13 novembre 1897.

68. Note manuscrite, certainement de la main de Sangiorgi, in ASPA, GQ, b. 20.

69. Rapporto Sangiorgi, p. 47.

70. *Ibid.*, p. 9.

71. *Ibid.*, p. 193.

72. Rapport du préfet de police, 3 août 1900, in ACS, GQ, b. 20. J'ignore si Francesco Vitale est le même que le chef mafieux d'Altarello et si Salvatore Greco est celui qui est signalé dans le Rapporto Sangiorgi comme un membre important du groupe de Ciaculli.

73. Calpurnio, *Dai ricordi dal carcere del comm. Raffaele Palizzolo*, Rome, 1908, p. 142.

74. Le préfet au président du Conseil, 24 octobre 1900, rapport cité *supra*.

75. *Corriere della Sera*, 30-31 octobre 1901.

76. Voir par exemple les préoccupations qu'exprime Sangiorgi, Rapporto, p. 369.

77. Un exemple in Rapporto Sangiorgi, p. 89-90.

78. *Ibid.*, p. 84 et sq.

79. *Ibid.*, p. 37.

80. *Ibid.*, p. 38.

81. *Ibid.*, p. 335-336.

82. G. Alongi, *La Mafia, op. cit.*, p. 301.

83. Rapporto Sangiorgi, respectivement : anonyme cité *supra*, p. 1 et rapport XXVII.

84. Rapporto Sangiorgi, p. 10.

85. A. Drago, « La mafia è necessaria », *Avanti !, op. cit.*

86. G. Mosca, *Che cosa è la mafia, op. cit.*

87. *Associazione a delinquere, Camastra Giovanni...*, 13 mai 1904, in ASPA, QAG, b. 1434. Ce rapport est dû à l'ingéniosité du commissaire Alongi, qui désigne comme mafieux les chefs de cette organisation. Au contraire, A. Cutrera, *La Mala Vita di Palermo, op. cit.*, tend à établir une distinction entre *ricottari* et mafieux.

88. Rapporto Sangiorgi, p. 6.

89. Respectivement : Rapporto Sangiorgi, p. 382 et sq. ; le commissaire de Villabate au préfet de police, 14 décembre 1901, in ASPA, GP, b. 20.

90. Le commissaire de Villabate au préfet de police, 29 décembre 1901, in ASPA, fonds cité *supra*.

91. Par exemple, un cas de vol à la tire et un autre d'extorsion contre un vendeur ambulant in ACS, PG, 1912, b. 374. Sur la camorra urbaine, M. Marmo, *Tra carceri e mercati, op. cit.*, p. 711 et sq. ; sur la camorra de

l'arrière-pays, *ibid.*, p. 726 et sq. Pour une comparaison plus générale, M. Marmo, *Introduzione*, in *Quaderni dell'Istituto universitario orientale*, Dipartimento di scienze sociali, Naples, 2, 1989, p. 9-30.

92. Voir le cas des deux *gabellotti* du fonds Politi, tués l'un après l'autre, celui du fonds Olivieri et ceux de l'endommagement des arbres in Rapporto Sangiorgi, p. 221 et sq. ; rapport XXV, p. 39.

93. « La misteriosa scomparsa… D'Alba, vittima o complice », *Giornale di Sicilia*, 12-13 novembre 1897.

94. « Uno strascico delle bombe sparate ai mercanti di limoni », *Giornale di Sicilia*, 24-26 octobre 1897 ; voir également, sur ces oppositions et ces tensions, S. Lupo, *Il Giardino degli aranci, op. cit.*, p. 162.

95. Rapporto Sangiorgi, p. 92 et sq.

96. *Ibid.*, p. 17 et sq. ; p. 135 et sq.

97. *Ibid.*, p. 18.

98. *Ibid.*, p. 43.

99. *Ibid.*, p. 137, 143 et sq. avec, comme pièces jointes 1 et 2, les déclarations signées par les deux veuves.

100. *Ibid.*, p. 149.

101. *Ibid.*, p. 140.

102. Synthèse de la Ire instruction, citée *supra*, p. 126.

103. *Ibid.* Sur la chute de l'administration régionaliste, O. Cancila, *Palermo, op. cit.*, p. 145 et sq.

104. Notarbartolo à Gerra, 30 mars 1876, cité par R. Giuffrida, *Il Banco, op. cit.*, p. 145. Voir également G. Barone, *Egemonie urbane, op. cit.*, p. 309-311.

105. Notarbartolo à l'inspecteur A. Quarta, 30 juin 1889, cité par R. Giuffrida, *Il Banco, op. cit.*, p. 161.

106. ACS, carte Crispi, b. 420, lettre du 8 avril 1889, reproduite en annexe par R. Giuffrida, *Il Banco, op. cit.*, p. 320-328.

107. L. Notarbartolo, *Memorie, op. cit.*, p. 223-224.

108. G. Marchesano, *Processo, op. cit.*, p. 391.

109. D'après G. Marchesano, *Processo, op. cit.*, p. 394, Palizzolo serait dans la même situation ; Notarbartolo n'en fait jamais mention et je n'ai pas trouvé trace de ce fait dans les sources consultées.

110. Cette seconde lettre (in ACS, fonds cité *supra*) est reproduite en annexe par R. Giuffrida, *Il Banco, op. cit.*, p. 329-332.

111. Synthèse de la Ire instruction, citée *supra*.

112. Cité par L. De Rosa, « Il Banco di Napoli e la crisi economica del 1888-1894. Tramonto e crisi della gestione Giusso », *Rassegna economica*, 2, 1963, p. 349-431 et, en particulier, p. 430.

113. Voir l'analyse de L. De Rosa, *ibid.*

114. Cité par G. Barone, « Crisi economica e marina mercantile nel Mezzogiorno d'Italia (1888-1894) », *Archivio storico per la Sicilia orientale*, I, 1974, p. 45-111 et en particulier p. 82. Je renvoie à cet article pour tout ce qui concerne le projet italo-britannique.

115. G. Barone, « Crisi economica », *op. cit.*, p. 83. Sur l'empire des Florio, voir S. Candela, *I Florio*, Palerme, 1986.

116. G. Barone, « Lo Stato e la marina mercantile in Italia », *Studi storici*, 3, 1974.

117. Discours du 29 avril 1885, in APCD, Discussioni, p. 13203-13221, en particulier p. 13219.

118. R. Palizzolo, *Sulle convenzioni marittime*, Rome, 1893, p. 30.

119. Témoignage de P. Bazan, à Milan, *Giornale di Sicilia*, 25-26 nov. 1899 ; voir l'éclairante analyse de G. Marchesano, *Processo, op. cit.*, p. 452 et sq.

120. *L'Epoca*, 8 juin 1890, cité par R. Giuffrida, *Il Banco, op. cit.*, p. 256.

121. Synthèse de la Ire instruction, citée *supra*.

122. *Corriere della Sera*, 6-7 septembre 1899.

123. Cutrera au préfet de police, 26 et 27 janvier 1900, in ASPA, GQ, 1866-1939, b. 20. Sur le financement de l'exportation des agrumes, voir S. Lupo, *Il Giardino degli aranci, op. cit.*

124. Voir leurs fiches personnelles, in ASPA, fonds cité *supra*, et les rapports du 24 et du 25 janvier 1900, *ibid.*

125. Respectivement : Processo Amoroso, p. 28 ; ACS, PS, AGR, 1907-1913, b. 1, fasc. 1/11, télex du préfet d'Agrigente, 13 décembre 1899.

126. Exposé de G. Blandini, juin 1909, cité par G. Barone, « Lo stato e le opere pie in Sicilia », in Coll., *Chiesa e società in Sicilia*, Acireale, 1990, p. 52.

127. Rapporto Sangiorgi, p. 314-315.

128. Respectivement : lettre du 9 mars et rapport du 4 avril 1898, in ASPA, GP, b. 172. Voir également, S. Lupo, *Il Giardino degli aranci, op. cit.*, p. 159 et sq.

129. *Giornale di Sicilia*, 30 novembre-1er décembre 1899.

130. L. Notarbartolo, *Memorie, op. cit.*, p. 394.

131. Rapporto Sangiorgi, pièce jointe au rapport XIV.

132. Calpurnio, *Dai ricordi del comm. Raffaele Palizzolo, op. cit.*, p. 10. Je n'ai jamais trouvé trace de ces fantomatiques *Ricordi* que « Calpurnio » attribue à Palizzolo.

133. G. Mosca, « Perché offende l'assoluzione di Palizzolo », in *Uomini e cose di Sicilia, op. cit.*, p. 58.

134. Évidemment, il s'agissait de thèmes récurrents ; que l'on note par exemple la coïncidence chronologique entre la présentation de l'œuvre de Nitti et l'inauguration du procès de Milan dans le *Giornale di Sicilia*, 8-9 novembre 1899.

135. Sur le « Pro-Sicilia », je renvoie à F. Renda, *Socialisti e cattolici in Sicilia (1900-1904),* Caltanissetta-Rome, 1972, p. 405.

136. O. Cancila, *Palermo, op. cit.*, p. 237-240 ; S. Candela, *I Florio, op. cit.* ; G. Barone, « Il tramonto dei Florio », *Meridiana*, 11-12, 1991, p. 15-46.

137. *La Battaglia*, 10 novembre 1901, cité par F. Renda, *Socialisti e cattolici, op. cit.*, p. 405.

138. Voir par exemple le discours au parlement de G. De Felice, 1er décembre 1899, cité *supra*, p. 350-351, et, du même, *Maffia e delinquenza, op. cit.*, p. 37.

139. Voir la lettre de V. E. Orlando à Giolitti (1909), citée par G. Barone, « Il tramonto dei Florio », *op. cit.,* p. 34.

140. Programme électoral cité par F. Renda, *Socialisti e cattolici*, *op. cit.*, p. 116, et auquel je renvoie pour l'analyse de ces événements.

141. *L'Ora*, 24-26 juillet 1904. Les autres organes de presse favorables à Palizzolo produisent des articles du même tonneau : « il caso Palizzolo », *Il Gazzettino rosa*, 11-18 janvier 1900 ; Spartachus, « Tasca, Drago et Palizzolo », *La Forbice*, 7 janvier 1900.

142. G. De Felice, *Maffia e delinquenza*, *op. cit.*, p. 43.

143. Voir les considérations de M. Marmo, *Il proletariato industriale a Napoli en età liberale*, Naples, 1978, p. 223 et sq., et de F. Barbagallo, *Stato, Parlamento e lotte politico-sociali nel Mezzogiorno*, Naples, 1976, p. 70 et sq.

144. *Avanti !*, 1er août 1902.

145. « Saprofiti politici », *Critica sociale*, XIII, 1895, p. 194-195.

146. A. Labriola, « Nord e Sud », *Critica sociale*, XV, 1896, p. 234.

147. A. Oriani, « Le voci della fogna », *Il Giorno*, 8 janvier 1900.

148. N. Colajanni, *Nel regno della mafia*, *op. cit.*, p. 39.

149. *Il Mattino*, 13 novembre 1903. Cité in F. Barbagallo, *Stato, Parlamento*, *op. cit.*, p. 169. Auparavant, l'extrême gauche avait critiqué P. Rosano qui avait annoncé sa décision de défendre Palizzolo.

150. L. Pirandello, *I Vecchi e i giovani*, Milan, 1913 [1re éd. 1905], p. 7.

151. Article du 1er août 1902, cité par le *Corriere della Sera*, 2-3 août 1902.

152. *Corriere della Sera*, 2-4 octobre 1901.

153. « La mafia : sua natura, sue manifestazioni », *op. cit.*

154. G. Alongi, *La Mafia*, *op. cit.*, p. 112.

155. *L'Ora* et *Il Giornale di Sicilia*, 31 mars, 1er avril 1902. C'est nous qui soulignons.

156. APCD, Session 1874-1875, cité *supra*, séance du 7 juin, p. 3966.

157. G. Mosca, *Che cosa è la mafia*, *op. cit.* À ce propos, voir R. Salvo, « Mosca, la mafia e il caso Palizzolo », *Nuovi quaderni del Meridione*, 1982, p. 233-245.

158. G. Marchesano, *Processo*, *op. cit.*, p. 292.

159. Voir respectivement : sa déposition, citée *supra*, au procès de Bologne ; le témoignage de sa fille, in G. Bonomo, *Pitrè, La Sicilia e i Siciliani*, Palerme, 1898, p. 345 ; les ouvrages et articles cités *supra* de G. Barone et F. Renda. Voir également G. Pitrè, « Per la Sicilia », *Giornale di Sicilia*, 7-8 août 1902.

160. G. Pitrè, *Usi e costumi*, *op. cit.*, p. 289.

161. Processo Amoroso, p. 39.

162. L. Sciascia, *A futura memoria*, Milan, 1989. H. Hess attribue par erreur cette phrase à l'inculpé Minì ; Sciascia, ajoutant une erreur à une autre, commente en ces termes : « Mini [sic] signifie Untel ; Untel, moyen ou gros mafieux » : on peut voir à l'œuvre le procédé typique de projection dans un Empirée symbolique de faits et de personnes parfaitement identifiables. (H. Hess, *Mafia*, *op. cit.* et préface de Sciascia à ce livre, p. VI).

163. Processo Amoroso, respectivement p. 34, 69, 30.

164. Processo Amoroso, p. 120.

165. H. Hess, *Mafia*, *op. cit.*, p. 44.

166. Plaidoirie de maître Lucifora, in ASPA, GQ, b. 7 ; plaidoirie de maître Cuccia, Processo Amoroso, p. 250.

167. Thèse démontée par G. Marchesano, *Processo, op. cit.*, p. 69-70.

168. G. Marchesano, *Processo, op. cit.*, p. 294-295.

169. G. Pitrè, *Usi e costumi, op. cit.*, II, p. 292.

170. C'est l'opinion de l'informateur anonyme, cité *supra*, p. 1.

171. Rapporto Sangiorgi, p. 277 et sq., p. 349 et sq.

172. *Ibid.*, p. 191 ; voir aussi G. Alongi, *La Guardianìa, op. cit.*, p. 354.

173. Le préfet de police au préfet, 18 septembre 1875, fonds cité *supra*, p. 5.

174. J. et P. Schneider, *Classi sociali, op. cit.*, p. 103 et sq.

175. « Il processo contro i rapinatori di carrozze », *Giornale di Sicilia*, 7 juillet 1928. Pour un cas de ce genre, voir le rapport de la préfecture de police, 11 octobre 1916, in ACS, PG 1916-1918, b. 236.

176. Rapport, cité *supra*, de G. Alongi, 13 mai 1904, p. 12.

177. J. Amery, *Sons of the Eagle : a Study on Guerrilla War*, Londres, 1948, cité par J. et P. Schneider, *Classi sociali, op. cit.*, p. 121.

178. G. E. Nuccio, *Il Giardino dei limoni*, Palerme, 1926, cité par S. F. Romano, *La Sicilia nell'ultimo ventennio del secolo XIX*, Palerme, 1958, p. 118.

179. Rapporto Sangiorgi, rapport XXVIII, p. 9 ; c'est nous qui soulignons.

180. Le préfet de police au préfet, 10 octobre 1875, fonds cité *supra*.

181. Rapport du préfet de Palerme, 16 mars 1916, in ACS, PG, 1916-1918, b. 236.

182. Le commandant de la légion des carabiniers au préfet, 3 janvier 1896, in ASPA, GP, b. 148, f. 16 ; également in Rapporto Sangiorgi, p. 253.

183. G. G. Lo Schiavo, *100 anni di mafia, op. cit.*

184. Processo Amoroso, p. 47 ; E. Scalici, *Cavalleria di Piazza Montalto*, Naples, 1885, réed. sous le titre *La Mafia siciliana*, A. D'Asdia [éd.], Palerme, 1980, p. 81.

185. E. Onufrio, *La Mafia, op. cit.*, p. 367.

186. P. Arlacchi, *La Mafia imprenditrice, op. cit.*, p. 26-27. L'analyse de R. Catanzaro, *Il delitto, op. cit.*, p. 38-41, est beaucoup plus convaincante.

187. Ce sont les termes utilisés par Francesco Siino, Rapporto Sangiorgi, p. 45.

188. Rapporto Sangiorgi, p. 95.

CHAPITRE IV

1. E. Reid, *La Mafia*, Florence, 1956, p. 152 et sq. ; J. L. Albini, *The American Mafia : Genesis of a Legend*, New York, 1971, p. 159 et sq. ; H. S. Nelli, *The Business of Crime, op. cit.*, p. 27 et sq.

2. Probable allusion au brigand Leone ; cette version est reprise par H. Asbury, *The French Quarter*, New York, 1938, cité par J. L. Albini, *The American Mafia, op. cit.*, p. 160.

3. Cité par A. Paparazzo, *Italiani del Sud in America,* Milan, 1990, p. 12, auquel je renvoie sur ce point.

4. E. Sori, *L'Emigrazione italiana dall'Unità alla seconda guerra mondiale*, Bologne, 1979, p. 330-336.

5. *Plunkitt di Tammany Hall, una serie di conversazioni* [...] *raccolte da W. L. Riordon*, A. Testi [éd.], Pise, 1991 (1re éd. 1905).

6. J. L. Albini, *The American mafia, op. cit.*, p. 154. Parmi les essais de l'entre-deux-guerres, voir : J. Landesco, *Organized Crime in Chicago*, Chicago, 1979 (1re éd. 1929) ; F. W. White, *Little Italy. An italian-american slum*, Bari, 1968 (1re éd. 1943). Sur ce débat, voir P. Arlacchi et N. Dalla Chiesa, *La Palude et la città*, Milan, 1987 ; U. Santino et G. La Fiura, *L'Impresa mafiosa dall'Italia agli Stati Uniti, op. cit.*, p. 516 et sq.

7. S. Lupo, *Il Giardino degli aranci, op. cit.*, p. 128 et sq.

8. Voir *supra*, p. 116.

9. Lettre du brigand citée par L. Lumia, *Villalba, storia e memoria*, Caltanissetta, 1990, II, p. 234.

10. C'est le cas de P. Pollara, conseiller communal de Ficarazzi : rapport du préfet de Palerme, 4 février 1916, in ACS, PG, 1916-1918, b. 236.

11. Ce document est publié par A. Petacco, *Joe Petrosino*, Novare, 1983, p. 111-117 (citation p. 111).

12. J'ai reconstitué l'histoire à partir des livres de A. Petacco, cité *supra*, et de N. Volpes, *Tenente Petrosino, missione segreta in Sicilia*, Palerme, 1972. Ces deux ouvrages reproduisent des documents de première main dont une partie provient d'un fascicule de la préfecture de police palermitaine, impossible à consulter par la voie normale aux archives.

13. En revanche, le *Report of Immigration Commission* du Parlement fédéral (1911) donne acte au gouvernement italien de son attitude de collaboration ; d'autres difficultés sont à attribuer à la législation des États-Unis : voir J. L. Albini, *The American Mafia, op. cit.*, p. 168-169.

14. Rapport cité par A. Petacco, *Joe Petrosino, op. cit.*, p. 138-139.

15. Rapport de la chambre d'accusation de la cour d'appel de Palerme, 22 juillet 1911, cité par N. Volpes, *Tenente Petrosino, op. cit.*, p. 146-153 et, en particulier, p. 148.

16. Rapport de Ceola, 2 avril 1909, cité par A. Petacco, *Joe Petrosino, op. cit.*, p. 166-170.

17. Cette appréciation, qui provient de l'un de ses compatriotes, le juge M. Margiotta, né en 1901, reflète la « rumeur publique » de l'époque ; cité par L. Sciascia, *A futura memoria, op. cit.*, p. 37-38.

18. Respectivement : lettre à Ceola du préfet de police de Rome, 19 mars 1909, in N. Volpes, *Tenente Petrosino, op. cit.*, p. 118 ; A. Block, *East Side-West Side, op. cit.*, p. 8.

19. M. Pantaleone, *Mafia e politica*, Turin, 1962 ; cette information n'a pu être confirmée par l'étude des documents disponibles, pas plus que celle selon laquelle Cascio-Ferro aurait mis en place le « *pizzo* » [racket] à Palerme (p. 29-30). Le passage par Marseille était utilisé pour éviter les contrôles italo-américains : *Reports of Immigration Commission*, 1911, cité *supra*. En 1924, Joe Bonanno s'expatriera en suivant la route Tunis, Le Havre, Cuba, Floride (la dernière partie du voyage s'effectuant égale-

ment dans un bateau de pêche) : J. Bonanno, *Uomo d'onore, op. cit.*, p. 54-55.

20. Je tire cette information de ACS, CPC, b. 1141.

21. M. Pantaleone, *Mafia e politica, op. cit.*, p. 31.

22. Sur ce processus, voir G. Barone, *Egemonie urbane, op. cit.*, p. 215-216.

23. Exposé de G. Blandini, juin 1909, cité *supra.*

24. Voir *supra*, p. 137.

25. Fiche personnelle, in ACS, CPC, fonds cité *supra.*

26. Rapport du préfet de Palerme, 12 décembre 1908, in ACS, fonds cité *supra.*

27 Plaidoirie du lieutenant Palizzolo, défenseur des adhérents du *fascio* de Partinico, in G. Casarrubea, *I Fasci contadini e le origini delle sezioni socialiste della provincia di Palermo*, Palerme, 1978, II, p. 257.

28. C'est le cas, entre autres, du massacre de Casalvuturo, à propos duquel je renvoie aux analyses de F. Turati, « Il "trionfo dell'ordine" a Casalvuturo », *Critica sociale*, VI, 1893.

29. A. Drago, « La maffia è necessaria », *op. cit.*

30. G. Casarrubea, *I Fasci contadini, op. cit.*

31. Document imprimé, intitulé *Il municipio di Misilmeri*, Palerme, 1901, p. 11, in ACS, AC, Comuni, b. 172.

32. Je renvoie à l'ouvrage fondamental de G. Barone, *Egemonie urbane, op. cit.*

33. Rapport du commissaire de la Sûreté publique, 20 décembre 1899, in ACS, fonds cité *supra.*

34. Respectivement : article « Cose di Monreale », *La Provincia*, 1908 ; manifeste de l'administration communale, 18 juin 1908, in ACS, fonds cité *supra.*

35. Recours signé M. Costanzo, 20 mars 1908, in ACS, fonds cité *supra.*

36. Rapport du commissaire de la Sûreté publique, 20 décembre 1908, cité *supra.*

37. Rapport du préfet, 4 octobre 1906, in ACS, AC, Comuni, b. 173.

38. Respectivement : télex de Di Pisa à Zanardelli, 29 juin 1906 ; mémoire du cercle des *civili*, [s.d.], p. 6-7, in ACS, fonds cité *supra.*

39. Rapport préfectoral, 16 juillet 1906, in ACS, fonds cité *supra.*

40. ACS, PG, 1912, b. 374. Voir *supra*, p. 99, 118.

41. G. G. Lo Schiavo, « Il Reato di associazione », in *100 anni di mafia, op. cit.*, p. 145.

42. Recours signé G. Fiducia Morana, p. 4, et rapport de la direction générale de la Sûreté publique, 8 juin 1906, in ACS, fonds cité *supra*, b. 172.

43. G. Fiume, introduction à G. Cirillo Rampolla, *Suicidio per mafia, op. cit.*

44. ASAG, Sous-préfecture de Bivona, b. 107.

45. A. Rossi, *L'Agitazione in Sicilia*, Palerme, 1988 [1ʳᵉ éd. 1894], p. 64.

46. Voir A. Blok, *La Mafia, op. cit.*, p. 122. Ici, comme ailleurs, j'utilise les noms réels des protagonistes et non ceux que l'auteur leur a donné par convention.

47. Je renvoie à l'analyse de G. Procacci, « Movimenti sociali e partiti politici in Sicilia », *Annuario dell'Istituto italiano per l'età moderna e contemporanea*, Pise, 1959, p. 109-214.

48. R. Ciuni, « Un Secolo di mafia », in Coll., *Storia della Sicilia*, Palerme, 1978, IX, p. 393.

49. Cité par C. Messina, *Il Caso Panepinto*, Palerme, 1977, p. 40

50. *La Plebe*, 5 janvier 1905, in C. Messina [éd.], *In giro per la Sicilia con « La Plebe »*, Palerme, 1985, p. 71-74.

51 Rapport préfectoral, 11 février 1902, in ACS, AC, Comuni, b. 173 (Prizzi).

52. C. Messina, *Il Caso Panepinto*, *op. cit.*, p. 77.

53. Cité par G. Barone, « Gruppi dirigenti e lotte politiche », in Coll., *Lorenzo Panepinto*, *op. cit.*, p. 61.

54. Rapport du préfet de Palerme, 24 novembre 1915, in ACS, PG, 1916-1918, b. 236.

55. Verro à Colajanni, 27 mai 1912, in G. Barone, « La cooperazione agricola dall'età giolittina al fascismo », in O. Cancila [éd.], *Storia della cooperazione siciliana*, Palerme, 1993, p. 255-256.

56. A. Tasca, « Un apostolo troncato », *Avanti !*, 31 mai 1911.

57 *L'Ora*, 19-20 mai 1911, reproduit in C. Messina, *Il Caso Panepinto*, *op. cit.*, p. 189 et sq.

58. Verro à Colajanni, 12 mai 1911, in G. Barone, *La Cooperazione*, *op. cit.*

59 Lettre reproduite in S. Mangano, *Bernardino Verro, socialista corleonese*, Palerme, 1974.

60. Intervention au congrès paysan de Palerme, février 1920, cité in G. C. Marino, *Partiti e lotta di classe in Sicilia, da Orlando a Mussolini*, Bari, 1976, p. 143 ; sur la conscience qu'Alongi avait du danger qu'il courait, voir le rapport du 4 mars 1920, in ACS, CPC, b. 76, p. 2.

61. Rapport cité *supra*, p. 3 et 6.

62. G. C. Marino, *Partiti e lotta di classe*, *op. cit.*, p. 140.

63. S. Centinaro, « La reazione dell'opinione pubblica alla morte di Lorenzo Panepinto », in *Lorenzo Panepinto*, *op. cit.*, p. 146. Le procès, qui se tint à Catane, pour cause de légitime suspicion, se termina par un non-lieu.

64. C'est un jugement porté par Verro, dans la lettre citée *supra* du 12 mai 1911.

65. Rapport préfectoral, cité *supra*, 24 novembre 1915.

66. L. Lumia, *Villalba*, *op. cit.*, II, p. 271.

67. Rapport de la caisse rurale de Villaba, in *Inchiesta parlamentare*, cité *supra*, I, p. 717.

68. Je renvoie encore une fois à L. Lumia, *Villalba*, *op. cit.*, II, p. 273 et sq.

69 Voir le rapport de G. Alongi, 14 novembre 1902, publié en annexe de G. Alongi, *La Mafia*, *op. cit.*, p. 363-387, et A. Cutrera, *Varsalona, il suo regno e le sue gesta delittuose*, Rome, 1904.

70. Voir le rapport du juge d'instruction F.U. Di Blasi, 2 octobre 1928, IV, in Antimafia. Doc., IV, t. V, p. 423-433.

71. Voir le rapport anonyme, daté de Buenos-Aires, le 9 mars 1913, et le rapport du préfet, 6 mai 1913, in ACS, PG, 1913, b. 103.

72. G. Alongi, rapport cité *supra*, p. 366. L'auteur insiste peut-être trop sur le caractère innovateur de ce brigandage fin de siècle par rapport au brigandage « classique ».

73. Lettre d'un anonyme « propriétaire menacé » au préfet, juin 1912, in ACS, PG, 1913, b. 374.

74. Rapport Di Blasi, 15 septembre 1926, I, in Antimafia, Doc., IV, t. V, p. 339. Voir également le témoignage de Candino, in A. Spanò, *Faccia a faccia con la mafia*, Milan, 1978, p. 20 ; l'auteur, fils du commissaire Francesco Spanò, utilise des documents appartenant à son père.

75. G. Alongi, rapport cité *supra*, p. 376.

76. La protestation du maire, du 4 octobre 1915, se trouve in ACS, PG, 1916-1918, b. 236. L'échange de coups de feu entre la bande Grisafi et l'un des Lo Jacono, après le massacre de seize bovins, en 1912, in ACS, PG, 1912, b. 374. Voir aussi A. Blok, *La Mafia, op. cit.*, p. 131 et sq.

77. Voir, par exemple, le réseau qui soutient Raffaele Ballo, « chef reconnu de la délinquance, grande et petite, des campagnes de Palerme et de Trapani », dans les rapports du 24 février et du 4 mars 1911, in ACS, PG, 1914, b. 144.

78. Les parents de Varsalona exercent une sorte de monopole sur les moulins de la zone : G. Alongi, rapport cité *supra*, p. 371.

79. Rapport du sous-préfet de Corleone, 12 septembre 1913, p. 2, in ACS, PG, 1913, b. 103.

80. Lettre de l'entreprise Malato & C., 17 février 1913 ; réponse de la préfecture, 29 mars 1913, in ACS, PG, 1913, b. 103.

81. M. Genco, *Il Delegato*, Palerme, 1991, p. 55 ; je fais référence à A. Cutrera, *Varsalona, op. cit.*

82. Lettre datée de Palerme, le 15 août 1914, in ACS, PG, 1914, b. 144.

83. G. Alongi, rapport cité *supra*, p. 373.

84. Lettre du prince de Camporeale, 30 novembre 1916, in *Quarant'anni di vita politica italiana. Dalle carte di Giovanni Giolitti*, Milan, 1961, III, p. 202-203.

85. Plaidoirie de maître Restivo lors du procès Ortoleva, *Giornale di Sicilia*, 28 mars 1929.

86. C. Mori, *Con la mafia ai ferri corti, op. cit.*, p. 212.

87. Rapport du juge F. U. Di Blasi, cité *supra*, I, p. 339 et 317.

88. L'association de voleurs de bétail, dirigée par le maire de Godrano, Giuseppe Barbaccia, est mise en cause par le préfet, le 11 mai 1916, in ACS, PG, 1916-1918, b. 236. Sur les suites sanglantes au cours du second après-guerre, voir le rapport sur le bois de la Ficuzza, in Antimafia. Doc., IV, t. III, p. 1223-1233.

89. *Giornale di Sicilia*, 22 janvier 1926.

90. *Giornale di Sicilia*, 6 septembre et, plus généralement, juillet-septembre 1930.

91. Rapport Di Blasi, 26 février 1928, II, in Antimafia. Doc., IV, t. III, p. 371.

92. Lettre citée dans le rapport Di Blasi, III, p. 378.

93. Sur les événements de Mistretta, voir les travaux de G. Raffaele, *L'Ambigua tessitura. Mafia e fascismo nella Sicilia degli anni Venti*, Milan, 1993 ; A. Spanò, *Faccia a faccia, op. cit.* ; le rapport Di Blasi cité *supra* ; les chroniques judiciaires citées *infra*.

94. Voir le témoignage du prêtre I. Strano, *Giornale di Sicilia*, 14 novembre 1928.

95. Témoignages de B. Tusa et L. Seminara, *Giornale di Sicilia*, 11 septembre 1928.

96. Certaines personnes que j'ai interrogées à Ramacca, citent, outre le cas des Tusa, ceux des Pollaci, provenant de Nicosia, dans les années 1920, et des Andolina, provenant de Enna, dans les années 1930.

97. *Giornale di Sicilia*, 28 décembre 1928.

98. Mais il fut condamné à quatre ans de prison lors du procès de Nicosia, en 1929.

99. Témoignage Calderone-Arlacchi, p. 10-11.

100. Témoignage du baron, *Giornale di Sicilia*, 15 octobre 1930.

101. *Giornale di Sicilia*, 11 janvier 1929.

102. G. Raffaele, *L'Ambigua tessitura*, *op. cit.*, p. 237.

103. Cette thèse se rapproche de celle que l'avocat Villasevaglios exprime dans le *Giornale di Sicilia*, 19 janvier 1929 ; selon lui, à partir de l'ensemble montagneux Madonie-Caronie, l'organisation s'étend « vers le débouché des vallées » limitrophes.

104. A. Blok, *La Mafia*, *op. cit.*, p. 143. Blok n'estime pas contradictoire avec cette thèse sa propre description de Cascio-Ferro en train de planifier des vols de bétail aussi bien à Bisacquino qu'à Sambuca (p. 147), ni sa propre définition comme « chef-mafieux de plus vastes circonscriptions » (p. 144). Affirmer que « la prétendue association de malfaiteurs » doit être définie en termes de « réseaux de relations » ne résout pas la question de l'*ampleur* et de la *stabilité* de tels réseaux.

105. G. Molè, *Studio-inchiesta sui latifondi siciliani*, Rome, 1929 ; N. Prestianni, *Inchiesta sulla piccola proprietà coltivatrice formatasi nel dopoguerra*, vol. VI de l'*Inchiesta Inea*, Rome, 1931.

106. G. Barone, *Lo Stato e le opere pie*, *op. cit.*, p. 55 ; ACS, AC, Podestà : Catania.

107. G. Raffaele, *L'Ambigua tessitura*, *op. cit.*, p. 226 et sq.

108. ACS, PS, 1920, b. 87 ; voir également A. Cicala, « Il movimento contadino in Sicilia nel primo dopoguerra », *Incontri meridionali*, 3-4, 1978, p. 61-78.

109. Fiche sur les coopératives de Ribera, in ACS, PS, G1, b. 35 : Agrigento.

110. Sur Genco Russo, voir Antimafia. *Biografie*, p. 39-64 ; sur le fief Polizzello, Antimafia. Doc., IV, t. II et III ; sur les affaires judiciaires, « Cooperativa tra i combatttenti di Mussomeli », *Giornale di Sicilia*, 9 octobre 1929 et le verdict contre Termini et 20 autres inculpés, in ASCL, Corte d'Assise, Sentenza, b. 35.

111. L'épisode est étudié, avec son habituelle clarté, par G. Lumia, *Villalba*, *op. cit.*, p. 340 et sq.

112. Rapport Di Blasi, cité *supra*, II, p. 370.

113. Lettre de l'évêque de Caltanissetta, Jacono, cité *supra*.

114. S. Lupo, « La crisi del monopolio naturale », in Coll., *Economia e società nell'area dello zolfo*, *op. cit.*, p. 354. Sur les précédentes affaires menées par don Calò, voir G. Lumia, *Villalba*, *op. cit.*, p. 313 et sq.

115. Discours parlementaire de mai 1949, cité par O. Barrese, *I complici*, Soveria Mannelli, 1988, p. 18.

116. *Giornale di Sicilia*, 28 juillet 1925.

117. APCD, Discussioni, 7 février 1923, p. 1516.

118. Octobre 1925 ; il s'agit de savoir comment seront réparties les concessions dans la mine Trabia ; *Giornale di Sicilia*, 15 janvier 1928.

119. Télégramme du 3 juillet 1925, in ACS, AC, Ufficio elettorale, b. 18. Le fascisme mériterait plus de place que je ne puis lui en accorder ici ; je renvoie donc à S. Lupo, « L'utopia totalitaria del fascismo », in Coll., *La Sicilia, op. cit.*, p. 371-482.

120. Voir G. C. Marino, *Partiti e lotta di classe, op. cit.*, p. 282-288

121. Voir leur liste in *Giornale di Sicilia*, 27 février 1926.

122. *Giornale di Sicilia*, 3 décembre 1927.

123. Lettre de V. Franco, citée par A. Spanò, *Faccia a faccia, op. cit.*, p. 33.

124. Lettre de G. Faraci, 5 avril 1923, in ACS, Carte Bianchi, b. 2.

125. Discours d'Agrigente, 9 mai 1924, in B. Mussolini, *Opera omnia*, XX, Florence, 1959, p. 264.

126. L'épisode Mori est sans doute le plus étudié dans l'histoire de la mafia. Outre les ouvrages déjà cités, voir A. Petacco, *Il Prefetto di ferro*, Milan, 1976 ; S. Porto, *Mafia e fascismo*, Palerme, 1977 ; C. Duggan, *La Mafia durante il fascismo*, Soveria Mannelli, 1986. Le livre de C. Mori, *Con la mafia ai ferri corti, op. cit.*, est un texte idéologique, pauvre en informations.

127. C. Mori, *Tra le zagare oltre la foschia*, Florence, 1923.

128. G. C. Marino, *Partiti e lotta di classe, op. cit.*, p. 166-175 ; « La situazione in provincia di Trapani », *Bollettino della Confederazione dell'agricoltura siciliana*, 16 novembre 1920.

129. Lettre de G. Faraci, citée *supra*.

130. C. Mori, *Con la mafia ai ferri corti, op. cit.*, p. 242.

131. *Ibid.*, p. 244.

132. *Ibid.*, p. 338.

133. Discours prononcé à Alcamo, in C. Mori, *Con la mafia ai ferri corti, op. cit.*, p. 268-271.

134. Évaluation de Mussolini, rappelée au duce par le général Di Giorgio dans une lettre du 19 mars 1928, citée in G. Caprì, « Di Giorgio e Mori ai ferri corti », *Osservatore politico-letterario*, janvier 1977, p. 48 ; ce chiffre ne tient pas compte des assignés à résidence.

135. *Giornale di Sicilia*, 4 juin 1926.

136. A. Spanò, *Faccia a faccia, op. cit.*, p. 42 et sq.

137. Si nous en croyons l'autobiographie d'Alfredo Cucco, citée par C. Duggan, *La Mafia, op. cit.*, p. 50. La presse de l'époque parle de foules enthousiastes.

138. Lettre à Scelba, citée par A. Spanò, *Faccia a faccia, op. cit.*, p. 147.

139. C. Mori, *Con la mafia ai ferri corti, op. cit.*, p. 365. Voir la description de cet épisode dans le rapport du sous-préfet cité par C. Duggan, *La Mafia, op. cit.*, p. 87.

140. G. Gower Chapman, *Milocca, un villaggio siciliano*, Milan, 1985, p. 29-31.

141. Recueilli et publié par C. Naro, *La Chiesa, op. cit.*, p. 62-63.

142. Rapport du commissaire, 9 avril 1928, in A. Spanò, *Faccia a faccia, op. cit.*, p. 62-64 ; ce rapport met également en lumière les conflits entre la police et les carabiniers.

143. Rapport d'un informateur de la police, 13 avril 1931, in ACS, Segreteria, CR, b. 39, dossier personnel de Cucco. Pour le cas semblable du responsable fédéral de Caltanissetta, D. Lipani, voir G. Barone, « Notabili e partiti a Caltanissetta », in *Economia e società nell'area dello zolfo, op. cit.*, p. 318-320.

144. Sur l'histoire du fascisme sicilien, voir S. Lupo, « L'utopia totalitaria », *op. cit.*

145. C. Mori, *Con la mafia ai ferri corti, op. cit.*, p. 84.

146. Voir les rapports et les documents in ACS, PS, AGR, G1, 1920-1945, b. 138, et ACS, Polizia politica, b. 195. Voir des analyses plus détaillées dans S. Lupo, « L'utopia totalitaria », *op. cit.*

147. Voir son journal, 23 janvier 1927, in R. Trevelyan, *Principi sotto il vulcano*, Milan, 1977, p. 357.

148. Recours d'avril 1927, in ACS, Segreteria, cité *supra*, p. 2. Voir également A. Spanò, *Faccia a faccia, op. cit.*, p. 38.

149. C. Mori, *Con la mafia ai ferri corti, op. cit.*, p. 88-89.

150. *Giornale di Sicilia*, 8 septembre 1928. Un autre frère Ortoleva, Gaetano, est régisseur de fief dans la province de Palerme.

151. Cette lettre se trouve dans le rapport Di Blasi, cité *supra*, I, p. 327.

152. Cité par F. U. Di Blasi, « Il reato di associazione per delinquere », *Giurisprudenza penale*, 1930, II, col. 228 ; voir également G. G. Lo Schiavo, « Il reato di associazione », in *100 anni di mafia, op. cit.*, p. 146-147. Ces deux auteurs sont des magistrats de terrain.

153. Pour la mafia des mines, voir *Giornale di Sicilia*, 10 août 1929 et sq. ; pour la mafia du latifundium, voir le verdict contre Alfano et 30 autres inculpés, in ASCL, Corte d'Assise, 1931, b. 35. Dans les deux cas, don Calò fut acquitté.

154. Cité in A. Blok, *La Mafia, op. cit.*, p. 163 ; le texte censuré in *Giornale di Sicilia*, 30 juillet 1929.

155. A. Spanò, *Faccia a faccia, op. cit.*, p. 41.

156. I. Montanelli, *Pantheon minore, op. cit.*, p. 284. Peut-être est-ce d'avoir renoncé à sa vengeance qui permit à Ferrarello de ne jamais être retrouvé.

157. Rapport d'août 1928, cité par C. Duggan, *La Mafia, op. cit.*, p. 203.

158. Lettre du 21 octobre 1937, in ACS, AC, Podestà : Palermo, Gangi.

159. Voir les comptes rendus du procès dans le *Giornale di Sicilia*, 12 mars 1928 et sq.

160. Voir le violent échange de répliques entre le père de G. Carella et don Cola, in *Giornale di Sicilia*, 15 et 16 mars 1928.

161. *Giornale di Sicilia*, 31 mars 1928.

162. *Giornale di Sicilia*, 26 mars 1928.

163. C. Mori, *Con la mafia ai ferri corti, op. cit.*, p. 351 et sq.

164. En revanche, la volonté de revoir les contrats d'achat-vente
(« pures et simples spoliations qui peuvent seules justifier certaines
richesses soudaines ») reste velléitaire : la propriété reste sacrée, par
quelque moyen qu'elle ait été acquise. S. Sirena, « L'azione della Commissione per le affittanze agrarie », *Giornale di Sicilia*, 18 février 1928.

165. Banco di Sicilia, *Notizie sull'economia siciliana, anno 1928*,
Palerme, 1929, p. 226 et sq. ; G. Molè, *Studio-inchiesta, op. cit.*, p. 24.

166. Le responsable de ces méthodes, dans ce cas, est le commissaire
Belfiore « obsédé par le rêve de créer la plus grande association » : plaidoirie de maître F. Trigona della Foresta, in *Giornale di Sicilia*,
25 décembre 1930 ; mais voir également les déclarations du procureur,
ibid., 27 novembre 1930. L'opinion de l'ambassadeur anglais est consi-
gnée dans un rapport de 1927, recueilli in *Memorandum on Sicily under
Italian Rule*, Public Record Office, Foreign Office, 371/33251. Parmi les
allusions à la torture, je renvoie à A. Abisso (favorable à Mori), in *Giornale di Sicilia*, 11 janvier 1929.

167. Témoignage de C. Soldano, dont le père a été tué, *Giornale di
Sicilia*, 7 août 1930.

168. Déclaration du procureur Grisafi, *Giornale di Sicilia*, 2 août 1929.

169. Plaidoirie de maître Ungaro, *Giornale di Sicilia*, 20 août 1929.

170. C. Naro, *La Chiesa, op. cit.*, p. 66-67.

171. A. Spanò, *Faccia a faccia, op. cit.*, p. 63.

172. Témoignage Petrusa, *Giornale di Sicilia*, 23 août 1930.

173. Lettre de Di Giorgio à Mussolini, citée *supra*, p. 47.

174. Sur cet aspect, voir S. Lupo, « L'utopia totalitaria », *op. cit.*

175. Recours du 19 octobre 1927, in ACS, PS, G1, b. 141 ; dans le
même fonds, voir b. 3 (Ribera), b. 56 (Sommatino), b. 107 (Mistretta) ; sur
Corleone, voir C. Duggan, *La Mafia, op. cit.*, p. 96.

176. Lettre de G. Guarino-Amella à Mori, citée par C. Duggan, *La
Mafia, op. cit.*, p. 202-203.

177. Intervention de I. Messina, juge d'instruction des procès contre les
cosche de Bisacquino et de Corleone, in Antimafia. Doc., III, t. I, p. 367.

178. C. Mori, *Con la mafia ai ferri corti, op. cit.*, p. 313-314.

179. Plaidoirie de maître G. Russo Perez, *Giornale di Sicilia*, 8 juin
1930.

180. G. M. Puglia, « Il mafioso non è un associato per delinquere », *La
scuola positiva*, 1930, I, p. 156.

181. Cité par C. Mori, *Con la mafia ai ferri corti, op. cit.*, p. 15 et sq.

182. *Giornale di Sicilia*, 6 mai et 7 juin 1929. Les procès contre les
associations de Roccella et de Porta Nuova se déroulent de façon semblable.

183. *Giornale di Sicilia*, 13 janvier 1928. Il s'agit de la loi n. 1254 du
15 juillet 1926.

184. *Giornale di Sicilia*, 23 novembre 1928.

185. Témoignage Calderone-Arlacchi, p. 14-15 et *passim*.

186. Juste après la Première comme après la Seconde Guerre, on assiste
à une montée en flèche de la criminalité, qui retombe en même temps que
disparaît la conjoncture d'après guerre : c'est donc un phénomène
national et pas seulement sicilien.

187. On voit mal sur quoi cette conviction peut s'appuyer, étant donné les positions clairement favorables aux propriétaires de Mori. En revanche, il est certain que le régime n'aimait pas voir s'affirmer des *personnalités* périphériques ; cela dit, Mori resta en charge cinq ans, durée bien supérieure à la moyenne de cette période.

188 Je laisse de côté ici l'influence que les formes de la répression (prison et/ou résidence forcée) ont pu avoir d'un cas à l'autre ; c'est en effet un élément important qui détermine l'évolution ultérieure des carrières mafieuses. .

189. Ces personnages figurent, respectivement, parmi les inculpés des procès de Mazzarino, Partinico, Termini, Corleone, Bagheria, Monreale.

190. J. Bonanno, *Uomo d'onore*, *op. cit.*, p. 70. L'évaluation chiffrée provient de source officielle américaine : President's Commission on Organized Crime, *Report to the President*, *op. cit.*, I, p. 52.

191. Des allusions à ce sujet in R. Candida, *Questa mafia*, Caltanissetta-Rome, 1966 et A. Spanò, *Faccia a faccia*, *op. cit.*, p. 72-73. Les documents ne manquent pas in ACS, PS, FM ; les citations sont tirées de ce fonds, b. 138 et b. 85.

192. Le récit de M. Pantaleone, *Mafia e politica*, *op. cit.*, p. 48 et sq., est repris dans quantité d'essais « mafiologiques ».

193. C'est la version de Luciano, rapportée par G. Gellèrt, *Maffia*, Soveria Mannelli, 1987, p. 78. E. Kefauver, *Il Gangsterismo in America*, Turin, 1953, présente les choses dans le cadre d'un *do ut des* classique.

194. G. Gellèrt, *Maffia*, *op. cit.*, p. 80.

195. Même un chercheur très sceptique comme A. Block, *East Side-West Side*, *op. cit.*, p. 8, estime que cela a pu constituer le point de basculement.

196. « The Problem of Mafia in Sicily », 29 octobre 1943, rapport du capitaine américain W. E. Scotten, publié par R. Mangiameli, in *Annali del Dipartimento di scienze storiche della Facoltà di scienze politiche*, Catane, 1980, p. 629.

197. Sur tous ces aspects, je suis débiteur de R. Mangiameli, « La regione in guerra (1943-1950) », in Coll., *La Sicilia*, *op. cit.*, p. 485-600.

198. Témoignage Calderone-Arlacchi, p. 46.

199. A. Spanò, *Faccia a faccia*, *op. cit.*, p. 89.

200. Sur la détérioration des rapports entre propriété et régime, à la fin des années 1930, voir S. Lupo, « L'utopia totalitaria », *op. cit.*, p. 457 et sq.

201. S. Gentile, « Mafia e gabellotti in Sicilia ; il PCI dai decreti Gullo al lodo De Gasperi », in *Archivio storico per la Sicilia orientale* 1973, p. 491-508. Il faut se rapporter aux « Tesi sul lavoro contadino nel Mezzogiorno » de R. Grieco (1926) in S. Gentile, *Introduzione alla riforma agraria*, Turin, 1946, et à E. Sereni, *La Questione agraria nella rinascita nazionale*, Turin, 1975 (texte écrit en 1943), p. 239 et sq.

202. C'est la version des séparatistes, citée par R. Mangiameli, *La Regione*, *op. cit.*, p. 552 et sq. Voir également M. Pantaleone, *Mafia e politica*, *op. cit.*, p. 89 et sq., et L. Lumia, *Villalba*, *op. cit.*, II, p. 448 et sq.

203. R. Mangiameli, *La Regione*, *op. cit.*, p. 554, auquel je renvoie également pour les citations, p. 553 et 555.

204. Sur l'affaire Giuliano, voir Antimafia. Relazione Bernardinetti. Parmi les ouvrages consacrés spécifiquement à l'affaire, je ne retiens que L. Galluzzo, *Meglio morto. Storia di Salvatore Giuliano*, Palerme, 1985. Parmi les ouvrages généraux, voir G. Gellèrt, *Maffia*, *op. cit.* et surtout A. Spanò, *Faccia a faccia*, *op. cit.*

205. L. Lumia, *Villalba*, *op. cit.*, II, p. 447.

206. La gauche a fait à plusieurs reprises l'hypothèse d'un tel complot, qui fut ensuite revendiqué par un dirigeant de premier plan de la droite séparatiste, G. di Carcaci, *Il Movimento per l'indipendenza della Sicilia*, Palerme, 1977.

207. Quand le bandit Labruzzo est mystérieusement assassiné, le colonel Luca souligne que « les populations laborieuses » « font des vœux pour qu'un sort semblable frappe le bandit Lombardo » ; rapport du 1er février 1950, in Antimafia. Doc., IV, t. I, p. 75.

208. S. Gatto, « La Sicilia tra autonomia e sviluppo » (1948), in *Lo Stato brigante*, Palerme, 1978, p. 53.

209. A. Spanò, *Faccia a faccia*, *op. cit.*, p. 113. Selon le juge G. Bellanca, « Rimi était l'un des principaux soutiens de Giuliano » : voir son témoignage in Antimafia. Doc., III, t. I, p. 508.

210. Cité in L. Galluzzo, F. Nicastro, V. Vasile, *Obiettivo Falcone*, *op. cit.*, p. 54.

211. Voir ses rapports in Antimafia. Doc., IV, t. I.

212. Voir *supra*, p. 44 et 217-218.

213 C'est là, du moins, son témoignage, in Coll., *Chiesa e società a Caltanissetta all'indomani della seconda guerra mondiale*, Caltanissetta, 1984, p. 358-360.

214. Voir l'épisode rapporté par le juge S. Mercadante à propos du *campiere* d'Enna qui avait, par le passé, rendu des services à la police : « juste après la Libération », son frère fut assassiné, en avertissement, et lui-même fut remplacé par un mafieux : Antimafia. Doc., III, t. I, p. 130.

215. C'est une expression du juge A. Di Giovanna, à propos de la division en lots des fiefs du baron d'Agrigente Cannarella : Antimafia. Doc., IV, t. I, p. 524.

216. Sur Genco Russo, *Antimafia. Singoli mafiosi*, p. 39 et sq. Sur le fief Polizzello, Antimafia. Doc., IV, t. II et III.

217. Verdict de renvoi en jugement contre Leggio et d'autres, 13 octobre 1967, in Antimafia. Doc., IV, t. XVI, p. 87. Le fait que deux générations soient considérées comme mafieuses sous trois régimes différents devrait faire exclure la thèse de la persécution avancée par Duggan à propos du procès fasciste de Corleone ; voir C. Duggan, *La Maffia*, *op. cit.*, p. 95 et sq. Le rapport du sous-brigadier Vignali se trouve in Antimafia. Doc., IV, t. XVI, p. 164. Sur Navarra, voir également Antimafia. Singoli mafiosi, p. 65 et sq.

218. Témoignage anonyme adressé à Li Causi, cité par F. Chilanti et M. Farinella, *Rapporto*, *op. cit.*, p. 45.

219. Témoignage Streva à la cour d'appel de Bari, Verdict contre Leggio et d'autres, 23 décembre 1970, in Antimafia. Doc., IV, t. XVI, p. 1135. Le verdict de l'affaire Comajanni se trouve également in Antimafia. Doc., IV, t. XV.

220. Témoignage de C. Terranova, in Antimafia. Doc., III, t. I, p. 1188.
221. Témoignage du sous-préfet de police A. Mangano, in Antimafia. Doc., III, t. I, p. 1147.
222. Voir *supra*, p. 176 ; le Giuseppe Greco dont il est question pourrait être le fils de Salvatore, né en 1887, chef de la famille en 1945 ; la généalogie présentée ci-après est tirée de Antimafia. Singoli mafiosi, p. 135-136 ; d'après cette source, les familles seraient homonymes et apparentées par voie féminine, le Giuseppe Greco de Ciaculli ayant épousé une Santa Greco, sœur du « lieutenant ». Je ne saurais cependant exclure une souche commune, vu la récurrence des mêmes noms de baptême des deux côtés.
223. Par le mariage de sa fille Maria avec Salvatore Greco, « le sénateur ».
224. Dont descend le futur chef mafieux Michele Greco, un des fils du « lieutenant ». Voir les épisodes rapportés in Antimafia. Singoli mafiosi, p. 137 et sq. ; voir également le verdict de renvoi en jugement contre P. Torretta et d'autres, 31 mai 1965, in Antimafia. Doc., IV, t. XVII, p. 720-721.
225. F. Chilanti et M. Farinella, *Rapporto*, op. cit., p. 90.

CHAPITRE V

1. Intervention au Sénat, 25 juin 1949, cité par O. Barrese, *I Complici*, op. cit., p. 7
2. Voir *supra*, p. 46. Sur la magistrature durant cette phase, voir G. Di Lello, *Giudici*, Palerme, 1994.
3. Témoignage de la mère de Carnevale, Antimafia. Doc., III, t. I, p. 276-278.
4. Rapport de la préfecture de police d'Agrigente, 16 avril 1947, in Antimafia. Doc., III, t. VII. 1, p. 225-227.
5. E. Kefauver, *Il Gangsterismo in America*, op. cit.
6. P. Calamandrei, préface, in E. Reid, *La Mafia*, op. cit., p. XI.
7. F. Renda, « Un libro sulla mafia negli USA » (1956), in *La Sicilia degli anni '50*, Naples, 1987, p. 403.
8. V. Nisticò, préface, in F. Chilanti, M. Farinella, *Rapporto*, op. cit., p. 23. Voir également le témoignage de Nisticò, in Antimafia. Doc., III, t. I, p. 751 et sq., ainsi que le dossier joint.
9. Ses ouvrages les plus intéressants sont *Banditi a Partinico*, Bari, 1955, et *Spreco*, Turin, 1960 [*Gaspillage*, trad. fr. R. Paris, Paris, Maspero, 1963].
10. Les articles de S. Gatto (1948-1976) sont recueillis dans *Lo Stato brigante*, op. cit. Michele Pantaleone fut l'un des collaborateurs de *L'Ora* ; il publia, en 1962, *Mafia e politica*, op. cit.
11. L. Sciascia, *Il Giorno della civetta*, Turin, 1968 [1re éd. 1961], p. 99 [*Le Jour de la chouette*, tr. fr. J. Bertrand, Paris, Flammarion, 1962].
12. G. Tomasi di Lampedusa, *Il Gattopardo*, Milan, 1959 [*Le Guépard*, tr. fr. F. Pézard, Paris, Seuil, 1959].
13. Istruttoria maxiprocesso, p. 344 et sq. ; voir également les déclarations de l'*onorevole* C. Mannino, *ibid.*, et G. Giarrizzo, « Sicilia oggi », in Coll., *La Sicilia*, op. cit., p. 633 et sq.

14. Audition de Calderone, citée dans le document *Mafia e politica* de l'Antimafia, supplément de *La Repubblica*, 10 avril 1993, p. 13. Voir également le Témoignage Calderone, p. 223-224. Sur le lien fonctionnel entre les politiques régionales et la « reconstitution de l'humus mafieux », voir la belle synthèse de R. Catanzaro, *Il Delitto come impresa*, *op. cit.*, p. 179 et sq.

15. C'est le titre du livre de M. Pantaleone, *Antimafia occasione mancata*, Turin, 1969. Voir également O. Barrese, *I Complici*, *op. cit.* et l'anthologie des rapports, éditée, avec une introduction, par N. Tranfaglia, *Mafia, politica e affari*, Rome-Bari, 1992.

16. M. Pantaleone, *Antimafia*, *op. cit.*, p. 18.

17. U. Santino, G. La Fiura, *L'Impresa mafiosa, op. cit.*, p. 133.

18. Sur ce point, je renvoie à N. Tranfaglia, *La Mafia, op. cit.*, p. 48 et sq., qui souligne à juste titre les contradictions de Carraro non seulement avec les rapports de minorité, mais aussi avec le rapport de Zuccalà qui, tout en étant « sectoriel », analyse de la façon la plus nette les lignes fondamentales du problème.

19 Voir également l'évaluation de La Torre dans l'introduction de l'édition des rapports de minorité, *Mafia e potere politico*, Rome, 1976.

20. Ces formulations, déjà présentes dans la Rel. Bernardinetti, réapparaissent dans la Rel. Cattanei (par exemple, p. 101) et dans la Rel. La Torre. La Commission n'est pas franchement aidée par les experts consultés : ainsi F. Brancato, *La Mafia, op. cit.*, p. 163, affirme que, comme on sait déjà tout sur la mafia, il s'agit uniquement de voir quelles en sont les représentations dans l'opinion publique.

21. Les ouvrages dans lesquels Grieco et Sereni développent ces thèses sont cités *supra*, p. 55, n. 14 et p. 234, n. 201.

22. Rel. La Torre, p. 569 et sq.

23. Antimafia. Doc., I, p. 94.

24. M. Pantaleone, *Mafia e politica, op. cit.*

25. F. Chilanti, « La mafia "prefettizia" », *L'Ora*, 19 avril 1963.

26. Ce point est également souligné pour la période antérieure par R. Mangiameli, *Le Allegorie del buongoverno, op. cit.*

27. Voir *supra*, p. 270 et sq.

28. J. L. Albini, « L'America deve la mafia alla Sicilia ? » in S. Di Bella [éd.], *Mafia e potere*, Soveria Mannelli, 1983, I, p. 189.

29. A. Blok, *La Mafia, op. cit.*, p. 207.

30. P. Arlacchi, *La Mafia, op. cit.*, p. 12.

31. Antimafia. Doc., I, p. 765, 767, 753.

32. Rapport Malausa, in Antimafia. Relazione sulle risultanze acquisite al Comune di Palermo, p. 47. La continuité de la famille Vitale d'Altarello m'est suggérée par la récurrence des prénoms, par ailleurs peu habituels. En 1930, sont impliqués dans le procès pour l'association de Porta Nuova-Altarello les Vitale suivants : un Francesco Paolo, fils de feu Giovanni Battista, un Francesco Paolo, fils de feu Filippo, un Leonardo, fils de feu Francesco Paolo, un Giovanni Battista, fils de feu Filippo, etc. : *Giornale di Sicilia*, 19 avril 1930.

33. Voir, in Témoignage Calderone-Arlacchi, p. 41, un avertissement identique adressé par son vieil oncle mafieux à Calderone, avant l'affilia-

tion de ce dernier. De larges extraits des procès verbaux de Vitale sont publiés par L. Galluzzo, F. Nicastro et V. Vasile, *Obiettivo Falcone*, *op. cit.*, p. 95 et sq. Les citations sont p. 107, 99, 101 et 109.

34. H. Hess, *Mafia*, *op. cit.*, p. 116 ; d'autres ignorent la question.

35. Les révélations de Luppino furent publiées dans *L'Ora*. Voir également le cas de l'affiliation du médecin de Palerme, révélée en 1937, que rapporte D. Gambetta, *La Mafia*, *op. cit.*, p. 367.

36 Respectivement : communication de G. Servadio, in Coll., *Mafia e potere*, *op. cit.*, I, p. 118, et R. Ciuni, *Un Secolo di mafia*, *op. cit.*, p. 394 (c'est nous qui soulignons).

37. Entretien in Antimafia. Doc., I, p. 730. Je tiens à souligner, en ce cas également, l'opposition conceptuelle avec la thématique des agrégations instables et *ad hoc* sur laquelle insistent, durant ces années-là, les chercheurs en sciences sociales.

38. Tribunal de Palerme. Verdict de renvoi en jugement contre L. Leggio et 115 autres inculpés, 15 août 1965, in Antimafia. Doc., IV, t. XVI, p. 208-209.

39. Tribunal de Palerme. Verdict de renvoi en jugement contre A. La Barbera et 42 autres inculpés, 23 juin 1964, in Antimafia. Doc., IV, t. XVII, p. 506 et sq.

40. Tribunal de Palerme. Verdict de renvoi en jugement contre P. Torretta et 120 autres inculpés, 8 mai 1965 (juge Terranova), in Antimafia. Doc., IV, t. XVII, p. 627.

41. Cité in Antimafia. Rel. Carraro, p. 169.

42. *Giornale di Sicilia*, 6 juin 1929.

43. Témoignage Buscetta, Débats, I, p. 104.

44. Témoignage Calderone-Arlacchi, p. 148.

45. Rapport Malausa, *op. cit.*, p. 40.

46. Respectivement : témoignage in Antimafia. Doc., III, t. I, p. 1053 ; verdict contre La Barbera et d'autres, cité *supra*, p. 543.

47. Rapport Malausa, cité *supra*, p. 42.

48. Tribunal de Palerme. Verdict de l'instruction contre Spatola et 119 autres inculpés [Juge instructeur : G. Falcone], p. 493 et sq.

49. Istruttoria maxiprocesso, p. 86.

50. Istruttoria maxiprocesso, p. 90

51. Ainsi, E. et G. La Loggia, d'Agrigente, Alessi, de Caltanissetta, Milazzo, de Caltagirone.

52. Témoignage Buscetta, p. 37.

53. F. Chilanti, M. Farinella, *Rapporto*, *op. cit.*, p. 47-49.

54. Rapport Vignali, cité *supra*, p 163.

55. Voir le réquisitoire du procureur G. Pizzillo contre Vitale et d'autres inculpés, 4 décembre 1974, in Antimafia. Doc., I, p. 809-836 ; voir également Istruttoria maxiprocesso, p. 6 et sq.

56. Verdict contre Torretta et d'autres inculpés, cité *supra*, p. 724 et sq. ; rapport Malausa, cité *supra*, p. 43-44 ; mémoire de la Fédération de Palerme du PCI, joint à la *Rel. La Torre*, p. 850.

57. Antimafia. Singoli mafiosi, p. 163.

58. Cour d'assises de Catanzaro, verdict contre A. La Barbera et 114 autres inculpés, in Antimafia. Doc., IV, t. XVII, p. 992 ; voir également le

verdict de renvoi en jugement, *ibid.* ; sur les La Barbera : F. Chilanti, M. Farinella, *Rapporto, op. cit.*, p. 125 et sq.

59. « Per l'esportazione agrumaria », *Sicilia Nuova*, 19 mars 1926 ; voir également l'article sur la séquestration de cent kilos de morphine, en partance de Palerme pour New York, in *Giornale di Sicilia*, 24 juillet 1926.

60. Tribunal de Palerme, verdict contre F. Garofalo et 31 autres inculpés, 31 janvier 1966, in Antimafia. Doc., XIV, t. XIV.

61. Antimafia. Rel. Zuccalà, p. 353 et 343.

62. Témoignage de l'agent américain C. Siragusa, in Antimafia. Rel. Zuccalà, p. 343.

63. Rapport du commandement général de la Guardia di finanza [police financière], 1955-1963, in Antimafia. Doc., IV, t. XIV, 1, p. 185.

64. Antimafia. Rel. Zuccalà, p. 367. À propos de Mancino, voir Antimafia. Doc., p. 203 et sq.

65. Rapport de la Guardia di finanza, 1958, cité *supra*, p. 232.

66. A. Block, *East Side-West Side, op. cit.*, p. 129.

67. Rapport de la Guardia di finanza, cité *supra*, p. 184.

68. Rapport de la Guardia di finanza, 1958, cité *supra*, p. 248-249.

69. Rapport de la Guardia di finanza, 1963, cité *supra*, p. 287-288.

70. Cette lettre datée Tanger, le 16 avril 1960, signée M. Bergez, est citée dans le rapport de la Guardia di finanza, cité *supra*, p. 266-267.

71. Témoignage Buscetta, Débats, I, p. 41.

72. *Ibid.*, p. 218.

73. President's Commission on Organized Crime, *Report, op. cit.*, p. 51.

74. D. Gambetta, *La Mafia siciliana, op. cit.*, p. 319.

75. Rapport du 5 avril 1971, in Antimafia. Doc., IV, t. XIV, p. 993.

76. P. Reuter, *Disorganized Crime, op. cit.*, voir en particulier p. 160 et sq.

77. Lettre citée in Verdict contre F. Garofalo et d'autres inculpés, cité *supra*, p. 644.

78. Frank Coppola, tout en conservant des relations étroites à Partinico, s'établit pour sa part à Pomezia.

79. Témoignage Calderone-Arlacchi, p. 27.

80. Cette phrase fut écoutée et rapportée par un policier en civil : Verdict contre F. Garofalo et d'autres inculpés, cité *supra*, p. 908. Santo Sorge, qui effectue de nombreux allers et retours d'Italie en Amérique, paraît être un personnage typique d'« *enterprise syndicate* » : Valachi et les autres repentis américains, tout en affirmant qu'il s'agit d'un gros bonnet, sont incapable de dire à quelle famille il appartient : *ibid.*, p. 898-899.

81. Verdict contre F. Garofalo et d'autres inculpés, cité *supra*, p. 625. Le *Report* de la President's Commission, cité *supra*, p. 52-53, signale, de son côté, la présence de Buscetta et de Badalamenti.

82. Buscetta revendique le rôle d'interlocuteur de Bonanno. Voir E. Biagi, *Il Boss è solo*, Milan 1986, p. 147 et sq., et le témoignage devant la Drug Enforcement Agency (DEA) cité par C. Sterling, *Cosa non solo nostra. La rete mondiale della mafia siciliana*, Milan, 1990, p. 82-83.

83. L. Galluzzo, *Tommaso Buscetta, l'uomo che tradì se stesso*, Aoste, 1984, p. 30.

84. Verdict contre Torretta et d'autres inculpés, cité *supra*, p. 659 et 627.

85. J. Bonanno, *Uomo d'onore, op. cit.*, p. 172.

86. Verdict de la cour de Catanzaro, cité *supra*, p. 975-976.

87. Verdict contre Vitale et d'autres inculpés, cité *supra*, p. 834. À ce moment-là, la Commission s'est dissoute et a été remplacée par un triumvirat comprenant Riina, Badalamenti et Stefano Bontate.

88. Istruttoria maxiprocesso, p. 79-80.

89. Verdict contre Spatola et d'autres inculpés, cité *supra*, p. 599 et 787. À Catane aussi, le recouvrement des crédits est une activité importante des groupes mafieux.

90. Antimafia. Rel. sui mercati all'ingrosso, rapport du préfet de police, p. 48 et sq.

91. *Ibid.*, p. 12-13.

92. D. Gambetta, « La mafia elimina la concorrenza. Ma la concorrenza può eliminare la mafia ? », *Meridiana*, 7-8, 1989-1990, p. 319-336 ; cette thèse a été fortement nuancée in D. Gambetta, *La Mafia siciliana, op. cit.*, p. 291 et sq.

93. Témoignage Buscetta, p. 102 et sq. ; Témoignage Calderone, p. 81.

94. Témoignage Calderone-Arlacchi, p. 72.

95. Témoignage Calderone, p. 52 et sq.

96. Antimafia, XIe législature, audition Buscetta, 4 décembre 1992, p. 513. Lors des violences de Sommatino en 1925 (voir *supra*, p. 213), un des personnages les plus importants est un certain Leonardo Messina de San Cataldo. Sur l'usage de la dénomination Cosa nostra appliquée à un passé lointain, je renvoie à ce que j'ai écrit *supra*, p. 259 ; d'ailleurs le repenti lui-même, en faisant appel à sa tradition familiale, affirme, non sans emphase : « Ce n'est pas la première fois que Cosa nostra change de nom et de peau, [...] ils l'ont fait également par le passé », *ibid.* p. 520.

97. *Ibid.*, p. 519.

98. Istruttoria maxiprocesso, p. 266 et sq. ; G. Martorana, S. Negrelli, *Così ho tradito Cosa Nostra*, Quart *, 1993, p. 61 et sq. Il ne faut pas confondre le Madonia cité ici avec ses homonymes palermitains.

99. R. Catanzaro, *Il Delitto come impresa, op. cit.*, p. 184.

100. J'utilise ici le Témoignage Calderone et d'autres sources.

101. En 1957, par exemple, G. B. Ercolano, autre membre de la *cosca,* est arrêté avec Badalamenti : rapport de la Guardia di finanza, cité *supra*, p. 224.

102. M. Caciagli, *Democrazia cristiana e potere nel Mezzogiorno*, Rimini-Florence, 1977 ; G. Giarrizzo, *Catania, op. cit.* ; C. Fava, *La Mafia comanda a Catania*, Rome-Bari, 1992.

103. Sur cette période « milazzienne », voir *supra*, p. 248-249.

104. Les données proviennent d'une estimation du juge Falcone, fournie lors d'un entretien avec G. Fiume, « La mafia tra criminalità e cultura », *Meridiana*, 5, 1989, p. 202.

105. Témoignage Calderone-Arlacchi, p. 225-226.

106. Antimafia, XIᵉ législature, audition Buscetta, 16 novembre 1992, p. 355.

107. Cependant, sur les liens complexes entre société locale et racket dans l'une de ces zones, voir S. Costantino, *A Viso aperto. La resistenza antimafiosa a Capo d'Orlando*, Palerme, 1993.

108. Témoignage Calderone, p. 5.

109. Antimafia, audition Messina, cité *supra*, p. 531.

110. Istruttoria maxiprocesso, p. 69.

111. Antimafia, XIᵉ législature, audition Mutolo, 9 février 1993, p. 1231.

112. Témoignage Calderone, p. 41.

113. C. Sterling, *Cosa non solo nostra, op. cit.*, p. 127-142.

114. Témoignage Buscetta, p. 50.

115. Les déclarations de Michele Greco (de 1986, date de son arrestation) in S. Lodato, *Dieci anni di mafia*, Milan, 1992, p. 194. En réalité, Michele Greco est un cousin de « *Chicchiteddu* ». Sur les accusations de « l'ingénieur » contre don Piddu, Témoignage Calderone, p. 8-9.

116. Témoignage Buscetta, p. 12.

117. Témoignage Calderone-Arlacchi, p. 27.

118. Témoignage Calderone, p. 51.

119. Témoignage Calderone-Arlacchi, p. 94.

120. Témoignage Calderone, p. 248, c'est moi qui souligne.

121. Istruttoria maxiprocesso, p. 351. Documents sur les fonds que les Salvo destinaient aux hommes politiques, *ibid.*, p. 352-354.

122. Istruttoria maxiprocesso, p. 340.

123. Istruttoria maxiprocesso, p. 32.

124. Verdict contre La Barbera et d'autres inculpés, cité *supra*, p. 523.

125. Istruttoria maxiprocesso, p. 8.

126. Istruttoria maxiprocesso, p. 328.

127. Je cite d'après un extrait du verdict publié in *Città d'utopia*, 1ᵉʳ janvier 1992, p. 26, 27 et 29.

128. Verdict contre La Barbera et d'autres inculpés, cité *supra*, p. 25.

129. Témoignage Buscetta, p. 84 ; voir également Témoignage Calderone, p. 116.

130. E. Biagi, *Il Boss è solo, op. cit.*, p. 125.

131. Cité in S. Turone, *Partiti e mafia, dalla P2 alla droga*, Rome-Bari, 1985, p. 78 ; voir également C. Sterling, *Cosa non solo nostra, op. cit.*

132. President's Commission, cité *supra*, p. 51. Sur le rapport entre mafia et trafic de drogue, voir A. Becchi, M. Turvani, *Proibito ? Il mercato mondiale della droga*, Rome, 1993, p. 138 et sq.

133. Contrairement à ce que pense C. Sterling, *Cosa non solo nostra, op. cit.*

134. Verdict contre Spatola et d'autres inculpés, cité *supra*, p. 480, 506, 488.

135. D. Gambetta, *La Mafia, op. cit.*, p. 339.

136. Antimafia, XIᵉ législature, audition Buscetta, 16 novembre 1992, p. 407.

137. Verdict contre Spatola et d'autres inculpés, cité *supra*, p. 510.

138. G. Falcone, M. Padovani, *Cose di Cosa nostra*, Milan, 1991, p. 28 [éd. fr. *Cosa Nostra, Le juge et les « hommes d'honneur »*, Paris, 1991, p. 28].

139. Voir *supra*, p. 61-62.

140. Antimafia, XIᵉ législature, audition Mutolo, 9 février 1993, p. 1231.

141. Témoignage Buscetta, Débats, p. 28.

142. Témoignage Buscetta, p. 268.

143. Témoignage Buscetta, Débats, p. 28.

144. *Ibid.*, p. 218, 243, 89, 178-179.

145. Témoignage Buscetta, p. 299.

146. C'est également l'opinion de C. Sterling, *Cosa non solo nostra*, *op cit.*

147. Témoignage Buscetta, p. 60.

148. Istruttoria maxiprocesso, p. 324-325.

149. Antimafia, audition Mutolo, *op. cit.*, p. 1272-1274. L'écoute téléphonique de la conversation de Badalamenti est citée par C. Sterling, *Cosa non solo nostra*, *op. cit.*, p. 96.

150. Le général était conscient de ce rôle symbolique, comme on peut le voir d'après les extraits de son journal cités in Istruttoria maxiprocesso, p. 228-230. Voir également le livre de son fils, Nando Dalla Chiesa, *Delitto imperfetto*, Milan, 1984.

151. Voir le témoignage de Terranova, in Antimafia. Doc., III, t. I, p. 1188.

152. Entretien donné par le juge Falcone, in *Rapporto sulla mafia degli anni '80*, Palerme,1986, p. 27.

153. G. Falcone, M. Padovani, *Cose di Cosa nostra*, *op. cit.*, p. 157 [éd. fr., p. 164].

154. Entretien accordé par Cassarà quelques jours avant sa mort, in S. Lodato, *Dieci anni*, *op. cit.*, p. 167.

155. *Ibid.*, p. 172.

156. Voir L. Galluzzo, F. Nicastro, V. Vasile, *Obiettivo Falcone*, *op. cit.*

157. G. Pansa, *Carte false*, Milan, 1986 ; P. Arlacchi, N. Dalla Chiesa, *La Palude e la città*, *op. cit* , p. 78 et sq.

158. Dans un article publié dans le *Corriere della Sera*, 26 janvier 1987 ; on peut le lire in L. Sciascia, *A Futura memoria*, *op. cit.*, p. 139.

159. C. Duggan, *La Mafia*, *op. cit.* ; le compte rendu in *Corriere della Sera*, 10 janvier 1987, republié in L. Sciascia, *A Futura memoria*, *op cit.*, p. 123-130.

160. Et dont on trouve des traces nombreuses dans les articles republiés dans *A Futura memoria*, *op. cit.*

161 Dans son introduction à H. Hess, *La Mafia*, *op. cit*

162. Antimafia. Doc., I, p. 872. Voir également l'entretien accordé par G. Di Lello à V. Villa, « Magistratura e maxiprocesso », *Area metropolitana*, janvier 1986, p. 15.

163. En ce qui concerne Vitale, outre les remarques du juge Aldo Rizzo citées *supra* (p. 257), voir également celles de La Torre et de Terranova, in Antimafia, Doc., I, p. 716 et 873.

164 G. Di Lello, « Magistratura e maxiprocesso », *op. cit.*, p. 13.

165. Istruttoria maxiprocesso, p. 17 et sq.

166. Voir *supra* p. 226. Il est emblématique que A. Blok, *La Mafia*, *op. cit.*, qui a pourtant étudié ce procès, ne dise rien de ce repenti, à l'évidence parce que cela ne rentre pas dans son schéma rigide.

167. Témoignage Buscetta, Débats, III, p. 62-63 ; l'objection est élevée par maître Fragalà.

168. L. Sciascia, introduction à L. Jannuzzi, *Così parlò Buscetta*, Milan, 1986, p. 9.

169. Je renvoie à l'opinion du président Giordano, pour lequel le verdict définitif n'est en aucun cas déductible de ce qui a été nommé « le théorème Buscetta », et au fait que Sciascia lui-même a reconnu que ce verdict était équitable (*Corriere della Sera*, 27 décembre 1987, désormais in *A Futura memoria*, *op. cit.*, p. 147-149).

170. Cité in L. Jannuzzi, *Così parlò Buscetta*, *op. cit.*, p. 151.

171. Témoignage Calderone-Arlacchi, p. 56-61.

172. L. Sciascia, introduction à L. Jannuzzi, *Così parlò Buscetta*, *op. cit.*, p. 8

173. P. Maas, *La Mela marcia*, Milan, 1970, p. 39.

174. Témoignage Buscetta, p. 2.

175. G. Falcone, M. Padovani, *Cose di Cosa nostra*, *op. cit.*

176. Verdict Spatola, cité *supra*, p. 485. Voir le § 2 et 3 du premier chapitre de ce livre et particulièrement, sur Spatola, p. 26.

177 S Lodato, *Dieci anni*, *op. cit.*, p. 202-205.

178. Témoignage Calderone-Arlacchi, p. 159

179. Témoignage au maxi-procès, in L. Jannuzzi, *Così parlò Buscetta*, *op. cit.*, p. 166.

180. Istruttoria maxiprocesso, p. 14.

181. Témoignage Terranova, in Antimafia. Doc., I, p. 1188.

182. Verdict contre La Barbera et d'autres inculpés, cité *supra*, p. 1090.

183 F. Bartolotto Impastato, *La Mafia in casa mia*, entretiens avec A. Puglisi et U. Santino, Palerme, 1987, p. 60-61.

184. Déclaration de F. M. Mannoia, in Processo Andreotti, p. 110.

185. Processo Andreotti, p.737.

186. Voir G. Ayala, « La lobby mafiosa », *Micromega*, 4, 1988, p. 15, et, pour les estimations de 1994, *L'Espresso*, 19 novembre 1995, p. 61.

187. Voir l'entretien de G. Falcone avec G. Fiume, « La mafia tra criminalità e cultura », *op. cit.*, p. 202.

188. C. Martelli déclare aujourd'hui que, en 1987, il a été objet, sans en être conscient, d'une « avance » mafieuse : Processo Andreotti, p. 221 et sq.

189. Voir *supra*, p. 260.

190. Témoignage de Gioacchino La Barbera, Processo Andreotti, p. 215-218.

191. *Ibid.*, p. 757.

192. Processo Andreotti, p. 735.

193. *Ibid.*, p. 737.

194. Istruttoria maxiprocesso, p. 229.

195. Ce sont les termes de la fameuse lettre à Spadolini.

196. E. Macaluso, *Giulio Andreotti tra Stato e mafia*, Soveria Mannelli, 1995, p. 16.

197. Processo Andreotti, p. 156.

198. Istruttoria maxiprocesso, p. 229.

199. Processo Andreotti, p. 28 et 48.

200. Voilà quelques années, R. Catanzaro, *Il Delitto, op. cit.*, p. 249, faisait déjà remarquer que le recyclage des profits du trafic de drogue entraîne une intensification, et non un relâchement des liens avec la politique.

201. On ne peut que noter le parallélisme de cette tentative avec celle des mafieux, ou plutôt des repentis, qui attribuent à la drogue la dégénérescence de leurs mœurs, autrefois bienfaisantes.

202. Antimafia, audition Buscetta, *op. cit.*, p. 428.

203. L. Sciascia, *A Futura memoria, op. cit.*, p. 109.

204. Conférence de G. Falcone, été 1989, publiée in *L'Unità*, 31 mai 1992.

205. *Ibid.* et G. Falcone, M. Padovani, *Cose di Cosa nostra, op. cit.*, p. 169 [éd. fr., p. 176-177]. Voir également l'anthologie des écrits de G. Falcone, *Interventi e proposte (1982-1992)*, Florence, 1994.

206. N. Tranfaglia, *La Mafia, op. cit.*, p 102.

207. « Il modello mafia », *Segno*, 33, 1982, p. 6.

208. Témoignage Mannoia, Tribunal de Palerme, Ordonnance du juge A. Giardina sur le crime Lima, 20 octobre 1992, publiée in *Segno*, 139, octobre-novembre 1992, p. 56-57.

209. Voir les considérations de P. La Torre, « Se terrorismo e mafia si scambiano le tecniche », *Rinascita*, 16 nov. 1979, désormais in La Torre, *Le Ragioni di una vita*, Bari, 1982, p. 125-129.

210. Istruttoria maxiprocesso, p. 293. Cela ne préjuge en rien de la *réalité* des responsabilités de Santapaola.

211. Ordonnance [...] sur le crime Lima, citée *supra*, p. 19.

212. Témoignage Buscetta, p. 72.

213. Témoignage Buscetta, p. 269. Il faut rappeler également le parallèle que Dalla Chiesa établit (lors d'un entretien avec G. Bocca, *La Repubblica*, 10 août 1982) entre l'assassinat de Costa et celui du juge Coco par les Brigades rouges.

214. Processo Andreotti, p. 49.

215. Ordonnance [...] sur le crime Lima, citée *supra*, témoignage de G. Mutolo et G. Marchese, p. 15-23.

216. Ordonnance [...] sur le crime Lima, citée *supra*, témoignage de G. Mutolo, p. 15. Un « *mandamento* » est le groupe de trois familles qui envoie un représentant à la Commission.

217. D'après la discutable interprétation de l'accusation, Processo Andreotti, p. 761-768. Voir également les considérations de U. Santino, « Guida al processo Andreotti », *Città d'utopia*, novembre 1995, p. 4.

218. En ce qui concerne la magistrature, outre les ouvrages de G. Falcone, voir le beau témoignage de G. Di Lello, *Giudici, op. cit.*

219. G. Andreotti, *Cosa loro. Mai vistida vicino,* Milan, 1995, p. 35.

220. Voir, entre autres, le témoignage de G. Carli, in *Relazione di minoranza della Commissione parlamentare d'inchiesta sul caso Sindona*, VIIIᵉ législature, doc. XXIII, n. 2 *sexies*, 222.

Fig. 1. La géographie de la mafia palermitaine selon Buscetta

Source : E. Biagi, *Il boss è solo,* Milan, 1986.

INDEX DES NOMS ET DES LIEUX

TABLE

DIEHL
La République de Venise.

DUBY
L'Économie rurale et la vie des campagnes dans l'Occident médiéval.
L'Europe au Moyen Âge.
Mâle Moyen Âge. De l'amour et autres essais.
Saint Bernard. L'art cistercien.
La Société chevaleresque. Hommes et structures du Moyen Âge I.
Seigneurs et paysans. Hommes et structures du Moyen Âge II.

ELIAS
La Société de cour.

FAIRBANK
La Grande Révolution chinoise.

FERRO
La Révolution russe de 1917.

FINLEY
L'Invention de la politique.
Les Premiers Temps de la Grèce.

FOISIL
Le Sire de Gouberville.

FURET
L'Atelier de l'histoire.

FURET, OZOUF
Dictionnaire critique de la Révolution française (4 vol.).

FUSTEL DE COULANGES
La Cité antique.

GEARY
Naissance de la France. Le monde mérovingien.

GEREMEK
Les Fils de Caïn.
Les Marginaux parisiens aux XIVe et XVe siècles.

GERNET
Anthropologie de la Grèce antique.
Droit et institutions en Grèce antique.

GINZBURG
Les Batailles nocturnes.

GOMEZ
L'Invention de l'Amérique.

GOUBERT
100 000 provinciaux au XVIIe siècle.

GRIMAL
La Civilisation romaine.
Virgile ou la seconde naissance de Rome.

GROSSER
Affaires extérieures. La politique de la France, 1944-1989.
Le Crime et la mémoire.

HELL
Le Sang noir.

HELLER
Histoire de la Russie.

HILDESHEIMER
Du Siècle d'or au Grand Siècle. L'État en France et en Espagne, XVIe-XVIIe siècle. (Champs-Université)

HUGONIOT
Rome en Afrique. De la chute de Carthage aux débuts de la conquête arabe. (Champs-Université)

ILIFFE
Les Africains. Histoire d'un continent.

JOURDAN
L'Empire de Napoléon. (Champs-Université)

KRAMER
L'Histoire commence à Sumer.

LALOUETTE
Au royaume d'Égypte. Histoire de l'Égypte pharaonique I.
Thèbes. Histoire de l'Égypte pharaonique II.
L'Empire des Ramsès. Histoire de l'Égypte pharaonique III.
L'Art figuratif dans l'Égypte pharaonique.

LANE
Venise, une république maritime.

LAROUI
Islam et histoire.

LE GOFF
La Civilisation de l'Occident médiéval.

LEROY
L'Aventure séfarade. De la péninsule ibérique à la Diaspora.

LE ROY LADURIE
Histoire du climat depuis l'an mil.
Les Paysans de Languedoc.

LEWIS
Les Arabes dans l'histoire.
Juifs en terre d'Islam.

LOMBARD
L'Islam dans sa première grandeur.

MAHN-LOT
La Découverte de l'Amérique.

MARRUS
L'Holocauste dans l'histoire.

MAYER
La Persistance de l'Ancien Régime.

MERVIN
Histoire de l'Islam. Fondements et doctrines. (Champs-Université)

MILZA
Fascisme français.

MOLLAT, WOLFF
Les Révolutions populaires en Europe aux XIVe et XVe siècles.

MOSSÉ
Politique et société en Grèce ancienne. Le « modèle athénien ».

MUCHEMBLED
Culture populaire et culture des élites dans la France moderne (XVe-XVIIIe siècle).

PERROT
Les Femmes ou les silences de l'histoire.

RICHET
La France moderne. L'esprit des institutions.

ROMANO
Les Conquistadores.

SCHWALLER DE LUBICZ I.
Her-Bak « disciple ».
Her-Bak « pois chiche ».

SCHWALLER DE LUBICZ R.A.
Le Miracle égyptien.
Le Roi de la théocratie pharaonique.

SERGI
L'Idée de Moyen Âge (inédit).

SOUTHERN
L'Église et la société dans l'Occident médiéval.

STERN
Hitler.

TUBIANA
Histoire de la pensée médicale.

VALANCE
Histoire du franc de 1360 à 2002.

VERRIÈRE
Genèse de la nation française (inédit).

VIDAL-NAQUET
La Démocratie athénienne vue d'ailleurs.

VINCENT
1492 : « l'année admirable ».

VINCENT (dir.)
Histoire des États-Unis.

DROIT

CHAGNOLLAUD, QUERMONNE
La Ve République.
t. 1 Le Pouvoir exécutif.
t. 2 Le Pouvoir législatif.
t. 3 Le Régime politique.
t. 4 L'État de droit et la justice.

EDELMAN
Le Droit saisi par la photographie.

LEGENDRE
Le Crime du caporal Lortie. Traité sur le père.

ROUVILLOIS
Droit constitutionnel. La Ve République. (Champs-Université)

SCHMITT
La Notion de politique.

SEILLER
Droit administratif I. Les sources et le juge. (Champs-Université)
Droit administratif II. L'action administrative. (Champs-Université)

SOLEIL
Introducion historique aux institutions. (Champs-Université)

STRAUSS
Droit naturel et histoire.

THIREAU
Introduction historique au droit. (Champs-Université)

SCIENCES HUMAINES

ABRAHAM, TOROK
L'Écorce et le noyau.
Le Verbier de l'homme aux loups.

ADORNO
Notes sur la littérature.

ALAIN
Idées. Introduction à la philosophie de Platon, Descartes, Hegel, Comte.

AMSELLE
Vers un multiculturalisme français.

ANATRELLA
L'Église et l'amour.
Non à la société dépressive.
Le Sexe oublié.

ARCHÉOLOGIE DE LA FRANCE
(Réunion des musées nationaux).

ARNAULD, NICOLE
La Logique ou l'art de penser.

ARNHEIM
La Pensée visuelle.

AUGÉ
Anthropologie des mondes contemporains.

AXLINE
Dibs.

BADINTER
L'Amour en plus.

BARBEROUSSE, KISTLER, LUDWIG
La Philosophie des sciences au XXe siècle. (Champs-Université)

BAVEREZ
Raymond Aron.
Les Trente Piteuses.

BENJAMIN
Le Concept de critique esthétique dans le romantisme allemand.
Origine du drame baroque allemand.

BERNARD
Introduction à l'étude de la médecine expérimentale.

BODEI
La Philosophie au XXe siècle (inédit).

BORCH-JACOBSEN
Lacan.

BRILLAT-SAVARIN
Physiologie du goût.

ART

ARASSE
Le Détail. Pour une histoire rapprochée de la peinture.

BALTRUSAITIS
Aberrations. Les perspectives dépravées I.
Anamorphoses. Les perspectives dépravées II.
Le Moyen Âge fantastique.
La Quête d'Isis.

BAZAINE
Le Temps de la peinture.

BONNEFOY
Rome 1630.

BRAUDEL
Le Modèle italien.

BRUSATIN
Histoire des couleurs.

CHAR
La Nuit talismanique.

CHASTEL
Introduction à l'histoire de l'art français.

CHRISTIN
L'Image écrite ou la déraison graphique.

DAMISCH
Le Jugement de Pâris.
L'Origine de la perspective.

DIDI-HUBERMAN
Fra Angelico. Dissemblance et figuration.

DUCHAMP
Duchamp du signe.
Notes.

FUMAROLI
L'École du silence.

GRABAR
L'Iconoclasme byzantin.
Les Voies de la création en iconographie chrétienne.

HASKELL
La Norme et le caprice.

HECK
L'Échelle céleste.

LE CORBUSIER
Urbanisme.
L'Art décoratif d'aujourd'hui.
Vers une architecture.

LICHTENSTEIN
La Couleur éloquente.

MÂLE
Notre-Dame de Chartres.

MARIN
Détruire la peinture.

MOREL
Les Grotesques. Les figures de l'imaginaire dans la peinture italienne de la fin de la Renaissance.

MOULIN
L'Artiste, l'institution et le marché.

OBALK
Andy Warhol n'est pas un grand artiste.

PANOFSKY
La Renaissance et ses avant-courriers dans l'art d'Occident.

PENROSE
Picasso.

PHILIPPOT
La Peinture dans les anciens Pays-Bas.

SEGALEN
Chine, la grande statuaire.

SEZNEC
La Survivance des dieux antiques.

SHATTUCK
Les Primitifs de l'avant-garde.

STEIN
Le Monde en petit. Jardins en miniature et habitations dans la pensée religieuse d'Extrême-Orient.

WÖLFFLIN
Réflexions sur l'histoire de l'art.

CINÉMA

BORDE, CHAUMETON
Panorama du film noir américain (1944-1953).

BOUJUT
Wim Wenders.

EISNER
Fritz Lang.

GODARD PAR GODARD
Les Années Cahiers.
Les Années Karina.
Des années Mao aux années 80.

PASOLINI
Écrits corsaires.

RENOIR
Ma vie et mes films.

ROHMER
Le Goût de la beauté.

ROSSELLINI
Le Cinéma révélé.

SCHIFANO
Luchino Visconti. Les feux de la passion.

TRUFFAUT
Le Plaisir des yeux.

CHAMP-UNIVERSITÉ

BARBEROUSSE, KISTLER, LUDWIG
La Philosophie des sciences au XXᵉ siècle.

COGARD
Introduction à la stylistique.

DAVID, SAMADI
La Théorie de l'évolution. Une logique pour la biologie.